Vous ne devinerez
jamais !

MARY JANE CLARK

Vous ne devinerez jamais !

suivi de

Si près de vous

et de

Cache-toi si tu peux

ÉDITIONS FRANCE LOISIRS

Édition du Club France Loisirs,
avec l'autorisation des Éditions L'Archipel

Éditions France Loisirs,
123, boulevard de Grenelle, Paris
www.franceloisirs.com

© L'Archipel, 2001, 2003 et 2007, pour les traductions françaises.

ISBN : 978-2-298-04585-7

Vous ne devinerez jamais !

Traduit de l'américain par
Emmanuel Dazin

Prologue

Les deux garçons se glissèrent à l'intérieur par la brèche dans la clôture. Bien d'autres avant eux avaient utilisé ce passage. Sûrs que leurs parents ne les savaient pas ici, ils éprouvèrent un frisson de plaisir coupable.

S'introduire dans le parc d'attractions, à douze ans, de nuit. « Super ! » Ils l'avaient assez souvent fait pendant la journée, aux heures d'ouverture, juste derrière le stand des spectacles gratuits, il y avait ce trou dans la palissade entourant le parc. Bien des gosses des environs connaissaient l'ouverture et s'y faufilaient pour ne pas payer le droit d'entrée. La plupart ne savaient pas que le propriétaire du parc l'avait découverte, mais que les vigiles avaient l'ordre de fermer les yeux : le brave homme voulait qu'aucun enfant ne soit privé de Palisades Park. Après tout, une fois à l'intérieur, les jeunes resquilleurs devaient dépenser leur argent comme tout le monde.

Se faufiler dans le parc durant la journée était une chose. S'y glisser de nuit, lorsqu'il se trouvait fermé, c'était une tout autre affaire. Mais, en ce début septembre, la rentrée approchait. Le parc allait être condamné pour la morte-saison. Ils ne pouvaient attendre plus longtemps. S'ils voulaient obtenir d'Emmett la récompense promise, ils devaient y aller ce soir.

À la faible clarté de la lune, les enfants, impatients de recevoir leur dû, parcoururent d'un pas pressé l'allée centrale. Ils passèrent entre les stands aux volets baissés et les roulottes des vendeurs de sandwichs. Ils ne s'attardèrent pas devant la baraque du loto où, quelques heures plus tôt, les femmes en robe d'été et les hommes en bras de chemise et pantalon de toile poussaient des jetons de plastique rouge sur les tapis de jeu.

Enfin, il fut devant eux. L'ancêtre de toutes les attractions du parc : le Cyclone. La haute silhouette des plus grandes, des plus rapides, des plus terrifiantes montagnes russes jamais construites se découpa dans la lugubre pénombre. Elle leur promettait la récompense de toutes les courses qu'ils avaient effectuées pour Emmett durant l'été.

Le bout incandescent d'une cigarette luisait dans l'obscurité, signe qu'il les attendait. En approchant, ils virent qu'Emmett n'était pas seul ; la brunette bien balancée au short de jean qui traînait avec lui depuis le début de la saison le collait encore, ce soir.

— Alors, les mômes, on est prêts ?

Ils échangèrent un regard, puis acquiescèrent avec appréhension. Ce qui leur avait paru une formidable idée quelques heures plus tôt prenait un aspect nouveau. Leur excitation se mêlait maintenant de crainte. Quel effet cela ferait-il de monter dans le Cyclone, de nuit, tout seuls ? Seraient-ils capables d'aller au bout du défi qu'ils s'étaient lancé ?

Ni l'un ni l'autre ne voulant être le premier à jouer les poules mouillées, ils grimpèrent donc dans le train des montagnes russes, prenant place à l'avant, côte à côte sur les sièges de bois. Leurs mains agrippèrent fermement la barre de métal devant eux. Leur cœur se mit à cogner dans leur poitrine, au moment où le convoi quitta péniblement son quai de départ. Ils étaient tirés par une chaîne dont l'étrange cliquètement, dans la nuit, les fit frissonner.

Avec une lenteur insupportable, ils entamèrent la montée, s'élevant bien au-dessus de Palisades Park. Quand le train eut rampé jusqu'au sommet, les lumières de New York s'étalèrent à leurs pieds.

Ce qui se passa exactement ensuite mit des décennies à être révélé. Mais, quand son parcours prit fin, la voiture ne transportait plus qu'un seul enfant.

Première partie

LES VACANCES

1

Mardi 21 décembre

— Tu me fais penser à la mort.

Laura Walsh, les bras chargés d'une pile de cassettes vidéo, se retourna vers son patron et lui décocha un large sourire.

— Merci, Mike. C'est vraiment très touchant de ta part.

Cette fois encore, elle avait fait ce qu'il convenait. Parfois, elle se sentait gênée d'en tirer tant de satisfaction. Satisfaction professionnelle. Bien préparée, elle avait rempli son office.

La mort d'un être humain. En général, un triste événement, entraînant des répercussions dramatiques sur ceux qu'elle laissait derrière. Pour Laura Walsh, la mort représentait une course de vitesse, du moins dans certaines circonstances.

Aujourd'hui, c'était le tour d'une vieille star de cinéma, dont on savait depuis longtemps que la santé déclinait. Laura avait réagi au quart de tour. Dans les minutes qui suivirent l'annonce de la nouvelle par l'agent de l'actrice, des millions de téléspectateurs découvrirent sur Key News une vidéo de deux minutes résumant la carrière de cette légende du grand écran.

Ils auraient pu, en y songeant, s'étonner que les journalistes de télévision aient réalisé et diffusé ce sujet avec une telle promptitude. Il fallait sans doute pas mal de recherches, avant de choisir ce qu'il convenait de garder ou de supprimer pour réduire une vie au format « deux minutes ». Difficile de se passer d'un script. N'était-il pas compliqué, aussi, de récupérer ces images d'archives ? Enfin, comment parvenaient-ils à faire tout cela en un instant ?

En réalité, ils ne procédaient pas de cette façon. Laura Walsh avait écrit et monté la nécrologie de l'actrice plusieurs mois avant sa mort.

« Macabre », « terrifiant », « écœurant », « morbide » étaient les qualificatifs que Laura récoltait le plus souvent lorsqu'elle expliquait de quoi elle vivait. Néanmoins, elle aimait son job. Quand elle travaillait sur l'un de ses projets – sur sa prochaine « victime », comme disait Mike Schultz –, elle n'avait pas l'impression d'être l'Ange de la Mort, surnom dont l'affublaient ses collègues, Elle se sentait investie d'une responsabilité. Elle voulait rendre justice au personnage, sachant que les images qu'elle choisissait seraient un jour diffusées sur tous les écrans américains, voire dans le monde entier en fonction des multiples accords de Key News avec d'autres télés.

Chaque nécrologie résumait la vie et la carrière d'une personnalité. Une minibiographie, en somme. Certains, à Key News, jugeaient ce travail plutôt idiot. Pas Laura. Pour elle, réaliser ces sujets était un honneur.

En outre, elle se savait relativement jeune pour une fonction impliquant de telles responsabilités. À vingt-huit ans, elle n'était sortie de l'université que depuis six ans. Juste avant d'obtenir son diplôme, elle avait saisi l'occasion d'un stage pour intégrer la rédaction de « Plein Cadre », le très réputé magazine d'information de Key News, en tant qu'obscure assistante. Décidément chanceuse, elle avait été remarquée par Gwyneth Gilpatric, la journaliste-vedette, personnalité impressionnante et souvent caustique. Gwyneth l'avait prise sous son aile.

« Ne te laisse pas effrayer par ces cinglés, avait-elle conseillé, rassurante. La plupart sont des gens formidables. Simplement, leurs problèmes d'ego et la pression du direct les rendent fous. Ils crient, ils hurlent, ils te traitent comme si tu n'existais pas ; mais rends-toi compte que c'est parce qu'ils s'investissent énormément dans ce qu'ils font. Ils sont terrifiés à l'idée de manquer le bouclage ou de faire une bourde à l'antenne. Quand des millions de téléspectateurs te regardent, tu n'as pas le droit à l'erreur. »

Cet été-là, chaque fois que l'un des producteurs ou des rédacteurs de l'émission s'était permis de faire accourir Laura d'un simple claquement de doigts, elle s'était efforcée de se souvenir de l'avertissement de Gwyneth : ils étaient dévorés par l'inquiétude de perdre leur job. Joel Malcolm, le producteur exécutif de « Plein Cadre », avait fait savoir sans ambiguïté qu'il visait pour son émission la première place, occupée jusqu'à présent par le « 60 Minutes » de CBS News. Celui ou celle qui ne ferait pas tout pour atteindre cet objectif n'avait pas sa place dans le *staff* de « Plein Cadre ».

L'atmosphère était restée la même tandis que Laura, embauchée par la chaîne après son diplôme, passait d'un petit boulot mal payé à celui de secrétaire de la rédaction, puis bientôt d'assistante de l'unité de programmes, d'adjointe de production et, enfin, de productrice associée, ce qu'elle était aujourd'hui. Les têtes continuaient à tomber, à Key News, chaque fois que la plus petite erreur se trouvait commise. Il n'y avait pas de deuxième chance. Seuls les meilleurs subsistaient.

Jusqu'ici, Laura s'était montrée exemplaire. Une fille en or. Ses supérieurs lui avaient confié de plus en plus de responsabilités, surpris de découvrir chez quelqu'un de si jeune un jugement aussi sûr associé à un tel savoir-faire. Ils ne devinaient pas, en revanche, que la jeune femme arrivait souvent le matin l'estomac noué, angoissée à l'idée de ce que la journée pourrait lui apporter. Ni qu'elle se réveillait parfois en pleine nuit et ne parvenait plus à fermer l'œil jusqu'à l'aube, tant la crainte d'une erreur la hantait. Ne soupçonnant rien de ses préoccupations, on se contentait de se féliciter des résultats.

Sans se demander comment Laura s'y prenait pour fournir une bande prête à diffuser, même quand la mort de la célébrité n'était pas spécialement attendue.

2

— Gwyneth, ça va faire un sujet fantastique ! « Mort au parc d'attractions. »

Enthousiasmé, Joel marchait de long en large dans son bureau spacieux.

— C'est ta petite Laura Walsh qui nous a sorti cette idée. Tu te rappelles, elle cherche à intégrer l'équipe de production des programmes.

18

— Non, je n'étais pas au courant, corrigea Gwyneth d'une voix glaciale.

Joel poursuivit son raisonnement.

— Si on ne le fait pas maintenant, il sera trop tard. On n'aura plus personne à interviewer, les gens qui ont vécu l'affaire seront tous morts.

Il alluma une cigarette, malgré l'interdiction de fumer dans les locaux de Key News.

Gwyneth Gilpatric, vêtue d'un blazer de cachemire jaune pâle choisi pour accentuer encore le bleu de son regard tranchant, se tenait assise sur le sofa. Elle affichait une expression dure, fermée. À travers la baie vitrée, elle fixait au loin les falaises du New Jersey, surmontées d'un manteau de neige, de l'autre côté de l'Hudson.

— Il ne subsiste plus rien de Palisades Park, Joel, soupira-t-elle, levant la main pour toucher son cou en un geste plein d'élégance, l'air absent. Tout a été rasé pour construire un complexe immobilier, tu ne te souviens pas ?

Peu affecté par la froideur de la journaliste-vedette, Joel persévéra.

— OK, mais on a ce stock formidable de bobines d'actualités. On peut présenter le parc, ses attractions, le Palais du Rire, le Tunnel de l'Amour, les antiques montagnes russes en bois. Avec ça, on a largement de quoi cadrer la disparition du gosse, présentée comme « l'histoire de cette mort qui a mis trente ans à faire surface ».

Gwyneth préleva délicatement sur sa veste un cheveu d'un blond cendré artificiel, laissant Joel continuer son boniment.

— À l'époque, on s'offrait des sensations fortes à peu de frais, marmonna-t-il. Bon sang, quand j'étais gosse, mes parents m'emmenaient chaque été à Palisades Park. Toute l'année, j'attendais ce moment.

— Tu t'encanaillais ? ironisa-t-elle.

Joel vivait depuis l'enfance sur la très prestigieuse Cinquième Avenue. Gwyneth savait que son vaste duplex, hérité de ses parents, avait été dernièrement évalué à douze millions de dollars.

— Tu ne vas pas me dire pas que tu n'y as jamais mis les pieds, Gwyneth. Toi qui as grandi tout à côté, dans l'une des belles demeures de Fort Lee ! C'est vrai, tu n'y es jamais allée. ?

— Bien sûr que si, Joel, souffla-t-elle, exaspérée.

— N'était-ce pas un endroit de rêve ?

— Ce n'était pas trop mal.

Elle ne lui faisait aucun cadeau.

— Très bien. Moque-toi si tu veux. Mais c'est la vérité : moi, j'aimais ce vieux parc. J'adorais monter sur le Cyclone. J'étais heureux d'être le seul à ne pas me sentir malade dans le Grand 8. Je me souviens, dans la Galerie des Horreurs, je restais bouche bée devant le veau à deux têtes et la vache à six pattes.

— Tu n'as pas beaucoup changé.

L'espace d'une seconde, Joel parut vexé. Puis il haussa les épaules.

— J'étais déjà un fou de spectacle. Il n'y a rien que je préfère à un bon show. Je t'assure qu'on en tient un formidable pour « Plein Cadre ». Il pourrait être bouclé pour le *book* de février.

Le *book* de chacun des quatre trimestres de référence constituait la bible des annonceurs publicitaires. Les taux d'audience, déterminant le tarif qu'ils seraient prêts à payer pour le trimestre, y figuraient pour chaque émission.

À cette fin avaient lieu en février, mai, juillet et novembre des « vagues de sondages ». Les chaînes de télé mettaient alors sur le tapis ce qu'elles considéraient comme leurs programmes phares du trimestre.

— Hmmm, il n'y a rien que tu préfères à un bon show, répéta-t-elle.

Avec l'intention de le distraire, elle décroisa les jambes et s'appuya un peu plus contre les moelleux coussins de cuir crème.

Les yeux brillants, Joel écrasa son mégot. Il traversa le bureau et vint s'asseoir sur le canapé, tout contre elle.

— Nous prendrons une décision au début de la nouvelle année. Qu'en penses-tu, ma belle ? susurra-t-il, déposant un baiser dans son cou.

« Nous ne ferons rien de tel, se dit Gwyneth. Tu te trompes. La décision est déjà prise. Simplement, tu ne le sais pas encore. »

3

La main de Felipe Cruz tremblait lorsqu'il replaça le combiné blanc du téléphone sur son support mural. Son regard vide erra sur les motifs du papier peint, une succession de tomates et de carottes. Ils l'avaient choisi pour égayer les murs de leur vieille cuisine.

Comment l'annoncer à Marta ?

Les résultats des tests venaient d'arriver. Le test ADN – une technique dont Felipe avait entendu parler pour la première fois au moment du procès de O. J. Simpson –

résolvait, au moins en partie, l'atroce incertitude qui empoisonnait leur existence depuis trente ans. Trois décennies de désespoir, passées à se tourmenter, à s'interroger sans fin. La moitié d'une vie coupée en deux. Il y avait l'« avant » et l'« après », depuis la disparition de leur Tommy.

Le test ADN s'appuyait sur des échantillons provenant d'ossements découverts par des ouvriers du bâtiment début décembre, alors qu'ils creusaient les fondations d'une énième résidence de standing destinée à dominer la première zone immobilière de Palisades. La police de Cliffside Park avait appelé les Cruz dès que les premières constatations eurent montré qu'il s'agissait des restes d'un adolescent. Depuis qu'ils s'étaient rendus au laboratoire, deux semaines plus tôt, pour subir eux aussi un prélèvement génétique à fins de comparaison, Felipe et Marta ne fermaient plus l'œil de la nuit.

Maintenant, ils savaient. Trente années de chagrin, trente années dans l'expectative durant lesquelles ils s'étaient malgré tout accrochés à un impossible espoir, pour finir par apprendre la vérité. D'après l'ADN, qui identifiait avec certitude tout être humain selon sa carte génétique, il ne faisait aucun doute que ces restes étaient ceux de Tommy.

« Pardon, ô mon Dieu, mais c'est un soulagement. »

Ce Noël, ils ne se demanderaient plus si leur Tommy vivait encore quelque part. Les années avaient passé, rythmées par le retour de l'anniversaire de Tommy. La première année sans lui avait été la plus dure. Ensuite, ils avaient vu survenir son quatorzième anniversaire, son quinzième, jusqu'au quarante-deuxième. Ils avaient survécu, ne sachant trop comment, priant pour que leur fils réapparaisse un beau jour. Souvent, Felipe avait serré dans ses bras une Marta en sanglots. Souvent, ils avaient échafaudé ensemble des hypothèses sur ce qui avait bien pu arriver à leur enfant. Et puis, peu à peu, ils avaient cessé d'en formuler. Pas de vive voix, en tout cas. Ils n'avaient plus la force d'en parler ; cela les aurait tués.

Leurs souffrances étaient si vives que, plusieurs fois, ils avaient songé à se donner la mort. Ils l'auraient fait s'ils n'avaient pas été croyants. Catholiques pratiquants, ils se sentaient le devoir de continuer à vivre, quelle que soit leur douleur, sans se dérober à la volonté de Dieu.

La gorge de Felipe se noua. « Comment Dieu a-t-il pu permettre cela ? »

Marta rentrerait bientôt du marché. Il fit les cent pas dans la cuisine, préparant ses mots. Tout à coup, il se dit que, au moment même où elle le verrait, elle lirait sur son visage. Il n'aurait pas à lui expliquer. Elle comprendrait immédiatement que leur fils était bien mort, et que ces restes qui pourrissaient depuis trente ans à moins de deux kilomètres de chez eux étaient les siens.

Cependant, Felipe devait trouver la manière de lui glisser ce que l'examen médico-légal faisait ressortir. Tous les os étaient fracturés, et la police conservait peu d'espoir de retrouver la trace du propriétaire de la croix de marcassite fixée à une chaîne d'argent trouvée parmi les ossements de leur fils.

4

Décembre, ce mois gris et froid, apportait toujours la redoutable litanie du bilan annuel.

Trois jours avant Noël, assise à son bureau devant un listing d'ordinateur, un marqueur jaune à la main, Laura relevait les noms de tous ceux dont le décès avait été annoncé dans le carnet du *New York Times* depuis le début de l'année. La pile de feuillets atteignait l'épaisseur de *Autant en emporte le vent*.

« L'an prochain j'arrête, se promit-elle. D'accord, comme la plupart des gens, moi aussi j'ai une liste de Noël à rédiger. Sauf qu'il n'y figure que des morts. »

Elle écarta sa frange de cheveux blonds, passa machinalement le pouce sur la fine cicatrice au-dessus de son sourcil et laissa échapper un soupir. C'était la dernière chose dont elle avait envie de s'occuper en ce moment. Non parce qu'il s'agissait d'une tâche sinistre. À vrai dire, elle trouvait cela plutôt intéressant. Bien qu'elle ait suivi assidûment l'actualité pendant l'année, il restait toujours quelques noms de disparus qu'elle avait manqués ou oubliés, surtout ceux de gens n'ayant pas fait l'objet d'une nécrologie à l'antenne le jour de leur mort, mais assez connus toutefois pour qu'un résumé de leur carrière figure dans la presse nationale.

Ce travail ne l'ennuyait pas, non. Mais le *timing*, lui, la gênait. Il y avait tant à faire, à cette époque de l'année. Les gens que l'on devait voir, la course aux cadeaux, les paquets. C'était déjà assez stressant ! Alors, s'il fallait en prime établir le top 50 des macchabées...

Bon sang, tu deviens cynique, se reprocha-t-elle. Concentre-toi, il faut soigner ce travail. Toutes les stations locales en contrat avec Key News vont le reprendre.

On diffusait le bilan des disparus de l'année le soir du réveillon. Ces deux minutes trente faisaient se succéder, sur un fond sonore approprié, les visages de tous ceux qui reposaient désormais en paix. Cette année, le choix de Laura s'était porté sur un des « tubes » d'un chanteur décédé quelques mois auparavant.

La projection se passerait bien, elle en était sûre. C'était toujours le cas. Elle avait déjà réalisé plusieurs de ces rétrospectives. Quand ils défilaient sur le réseau, ses collègues de la salle de rédaction les suivaient avec fascination. Ils formaient un public difficile, la plupart se gardant du moindre compliment. Néanmoins, même les plus blasés pouvaient ressentir une certaine émotion devant cette combinaison d'images et de sons à la mémoire de tous ceux qui, après avoir marqué leur époque, venaient de passer dans l'autre monde.

Une fois achevé son montage, Laura éprouvait en général une forme de satisfaction. Elle se sentait soulagée d'avoir tenu une nouvelle fois les délais et de pouvoir enfin accorder un petit peu d'attention à sa vie privée – du moins, ce qui en restait.

Productrice associée affectée au service des Informations de Key News, Laura n'était pas supposée avoir de vie privée. En acceptant le poste, elle savait qu'elle devait être constamment disponible. Ses week-ends et ses vacances pouvaient prendre fin à tout moment si un événement majeur survenait. En cas d'alerte, son fidèle biper se mettait à sonner. Elle était alors censée joindre Key News toutes affaires cessantes et, la plupart du temps, devait regagner les studios. En une année aux Informations, elle avait dû laisser en plan des dizaines de dîners et renoncer à bon nombre de ses jours de congé.

Quand il arrivait à Laura de se lamenter parce qu'elle ne bénéficiait pas d'un emploi du temps normal, vivant sous la menace permanente d'une catastrophe naturelle ou d'un crime inattendu, elle se répétait qu'il existait d'autres professions dans le même cas : la police, les pompiers, les médecins en milieu hospitalier devaient être en mesure d'assurer leur service vingt-quatre heures sur vingt-quatre, trois cent soixante-cinq jours par an.

À bien y réfléchir, Key News ressemblait beaucoup à un hôpital. « À la une ce soir », le grand journal, et les magazines tels que « Plein Cadre » nécessitaient une préparation infernale et des heures de travail. Tout à fait comme une opération chirurgicale. Le service des Informations équivalait plutôt aux urgences hospitalières. Les correspondants, producteurs et rédacteurs assignés aux informations devaient se débrouiller avec les nouvelles qui leur tombaient du ciel, sans le moindre recul. Comme à l'hôpital, chaque seconde comptait ; ici, pour être les premiers à diffuser l'info et battre les concurrents.

Laura était à ce point plongée dans sa liste de défunts qu'elle sursauta lorsqu'elle sentit une main se poser sur son épaule.

— Alors, Laura, ça roule ? s'enquit Mike Schultz en se penchant au-dessus du bureau.

— Ça va, répondit-elle, remettant le capuchon de son marqueur. J'ai sélectionné la liste des plus importantes personnalités disparues. Croisons les doigts : il faut espérer qu'aucune autre ne mourra d'ici au 31 décembre.

— Tu peux parier que quelqu'un d'important va encore nous claquer dans les doigts avant la fin de l'année.

Laura approuva de la tête. Son patron voyait sans doute juste.

5

Mike Schultz héla un taxi et dit au chauffeur de le conduire à la gare de Penn. Il n'avait pas spécialement hâte de rentrer dans sa banlieue, mais il savourait la perspective du double Johnnie Walker Black Label qu'il se servirait à la maison.

Mike était du genre armoire à glace. Son mètre quatre-vingt-dix supportait sans problème les vingt kilos de trop accumulés depuis qu'il avait arrêté le football américain, après l'université. Il calculait que cela ne représentait qu'un kilo par année, ce qui le rassurait.

Son médecin n'était pas du même avis.

— Tu risques une attaque cardiaque. Arrête d'avaler ces cochonneries ! Fais un peu d'exercice. Laisse tomber la cigarette. Et surtout, ne te stresse pas trop pour ton fichu travail, bon dieu !

— OK, Doc.

« Facile à dire », rectifiait Mike en son for intérieur.

Il essayait. Vraiment. Au lieu de s'empiffrer d'un *bagel* au fromage frais ou à la confiture qu'il achetait au *delicatessen* face à la gare, Mike se forçait à avaler un morceau chez lui, dans la banlieue résidentielle de Park Ridge, New Jersey. Avant de foncer vers le train pour Manhattan, il se préparait une simple banane coupée en rondelles arrosée de lait écrémé, avec une tranche de pain de son aux raisins secs. À midi, il avait pris l'habitude de choisir une salade à la cafétéria, délaissant son habituel cheese-burger-oignons-frites. Quand il le pouvait, il sortait du bureau pendant la journée, juste pour marcher une vingtaine de minutes.

Toutefois, à la maison, c'était plus difficile. Après une dure journée aux Informations, il mourait d'envie de se verser un scotch ou deux, voire trois. Il se doutait bien qu'il ne valait rien pour sa santé d'être toujours sous pression. En tant que directeur du service, il devait s'assurer que tout événement puisse être traité sans délai par la chaîne. Quelle que soit l'heure, dans les meilleures conditions et, si possible, avant les autres télés. Les correspondants de la chaîne, ses équipes de producteurs et de rédacteurs le secondaient dans la bataille de l'information. Néanmoins, si quelque chose se passait mal, erreur humaine ou problème technique, cela lui retombait dessus.

Il avait envie de tout plaquer. Ce truc était en train de le tuer.

Au départ, il s'était senti soulagé de pouvoir bosser à nouveau dans son domaine. Il était déterminé à bien faire ce job, s'appliquant à montrer aux types de la direction générale qu'il avait l'étoffe d'un leader, qu'il était capable d'animer l'une des équipes de Key News. N'avait-il pas toujours été leur bon petit soldat ? N'avait-il pas toujours fait ce que la chaîne exigeait de lui ?

Lors du scandale Gwyneth Gilpatric, il avait bien fallu que quelqu'un porte le chapeau. Il se revit en frissonnant convoqué dans le bureau de la présidente. Yelena Gregory lui avait expliqué que, pour le bien de la chaîne, il devait couvrir la réputation de sa journaliste-vedette.

Il avait dû faire une croix sur « Plein Cadre », deuxième magazine d'infos pour le taux d'audience. Il avait dû abandonner la voie royale du journalisme télé et s'était retrouvé du jour au lendemain *persona non grata* dans le business. Plus aucune chaîne ne voulut entendre parler de lui. Et il était resté un an sans travail. Sans travail, mais avec une femme et trois gosses à charge, plus un crédit pour un logement à rembourser.

Ils avaient survécu, se raccrochant aux vacations d'enseignante de Nancy, à son nouveau job d'employé de nuit dans un magasin de vins et spiritueux, et en ponctionnant l'épargne constituée pour payer les études des enfants. Après plusieurs mois de cette ineptie, il avait appelé Yelena Gregory et l'avait menacée de révéler ce qui s'était réellement passé lorsqu'il travaillait à « Plein Cadre » avec Gwyneth Gilpatric.

Yelena s'était subitement montrée rassurante. Elle lui avait affirmé que, bien entendu, ils souhaitaient qu'il réintègre la chaîne, connaissant sa valeur professionnelle. Ils avaient simplement voulu attendre que toutes ces histoires s'apaisent.

Mais les semaines avaient passé et leur compte en banque continuait à s'épuiser. Mike perdit peu à peu confiance. Certes, il pouvait encore porter l'affaire sur la place publique. Toutefois il ne se sentait pas la force d'attaquer Key News en justice. Et puis, il tenait à retravailler un jour à la télé.

Juste au moment où, écœuré, il s'était résolu à appeler le responsable de la page Médias du *New York Times* pour tout balancer, Yelena Gregory lui avait passé un coup de fil. Ils lui proposaient de reprendre le poste de responsable des Informations, bien moins prestigieux que celui qu'il occupait auparavant à « Plein Cadre ». Un travail qui promettait d'être pénible et fastidieux.

Mike leur avait été si reconnaissant de lui permettre de revenir parmi eux qu'il avait presque oublié que Key News l'avait possédé. Key News et Gwyneth Gilpatric.

6

— Mlle Laura Walsh est là, annonça dans le combiné de l'interphone le concierge en livrée grise.

Laura attendait à la réception, dans le hall bien chauffé de l'imposant immeuble d'avant-guerre, heureuse d'avoir quitté le froid glacial qui était tombé sur Central Park West.

— Vous pouvez monter, mademoiselle Walsh.

Le vieil ascenseur aux boiseries d'acajou s'éleva doucement dans les étages. Laura vit défiler les plaques de cuivre brillant frappées du numéro de chaque palier. Au dernier étage, la porte coulissa sans bruit et la jeune femme s'avança dans le vestibule dallé de marbre des appartements de Gwyneth Gilpatric. Un imposant sapin aux branches couvertes de décorations clinquantes occupait l'espace. La jeune femme détailla l'arbre de Noël, sans y trouver ce qu'elle cherchait,

— Laura, ma chérie ! s'exclama Gwyneth en lui tendant les bras. Je suis si contente que tu sois venue ! Je ne t'ai pas assez vue, ces temps derniers. Mais je me suis laissé dire que tu retravaillerais bientôt pour « Plein Cadre ».

Gwyneth, qui portait un pantalon gris et une tunique brodée de perles de faux bronze, accueillit son invitée en l'étreignant avec chaleur.

— Entre, entre donc !

Elle la conduisit jusque dans l'immense living. La baie vitrée offrait une vue si spectaculaire sur Central Park, bordé au sud par les lumières de Manhattan, que Laura en eut le souffle coupé. Sur la table basse était posé un sablier, emblème de l'émission de Gwyneth. Celui-ci contenait du sable rose pâle. Il était flanqué d'une escouade d'Emmy Awards, les Oscars de la télévision américaine.

— Assieds-toi près du feu, Laura. Puis-je t'offrir un verre de merlot californien ? Je sais combien tu aimes ce vin.

Laura se sentit flattée une fois de plus que Gwyneth se souvienne de ces détails, Elle accepta et prit place dans l'interminable canapé blanc.

— Madame, intervint l'employée de maison, le Premier ministre vous demande encore au téléphone.

— Je vous en prie, Delia, oubliez le « Madame ». Il me vieillit trop ! Ma chérie, excuse-moi, dit Gwyneth en se tournant à nouveau vers Laura. Avec cette interview à Londres le mois prochain, Tony et moi cherchons sans arrêt à nous joindre. J'en ai pour une minute.

Restée seule, Laura s'extasia sur le luxe qui l'environnait ; il lui donnait l'impression d'évoluer dans un rêve. Elle se demanda ce qu'on éprouvait à vivre dans pareil cadre.

Elle se pencha pour saisir le sablier et le retourna, provoquant le lent écoulement du sable rose dans la partie basse. Sous le socle, une petite plaque métallique, où Laura lut la dédicace gravée :

À GWYNETH.
AVEC TOI, CHAQUE INSTANT
RESSEMBLE AU *PRIME TIME*.
JOEL

Joel Malcolm, le producteur exécutif de « Plein Cadre », était lui aussi une star, presque autant que Gwyneth. Il était l'homme qui avait lancé ce magazine maintes fois récompensé, que Gwyneth Gilpatric avait porté au firmament télévisuel.

Laura se souvint de l'attitude de son patron lors de son stage d'études à Key News. Il s'était montré rude et méprisant, jusqu'à ce qu'il apprenne que Gwyneth en avait fait sa protégée. Il avait alors changé du tout au tout, passant subitement de l'indifférence à la sympathie. À la fin du stage, il avait commandé du champagne et des gâteaux pour le pot de départ.

« Laura, avait-il déclaré en levant sa coupe de Piper Heidsieck, a su se montrer un précieux renfort au sein de notre équipe. Elle va nous manquer. Cependant – il s'était tourné, le sourire aux lèvres, vers le coin de la pièce où se tenait Gwyneth –, quelque chose me dit que nous allons la revoir bientôt à Key News. Pour notre plus grand profit. »

Elle se rappela s'être sentie terriblement embarrassée. Elle avait bien vu quelle jalousie ce favoritisme peu discret avait suscitée dans le staff. Elle fut presque soulagée d'avoir fini son stage et de retourner à la fac. Cependant, un an plus tard, alors qu'elle allait bientôt avoir son diplôme en poche, Laura fut sûre de vouloir travailler pour un journal télévisé. Qu'aurait-elle pu trouver de mieux que Key News ?

Attirée par le scintillement féerique qui nimbait les sombres gratte-ciel de Manhattan, Laura se leva du canapé et sortit sur la terrasse. L'air froid et vif de la nuit la happa aussitôt. Elle croisa les bras et s'approcha du grand télescope amateur planté près du parapet. Scrutant au loin à travers la lentille, elle régla le télescope sur les jardins en terrasse du Metropolitan Museum, de l'autre côté du parc.

Gwyneth s'arrêta sur le seuil du living-room et contempla la silhouette de Laura à travers la vitre. Une magnifique jeune femme. Ses cheveux blonds et lisses cascadaient sur ses épaules. Elle avait des yeux bleus très vifs, des traits fins, une bouche bien dessinée. Elle souriait facilement, révélant une éclatante denture.

« Elle pourrait passer à l'antenne, si elle le souhaitait. Peut-être devrais-je l'encourager à tenter sa chance. »

Ou peut-être pas. Passer à l'antenne n'était sans doute pas ce qu'il y avait de mieux. Gwyneth pouvait l'attester. C'était drôle : à une époque, elle avait absolument voulu apparaître à l'écran. Mais elle avait dû marcher sur la tête de pas mal de gens pour parvenir à ses fins.

« Bah, tu adores ce métier, avoue-le. D'où pourrais-tu tirer tant de satisfactions, sans compter l'adoration du public ? Et l'argent. Partie de zéro, tu es aujourd'hui propriétaire d'un appartement à Central Park, d'une villa donnant sur la plage tout au bout de Long Island et d'un confortable pied-à-terre à Londres, en plein Kensington. »

Elle se sentait encore assez jeune pour en profiter, à quarante-sept ans. Quarante-sept ans *seulement*. Quelques années plus tôt, cela aurait paru beaucoup ; aujourd'hui, non. Elle se situait au top, professionnellement. Rien d'autre ne lui importait, de toute façon. C'était du moins ce qu'elle se répétait chaque matin devant la glace en scrutant les plis de son cou.

Elle n'avait pas eu de famille pour l'accompagner durant toutes ces années. Pas mal d'aventures, des relations durables, mais aucun homme qu'elle eût voulu épouser. Les choses se trouvaient très bien comme cela. Cette solution lui avait permis de concentrer toute son énergie sur sa carrière, sa vraie passion.

Gwyneth se connaissait bien. Elle avait conscience de n'être pas faite pour le mariage, un contrat fondé sur l'échange, les concessions mutuelles, la patience. Elle ne regrettait pas d'être restée célibataire. Elle regrettait simplement de ne pas avoir eu d'enfant.

« Tu aurais pu, pourtant. Grâce à l'un de tes amants. Ou en adoptant, voire en recourant au don de sperme. Admets-le : tu n'as pas voulu faire d'effort, y consacrer du temps. Tu ne voulais pas être distraite de ton travail. Sois réaliste : tu n'aurais pas été une bonne mère. »

Elle contempla les formes élancées de sa jeune visiteuse. Celle-ci se détourna du télescope et, voyant qu'elle l'observait, lui sourit puis revint à l'intérieur.

Qu'avait donc la jeune femme qui fasse tant vibrer en elle une corde sensible ? se demanda Gwyneth en prenant place clans le somptueux canapé. D'ordinaire si terre à terre, si dure, si calculatrice, elle couvait Laura avec une attention extrême.

Gwyneth connaissait la réponse à sa propre interrogation. Elle n'avait pas envie d'y penser pour le moment. Elle leva la main pour se masser la nuque.

Delia réapparut devant elle.

— Oui ? Qu'y a-t-il, maintenant ?

Gwyneth était visiblement agacée.

— Le docteur Costello vous demande au téléphone.

Nouvelle interruption. Elle eut une grimace affligée. Elle ne voulait pas parler à son chirurgien esthétique. Pour annuler un peu plus tôt son rendez-vous avec le plasticien, elle avait préféré joindre son assistante, Camille Bruno. Il était plus simple de passer par elle pour éviter d'avoir Leonard en personne au bout du fil, et de devoir se justifier.

Il était l'un des meilleurs spécialistes à New York. Elle le voyait depuis longtemps et, au fil des années, une amitié était née. Au fur et à mesure, Gwyneth avait dû faire appel à des procédés de plus en plus sophistiqués pour effacer les dommages du temps. Quand le rouge à lèvres souligna trop son vieillissement, Leonard avait eu recours à des micro-injections de collagène. L'année suivante, il lui avait conseillé une blépharoplastie pour résorber les petites poches de graisse sous ses paupières. Ensuite, Gwyneth s'était fait faire un lifting du cou, afin de garder à son profil son élégance et sa jeunesse.

Elle avait retardé le plus possible l'inévitable lifting du visage. Mais les traitements palliatifs ne suffisaient plus. Or, l'apparence de Gwyneth était prépondérante dans sa vie. On admettait qu'un homme mûr apparaisse à l'antenne. Une femme entre deux âges, non. Malgré le discours politiquement correct mis en avant par les télés rien ne changeait, au fond. Combien de femmes âgées voit-on réellement à la télévision ?

Gwyneth avait soulevé la question de ce lifting prévu pour janvier devant Joel. Sa réponse, sans vraiment la surprendre, l'avait blessée. Il trouvait l'idée bonne parce qu'il ne voyait qu'une chose : elle devait être parfaite pour passer à l'antenne en février, au moment des vagues de sondages. Quand elle lui avait assuré qu'avec une maquilleuse, cela irait très bien, il avait jugé qu'il serait plus sûr de recourir à la chirurgie esthétique. Il avait même eu le culot de lui proposer que l'on filme l'opération et ses suites. Une idée que Gwyneth avait immédiatement repoussée.

Elle avait donc pris date pour un lifting du visage au laser, la première semaine de janvier, se consolant à l'idée d'être entre de bonnes mains avec Leonard Costello.

Ce sentiment s'était mué en terreur lorsqu'elle avait découvert que le chirurgien était atteint de la maladie de Parkinson.

Elle remercia le Ciel de s'être liée d'amitié avec l'infirmière du médecin, Camille Bruno, qu'elle croisait chaque trimestre, au moment de ses injections de collagène autour des lèvres. Gwyneth avait fini par lui rendre à l'occasion de petits services, lui procurant par exemple des places pour assister à telle ou telle émission avec ses filles, ou leur faisant visiter les locaux de la chaîne.

Lorsque Gwyneth l'avait jointe, en décembre, pour confirmer le rendez-vous de janvier, Camille avait paru gênée. Elle avait proposé à Gwyneth de la rappeler chez elle le soir même. Lui faisant promettre de garder le secret, elle lui avait alors avoué, à regret, que son patron manifestait les premiers symptômes de la terrible maladie.

À ce stade, encore peu avancé, il suffisait au docteur Costello de prendre un cachet avant chaque opération pour conserver la maîtrise de ses gestes, avait expliqué Camille Bruno.

Il ne le lui avait pas révélé lui-même. L'infirmière avait d'abord remarqué à plusieurs reprises qu'il tremblait légèrement, sans jamais toutefois voir ses mains le trahir lors d'interventions chirurgicales. Puis, un jour, elle l'avait aperçu avalant une pilule. Il avait attendu trois quarts d'heure dans son bureau avant de commencer à opérer. Cela ne lui ressemblait pas.

Prise de soupçons, malgré sa honte de recourir à un tel procédé, elle n'avait pas résisté au besoin de se rendre compte en allant fouiller dans les tiroirs du chirurgien. Et elle avait découvert la boîte de Sinemet, avait lu l'indication sur la notice pharmaceutique.

Leonard attendait Gwyneth au bout du fil. Il voulait sans doute savoir pourquoi elle s'était décommandée. En tant qu'amie, elle lui devait une explication. Elle comprit qu'il valait mieux prendre l'appel, pour régler la question.

— Excuse-moi encore, ma chérie, pria Gwyneth en dévisageant son invitée, tentant de se rendre compte si Laura avait reconnu le nom du célèbre praticien – elle ne tenait pas à ce que la jeune femme ou qui que ce soit d'autre sache qu'elle avait recours à la chirurgie esthétique. Il faut absolument que je prenne cet appel. Même si je n'en ai aucune envie. Je reviens dans une seconde, je te le promets, c'est la dernière fois que l'on nous dérange.

Gwyneth disparut aussitôt dans le vestibule, ouvrit la porte de son bureau, la referma derrière elle.

Elle prit une profonde inspiration en se saisissant du combiné.

— Leonard ! Comment vas-tu ? J'ai hâte de vous voir, Anne et toi, pour cette soirée du réveillon ! dit-elle avec une gaieté forcée.

— Je vais bien, Gwyneth. Je suis juste un peu surpris. J'ai appris par Camille que tu avais annulé ton rendez-vous.

— C'est exact.

— Mais pour quelle raison, peux-tu me le dire ?

— Par lâcheté, mentit Gwyneth. J'ai la frousse, Leonard. J'ai peur d'aller plus avant. Je crains de ne pas me reconnaître.

— Enfin, tu as déjà vécu ce genre d'hésitations ! De nombreuses fois, même. Et nous les avons surmontées ensemble.

— Je sais, Leonard. Je suis désolée, mais je ne me sens vraiment pas prête.

— Dans ce cas, repoussons la date de quelques mois. Il suffit de fixer un nouveau rendez-vous.

Elle l'entendit feuilleter les pages de son agenda.

— Non, Leonard, coupa-t-elle d'un ton ferme. Je ne crois pas que ce soit la bonne solution. Quand je serai prête, je t'en avertirai.

7

De l'autre côté de Central Park, Kitzi Malcolm s'habillait pour son quatrième dîner en ville depuis le début de la semaine. Elle attendait son mari, qui devait bientôt rentrer de Key News. Elle s'échinait sur le fermoir du somptueux collier de perles que Joel lui avait offert pour l'un de ses anniversaires, sans pouvoir l'attacher.

Lasse de sa résistance, elle roula rageusement le collier en boule et le jeta sur la table basse. Ensuite, elle tenta d'atteindre dans son dos la fermeture Éclair de sa robe de cachemire beige, Sans succès.

« Va au diable, Joel ! »

Tant pis s'il ne rentrait pas à temps. Son cardigan bordé de renard argenté cacherait la béance de la robe dans son dos. Kitzi se ferait aider sur place, aux toilettes, pour la refermer complètement.

Elle en avait assez d'être Mme Joel Malcolm. Mais c'était sa faute. Elle l'avait voulu.

Elle aurait divorcé depuis longtemps sil ne subsistait un petit problème : elle aimait toujours son mari.

Joel avait beaucoup d'allure. Il était passionné et drôle. Il pouvait se montrer charmant, aimant, sensible. Et il commettait infidélité sur infidélité.

« Rien de tout cela n'a eu d'importance pour lui », songea Kitzi en soulignant au crayon ses paupières. Non, ce n'était que des passades.

Sauf une.

Kitzi s'était assurée qu'il ne puisse s'en rendre compte. Mais elle avait pu observer tant de fois son manège sur leur terrasse au-dessus de la Cinquième Avenue. Il scrutait, grâce à son télescope amateur pointé vers l'ouest, l'appartement de Gwyneth.

8

Au même moment, une Gwyneth Gilpatric très sophistiquée déchirait avec une excitation enfantine son paquet-cadeau.

Il venait de chez Saks, la grande boutique de la Cinquième Avenue. Elle poussa un petit cri perçant.

— Oh, Laura, c'est délicieux !

— Tu ne l'as pas déjà, au moins ?

— Non, ma chérie. Pas celui-ci. Il est adorable !

Gwyneth brandit une sorte de santon de verre de dix centimètres de haut, représentant un blondinet qui, d'une main, jouait de la trompette et, de l'autre, tenait un réveil marquant minuit moins cinq. L'œuvre avait été peinte à la main,

— Celui-ci s'intitule « Le carillon du nouvel an ». Je sais combien tu apprécies les personnages signés Christopher Radko. Mais j'avais peur que tu ne l'aies déjà.

Gwyneth alla embrasser Laura.

— Tu as vu juste, j'adore Radko, depuis que j'ai découvert ses décorations de Noël lors d'une soirée à la Maison-Blanche, il y a deux ou trois ans. Sais-tu de quelle manière Radko a débuté ses créations ?

Laura secoua la tête.

— C'est une curieuse histoire. Radko travaillait à la Poste, où il s'ennuyait ferme. Un jour, chez lui, peu avant Noël, il renverse accidentellement l'arbre et brise toutes les décorations peintes à la main que sa famille collectionnait depuis des générations. Mortifié par les reproches de sa grand-mère, il est retourné lors des vacances de Pâques dans sa Pologne natale, pour mettre la main sur un fabricant de santons à l'ancienne. Il a pu en rapporter quelques douzaines aux États-Unis. Par la suite, il les montra à ses collègues et eut aussitôt des acheteurs. Depuis, Radko a monté petit à petit cette grosse affaire de décorations de Noël artisanales. Il possède plusieurs usines en Europe de l'Est et fait travailler des centaines de personnes rien qu'à New York. Il a créé des lignes de personnages et de décorations pour Noël, Pâques, Hanoukka, la fête de l'Indépendance le 4 juillet, Halloween...

— Impressionnant ! dit Laura, avec l'air d'approuver. J'admirais depuis longtemps les créations de Radko dans la vitrine de chez Saks, mais je ne savais rien de son histoire. Grâce à lui, j'ai trouvé un cadeau parfait pour mon père : un superbe modèle réduit de montagnes russes, décoré de peinture argentée.

Le sourire de Gwyneth s'effaça tout à coup.

— L'aventure de Radko m'inspire quelque chose que j'ai pu vérifier au cours de ma vie, reprit-elle en tendant à Laura un paquet. Une tragédie conduit parfois à un événement merveilleux, bien au-delà de tout ce que l'on imagine.

9

Nancy Schultz jeta avec précipitation les macaronis dans l'eau bouillante. Pendant qu'ils cuisaient, elle étala trois sets sur la table de la cuisine, y posa à toute vitesse assiettes, couverts et serviettes en papier. Elle versa ensuite trois grands verres de lait.

Elle détestait nourrir les enfants de cette façon, se dit-elle en égouttant les pâtes, qu'elle parsema de fromage râpé en sachet. Sur le côté de la boîte de macaronis, elle lut les informations nutritionnelles : fort taux de lipides, beaucoup de sodium, grosse ration de calories. Magnifique.

« Qu'est-ce que je suis en train de faire ? » se demanda Nancy en déposant dans chaque assiette un petit tas de pâtes au fromage. « Probablement la même chose que des millions de mères de famille américaines. » Des mères de famille éreintées d'avoir travaillé toute la journée pour un salaire minable, au bureau, au restaurant, à l'hôpital ou au supermarché. Des mères de famille qui s'étaient jetées dans le trafic et avaient affronté la foule pour faire les courses de Noël, et n'avaient plus, à la fin de leur journée, le courage de préparer de vrais repas. Elles en avaient déjà cuisiné un minimum de trois cent cinquante dans l'année, ce qui paraissait suffisant. Trop, c'est trop.

— Aaron, Brian, Lauren, le dîner est prêt !

Les enfants quittèrent la salle de jeux, déboulant dans les escaliers. Nancy s'apprêtait à encaisser leur déception devant le « dîner ».

— Super, des pâtes au fromage ! se réjouit Aaron, neuf ans.

Son frère Brian, six ans, attaqua sa ration sans attendre. La petite Lauren, quatre ans, suivit leur exemple.

Soulagée, Nancy leur annonça qu'elle montait en vitesse prendre sa douche.

— Tu ne manges pas avec nous ? demandèrent-ils en chœur.

— Non, vous ne vous rappelez pas ? Je travaille, ce soir. Julie D'Amico vient s'occuper de vous jusqu'au retour de papa.

— Tant mieux, commenta Aaron avant de replonger dans son assiette. Elle nous apporte toujours des bonbons.

Nancy soupira, renonçant, faute d'énergie, à leur expliquer une fois de plus que les sucreries étaient mauvaises pour les dents.

Dans la douche, Nancy songea qu'elle resterait bien indéfiniment sous le jet d'eau chaude. Elle évita de penser aux quatre heures qu'elle allait passer debout au rayon lingerie de chez Macy's, à tenir la caisse et à surveiller l'assortiment. Ce supplément de revenus leur était indispensable, pas seulement pour les fêtes. Ils avaient désespérément besoin de se désendetter, de reconstituer l'épargne pour les études des gosses.

Elle avait constaté avec étonnement à quel point une période de chômage pouvait déstabiliser les finances d'une famille. Parfois, elle se demandait s'ils retrouveraient un jour leur aisance.

Enfin, en rentrant, elle annoncerait à Mike qu'ils avaient reçu une invitation pour la fameuse soirée du Nouvel An chez Gwyneth Gilpatric.

10

Jeudi 23 décembre

Laura accrocha son lourd manteau de laine dans l'entrée et se faufila au milieu de la grande pièce bondée, jusqu'au box qui lui servait de poste de travail. Elle alluma aussitôt son ordinateur pour consulter son courrier électronique.

Elle trouva trois nouveaux messages, identifiés par leur objet : la liste des sujets d'actualité que Key News devait couvrir aujourd'hui, le récapitulatif de ce qui était passé à l'antenne la veille sur les chaînes concurrentes ABC, CBS et NBC, et enfin une communication d'offres d'emploi en interne.

Le dernier message était celui qui l'intéressait le plus. Elle avait envie de quitter les Informations et savait où elle voulait aller. Elle cliqua donc sur la troisième ligne, pour ouvrir le message.

Il proposait un poste de producteur détaché à Londres. Assez tentant. Toutefois, elle ne voulait pas quitter New York. Une seconde offre, à Washington, ne l'attirait pas davantage.

Ces deux jobs auraient pourtant constitué pour elle une promotion. Ils permettaient de travailler sur le terrain, hors des studios, de faire de l'investigation. Cependant, Laura restait très attachée à « Plein Cadre », même s'il n'y avait pas d'opportunité immédiate d'emploi au magazine. Elle savait en outre que ces offres d'emploi étaient souvent là pour la forme, les responsables ayant déjà choisi celui ou celle qu'ils allaient recruter.

En essayant d'accrocher Joel grâce à ce sujet sur Palisades Park, elle avait voulu attirer son attention, pour le prochain recrutement d'un producteur à « Plein Cadre ». L'appui de Gwyneth serait utile ; néanmoins, en y repensant, Laura songea que Gwyneth n'avait pas insisté sur ce chapitre, la veille, lors de leur échange de cadeaux.

11

Après une nuit d'un sommeil réparateur, Gwyneth Gilpatric repensa à la visite de Laura. Dans la pièce de son appartement qui lui servait de bureau, elle approcha une chaise de l'ordinateur, le mit en marche pour consulter sa boîte aux lettres électronique. Elle préférait, dans la mesure du possible, ne pas se rendre à Key News, aujourd'hui. Il ne restait plus que deux jours avant Noël, et elle avait encore tant à faire.

Le message de Laura lui fit monter le sang au visage.

POUR : diffusiongenerale@keycom
DE : laurawalsh@keycom
OBJET : recherche d'informations
Je travaille sur un sujet relatif à l'ancien parc d'attractions de Palisades Park. Ouvert pendant soixante-quinze ans, ce parc fut le reflet de notre culture populaire nationale et de ses mutations.
Si vous avez des histoires intéressantes à propos de Palisades Park, merci de me contacter.

Comment Joel avait-il osé donner le feu vert à Laura, alors qu'il avait promis de ne prendre la décision qu'en janvier ?

Gwyneth se déconnecta, puis elle alla se verser une deuxième tasse de thé vert, utilisant la théière d'argent déposée par Delia sur une desserte dans la bibliothèque. Elle but sans hâte, cherchant à canaliser ses pensées. Mais sa rage ne fit que croître à mesure qu'elle méditait sur la trahison de Joel.

45

Il nierait probablement avoir manqué de parole. Il se justifierait en soutenant que ce qui était bon pour Key News était bon pour elle, Gwyneth Gilpatric. Ce genre d'arguments lui laissait toujours le champ libre.

« C'est la dernière fois », songea-t-elle tout à coup. Un sourire triomphal se dessina sur ses lèvres, tandis qu'elle contemplait Central Park couvert de neige.

« C'est la dernière fois que tu m'écartes de cette façon, Joel. »

Aussi longtemps qu'elle attendrait avant de lui faire cette annonce, elle serait dévorée d'impatience. Elle éprouverait même une sorte de honte à ne pas lui avouer tout de suite. Néanmoins, après ce nouvel affront, elle n'allait pas se priver de jubiler, le moment venu, lorsqu'elle lui révélerait qu'elle partait,

Elle allait abandonner « Plein Cadre ». Laisser tomber Key News. Et le quitter, lui, Joel.

Cette perspective l'emplit un instant de satisfaction. Joel l'avait blessée ; bientôt, elle lui rendrait coup pour coup. Son angoisse reprit vite le dessus lorsqu'elle songea que Key News s'apprêtait à concentrer sa puissance d'investigation sur les derniers jours de Palisades Park. Elle en eut une sueur froide, sous le fourreau de soie bleu ciel de sa robe.

D'un geste décidé, elle se saisit du combiné du téléphone et composa le numéro direct de Joel.

— Voilà le cadeau que tu me fais juste avant les fêtes, espèce de salaud !

L'entendant siffler sa haine sans préambule, Joel fit la grimace. Il éloigna le récepteur de son oreille.

— Gwyneth chérie, laisse-moi t'expliquer !

— Ne m'appelle pas chérie ! Tu n'es qu'un pitoyable menteur. Tu avais promis que nous déciderions *ensemble* à propos de Palisades Park, et ce, *après* les fêtes. Mais rien ne doit ralentir le grand chef, pas vrai ?

— C'est le système qui veut ça, ma chérie.

— Eh bien, j'en ai assez ! Tu dois veiller à respecter ceux qui comptent, Joel. Je vais te rappeler un concept que tu as trop négligé, ces temps derniers.

Il marqua une pause, hésitant sur la tactique à adopter : devait-il lui montrer qu'il était le patron ou jouer l'apaisement ?

— Allons, Gwyneth ! Qu'y a-t-il de si terrible ? répondit-il, choisissant la seconde solution. J'ai simplement autorisé Laura à poursuivre ses premières recherches.

— Tu t'es tellement monté la tête sur Palisades Park que cela revient à lui donner un feu vert définitif, répliqua-t-elle avec colère. Nous le savons très bien, l'un comme l'autre.

— Dois-je comprendre que Kitzi et moi ne sommes plus les bienvenus à ta soirée du Nouvel An ?

— Fais ce que tu veux, ça m'est désormais parfaitement égal ! répondit sèchement Gwyneth.

Elle raccrocha avec violence. Joel ne manquerait pas de venir, elle le savait très bien. Il lui offrirait sans doute de faire la paix. Il aurait la certitude d'arranger les choses.

Elle ne marcherait pas, cette fois-ci. À son tour, elle aurait une petite surprise pour lui, qu'elle se ferait un plaisir de lui annoncer. « Plein Cadre », sa chère émission, l'œuvre de sa vie, allait bientôt perdre sa star.

12

Maxine Kanowski-Bronner attendait avec impatience la visite que Laura Walsh, son ancienne élève, devait lui rendre le soir de Noël comme chaque année depuis vingt ans. L'ex-institutrice, désormais à la retraite, se souvint de la toute première fois que Laura était entrée dans leur maison de Lafayette Avenue. Laura n'avait que huit ans ; sa mère était morte depuis un mois seulement.

Le père de Laura ne s'en remettait pas. Il buvait, avait cessé de se rendre à son travail et pleurait sans cesse. Maxine l'avait appris grâce à la petite fille. L'enfant ne lui avait pas dit de vive voix, mais l'institutrice le savait grâce au cahier de bord qu'elle faisait tenir à chacun de ses élèves, à l'école catholique de l'Épiphanie.

Quand ceux-ci entraient en classe, la première chose qu'ils devaient faire était d'écrire dans leur cahier, à propos d'un sujet nouveau que leur suggérait la maîtresse, du type : « Qu'est-ce que vous ferez quand vous serez grand ? » ; « Racontez vos vacances » ; « Faites le portrait de votre famille ». Mais les enfants pouvaient aussi choisir d'écrire librement sur ce qu'ils avaient en tête.

Cette année-là, en septembre, Laura raconta dans son journal que sa maman avait été malade tout l'été et s'était rendue de nombreuses fois chez le docteur. En octobre, elle écrivit que sa maman allait souvent à l'hôpital ; les traitements lui faisaient perdre ses beaux cheveux blonds. Sa maman lui avait assuré que les médicaments la remettraient bientôt sur pied. En novembre, Laura s'était entendu dire qu'en fin de compte, le traitement ne marchait pas.

Les autres enfants savaient eux aussi ce qui se passait. Des extraits des cahiers étaient lus en classe. Nul n'était obligé de lire mais, quand l'institutrice demandait : « Qui veut faire partager ce qu'il a écrit ? », Laura levait toujours le doigt.

Ses camarades tentaient de la consoler.

« Ta mère ira bientôt mieux. »

« Ne t'en fais pas, Laura. »

« Mon oncle a été malade, lui aussi. Il s'est rétabli. »

À l'approche de la fête de Thanksgiving, alors que l'on étudiait en classe l'épisode traditionnel du *Mayflower* et des premiers colons américains, Laura écrivit qu'elle allait chaque soir dans le lit de sa maman pour dormir près d'elle. Dès que son père s'était endormi, Laura se glissait sous les couvertures et se blottissait contre le corps amaigri de sa maman, écoutant battre son cœur.

Sa mère ne dormait en fait pas très bien ; cependant, jamais elle ne reprocha à Laura de ne pas se comporter comme une grande fille. Au contraire, elle lui ouvrait les bras, caressait ses cheveux, lui murmurait que tout irait bien. Dans la tiédeur du lit, confiante et rassurée, Laura la croyait.

Néanmoins, la dernière nuit, avait un jour écrit Laura, maman ne s'éveilla pas lorsqu'elle vint se serrer contre elle. Sa respiration produisait un son bizarre ; sa poitrine se soulevait à intervalles rapprochés. Laura tenta de secouer papa, qui ne bougea pas d'un pouce. Il avait bu bière sur bière après dîner. Dans ces cas-là, il n'y avait aucune chance de le réveiller.

Laura était simplement restée étendue près de maman, l'entourant de ses petits bras, priant Dieu pour conserver la personne à qui elle tenait le plus au monde. Celle auprès de qui elle se sentait en sécurité.

Ne trouvant pas le sommeil, elle resta dans le noir, les yeux grands ouverts. Elle écouta longtemps le tic-tac de la pendule de l'entrée. Et puis la poitrine de sa maman se souleva pour la dernière fois.

Le cœur serré, Maxine avait écouté Laura leur lire son récit. Elle ne savait que faire pour aider la petite fille. De son bras, elle lui avait entouré les épaules, en murmurant « Nous sommes toujours là, nous restons auprès de toi ». Serrée contre sa maîtresse, l'enfant avait éclaté en pleurs.

Dans les semaines qui suivirent, à l'approche de Noël, Maxine avait eu besoin de tout son courage pour retenir ses larmes devant la petite Laura. L'école avait donné son concert de Noël, les enfants avaient entonné les chants traditionnels, le Père Noël était venu dans la classe distribuer des sucres d'orge. Chaque fois, Laura avait participé, du mieux qu'elle avait pu. Elle faisait front, comme un brave petit soldat.

Souvent, en fin de journée, après la sonnerie, Laura s'attardait dans la classe. Elle repoussait le moment de rentrer dans sa maison de Grant Avenue, d'où sa maman était absente. Son père l'y attendait, mais elle était inquiète, ne sachant jamais dans quel état elle allait le retrouver.

L'institutrice occupait alors son élève à de menues tâches, lui faisait effacer le tableau noir ou fixer les dessins au mur. Quelques jours avant les vacances, Maxine rassembla son courage et demanda à la petite fille ce que son père et elle faisaient pour Noël,

— Papa dit que nous ne fêterons pas Noël cette année, répondit Laura en baissant les yeux.

— À cause de ta maman ?

Laura fit oui de la tête.

— Écoute-moi, Laura, commença Maxine après une courte pause, je sais que c'est très difficile pour ton père. Je peux comprendre qu'il n'ait pas envie de fêter Noël. Néanmoins, que dirais-tu si je vous proposais de venir ensemble à la maison le soir du 24 décembre ? Nous célébrons toujours le réveillon en famille, selon nos traditions. Tu découvriras une nouvelle façon de fêter Noël.

Les yeux de l'enfant avaient brillé.

Le soir même, Maxine appela Emmett Walsh. Au ton pâteux de sa voix, elle devina qu'il avait bu. Cependant, d'une certaine façon, il lui fit une réponse encourageante :

— Je sais que Laura a droit à un Noël, mais je n'aurais pas la force de l'organiser pour elle. Je ne mérite pas de fêter Noël. Elle, si.

— Monsieur Walsh, vous le méritez, vous aussi. Vous ne pouvez vous tenir responsable de la mort de votre femme.

— Ma femme n'est pas morte en paix. C'est ma faute.

Au téléphone, Maxine l'entendit boire une nouvelle gorgée d'alcool. Elle n'avait pas bien saisi ce qu'il voulait dire. Toutefois, ce n'était pas à elle de lui demander des précisions.

— Peut-être devriez-vous parler au père Ryan. Il pourrait vous aider à accepter ce qui s'est passé.

— Je n'ai plus rien à faire de la religion aujourd'hui, madame Bronner. Si vous voulez savoir, Dieu, j'en ai plutôt ras le bol.

— Monsieur Walsh, je sais que vous souhaitez le meilleur pour votre innocente petite fille. Acceptez donc de vous joindre à nous pour Noël. Je vous en prie.

Cela avait commencé de cette façon. Les premières fois, Emmett Walsh accompagnait sa fille chez les Bronner le soir de Noël. Puis seule Laura continua à venir.

Enfant unique, Laura appréciait la grande réunion de famille. Alan Bronner se montrait chaleureux et aimant envers sa femme et ses deux enfants, Danielle et Justin. Tantes, oncles et cousins emplissaient la petite maison, rassemblés pour célébrer la Wigilia, le grand Noël des immigrés polonais.

À la tombée de la nuit, Maxine Bronner plaçait une chandelle sur le rebord de l'une des fenêtres de façade. Elle avait expliqué à Laura que l'on croyait autrefois aider ainsi les esprits des ancêtres à retrouver leur foyer pour la Wigilia.

— Pensez-vous que maman me retrouvera ici ? avait demandé Laura d'une voix douce, la première année.

Maxine avait attiré l'enfant à elle.

— Laura, je suis sûre que l'âme de ta maman est ici même à cet instant, et qu'elle te regarde avec beaucoup d'amour. Elle a fait tout ce qu'elle pouvait pour rester auprès de toi car elle ne voulait pas t'abandonner. Mais elle devait partir, le moment était venu pour elle de monter vers Dieu, au Paradis. Je suis certaine qu'elle souhaite que tu sois gaie, que tu profites de la vie et de toutes les merveilleuses choses qui t'attendent.

— Comme ce soir ?

« La pauvre enfant demande la permission de s'amuser », avait songé Maxine.

— Oui. Tout spécialement ce soir.

Maxine avait pris Laura par la main et l'avait entraînée dans la salle à manger. Repoussant un coin de la nappe de lin empesée, elle lui avait montré les quelques fétus qu'elle cachait, répandus sur la table.

— Le foin et la paille symbolisent la naissance de l'Enfant Jésus dans une étable. Quand les premières étoiles apparaîtront dans le ciel, nous pourrons commencer à célébrer Noël.

— Et s'il n'y a pas d'étoiles ? Si les nuages les cachent ?

Maxine avait ri.

— Alors nous commencerons à 6 heures du matin !

Mais ce soir-là, une étoile s'était montrée. Les convives s'étaient rassemblés debout, autour de la table couverte de la lourde nappe, pour partager l'*optalek*, le pain rituel qui, avait expliqué Maxine Kanowski-Bronner, équivalait à l'hostie consacrée lors de la sainte messe. Au lieu d'en avoir la forme arrondie, l'*optalek* était rectangle et estampée sur une face d'un motif de Noël. Pour les Polonais, elle symbolisait le renforcement des liens entre les gens.

Laura avait solennellement avalé le pain rituel et était allée s'asseoir aux côtés de son père. Elle s'était sentie soulagée qu'il n'ait pas bu de la journée. De fait, quand on lui avait demandé ce qu'il voulait boire, il avait réclamé une eau gazeuse.

Les choses allaient peut-être s'arranger un peu.

13

Tandis que sa mère vivait ses dernières nuits, la petite Laura ne pouvait trouver le sommeil. Sa chambre familière au papier peint multicolore, avec son lit-bateau – un « lit de princesse », disait sa mère –, n'était plus le lieu confortable et rassurant où on lui lisait un conte avant qu'elle s'endorme. C'était devenu une pièce sombre, effrayante.

Pendant la journée, l'école et les jeux, la présence de Mme Bronner la distrayaient. La nuit, allongée dans son lit, guettée par l'angoisse, Laura tournait et retournait ses pensées.

Elle se doutait que quelque chose n'allait pas même si, en sa présence, chacun se comportait comme s'il n'y avait rien d'anormal.

Son père ne savait pas qu'elle l'avait aperçu sanglotant dans le grand fauteuil, tard le soir, alors qu'il la croyait au lit. Elle se relevait et surveillait sans bruit ce qui se passait dans la maison. C'était ainsi qu'elle avait tout compris.

Laura jouait elle aussi un rôle, celui du bon petit soldat. Pendant le dîner, elle ne manquait pas de babiller, racontait à Emmett ce qu'elle avait fait à l'école. Elle s'efforçait de ne jamais regarder la place vide de l'autre côté de la table. Elle buvait bien son lait, mangeait bien ses petits pois, avec le secret espoir que, si elle se comportait comme une bonne petite fille, rien de grave ne pourrait arriver.

Elle avait décidé d'ignorer le fait que son père buvait de plus en plus.

D'aussi loin qu'elle se souvienne, elle avait toujours vu son père consommer une grande quantité de boîtes de bière rouge et blanc. Sa mère ne le lui reprochait pas, mais elle surveillait l'accumulation des boîtes vides. « Emmett, ça suffit, maintenant », disait-elle simplement lorsqu'il le fallait. En général, son père cessait aussitôt de boire.

Privé de la surveillance de sa femme, Emmett ne savait plus s'arrêter. Il buvait de plus en plus. Son élocution devenait laborieuse. Il sentait la bière. Parfois, lorsqu'il se levait de son fauteuil, il titubait et s'étalait au sol.

Un soir, Laura lui souffla : « Papa, ça suffit, maintenant. » Son père la frappa. Dès lors, chaque fois qu'il décapsulait l'une de ses boîtes rouge et blanc, elle faisait comme si elle n'avait rien entendu.

Son esprit d'enfant comprenait de manière confuse qu'il n'avait pas voulu lui faire mal. Il l'aimait, elle en était sûre. Elle l'excusait : il était si inquiet au sujet de maman.

Laura avait surpris les paroles de ses parents. Un soir, elle s'était postée dans le couloir pour écouter à la porte le son étouffé de leurs voix :

— Sarah, qu'est-ce que je vais devenir, sans toi ? sanglotait Emmett.

— Tais-toi, mon chéri. Je suis tellement désolée. Il faut que tu te montres fort. Tu dois continuer. Tu dois le faire pour ta fille, pour Laura.

— J'en suis incapable.

— Si, tu peux. Il le faut. Emmett, promets-moi d'arrêter de boire. Tu dois te faire aider.

Laura entendit son père pousser des gémissements plaintifs. Elle eut peur. Si sa mère la quittait, il ne lui resterait plus que son père. Il était en train de s'effondrer, lui que Laura avait toujours cru si grand, si fort.

— Promets-moi, Emmett. Il faut que tu en parles à quelqu'un. Soulage-toi. Tu ne guériras que si tu te débarrasses de ce poids sur ta conscience. Il faut que tu cesses de te sentir coupable. Admets-le : c'était un accident. Va voir la police. Confesse-toi.

La petite fille n'ignorait pas le sens de ce verbe. Elle venait de faire sa première communion ; à cette occasion, elle avait appris à se confesser. Il lui avait été assez difficile de faire la démarche, d'avouer au prêtre ce que l'on doit considérer comme des péchés.

Elle resta immobile, pieds nus, en pyjama. « Qu'a donc fait papa qui inquiète autant maman ? »

Vingt ans plus tard, Laura avait su se détacher de son enfance et de son adolescence, assombries par le secret et les mauvais traitements.

Elle ignorait encore tout de ce à quoi sa mère avait fait allusion. La petite cicatrice sur son front était cependant là pour lui rappeler le mal qui avait rongé son père, incapable de se contrôler.

14

Le cœur lourd, Leonard Costello acheva sa tournée des chambres au Mount Olympia Hospital. Le dernier patient fut une adolescente qui avait eu le visage tailladé par un déséquilibré, dans Central Park. Quand il en aurait fini avec elle, après de multiples opérations – pour plusieurs milliers de dollars –, elle aurait peut-être même meilleure apparence qu'avant l'agression.

Il marcha lentement vers la sortie. Dans le couloir chargé d'odeurs d'antiseptique, les infirmières circulaient d'un pas pressé, leurs semelles de crêpe crissant sur le linoléum. Grésillant dans les haut-parleurs, une voix énonçait le nom de certains médecins. Mais Costello n'avait que faiblement conscience de l'activité. Il réfléchissait à sa conversation avec Gwyneth Gilpatric. Elle l'avait plongé dans un profond trouble.

« Sait-elle ? A-t-elle pu apprendre ma maladie ? » Il n'en avait pourtant parlé à personne, ni à Francesca, ni même à son épouse.

Il avait pris tant de précautions, Quand il avait soupçonné un problème, il avait évité de consulter au Mount Olympia, ni dans aucun autre hôpital de New York. Il avait appelé son meilleur ami du temps de la fac de médecine, devenu neurobiologiste en Floride. Il s'était rendu là-bas en avion pour se faire examiner.

Rapidement, en testant sur lui le Sinemet, son ancien camarade d'études lui avait appris qu'il était à coup sûr atteint de la maladie de Parkinson. Comme l'acteur Michael J. Fox, le procureur général Janet Reno ou le grand boxeur Mohammed Ali.

Son ami lui avait juré de ne pas dévoiler son diagnostic. Costello était assuré de sa discrétion. Après tout, il possédait lui-même quelques informations gênantes à son propos. Ils devaient se ménager l'un l'autre.

La moindre trace de suspicion pouvait s'enfler jusqu'à devenir mortelle. Car la réputation du docteur Costello était la garantie de son activité professionnelle.

Il lui avait fallu tellement travailler pour réaliser ses rêves. Il se sentait un véritable artiste du bistouri. On le lui répétait si souvent. Son compte en banque le prouvait. Son standing le reflétait.

La Jaguar, la Range Rover, le bateau mouillé dans les eaux de l'Hudson, la grande demeure à Scarsdale, la villa au bord de la falaise, à Saint-Martin. Pour les enfants, les plus grandes écoles privées. Et une maîtresse, Francesca, installée en ville, dans un appartement de l'Upper East Side.

Il n'était pas prêt à abandonner tout cela.

Si Gwyneth savait, elle ne pourrait le garder longtemps pour elle. Le bruit se répandrait comme une traînée de poudre. Leonard Costello, le chirurgien esthétique si renommé, avait la tremblote. Effrayées, ses riches patientes l'abandonneraient. Cette pensée le fit frissonner.

Sans aucun doute, il allait devoir arrêter, au bout du compte. Mais pas tout de suite. Il pourrait attendre de ne plus pouvoir se contrôler, même sous médicament. Avec un peu de chance, il lui restait encore un capital de plusieurs années. De quoi accumuler de nouvelles provisions d'argent, s'occuper de son épargne. Bref, se constituer un joli matelas pour amortir le choc.

Il devait déterminer si Gwyneth était au courant. Si elle l'était, il pourrait peut-être la convaincre qu'il n'avait jamais eu l'intention de l'opérer pendant l'une de ses crises. Il ferait appel à sa sympathie, lui expliquerait quels étaient ses plans. Elle comprendrait qu'il ait besoin de quelques années avant de se retirer.

Il résolut de chercher à la mettre de son côté. Il irait à sa soirée du Nouvel An. S'il pouvait lui parler face à face, il devinerait tout de suite si elle était ou non au courant.

— Leo !

Interrompant sa réflexion, Greg Koïzim, l'un de ses collègues en chirurgie esthétique, très réputé lui aussi mais plus jeune de dix ans, s'approcha et vint marcher à ses côtés.

— Hello, Greg. Comment ça va ? s'enquit Costello d'une voix lasse.

— Devine qui j'ai reçu en consultation il y a quelques jours ?

— Je donne ma langue au chat.

— Gwyneth Gilpatric. Elle n'est pas l'une de tes patientes, pourtant ?

« Tu le sais foutrement bien, petit bâtard ! » Costello se blâma de la manie qu'il avait eue pendant des années de révéler les noms de ses clientes célèbres, pour faire impression. Tant pis s'il en perdait une. L'essentiel était maintenant de garder les autres.

— Ah oui ? De quoi avait-elle besoin ? interrogea-t-il, évitant d'adopter un ton intrigué.

— D'un lifting facial complet. J'ai réussi à la caser dans mon planning pour la première semaine de janvier.

Le docteur Costello sentit ses joues s'enflammer. Toutes ces salades à propos de sa prétendue « peur de n'être pas prête ». Mensonges !

Elle savait. Sans le moindre doute, elle savait.

15

Laura continua de travailler sur son bilan annuel des disparus pendant toute la matinée et une partie de l'après-midi. Elle dut passer au crible trois cartons de vidéocassettes pour retrouver les deux petites secondes d'images précisément nécessaires pour tel et tel personnage de sa galerie de disparus. À 16 heures, elle eut hâte de descendre au studio de « À la une ce soir », où une session d'enregistrement était prévue avec Eliza Blake, la présentatrice de l'émission.

Ceux des membres du personnel qui le pouvaient avaient pris leur semaine. Laura, qui finissait son bilan annuel, travaillait tous les jours, sauf le jour de Noël. Eliza Blake avait droit quant à elle à quelques jours de congé. Mais, avant son départ, Key News souhaitait parer à toute éventualité.

Quand Laura pénétra dans le studio, Eliza avait déjà pris place. Depuis son *desk* de présentatrice, elle parcourait une copie de la bande vidéo dont elle devait lire le commentaire. Elle adressa un sourire à sa jeune collègue.

— Faire ce genre de chose une veille de Noël me glace les sangs, commenta-t-elle.

Laura opina.

— Moi aussi... Tu sais comment ça marche : si nous sommes prêts, il ne mourra pas. Dans le cas contraire, tu peux être sûre qu'il va passer de vie à trépas.

Eliza soupira, fronçant les sourcils.

— Je suppose qu'il faut voir les choses de cette façon. Crois-tu qu'en général ils se doutent de ce que nous leur préparons ?

— Lui, d'après ce que je sais, il n'a plus conscience de grand-chose, répondit Laura.

— Bon, OK. Je suis prête. C'est quand tu veux.

Laura se dirigea vers la cabine vitrée du réalisateur, tandis qu'Eliza procédait à l'essai de son.

— Test micro, un-deux, un-deux !

— Parfait, jugea J. P. Crawford depuis la cabine, alors que Laura prenait un siège derrière lui.

Crawford commença le décompte :

— Eliza Blake, émission spéciale sur Kevin Kane, trois deux un. À toi, Eliza.

Laura suivit sur le moniteur l'image d'Eliza Blake qui regardait la caméra en lisant les mots défilant sur le prompteur.

« Nous interrompons nos programmes pour une édition spéciale. Kevin Robert Kane, l'ancien président, est décédé aujourd'hui dans son ranch près de Tucson, Arizona, à l'âge de soixante-dix-sept ans. Depuis plusieurs années, il luttait contre une grave maladie.

« La dépouille mortelle sera exposée au Capitole avant l'inhumation dans le caveau de l'institution qui porte son nom, la Bibliothèque Kevin Kane de Tucson.

« Nous vous communiquerons de plus amples détails sur cette disparition un peu plus tard, au cours de l'édition de "À la une ce soir". »

— Arrêtons-nous là pour l'instant, dit Crawford. On va voir ce que cela donne.

La bande repassa sur la demi-douzaine d'écrans de contrôle, sous les yeux du *staff* de la régie.

— Ça te convient ? demanda Crawford à Laura Walsh.

— Très bien, assura Laura.

Maintenant, si l'ex-président décédait dans les dix prochains jours, le sujet serait annoncé sur Key News par la présentatrice de « À la une ce soir » comme on s'y attendait, Quand bien même Eliza Blake se trouverait à des centaines de kilomètres des studios, en vacances sur Rhode Island avec ses enfants.

Quelques minutes plus tard, Eliza détacha de son chemisier le clip du micro.

— Ces nécrologies ne te fatiguent pas, à la longue ? demanda-t-elle.

Laura haussa les épaules.

— Pas vraiment, non. En réalité, j'y prends même un certain plaisir. Elles sont l'occasion d'évoquer un destin exceptionnel. Et les recherches se révèlent souvent passionnantes. J'apprends toujours quelque chose.

La présentatrice hocha la tête.

— Y a-t-il certains traits qui reviennent ?

— Oui, répondit Laura après quelques secondes de réflexion. Chacun de ces destins semble marqué par une période difficile, une traversée du désert. Toutes ces personnalités, à force de persévérance, finissent par la surmonter.

Un franc sourire se peignit sur le visage d'Eliza.

— Je trouve cela bien. Et puisque nous terminons sur une note un peu plus gaie, j'en profite pour te souhaiter de joyeuses fêtes. Je vais avec Janie chez mes parents. Et toi, que comptes-tu faire ? Tu ne travailles pas le 25, j'espère !

— Non, heureusement. Cette année, j'ai quartier libre. Je vais dans le New Jersey, passer la journée en compagnie de mon père.

16

Vendredi 24 décembre, veille de Noël

En ce jour particulier, une atmosphère de fête régnait dans les locaux de Key News. On avait suspendu au plafond du service des Informations des guirlandes lumineuses. La grande table de travail, au milieu de la pièce, avait été débarrassée pour qu'on y dispose gâteaux et cookies, avec le baklava, une pâtisserie orientale sucrée préparée par la femme de Mike Schultz. L'ambiance de travail était détendue. Laura et ses collègues, très décontractés, échangeaient des plaisanteries, discutant de ce qu'ils devaient faire pendant leur congé ou s'apitoyant sur le sort des malchanceux qui restaient au boulot.

Laura travailla un peu à sa rétrospective. Elle estimait être capable de la terminer dans les temps. Elle décida de partir assez tôt. En réalité, elle avait hâte de se rendre chez les Bronner.

Afin d'éviter la contrainte des horaires de bus, elle avait fait une petite folie, louant une voiture pour ces deux jours. Les présents qu'elle offrirait aux Bronner se trouvaient déjà dans le coffre. En quittant les bureaux, elle emprunta donc directement le Lincoln Tunnel pour se diriger vers l'État du New Jersey.

Quand elle sortit du tunnel, le ciel commençait à s'assombrir. Elle appuya sur l'accélérateur. Elle voulait être chez eux avant que la première étoile ne s'allume au firmament.

C'était un moment qu'elle chérissait, celui auquel elle songeait avec le plus d'impatience. Un instant, elle se sentit coupable : elle aurait sans doute dû préférer passer davantage de temps en compagnie de son père. Tant pis.

Sa relation avec Emmett Walsh était complexe. Elle l'aimait, sans aucun doute. Cependant, toutes ces années passées à se demander quels nouveaux problèmes il allait poser lui avaient beaucoup coûté. Elle ne lui rendait jamais visite sans une pointe d'angoisse. Serait-il sobre, cette fois-ci ? mécontent ? déprimé ?

Les Bronner, eux, l'accueillaient comme l'une des leurs. Elle avait le privilège de partager cette soirée avec eux pour célébrer Noël dans la tradition, en toute quiétude.

Laura dénicha une place de stationnement au croisement de Lafayette et de Palisades Avenue. Alors qu'elle sortait les paquets du coffre, elle se rendit compte qu'elle était à deux pas de l'emplacement de l'ancien parc d'attractions, de l'autre côté de la chaussée. On avait découvert les restes de Tommy Cruz un peu plus loin. Remontant la rue vers la maison des Bronner, le visage fouetté par un vent glacial, Laura songea qu'elle ne devait pas oublier de demander à Maxine et Alan s'ils se souvenaient de l'époque où le petit Cruz avait disparu.

Elle s'engagea sur le perron et, en haut des marches, leva les yeux au ciel ; elle y vit une unique étoile.

— Bravo ! tu arrives juste à temps !

Maxine, les bras grands ouverts, invita la jeune femme à entrer.

Laura reconnut l'odeur familière des plats que l'on servait chez les Bronner à Noël. Le dîner ne comportait pas de viande : on allait déguster des harengs marinés, puis des truites cuites à l'étouffée, agrémentées de champignons, d'oignons et de céleri, et accompagnées de pommes chaudes. La choucroute sans viande au chou et aux pois mitonnait longtemps sur le feu, avant d'être servie parsemée de graines de pavot. Et il y aurait, bien entendu, ces *pierogi* qu'aimait tant Laura, des boulettes de pâte farcies à la pomme de terre et au fromage..

Tout en recevant les souhaits de bienvenue des Bronner, Laura déposa ses présents au pied du sapin abondamment décoré. Elle ôta son manteau, découvrant la robe rouge moulante qu'elle venait de s'offrir pour les fêtes.

— Tu es magnifique ! s'exclama Maxine.

— Et vous, madame Bronner... Les années n'ont pas prise sur vous.

— Laura, répondit Maxine en riant, combien de fois t'ai-je dit de m'appeler Maxine ! Quant au temps qui passe... Comme je voudrais que tu aies raison !

— Vous me paraissez la même que le jour où je suis entrée pour la première fois dans votre classe. C'est sans doute pour cela que je n'arrive pas à vous appeler Maxine. Mais j'essaierai encore !

Maxine sourit avec un léger haussement d'épaules, Alan l'entoura de son bras.

— Max est aussi belle que lors de notre rencontre. Ce fut le jour le plus chanceux de ma vie.

Max et Alan Bronner s'étaient connus bien des années auparavant. Alan travaillait alors dans une petite société d'informatique, qui depuis s'était développée ; trente-cinq personnes étaient aujourd'hui à l'œuvre dans ses bureaux de Mahwah. Les Bronner n'avaient pas quitté Cliffside Park. Ils préféraient rester au contact de la communauté polonaise plutôt que de s'éloigner vers une banlieue résidentielle du New Jersey.

Maxine donna bientôt le signal de la Wigilia. On rompit l'*optalek* avant de savourer le délicieux dîner, entrecoupé de discussions et de rires.

Quand Maxine apporta les desserts – un gâteau au miel en forme de cœur servi tiède, un autre aux grains de café et de pavot, une compote de fruits secs et du pudding aux noix –, Laura ne put retenir un gémissement.

— Je ne peux plus rien avaler !

Malgré cela, elle remplit son assiette.

Après le repas, Maxine se mit au piano, dans le living. Ayant appris dès l'âge de cinq ans, elle jouait à merveille.

Laura joignit sa voix à celles des autres convives pour une série de chants de Noël pleins d'enthousiasme. Ensuite, ce fut le moment d'ouvrir les cadeaux.

Laura s'assit à côté de Maxine sur une causeuse, dans l'angle de la pièce, tandis que l'on défaisait les paquets sur fond de « oooh ! » et de « aaah ! » admiratifs.

— Comment vont les choses à Key News ? commença Maxine à brûle-pourpoint.

— Plutôt bien, à vrai dire.

— T'occupes-tu toujours des nécrologies ?

— Oui. Cependant j'essaie d'obtenir un nouveau poste, à « Plein Cadre ».

— Ce serait formidable, Laura ! commenta Maxine en ouvrant de grands yeux. Nous regardons cette émission chaque semaine. Elle est sensationnelle.

Laura hocha la tête.

— Je suis allée proposer une idée de sujet au producteur exécutif, qui paraît très intéressé.

Maxine tendit l'oreille.

— Palisades Park et la mort de Tommy Cruz.

Le visage de l'ex-institutrice se rembrunit.

— Qu'y a-t-il ? demanda Laura.

— Ce furent de terribles moments, dit Maxine Bronner en secouant la tête. Je me souviens des recherches pour retrouver le petit garçon, qui n'en finissaient plus. Les jours, les semaines passaient, et l'on n'avançait pas d'un pouce. Le meilleur ami de Tommy, Ricky Potenza, tomba dans une sorte de dépression nerveuse, le pauvre gosse ! Après cela, il ne fut plus tout à fait le même. Sa famille déménagea, en fin de compte ; je reçois encore une carte tous les ans à Noël.

Maxine détourna un instant le regard, comme pour rassembler ses souvenirs.

— Le bruit autour de cette affaire s'est peu à peu dissipé. Quant aux Cruz, ils ont poursuivi leur chemin de croix. Encore aujourd'hui, lorsque je tombe sur Felipe à l'église ou sur Marta au supermarché, je ne sais que leur dire. Ils vont peut-être pouvoir en finir avec tout cela, maintenant.

— Oui et non, répondit Laura. La police vient de relancer l'enquête.

— Après tant d'années ? Je pensais que toute trace aurait disparu.

17

Samedi 25 décembre, jour de Noël

En fin de soirée, Laura quitta les Bronner. Ne voulant pas passer la nuit chez son père, elle regagna son appartement de Manhattan.

Le matin du jour de Noël, elle rangeait les cadeaux pour son père dans un grand sac rouge de chez Bloomingdale lorsqu'elle fut interrompue par la sonnerie du téléphone.

— Joyeux Noël..., murmura la voix au bout du fil.

— Francesca, c'est toi ?

— Hmm hmm,

— Pourquoi parles-tu si bas ?

— Je ne suis pas seule.

— Oh ! tu es avec Leo ?

— Il est couché à côté de moi. Il dort à poings fermés.

— Leo est dans ton lit, le jour de Noël ? Alors que sa femme et ses enfants l'attendent chez lui. Quelle ordure, ce type ! Quand vas-tu enfin te débarrasser de lui ?

— Allons, Laura, sois gentille.... Épargne-moi tes reproches. C'est Noël.

Laura soupira, résignée pour l'instant à accepter la situation de son ancienne colocataire.

— OK. Dis-moi seulement une seule chose. Comment fait-il ? Je veux dire, quelle excuse a-t-il bien pu donner à sa femme pour ne pas être à Scarsdale quand les enfants ouvriront leurs cadeaux ?

— Il est médecin, tu sais.

— C'est vrai, j'oubliais.

Laura eut un petit rire sarcastique.

— Sans doute une « urgence » hospitalière pour le Grand Maître de la chirurgie esthétique. C'est pitoyable ! Excuse-moi, Fran, mais sa femme doit tout de même suspecter quelque chose. Ou alors, elle est complètement aveugle !

— Tu vas voir Emmett ? s'enquit Francesca, changeant de sujet.

— Oui, Et j'aimerais bien que tu m'accompagnes. Emmett serait si content de te voir. Il t'adore. Tu aurais droit à ses affectueuses taquineries. Tu devrais venir, Francesca, vraiment. Je ne vais pas aimer te savoir toute seule en ville quand le Docteur Miracle sera reparti.

— Merci, ma chérie. L'idée de passer la journée dans le sous-sol de ton père à faire joujou avec son parc me tente énormément. Si je change d'avis, je saurai où te trouver !

Oh ! conclut Francesca avec précipitation, je te laisse : il est en train de se réveiller.

L'entendant reposer le combiné, Laura regretta de ne pas avoir eu le temps de lui apprendre que son déloyal amant avait appelé Gwyneth Gilpatric, le soir où elle se trouvait chez la présentatrice.

18

En entrant dans le pavillon double de Grant Avenue dont son père occupait l'une des moitiés, Laura fut accueillie par le fumet du rosbif mijotant sur le feu. Il n'y avait personne dans le living, ni dans la petite cuisine. Non sans peine, elle y transporta l'énorme paquet et le sac rempli de cadeaux qu'elle avait extirpés du coffre de la voiture. Elle posa tout par terre.

— Papa, appela-t-elle. Je suis rentrée !

— Descends, ma chérie !

« Évidemment, il est à la cave. » Elle aurait dû se douter qu'il l'attendrait en bas : le sous-sol était l'endroit qu'il préférait.

Elle ôta ses gants, les fourra dans une poche de son manteau, le suspendit au portemanteau de l'entrée, puis alla placer le grand sac Bloomingdale's non loin du mini-sapin en plastique qui ornait le poste de télévision. Son père avait ceint l'arbre artificiel d'une petite guirlande lumineuse. Il avait accroché aux branches les décorations qu'il chérissait, celles qu'avait confectionnées Laura lorsqu'elle était enfant : un papillon dont le corps était formé d'une épingle à nourrice et les ailes découpées dans du papier de soie, une chenille en carton avec deux cure-pipes verts pour les antennes, plus un collier de macaro-nis dorés.

La sentimentalité d'Emmett fit sourire Laura. Au cours des ans, il avait plusieurs fois échoué en tant que père. Cependant, à sa façon, il s'était efforcé de jouer son rôle, de remplacer cette mère qu'elle n'avait plus.

Elle disposa un à un les paquets-cadeaux au pied de la télévision, en se félicitant de ne pas avoir ménagé sa bourse. On en comptait une demi-douzaine, enveloppés de papier vert et rouge, attachés par un bolduc argenté. Ils contenaient des objets qu'Emmett ne se serait jamais achetés lui-même. L'un des présents tenait dans une petite boîte. Laura l'emporta avec elle au sous-sol.

— Papa ?

En descendant l'escalier de bois, elle entendit une musique qu'elle connaissait depuis son enfance. L'air de Palisades Park tintait au sous-sol.

Certains hommes d'âge mûr possèdent des trains élec-triques. D'autres manipulent des bataillons de soldats de plomb. Le père de Laura, lui, avait réalisé au prix d'un long labeur la maquette de Palisades Park, le parc d'attrac-tions où il avait travaillé plusieurs étés – les plus mémo-rables de sa vie, disait-il.

Tout était reconstruit à petite échelle, avec une ingé-niosité stupéfiante. Il y avait là le manège et ses chevaux de bois lilliputiens, sculptés à la main ; la piscine d'eau salée, remplie au compte-gouttes ; les autotamponneuses Sky Ride, reliées chacune à son fil électrique vertical ; la figurine du gorille grimaçant qui gardait le Train de la jungle ; un golf miniature, aussi, qui portait bien son nom. Chacune des attractions du mythique parc se trouvait représentée dans le monde souterrain d'Emmett Walsh.

Après la mort de sa mère, Laura avait passé des heures à travailler sur la maquette avec son père. La petite fille aimait entendre les histoires que lui contait Emmett.

Pour toutes sortes d'occasions, concerts, rencontres sportives ou simples promenades, des milliers de gens d'horizons divers avaient un jour franchi les portes de Palisades Park.

Son père avait ainsi vu Jackie Kennedy et ses enfants, Caroline et John-John, manger une glace entre deux tours de manège. Debbie Reynolds, à l'époque une étoile du cinéma, avait annoncé à Palisades Park ses fiançailles avec le chanteur Eddie Fisher – mais leur mariage n'avait pas marché, faisait remarquer Emmett en hochant la tête. Liz Taylor s'était enfuie avec le mari. Triste affaire !

Un prince d'Arabie saoudite s'était rendu lui aussi dans le parc du quartier de Cliffside, avec toute sa cour ; il venait voir la vache à deux têtes exhibée dans la Galerie des Horreurs.

Le père de Laura avait vu les plus grands, Tonny Bennett, Diana Ross, Frankie Avalon ou les Jackson Five, donner des concerts en plein air à Palisades Park.

Pour l'enfant, qui avait grandi sans connaître le parc, détruit pour faire place à la spéculation immobilière, ces histoires paraissaient magiques.

— Laura, mon ange ! je suis si content de te retrouver. Joyeux Noël, gamine ! Tu m'amènes Francesca ?

Le père et la fille s'embrassèrent. Instinctivement, Laura huma son col. Elle fut soulagée de constater qu'Emmett sentait l'eau de Cologne et non la bière Budweiser, responsable de tant d'accès de violence.

Elle cligna des yeux au souvenir des gifles cuisantes qu'il lui avait distribuées durant des années. Il ne voulait pas cela, au fond de lui-même. L'alcool, la frustration, les circonstances le poussaient. Laura le comprenait mieux, aujourd'hui. Mais elle gardait en elle de profondes blessures affectives.

— Joyeux Noël, papa ! Non, Francesca n'a pas pu venir. Tiens, dit-elle en lui tendant le petit paquet, ouvre-le donc tout de suite !

Emmett hésita.

— Attends ! Mes cadeaux sont en haut. Laisse-moi aller les chercher.

Avant qu'il ne monte les marches, Laura le retint.

— On peut attendre. Je voulais juste te donner celui-ci tout de suite.

— OK, gamine. Comme ça te chante !

Emmett reprit sa place habituelle dans le fauteuil, près de la maquette. Il commença à retirer avec soin le ruban.

— Déchire le papier ! pressa Laura.

Si son père avait appris combien elle avait payé cette petite montagne russe de verre filé, il se serait étranglé.

Le visage fendu d'un large sourire, Emmett éleva le précieux objet au-dessus de ses yeux.

— Magnifique, ma belle. Merci ! Je vais l'accrocher tout de suite au sapin.

Laura suivit son père dans l'escalier.

— Au fait, gamine, l'entendit-elle lui dire par-dessus son épaule, est-ce que je t'ai raconté qu'on m'a demandé de prêter ma maquette pour cette soirée de gala au profit d'un futur musée de Palisades Park ?

Il lui avait déjà répété une demi-douzaine de fois.

— Oui, tu me l'as signalé. C'est fantastique.

Dans le salon, ils ouvrirent les cadeaux un à un. Emmett sembla beaucoup plus excité par son nouveau magnétoscope que par la figurine de verre signée Christopher Radko.

— Ma chérie, tu n'aurais pas dû autant dépenser.

Laura sourit de contentement.

— Ton vieux magnétoscope ne cessait de tomber en panne, quand il ne dévorait pas les bandes, papa, rétorqua-t-elle. Je tenais à ce que tu en aies un neuf.

— C'est tout de même trop de frais, insista Emmett.

Malgré ses dénégations, elle vit bien quel plaisir ce nouveau lecteur lui procurait. Il adorait enregistrer des émissions et se les repasser.

— Le dîner est presque prêt, non ? demanda-t-elle. Quelle odeur alléchante !

Elle se leva du vieux sofa et se dirigea vers la cuisine, Emmett sur ses talons. Ils mirent ensemble une touche finale à la préparation de leur festin de Noël.

Quelques minutes plus tard, ils furent à table. Tout en découpant la viande, Emmett lança :

— Tu travailles toujours sur ces histoires funéraires, alors ?

Elle acquiesça en attaquant la purée.

— Oui. On les appelle des nécrologies, papa.

— Ça me fout les chocottes. À vrai dire, faire l'histoire des gens avant même qu'ils soient morts, je trouve ça effarant.

— Alors, papa, tu vas être content d'apprendre que j'essaie de bifurquer. J'ai proposé un sujet pour « Plein Cadre » et le producteur exécutif paraît intéressé. En faisant du bon travail là-dessus, j'espère rejoindre leur équipe.

— Ce serait bien. Je suis fier de toi, ma chérie. Qui aurait cru que ma fille à moi deviendrait une grande productrice de télé !

— Hou-là, attends une minute ! coupa Laura, amusée. Je n'ai pas encore décroché ce job.

— Mais tu vas l'avoir, gamine, tu vas l'avoir ! Tu as toujours eu ce à quoi tu pensais très fort, Et c'est quoi, ce sujet ?

Connaissant sa passion, Laura brûlait de le lui révéler.

— Palisades Park et la disparition de Tommy Cruz.

La joie d'Emmett se dissipa aussitôt.

— Qu'y a-t-il, papa ?

— Pourquoi tiens-tu à remuer tout ça ? Pense à ce que les pauvres Cruz ressentiront si ça passe à la télé.

— Il me semble qu'ils seraient contents que la disparition de leur fils suscite enfin l'attention. Nous allons peut-être pouvoir nous rendre compte de ce qui s'est vraiment passé. Je suis sûre que les Cruz souhaiteraient le savoir.

— J'en doute, ma chérie. Sincèrement, j'en doute. Laissons-le plutôt reposer en paix.

Emmett se redressa pour aller pêcher une boîte de bière dans le réfrigérateur.

En elle-même, Laura poussa un soupir. Afin de ne pas affliger Emmett, surtout en ce jour de Noël, elle choisit de détourner la conversation.

— Au fait, papa, devine chez qui je suis invitée pour la soirée du Nouvel An.

19

Jouer à Casper au Pays des Fantômes, la nuit de Noël, c'était sans doute cinglé. Comme toute obsession.

La lueur de l'ordinateur diffusait dans la pièce sombre. Sur le fond blanc de l'écran se détachaient en lettres capitales les noms des représentants de l'élite des médias.

Les rédacteurs et éditeurs de *Time*, *Newsweek*, du *New York Times* ou du *Wall Street Journal*, les présidents des chaînes de télévision, les producteurs exécutifs des grands fournisseurs de programmes et les noms de ceux qui présentaient les plus célèbres émissions composaient la longue énumération, totalisant cent numéros.

Heureusement, John Kennedy Jr., même en tant que directeur du magazine *George*, n'avait jamais fait partie de la liste. La cagnotte grandissait donc depuis longtemps. Personne ne s'était attendu à la mort de quelqu'un d'aussi jeune. Nul reporter ne s'y était préparé.

Casper et ses Fantômes constituaient un club secret, avec anonymat garanti. Pour mille dollars par mois, les flambeurs pouvaient placer un pari. Un pari sur le prochain mort parmi eux.

Le système fonctionnait comme une loterie. Chaque mise se voyait attribuer l'un des cent noms. Personne ne choisissait sur qui il pariait. Excepté, bien sûr, le maître du jeu.

Un nom par personne – notez bien que ce n'est valable que pour trente jours. Vous payez les mille balles, on vous donne votre nom, vous attendez.

Si le mois se terminait sans gagnant, chacun recevait un nouveau nom. Seul Casper, bien entendu, gardait toujours le même : le truc était là.

La somme totale en jeu n'avait cessé de grandir, à raison de cent mille dollars de plus chaque mois. Deux millions de dollars dormaient maintenant sur le compte.

Dur d'attendre depuis vingt mois. Enfin, l'heure de la récompense approchait.

Plus qu'une semaine.

Casper se fendit d'une petite prière, au nom de sa Mutuelle des Fantômes.

« Mon Dieu, je Vous en prie, n'appelez surtout pas au Ciel l'un des autres noms. »

20

Dimanche 26 décembre

Le centre d'entraide sociale d'East Harlem était logé dans un vieux bâtiment de pierre de quatre étages recouvert d'une couche de peinture bleu criard, dans un affreux pâté de maisons de la Seconde Avenue, entre les 105e et 106e Rues.

Bien qu'aucune réunion ne soit prévue durant la semaine de Noël, Laura se dépêchait de rejoindre le centre, au son des sonos portables et des sirènes de police, qui hurlaient en permanence dans les environs.

East Harlem abritait le quartier portoricain de New York. Traditionnellement colonisée par les immigrants, cette zone avait connu des vagues d'Allemands, d'Irlandais et d'Italiens jusqu'aux années cinquante, quand les Portoricains affluèrent de leur île ensoleillée, décidant d'y établir leur nouveau foyer.

East Harlem, Spanish Harlem, El Barrio, tous ces noms désignaient l'aire comprise entre la Cinquième Avenue et l'East River, délimitée au sud par la 96e Rue et au nord par la 140e Rue, et qui formait le berceau de la salsa. On s'affairait sans cesse dans ces artères animées d'une pulsation rythmée.

Le quartier était pauvre. Des magasins miteux bordaient le trottoir jonché d'ordures. Boîtes de boisson vides, bouteilles brisées, préservatifs et seringues usagés parsemaient le terrain vague jouxtant le centre social. Pas vraiment un cadre idéal pour les écoliers.

Le programme de tutorat mis en place par le centre social n'offrait pas de cours de rattrapage ; les gamins inscrits étaient déjà suffisamment éveillés. Simplement, il leur permettait d'entrer en contact avec d'autres types d'existences que celles des habitants du quartier. Laura s'était engagée à venir ici chaque semaine pendant deux heures pour aider à l'épanouissement d'un enfant.

Son « élève », Jade Figueroa, avait dix ans. Une frange de cheveux noirs cachait le front de la petite fille, qui portait une natte. Laura la voyait tous les samedis matin depuis la rentrée scolaire de septembre.

La jeune femme se réjouissait de la bonne relation nouée entre elles. L'enfant vivait avec sa mère et sa grand-mère dans un petit appartement près du centre social. Quant au père, il avait disparu de la circulation. Elle n'en parlait jamais.

En approchant du bâtiment du centre, Laura aperçut Jade qui l'attendait devant l'entrée en compagnie de sa mère, Myra. Elles s'étaient donné rendez-vous là pour gagner du temps. Lorsqu'un jour Laura avait raccompagné Jade à l'appartement de sa mère, il leur avait fallu patienter près d'une demi-heure avant d'attraper l'un des deux ascenseurs, en piteux état, qui desservait plusieurs centaines de locataires.

Apparemment très excitée, l'enfant se tenait sur le trottoir. Jade avait de brillants yeux noirs. Une denture incomplète, d'une blancheur éclatante, barrait sa bouille ronde. Myra avait soigneusement peigné la chevelure de jais de sa fille ; elle y avait fixé deux ou trois petits clips en plastique figurant des papillons.

Tenant fermement la main de sa mère, Jade trépignait. Pour la première fois, elle allait descendre dans Manhattan jusqu'à Schwartz, le grand magasin de jouets, qui n'était pourtant qu'à quarante blocs de son quartier. Un autre monde, pour elle.

Laura avait appris à la petite fille muette d'étonnement que les enfants y avaient le droit d'essayer tous les jouets. Après avoir demandé son accord à Myra, elle avait proposé à Jade de l'y emmener une fois au moment de Noël et de lui offrir le cadeau qu'elle voudrait. Le jour de cette grande excursion était arrivé, au lendemain du 25.

En confiant sa fille à Laura, Myra laissa voir un peu de circonspection.

— Jade attend ce moment depuis des semaines. La nuit dernière, elle n'a pas pu fermer l'œil tellement elle était excitée que Noël se prolonge aujourd'hui.

Myra avait un accent espagnol qui la rendait parfois difficile à comprendre.

— Eh bien ! je suis moi aussi enchantée à cette idée ! répondit Laura avec un sourire. Merci de me laisser l'emmener.

— À quelle heure comptez-vous rentrer ?

— 16 heures, cela irait-il ?

Myra acquiesça.

— Je vous attendrai.

Jade se détacha de la main de sa mère. Myra remonta la fermeture de son anorak et ajusta l'écharpe rouge autour de son cou.

— Sois bien sage, Jade.

— Oui, maman. Je te promets.

Le trajet en métro passa très vite aux yeux de Laura, mais Jade eut le temps de demander une douzaine de fois si elles étaient bientôt arrivées.

La jeune femme nota l'expression émerveillée de l'enfant, à l'entrée du magasin, quand un grand soldat de plomb vivant leur souhaita la bienvenue. Jade resta hypnotisée par l'énorme horloge aux multiples cadrans, pourvue de grands yeux bleus et de grosses lèvres rouges, qui donnait l'heure en chantant. Aux côtés de Laura, elle contempla dix bonnes minutes les interminables rayonnages qui croulaient sous les modèles réduits de trains ou d'avions.

Elles admirèrent ensemble, à travers les allées, l'étalage merveilleux qu'offrait le plus grand magasin de jouets au monde. Des voitures télécommandées filaient à leurs pieds. Les poupées Barbie souriaient dans leur emballage couvert de paillettes, escortées de GI Joe articulés. Des personnages de *Star War* surgissaient, menaçants. On apercevait des piles de jeux de société, des dizaines d'écrans de consoles vidéo qui brillaient. Bordé par le coin des jeux d'expériences scientifiques et de bricolage électronique, le rayon des peluches regorgeait d'animaux de toute taille et de toute couleur, amoncelés du sol au plafond.

Laura entraîna la petite fille vers le stand Friandises, près de la Forêt des Sucettes, où un automate géant recouvert de chocolat leur dit bonjour. Jade regarda avec insistance l'interminable assortiment de M & M's.

— Tu en veux ?

L'enfant hésita.

— Ne t'inquiète pas, cela ne compte pas pour ton cadeau, assura la jeune femme.

Pendant que Jade avalait prudemment ses bonbons, son amie l'interrogea, lui demandant si elle avait fait son choix.

— J'ai vu un chien qui me plaît. Maman dit que nous ne pouvons pas en avoir un vrai dans l'appartement. Peut-être que je pourrais avoir ce chien-là ? avança Jade, incertaine de la réponse.

— OK, si c'est le chien que tu veux. On y va.

Parmi les douzaines de chiens en peluche beige alignés sur les étagères, tous marqués « Pat le P'tit Chien » – la mascotte du magasin –, Jade choisit celui dont les oreilles retombaient un peu.

— Il a l'air d'avoir besoin d'une maison. C'est lui que je veux. Peu après elles marchaient côte à côte dans la rue, le long de Central Park South. Leurs visages réjouis étaient fouettés par le vent. Jade leva tout à coup les yeux vers son amie.

— Qu'est-ce que c'est, là ? demanda-t-elle, l'air soudain sérieux, désignant la cicatrice sous les cheveux ébouriffés de Laura.

Cueillie par surprise, celle-ci effleura la peau au-dessus de son sourcil.

— Oh, ça ? Une cicatrice que je me suis faite en me cognant à un coin de table, quand j'étais petite. J'avais un peu plus de ton âge le jour où ça m'est arrivé.

Jade hocha la tête. L'explication, qu'elle ne savait pas incomplète, parut la satisfaire.

Laura avait soigneusement évité de lui révéler que, sous l'emprise de la colère et de l'ivresse, son père l'avait frappée, l'envoyant percuter avec violence le rebord de la table.

21

Mardi 28 décembre

Feuilletant *Le Grand Livre de la Cuisine et de l'Art de Vivre*, Francesca s'arrêta sur la recette du goulash selon Ivana Trump. Elle avait déjà préparé ce plat. Leonard l'adorait.

Pour cuisiner sans être gênée, elle fit glisser de son index l'anneau d'émeraudes et ôta de son majeur la bague de diamants, deux généreux cadeaux de son amant.

D'une main experte, elle coupa le bœuf en morceaux qu'elle roula dans la farine et le paprika. Puis, elle les fit sauter dans du beurre additionné d'huile, ajoutant des oignons émincés et du persil. Elle incorpora l'eau et la marjolaine selon les indications de la recette, avant de glisser la préparation au four. Une bouteille de vin rouge débouchée attendait sur le plan de travail de la cuisine.

Francesca disposa avec soin deux couverts sur la nappe de lin crème, posant les assiettes Villeroy et Bosch et les verres à vin Christofle achetés chez Bloomingdale grâce à la carte American Express que lui avait fournie Leonard. Tout cela avait coûté très cher. Mais, au début de leur relation, il ne regardait pas à la dépense ; seul le bonheur de Francesca lui importait.

C'était avant qu'il se mette à la considérer comme faisant partie du décor.

Francesca aimait posséder de belles choses. La contemplation de son living-room la remplissait de satisfaction. Pour créer ce luxueux décor, elle s'était penchée sur les meilleurs magazines, *Architectural Digest* ou *Town and Country*, apprenant à choisir avec goût.

Sur ses instructions, on avait peint la pièce en jaune coquille d'œuf, avec une finition de laque. Elle avait commandé de riches tentures rose corail assorties au sofa recouvert de soie damassée. Les fauteuils flanquant la cheminée étaient tapissés d'un cachemire de Scalamandré, dont les teintes rappelaient celles du sofa et celles du tapis. Des gravures anglaises, encadrées avec élégance, ornaient les murs. La large glace chinoise de style Chippendale qui surmontait la cheminée renvoyait la lueur des chandeliers d'argent alignés sur le manteau.

Oui, elle avait su créer un endroit vraiment merveilleux pour leurs rendez-vous. Et pendant un temps, ce nid d'amour leur avait suffi.

Mais où tout cela la conduisait-elle ? Malgré ses dénégations lorsqu'elle discutait avec Laura, Francesca n'était pas heureuse de n'être que l'« autre femme ». Elle n'avait pas été élevée pour connaître ce destin. Si ses parents avaient appris qu'elle était la maîtresse d'un homme marié, cela les aurait achevés, après tout ce qu'ils avaient traversé.

Elle aimait ses parents, leur existence digne et droite ; néanmoins, elle s'en était échappée, refusant une vie trop harassante, trop ingrate. Très tôt, elle s'était rendu compte que sa beauté lui offrait le ticket de sortie.

Depuis que ses parents avaient regagné Porto Rico, Francesca habitait chez sa tante et s'essayait sans beaucoup de réussite à la carrière de mannequin, lorsqu'elle avait rencontré Laura, au World Gym du Lincoln Center. En faisant connaissance lors de séances communes d'aérobic, elle avait appris que Laura venait d'emménager dans un petit appartement de Manhattan, bien situé, mais dont le loyer, ridiculement cher comme partout à New York, mettait en péril son budget. Entrevoyant une bonne occasion de quitter sa famille, Francesca lui avait demandé si partager son appartement l'intéressait.

Devenues colocataires, elles s'étaient très bien entendues et beaucoup amusées ensemble, bien que Francesca manquât souvent d'argent. Laura était parfois obligée de lui faire crédit du loyer. Quand Leonard Costello avait surgi dans sa vie, Francesca était mûre pour se laisser prendre en charge.

Jetant un regard à sa montre, elle s'aperçut que Leonard ne devait plus tarder. Elle se rendit à la salle de bains pour prendre une douche.

Elle quitta ses vêtements, ramena ses longs cheveux noirs sur sa tête et entra dans la cabine aux vitres dépolies, qui ne tarda à se couvrir de buée.

Tandis que le jet d'eau tiède caressait les lignes pures de son corps, elle songea qu'il lui fallait avoir une discussion avec Leonard. Tenait-il assez à elle pour quitter sa femme ? Au fond d'elle-même, Francesca connaissait la réponse. Elle l'effrayait.

Elle se sentait cependant contrainte d'aller au bout des choses. Si elle n'avait pas d'avenir avec lui, aussi dur que ce soit, il fallait qu'elle s'en détache.

Elle y songeait encore lorsque la porte de la douche fut brusquement ouverte.

Leonard se tenait devant elle, nu.

Incapable de se contrôler, Francesca se sentit excitée.

Un peu plus tard, tout en séchant son corps ferme à l'aide d'une moelleuse serviette, elle lui annonça qu'elle avait préparé pour leur dîner un plat qu'il adorait.

Leonard parut embarrassé.

— Ne me dis pas que... commença Francesca en s'écartant.

— Je suis désolé, Francie, je ne peux pas rester. Anne a prévu quelque chose avec les enfants ce soir. Je pensais m'échapper, mais c'est impossible.

Se mordant la lèvre, Francesca ne lui opposa que son silence. Elle décrocha un peignoir, le revêtit et s'engouffra dans la chambre. Leonard la suivit en s'habillant à la hâte.

— Comprends-tu le mal que tu me fais, Leonard ? explosa-t-elle. D'ailleurs, est-ce que tu t'en soucies ?

Elle refusait de se répandre en pleurs. Pas maintenant. De toute façon, elle allait avoir la soirée entière pour pleurer toutes les larmes de son corps.

— Francesca, j'ai eu une dure journée. Je n'ai aucune envie d'entendre ces conneries maintenant ! répliqua-t-il en attachant sa Rolex.

— Parfait, c'est parfait, vraiment !

La jeune femme quitta la chambre avec raideur, fermant étroitement son vêtement pour couvrir sa poitrine. Elle sortait le goulash du four quand Leonard, rhabillé, vint derrière elle et commença à lui embrasser la nuque.

— Je suis désolé, Francie. Je me ferais pardonner, je te le promets.

Elle murmura indistinctement, sans le gratifier d'un seul regard.

Il préféra changer de sujet.

— Au fait, tu ne devineras jamais qui se trouve en ce moment même au Mount Olympia, sous respiration artificielle.

22

— Prends un taxi, viens tout de suite, suggéra Laura à son amie éperdue. Viens dormir à l'appart, offre-toi un petit retour en arrière !

Elles étaient en ligne depuis près d'une heure, revenant sans cesse sur l'éternel problème. L'humiliation que venait de subir Francesca n'était que le dernier épisode d'une longue saga. Il fallait qu'elle se débarrasse de ce type. Elle en était consciente. Pourtant, elle ne s'en sentait pas la force.

Laura détestait cette alternance de gémissements et de colère angoissée. Bien qu'elle refusât de l'admettre, elle commençait même à perdre patience vis-à-vis de son amie. Laura avait beau l'encourager, l'assurant qu'elle serait mieux sans lui, Francesca restait passive. Alors que l'affront de ce soir aurait pu sceller la séparation du couple, Laura sentit que Francesca gardait espoir envers son amant. Grosse erreur.

Elle essaya de se mettre à la place de son amie. Comment ferait-elle, sans le soutien financier de Leonard ?

Francesca avait abandonné sa carrière de mannequin, étant depuis plusieurs années avec Leonard. En tout et pour tout, elle avait fait l'acquisition d'un ordinateur et étudié un petit peu la gestion à Fordham. Peut-être pourrait-elle s'y remettre, en suivant des cours du soir. Elle était suffisamment intelligente pour y parvenir.

Encore fallait-il qu'elle en ait la volonté. Il ne suffisait pas que Laura l'encourage.

À l'autre bout du fil Francesca reniflait entre ses larmes.

— Merci, Laura. Je suis trop exténuée pour bouger. Je vais filer au lit directement.

— Tu es sûre ?

— Hmm hmm.

— Très bien. Alors, on se rappelle demain.

Laura était prête à raccrocher,

— Attends, juste une dernière chose, se souvint Francesca. Pour que la soirée ne soit pas totalement stérile. J'ai eu une info, par Leonard. Tu sais, ce joueur de tennis, celui qui vient de remporter l'US Open et Wimbledon ? Il est à Mount Olympia, sous respiration artificielle. Overdose. Ses parents arrivent par avion. Ils vont le débrancher dans la nuit.

23

Mercredi 29 décembre

En arrivant à son bureau, la première chose que fit Laura fut de se procurer la cassette du dernier US Open, grâce au service interne des archives vidéo. À deux jours de la diffusion de son bilan des disparus, elle savait qu'elle allait pouvoir y inclure les images du joueur.

Sûre de l'information transmise par Francesca, elle prit les devants, n'attendant pas que l'Associated Press transmette la dépêche de la mort du tennisman.

En sortant de la salle de montage, elle trouva Mike Schultz qui l'attendait.

— Laura, j'ai une nécro à te faire préparer.

— Tiens, les images sont prêtes !

Mike eut la surprise de découvrir plusieurs cassettes étiquetées au nom du joueur, que lui présentait Laura.

— Comment as-tu su ?

Stupéfait, il secoua la tête.

— J'ai mes sources, lâcha Laura avec un clin d'œil, en se dirigeant vers son bureau pour aller y rédiger le texte de la nécrologie.

24

Quand Gwyneth raccrocha après s'être entretenue avec son agent, elle avait le cœur battant. Elle se laissa aller avec contentement dans le fauteuil placé devant sa coiffeuse et eut un léger sourire pour son reflet dans le miroir.

C'était fait ! Elle avait mis les points sur les *i*. Le contrat était rédigé, de A à Z. CBS lui avait accordé tout ce qu'elle demandait, et même plus, pour qu'elle rejoigne leur équipe.

La meilleure partie de l'affaire se présentait : mettre Joel au courant.

Elle voulait le faire le plus vite possible, pour devancer la rumeur qui serait sans doute fulgurante, comme toujours dans ce milieu. Elle tenait à ce qu'il n'ait pas le temps de se préparer. Ce qui était plaisant, c'est qu'elle allait le cueillir complètement à froid.

Elle aurait aimé le lui révéler en face, pour voir la tête qu'il ferait. Toutefois, elle ne pouvait prendre le risque d'attendre un taxi pour les locaux de la chaîne. Quelqu'un de CBS pourrait appeler Joel dans l'intervalle et lui couper l'herbe sous le pied.

D'un coup d'œil à la pendule de cristal sur la table de chevet elle sut qu'il était 18 heures. Il devait se trouver encore au bureau, dans l'attente de regarder l'édition de « À la une ce soir ».

Impatiente de l'entendre décrocher, Gwyneth pianota avec nervosité de ses doigts manucurés sur les accoudoirs de velours.

— Oui ?

La voix de Joel était sèche. Elle devina qu'il tirait sur une cigarette.

— C'est moi, Joel.

— Gwyneth chérie..., souffla-t-il.

La reconnaissant, il adopta aussitôt un ton câlin.

— Comment vas-tu, ma belle ? Est-ce que ta réception est prête ?

— Bien sûr, Joel. Seulement, je ne suis pas certaine que tu voudras encore y venir, étant donné ce que j'ai à t'apprendre.

— Qu'y a-t-il ?

Il sembla tout à coup sur ses gardes.

— Je quitte « Plein Cadre ». J'abandonne Key News pour CBS. Le contrat est bouclé, Joel.

Elle resta silencieuse, un petit sourire narquois aux lèvres, lorsqu'il se déchaîna, ainsi qu'elle l'avait prévu. Comme il était bon de le mettre en colère, de lui faire mal, de lui rendre la monnaie de sa pièce.

Un mariage avec lui se serait sans doute soldé par un désastre. Dès le départ, elle se l'était dit. Cependant, quoiqu'elle ait toujours été convaincue de n'être pas faite pour le mariage, Gwyneth s'était sentie profondément blessée qu'il n'ait jamais laissé supposer, tout au long de ces années, qu'il puisse quitter Kitzi pour faire d'elle sa compagne devant la loi. S'il l'avait fait, elle n'aurait peut-être pas accepté. N'empêche. Il aurait dû le lui demander. Cela lui était resté sur le cœur.

À cet instant, en l'entendant hurler au bout du fil, et alors qu'elle se représentait son visage écarlate, Gwyneth goûtait la joie suprême de rejeter Joel.

— Nom de Dieu, tu ne t'en tireras pas comme ça !

— Je ne te dois rien du tout, Joel. Au contraire. Tu m'es redevable. C'est *moi* qui ai fait le succès de « Plein Cadre ». Et donc le tien. Nous le savons parfaitement l'un comme l'autre.

— C'est faux ! Je t'ai fait star, tu l'oublies ! Si je n'avais pas été là, tu ne serais arrivée nulle part ! Mais, ne t'en fais pas, des filles comme toi, on en trouve à la pelle. Tu seras vite remplacée, Gwyneth ! Avantageusement. On va avoir la nouvelle version. Plus jeune. Plus jolie. Plus fraîche !

Gwyneth mordit à l'hameçon. Elle explosa à son tour au téléphone, baptisa Joel de tous les noms d'oiseaux qui lui passèrent par la tête.

— Va en enfer ! conclut-elle en raccrochant avec fracas.

— On s'y retrouvera, répondit le producteur. On s'y retrouvera.

25

Vendredi 31 décembre

Le matin de la Saint-Sylvestre, Laura fut impatiente de se rendre dans les locaux de la chaîne. Son travail était terminé. Elle allait goûter au plaisir de voir passer à l'antenne ce bilan de fin d'année qu'elle avait concocté.

Elle enfonça les pans de sa chemise blanche amidonnée dans son jean favori, passa un ample sweater vert sombre. Pas besoin d'être bien habillée, aujourd'hui. Il n'y aurait qu'un semblant d'équipe au travail. Tous les dirigeants ou presque se trouvaient en vacances, avec leur biper pour être joignables au cas où. Seules quelques ouvrières s'activeraient dans la ruche.

Elle souhaitait ne plus s'occuper du bilan des disparus, l'an prochain. Si tout se passait selon ses plans, elle serait productrice à « Plein Cadre ».

Regrettant pour la millième fois le manque de place, Laura releva son lit escamotable. Elle s'étonna d'avoir pu partager un si petit appartement avec Francesca.

Si elle décrochait ce nouveau job, la première chose qu'elle ferait serait de chercher un logement plus spacieux. Si possible, elle resterait dans son immeuble sur la 72ᵉ Rue Ouest, le Cromwell, proche de Central Park et des locaux de la chaîne. Il y avait de nombreuses commodités, notamment le Lincoln Center et tout ce qu'il offrait en matière culturelle. Elle essaierait d'en profiter davantage.

Par la baie vitrée, elle avait vue sur l'appartement des Pilsner. Aucune activité n'y était visible. Laura eut un petit rire pour elle seule. En réalité, elle ne connaissait pas le nom de ses voisins. Simplement, de chez elle, elle les voyait parfois à table, et le père buvait toujours une bouteille de Pilsner...

Jusqu'ici, ils n'avaient pas paru remarquer qu'elle les observait. Au début, elle comptait le nombre de bières que le père ingurgitait. Il s'arrêtait en général à deux... Laura se sentait soulagée pour le petit garçon assis à table avec ses parents.

Allaient-ils lui manquer lorsqu'elle déménagerait ? Non. Elle aurait sans doute une vue plus intéressante, de sa nouvelle fenêtre. Peut-être les lumières de Manhattan, au sud, ou la large perspective sur la 72e Rue, au nord.

Tandis que la bouilloire chauffait sur la vieille cuisinière de la kitchenette, Laura décrocha avec précaution la housse à vêtements suspendue à la porte de la salle de bains. Elle l'ouvrit et inspecta la robe de velours bleu nuit qu'elle allait revêtir pour la réception chez Gwyneth Gilpatric. Elle épousait à merveille ses formes sveltes, que Laura entretenait en pratiquant le jogging, même lorsqu'il faisait froid.

Elle lui avait coûté près d'une semaine de salaire. Cependant, cette robe les valait. Elle allait lui donner de l'assurance, ce soir, au milieu d'un parterre d'invités ne connaissant aucun souci d'argent.

Bien entendu, les chaussures devaient être à la hauteur de la robe. Elle avait donc dépensé presque autant pour une paire de Manolo Blahnik soie et crêpe de Chine, à hauts talons, qu'elle avait dénichées en compagnie de Francesca dans une boutique de Madison Avenue.

Le sifflet de la bouilloire retentit au moment où Laura sortait la robe de velours de la housse de plastique. Elle se rendit à la cuisine, versa l'eau brûlante sur son sachet de thé, tout en songeant aux perspectives de la soirée. Joel Malcolm serait présent. Elle pourrait lui parler. Bonne occasion de lui rappeler qu'elle souhaitait travailler pour lui.

Elle ne dirait pas explicitement qu'elle visait le poste. Inutile, il le savait très bien. Il verrait en tout cas que Gwyneth la considérait assez pour l'inviter.

Et puis, on ne savait jamais. Peut-être allait-elle rencontrer quelqu'un, ce soir. Francesca la taquinait souvent à propos de sa vie sentimentale ou, plutôt, de son absence de vie sentimentale. Les choses pouvaient bien changer d'un seul coup, n'est-ce pas ?

26

— « Un super travail » « Je ne savais même pas qu'elle était décédée » « Je pensais qu'il était mort depuis plus longtemps que ça ».

Après la diffusion du bilan des disparus, Laura reçut avec plaisir les compliments de tout le service des Informations. Si à Key News, on était toujours prompt à vous signaler vos erreurs, les louanges étaient rares.

— Tu t'améliores chaque année, assura Mike Schultz. Un petit bijou, ce montage. Tu as magnifiquement réussi à caser tes cinquante personnes.

— Merci. Merci beaucoup. De ta part, Mike, je le prends comme un compliment !

— Au fait, passe donc me voir, dès que tu auras une minute.

— Entendu. Je vérifie juste que les droits à payer pour les musiques de la bande-son sont bien spécifiés dans le fichier à transmettre aux stations locales avec la cassette.

Dix minutes plus tard, Laura s'apprêtait à frapper à la porte du bureau de Mike Schultz. Celle-ci était légèrement entrouverte. Elle surprit la fin d'une conversation téléphonique.

— Écoute, chérie, je n'ai pas non plus envie d'y aller, mais on ne peut y échapper. Je te retrouve à 21 heures.

Mike reposa le combiné. Laura attendit quelques secondes et toqua contre la porte d'un doigt hésitant.

— Entre, Laura ! soupira-t-il. Viens t'asseoir, essaie de te faire une petite place. Et referme derrière toi.

Le bureau de Mike était encombré de papiers et de cassettes empilés. Laura débarrassa la chaise d'un amoncellement de magazines qu'elle posa par terre, et elle prit place.

— J'ai une envie mortelle de fumer. Ça ne te dérange pas ?

Il se mit à fouiller dans son désordre à la recherche de cigarettes.

— Pas du tout ! répondit-elle en riant. Mais le règlement, il ne te fait pas peur ?

— Qu'ils aillent se faire mettre !

Il alluma une Marlboro Light. Laura était dans l'expectative.

— Joel, m'a appelé, hier.

— Et ?

— Il m'a posé tout un tas de questions sur toi, sur ce que tu faisais...

Mike tira une nouvelle bouffée.

— Je lui ai dit la vérité, bien sûr. Ton travail est irréprochable, ainsi que ton attitude. C'est rare, ici.

— Merci, Mike, j'apprécie.

Mal à l'aise, elle remua sur son siège.

— Je voulais te le dire... J'ai été très occupée, ce n'était pas le bon moment... Enfin, comme tu l'as sans doute compris, j'essaie de rentrer à « Plein Cadre ».

Il hocha la tête.

— Tout à fait logique. Une bonne évolution, pour ta carrière. Bon sang, tu vas me manquer !

— Ce n'est pas encore fait, Mike.

— Il me semble que la chose se présente plutôt bien. Malcolm m'a paru très emballé, surtout quand je lui ai confié que tu avais un don étrange pour deviner les prochaines nécros à réaliser. Il en fait grand cas.

Laura eut un sourire.

— Simple question de bon sens. Quelques recherches et une pointe de chance suffisent. Tu le sais, Mike.

— Quelques contacts bien placés ne font pas de mal non plus.

— Cela aussi, oui.

Il laissa tomber son mégot dans une boîte de Coca vide.

— Eh bien ! quand ça se confirmera, reparlons-en. J'ai moi-même travaillé pour « Plein Cadre », un temps. Je te mettrai au courant de leurs usages.

Dans sa dernière phrase, elle avait noté un soupçon d'amertume.

27

Pour figurer sur la liste des invités de Gwyneth Gilpatric, il fallait qu'elle vous trouve intéressant. L'argent et le pouvoir aidaient, bien sûr. Mais sans toutefois suffire. Vous deviez d'abord avoir quelque chose de remarquable, d'attirant. Dans ces conditions, l'appartement de Central Park West devenait parfois le théâtre de curieux mélanges.

Les extra en livrée se déplaçaient sans heurts, dans le luxueux living, au milieu de l'affluence d'invités. Sur des plateaux d'argent étincelants, ils offraient des canapés au saumon fumé, au crabe ou au poulet, qu'on accompagnait de champagne. Il était servi à volonté dans la bibliothèque faisant office de bar, qui ne désemplissait pas.

Gwyneth, vêtue d'une robe de velours noir tombant jusqu'à ses pieds qui mettait en valeur le collier de rubis sur son décolleté, s'était postée à l'entrée pour souhaiter la bienvenue à chacun de ses invités. À ses côtés, Delia prenait les manteaux. Quand Laura arriva, Gwyneth la serra dans ses bras.

— Je suis si contente que tu aies pu venir, ma chérie ! Et tu me parais en bien belle compagnie.

Gwyneth tendit la main.

— Voici ma meilleure amie, Francesca Lamb.

— Enchantée, Francesca. En tant qu'amie de Laura, vous êtes la bienvenue chez moi ! Entrez donc, les filles, mêlez-vous à l'assistance ! Nous avons plein de gens très stimulants, ce soir.

Gwyneth jouait les gracieuses hôtesses, allant de l'un à l'autre pour faire les présentations. Elle souhaitait que ses invités nouent contact et se trouvent à l'aise ensemble.

S'ils n'y arrivaient pas, ils ne devaient s'en prendre qu'à eux-mêmes. Elle remplissait son rôle en donnant une magnifique party. Aux invités ensuite d'y mettre de la bonne volonté, et ils passeraient un excellent moment.

Quand la plupart des hôtes furent arrivés, elle se glissa à travers le hall, puis le living, rejoignant le docteur Costello et son épouse, Anne.

— Leonard ! Quel plaisir de te voir ! Oh, Anne, quelle merveilleuse robe ! Tu es superbe.

Gwyneth leur fit la bise, effleurant à peine leurs joues.

— Gwyneth, tu es splendide, comme toujours, souffla le plasticien en la dévisageant.

Il chercha attentivement sur son visage la moindre imperfection du travail de chirurgie accompli par ses soins. S'il ne voulait pas y passer la soirée, il valait mieux qu'il évite de regarder chacun des invités sous cet angle : une bonne moitié de l'assistance avait défilé dans son cabinet.

Lorsque les Costello l'abandonnèrent pour aller admirer la vue sur Manhattan, Gwyneth put disposer de quelques instants pour jeter un coup d'œil général. Elle aperçut Laura et Francesca en conversation avec Mike Schultz et sa femme. Elle se souvint que, lorsqu'elle avait proposé à Laura de venir accompagnée, elle s'attendait plutôt à ce que celle-ci arrive au bras d'un beau jeune homme. Enfin, au moins cette splendide brune rehaussait-elle encore l'éclat de sa soirée.

Elle se promit de déranger leur petit groupe ; Laura pourrait parler à Mike plus tard. Gwyneth voulait lui faire côtoyer d'autres personnes, ce soir.

Joel n'avait pas l'air trop heureux. Il avait du culot d'être venu, après leur cruel affrontement la veille.

Elle ne serait pas étonnée qu'il ait pu penser lui faire du charme afin qu'elle revienne sur sa décision et reste à « Plein Cadre ». Elle aurait parié, aussi, qu'il avait eu l'une de ses légendaires disputes avec Kitzi avant de venir. Joel lui avait raconté un jour que chaque fois qu'ils devaient se montrer en couple en la présence de Gwyneth, Kitzi piquait une rage folle. Ce qui expliquait sans doute son absence, mieux que la prétendue « migraine » agitée par Joel.

Gwyneth eut en elle-même un léger gloussement.

28

Kitzi Malcolm fulminait. Quelle façon ridicule de passer le réveillon ! Seule, à feindre un mal de tête.

Elle se rappela le vieil adage : *Si on doit être malheureux, autant porter du vison.* Elle l'était, malheureuse.

Et trois visons, un manteau de castor, deux de martre se trouvaient suspendus dans son placard. Elle ne les portait presque jamais, d'ailleurs, car elle avait trop peur de se faire asperger de peinture par un militant de la WWF en pleine Cinquième Avenue. Quel intérêt de les posséder, alors ?

À quoi donc lui servait tout ce qui l'entourait ? Ces robes de haute couture, ces chaussures italiennes, ces montres Cartier et ces bijoux Harry Winston ? Au bout du compte, cela ne faisait pas la différence. Pas quand votre vie sentimentale se retrouvait en lambeaux.

Elle avait capitulé depuis longtemps, ayant accepté les offres de paix de Joel. Elle s'était laissé attendrir par ses coûteux présents, mais ils savaient l'un et l'autre qu'ils ne pouvaient combler le fossé affectif entre eux.

La situation semblait convenir à Joel. Il exhibait une femme-trophée, installée dans son duplex sur Central Park. Kitzi présidait à leur vie sociale, organisant les dîners, se consacrant à plusieurs œuvres de bienfaisance dont Joel faisait la promotion. Lui adorait compter dans le New York mondain, y être connu. Cela l'aidait en tant que producteur de « Plein Cadre », disait-il.

Ils étaient toujours en représentation. À travers leurs fréquentations, leurs vacances, leurs bonnes œuvres. Ils passaient très peu de temps à deux. Joel était trop occupé par son travail.

Anniversaire de naissance ou de mariage, problèmes de santé constituaient les très rares occasions qu'il avait de s'intéresser à sa femme, quand « Plein Cadre » ne le mobilisait pas entièrement. Key News exigeait beaucoup de lui. Chaque semaine, il fallait qu'il produise une heure de prime time, assez intense pour maintenir l'émission au sommet de l'Audimat. En outre, la concurrence devenait de plus en plus rude.

Quand elle s'en plaignait, Joel se mettait en colère. Aurait-elle donc préféré mener une existence de ménagère anonyme dans un quartier miteux ? Il insistait sur le fait qu'elle avait signé le contrat de mariage, avertie de ce qui l'attendait.

Cependant, elle ne se doutait pas d'avoir épousé un coureur de jupons. Pas à ce point, en tout cas. Elle n'était pas naïve. Elle savait que beaucoup d'hommes trompaient leur femme, surtout dans les cercles où évoluait Joel. Ses amies lui avaient dit que c'était leur instinct de conquête qui les poussait. Le pouvoir semblait très aphrodisiaque.

Beaucoup de belles jeunes femmes étaient attirées par son prestige et son autorité. Joel en avait conscience. Il en profitait. Elle l'avait constaté *de visu*. Lors des réceptions à Key News, les femmes reporters ou les productrices candidates à un poste flirtaient avec lui sans aucune honte, exactement comme si Kitzi n'avait pas été là.

Joel avait fini par cesser de coucher à droite à gauche avec les filles du bureau. Une plainte pour harcèlement sexuel avait remédié au problème. Mais il restait encore un tas de jeunes femmes à l'extérieur, prêtes pour une aventure.

D'autre part, en toute chose, Joel n'hésitait pas à s'accorder une exception.

Gwyneth Gilpatric.

Elle l'obsédait, il ne parvenait pas à s'en défaire, et Kitzi avait plus d'une fois cru qu'il allait la laisser tomber pour la présentatrice. Il ne l'avait pas fait, jusqu'à aujourd'hui.

Kitzi l'avait souvent affronté sur ce sujet. Ce soir, ils s'étaient montrés particulièrement féroces sur la question.

— N'espère pas me voir passer le réveillon à te regarder tourner autour d'une autre femme !

— Mais Kitzi, avait-il répondu avec un semblant de sourire, je dois toujours faire en sorte que Gwyneth soit heureuse. C'est bon pour le show.

— Le show ! mes fesses ! Je vais te dire, Joel. J'en ai ras le bol. De ton show, de ta Gwyneth et de toi !

— Eh bien, ma chérie ! que vas-tu donc faire ?

Il avait adopté un ton sarcastique. Kitzi était coincée. Était-elle prête à divorcer ? Non, pas encore. Pas avant qu'elle ait mis ses affaires en ordre.

— Je n'irai pas à sa foutue soirée !

— Comme il te plaira.

Joel avait haussé les épaules. Il était calmement allé prendre une douche et s'habiller, la laissant pester.

Il était temps d'aller consulter un avocat.

Kitzi resserra la ceinture de sa robe de chambre de soie pêche, gagna le bar d'acajou et se versa un autre verre de vodka *on the rocks*. Bonne et heureuse année.

Elle détestait ce qu'elle s'apprêtait à faire. Elle traversa le sompteux living, foulant le tapis persan, passa entre les profonds fauteuils Régence sous le lustre en cristal de Baccarat, se dirigea vers la terrasse. Une bouffée de vent glacé fouetta ses jambes lorsqu'elle ouvrit la porte-fenêtre. Des plaques de vieille neige croûtée parsemaient le sol de terre battue. Elle avança, sans se soucier de ses mules de soie. Ses doigts manucurés agrippèrent le cylindre gelé du télescope.

Pas besoin de le régler. Elle savait l'objectif déjà pointé vers l'appartement de Gwyneth Gilpatric, de l'autre côté du parc.

29

— As-tu vu son air au moment où il t'a aperçue ? Tu connais l'expression « un visage décomposé » ? Je viens d'en avoir l'illustration exacte ! Il a pris une vilaine teinte cendrée.

Laura et Francesca s'étaient retirées à deux dans les toilettes pour dames. Elles ignoraient les petits coups polis frappés au-dehors par d'autres invitées. Francesca remit tranquillement du rouge sur ses lèvres pleines, tandis que Laura continuait avec animation.

— Tu savais qu'il serait présent, Fran, n'est-ce pas ? demanda-t-elle, s'adressant au reflet de son amie dans la glace.

Francesca acquiesça, sa longue crinière de jais chatoyant sous la lumière des spots. Elle portait une robe longue moulante sans bretelles, au corsage bordé de vison, qui soulignait ses formes. Une tenue choisie pour attirer l'attention.

— Leo m'a signalé qu'il viendrait. Tu sais comme il est. Il adore me jeter des noms connus, pour essayer de m'impressionner avec ses fréquentations ou ses sorties.

— Pourquoi ne me l'as-tu pas dit ?

— Si je l'avais fait, tu aurais flippé en redoutant une scène. Tu te serais sentie trop tendue pour me permettre de t'accompagner. J'ai hésité, quand tu me l'as proposé. Mais j'avais vraiment envie de venir,

— Oh, ne me refais plus jamais ça, OK ? Je déteste ce genre de surprise.

— Relax, Laura. Ça va être amusant.

Un nouveau coup frappé à la porte leur signala qu'il était temps de rejoindre les festivités. Laura rajusta une dernière fois la mince frange de cheveux qui lui tombait sur le front, s'assurant que la cicatrice disparaissait dessous.

— Que vas-tu faire, maintenant ? soupira Laura tandis qu'elles regagnaient le living.

Francesca pouffa.

— Engager la conversation avec les Costello, peut-être. Je n'ai jamais fait la connaissance de Madame, dont j'ai si souvent entendu parler !

Laura ne put s'empêcher de rire.

— À ta place, je n'oserais pas.

— Je vais voir.

— Si tu fais ça, je prends le docteur à part pour le remercier du tuyau qu'il m'a servi à son insu, au sujet de ce type qui allait mourir. Sans le savoir, il a encore une fois bien aidé ma carrière.

30

Tandis qu'il marchait de long en large sur le trottoir devant l'immeuble de Gwyneth Gilpatric, Ricky Potenza ne sentit pas la morsure du froid. Il n'était pas certain de pouvoir franchir l'obstacle du concierge, mais il avait son plan.

Il avait longtemps attendu cette nuit. Trente ans, oui. Toutefois, il n'y avait qu'un an qu'il préparait les détails. Depuis qu'en janvier, à l'hôpital, il avait lu quelque chose sur la soirée du Nouvel An chez la présentatrice. Il se souvenait parfaitement de cette découverte. Comme d'autres pensionnaires de l'hôpital psychiatrique, il restait assis à fumer cigarette sur cigarette en feuilletant le journal. Dans le magazine *People*, il y avait un article sur la réception huppée que venait d'offrir Gwyneth Gilpatric, comme chaque année lors du Nouvel An, aux riches et puissants de ce pays. Il fut hanté par l'image de la présentatrice qui lui souriait sur papier glacé. Gwyneth Gilpatric, la femme qui avait changé sa vie, pour toujours.

Bien entendu, cela faisait des années qu'il la regardait à la télévision. À l'hôpital psychiatrique, on avait beaucoup de temps à consacrer à la télévision. Et entre ses séjours en HP, à la maison, la télé constituait encore sa principale distraction. Il s'était fait une règle de visionner « Plein Cadre » chaque semaine.

Les délires de sa mère à propos de Gwyneth l'ulcéraient. Pour elle, cette « fille du New Jersey » était formidable. « Gwyneth a grandi à Fort Lee, tu sais », lui répétait-elle à longueur de temps. Si seulement elle savait.

Ricky écoutait sans rien dire sa mère exprimer une admiration enthousiaste. Il bouillait intérieurement. Ce n'était pas juste. Gwyneth, devenue une figure nationale, fêtée et récompensée, alors que le pauvre Tommy achevait de pourrir dans la boue.

Mais maintenant, ils avaient retrouvé Tommy. Il l'avait vu à la télé, avant que sa mère se dépêche d'éteindre. Elle refusait de tout revivre, avait-elle déclaré. Ne savait-elle pas que lui, il n'avait cessé de tout revivre, jour après jour, ces trente dernières années ? Tout revivre, sans jamais pouvoir s'exprimer.

Ils l'avaient incité à parler, les uns après les autres : ses parents, qui s'inquiétaient ; la police, toujours soupçonneuse ; les médecins s'occupant successivement de lui. Ils le croyaient traumatisé simplement à cause de la disparition de Tommy. S'ils avaient su qu'il avait pris part à la mort de son meilleur ami, ils ne l'auraient pas traité de cette façon.

Au moment où les Cruz s'étaient rendu compte de l'absence de leur fils, le matin après que Tommy fut tué à Palisades Park, Ricky se trouvait chez lui, en sécurité, dans son lit où il faisait semblant de dormir. Il feignit l'ignorance lorsque sa mère lui apprit que Tommy était introuvable, jura qu'il n'avait pas vu son copain depuis qu'ils s'étaient séparés, la veille au soir, à l'heure du dîner. Et comme ses parents et la police continuèrent les jours suivants à l'accabler de questions, il finit par se taire tout à fait. Le silence devint sa défense.

« Chacun de nous a son point de rupture, avait expliqué le docteur aux parents de Ricky. Ricky a atteint ce point de rupture. Vous devez cesser de le bousculer. »

Ils avaient donc cessé de le bousculer. Ils avaient suivi les prescriptions du docteur, essayant avec douceur d'intéresser leur fils, qui ruminait de plus en plus et qui devenait plus introverti. Ils l'encouragèrent à sortir s'amuser, à jouer avec les autres gosses, à s'impliquer dans un club sportif ou à faire du théâtre à l'école. Rien n'avait fonctionné.

À l'adolescence, avec les transformations de la puberté, son état empira. Ricky devint irritable, violent. Un jour, après la classe, il monta sur le toit de leur maison de brique et balança le chat du haut des trois étages. Cette nuit-là, il porta à ses poignets la lame du rasoir de son père.

Alors commença une nouvelle existence, d'un institut psychiatrique à l'autre. Les Potenza placèrent leur fils dans un hôpital privé, croyant qu'il serait mieux traité. Ricky, bourré de sédatifs, sembla un moment aller mieux. Cependant, les médecins précisèrent qu'il ne pourrait guérir sans thérapie mentale. Le jeune homme refusa de s'ouvrir, de participer à des groupes thérapeutiques. Dans ces conditions, on n'attendit aucune amélioration.

Les années passèrent et les dettes contractées pour payer l'hôpital s'accumulèrent. Les Potenza vendirent leur maison de Cliffside Park, déménageant pour un petit pavillon du comté de Rockland, dans l'État de New York. Puis, M. Potenza décéda. Trois jours après les obsèques, Ricky fut ramassé par la police alors qu'il tentait de se jeter du haut d'un pont dans le lac Tappan.

Il fut conduit directement au centre psychiatrique du comté de Rockland, où il dut rester, sa mère n'ayant plus de quoi payer l'hôpital privé.

Le système se mit peu à peu en place. Ricky restait au centre pendant plusieurs mois jusqu'à ce qu'il paraisse aller mieux. Quand les docteurs estimaient pouvoir le renvoyer, il rentrait chez sa mère. Jusqu'à la prochaine crise, jusqu'au nouveau placement. Et ainsi de suite.

Il était actuellement dans l'une de ses « permissions » à la maison.

Sa mère tenait à ce qu'il conserve l'apparence d'une personne normale. Elle l'emmenait se faire couper les cheveux, effectuait avec lui de longues marches pour lui faire faire de l'exercice ou le conduisait chez le dentiste, par exemple. À Noël, elle économisait sur son modeste salaire de secrétaire afin de lui acheter un caban en poil de chameau. Elle veillait à ce que son fils ait l'air d'un bel homme de quarante-deux ans, correctement habillé.

Ce soir, sur Central Park West, personne ne regardait Ricky de travers. Il semblait faire partie du décor.

Ricky observa le petit groupe mixte qui approchait. Il pria pour qu'ils obliquent vers l'immeuble de Gwyneth. Au moment où ils y pénétrèrent, il se faufila avec discrétion parmi eux. L'un des hommes donna son nom au concierge en uniforme, précisant qu'ils se rendaient à la réception, et celui-ci hocha la tête.

— Montez directement, monsieur, je vous prie.

Ils prirent l'ascenseur tous ensemble.

« Gwyneth a grandi et elle a réussi dans la vie. C'est trop injuste. »

31

Au milieu du brouhaha général, Joel Malcolm expliquait le concept de Casper et ses Fantômes à l'un de ses producteurs à « Plein Cadre », Matthew Voigt.

— Cette mutuelle sur la mort, elle constitue une sorte de club secret, alors ? questionna Voigt, amusé.

Joel eut un sourire de défi.

— En effet. Tout est organisé anonymement, par Internet. Au début du mois, chacun reçoit dans sa boîte aux lettres électronique un bulletin qui lui indique sur quel nom du groupe est placée sa mise. Si personne ne meurt durant le mois, l'ensemble des mises va à la cagnotte. On procède à une nouvelle mise et l'on reçoit de Casper un autre nom. En deux ans, j'ai eu trois fois celui de Bryant Gumbel, de CBS. L'animal est toujours bien vivant !

— Et la mise va chercher dans les... ?

— Mille balles. Mais songe à ce que tu empoches si tu gagnes ! Le pot grandit de plus en plus.

— Ça joue trop gros pour moi ! déclara Matthew en riant. D'autre part, on ne m'y admettrait probablement pas, je ne suis pas placé assez haut sur l'échelle de la profession.

Joel haussa les épaules. Il fixa l'assistance, à laquelle Voigt tournait le dos.

— La voilà, c'est la blonde en robe bleu sombre, souffla-t-il à son interlocuteur en lui touchant le coude. C'est elle, Laura Walsh, la fille dont je t'ai parlé.

Matthew Voigt jeta un coup œil à Laura, qui se tenait debout au milieu du luxueux living.

— Oups ! Ça va être un vrai plaisir.

— Du calme, avertit Joel. C'est un travail, n'oublie pas.

— Qui a dit que travailler ne pouvait pas être amusant ? conclut Matthew avant de se diriger vers la jeune femme.

Comme elle se rendait au bar, il la suivit. Elle commanda un perroquet. Au moment où elle trempait les lèvres dans le cocktail vert pâle, il se présenta.

— Je suis Matthew Voigt. J'ai entendu dire que vous alliez nous rejoindre.

Laura posa un regard perplexe sur ce jeune homme brun. Elle se souvint de l'avoir croisé dans les locaux de la chaîne, et même remarqué à la cafétéria. Il était grand, mince et avait plutôt belle allure. Ses yeux noirs brillaient d'intelligence sous l'arc sombre de ses sourcils. En mesurant du regard son nez aquilin et ses pommettes saillantes, Laura se représenta fugitivement un oiseau de proie.

Intriguée, elle restait néanmoins sur ses gardes. Dans les mots qu'il venait de prononcer, elle avait noté « travailler avec *nous* ».

— Vous savez, renchérit-il. À « Plein Cadre ».

— Vous devez connaître quelque chose que j'ignore.

Elle avait prononcé ces mots avec un sourire. Il parut surpris.

— Oh ! je croyais que l'affaire était conclue.

— Pas à ma connaissance, en tout cas.

— Étrange ! Joel me parlait justement de vous à l'instant.

— Alors, je suis désavantagée, puisque je ne sais rien en ce qui vous concerne.

Laura porta de nouveau à ses lèvres le verre à cocktail. Matthew Voigt prit un air désappointé.

— Moi qui croyais que ma réputation me précédait.

— Hélas !

Il rit à son tour et il secoua la tête.

— Cela vaut sans doute mieux. Au moins, on n'a pas pu vous dire de mal de moi. Je travaille à « Plein Cadre » depuis un petit nombre d'années. Joel m'a fait venir d'ABC. Je ne suis qu'un producteur parmi les autres, mais, comme les autres, j'aime me croire essentiel dans le succès de l'émission.

— Je suis certaine que vous l'êtes. Désolée de ne pas vous avoir reconnu.

— Aucune importance. Il faut croire que je ne suis une légende que pour moi seul...

Il se tourna vers le barman et commanda un Glenlivet, *on the rocks*.

Laura désirait en apprendre davantage.

— Me pardonneriez-vous si je vous demandais ce que Joel disait de moi ?

— Qu'est-ce que cela peut vous faire ?

Elle ignora la remarque et attendit.

— Très bien, je vois que je ne gagnerais rien à me montrer désagréable.

« Dieu, quels yeux elle a ! » Ils étaient d'une renversante nuance de bleu, pratiquement la couleur du ciel d'été dans la Prairie. La couleur du ciel pur au-dessus du lac Michigan, ce ciel qu'il contemplait, adolescent, en rêvassant allongé sur la rive, quand il imaginait ce qu'allait être sa vie. Fils d'un électricien de Waukegan, Illinois, il souhaitait aller vivre à New York et y travailler pour une grande chaîne de télé. Ce rêve, en fin de compte, était devenu réalité. Néanmoins, sa situation n'était pas en tout point ce qu'il avait escompté. Elle lui suffisait même de moins en moins.

Les paroles de Laura le tirèrent de sa brève réflexion.

— Vous êtes quelqu'un d'intelligent, Matthew. De la part d'un producteur à « Plein Cadre », je m'y attendais. D'autant plus que j'espère rejoindre l'équipe !

Sensible à ces propos, il lui sourit largement, laissant voir ses dents éclatantes.

— Sérieusement, Joel m'a parlé de vous avec chaleur. Il a mentionné ce projet que vous nous avez apporté. L'histoire de Palisades Park. Elle lui semble contenir tous les ingrédients d'un bon sujet.

— Je le pense aussi. J'ai grandi à Cliffside Park, sur la commune où se trouvait ce vieux parc d'attractions. Mon père travaillait sur le Cyclone l'année où il a fermé.

— Et il subsiste une affaire de meurtre non résolue liée au parc, c'est cela ?

— Apparemment, oui. On vient de mettre au jour le corps d'un jeune garçon disparu depuis trente ans, à un jet de pierre du parc. Ils l'ont formellement identifié.

— Cool.

Laura songea tout à coup qu'ils étaient malades de s'enthousiasmer pour de si tristes événements, en s'excitant

109

sur les détails de la mort d'un enfant. Cela faisait partie du jeu. Un cauchemar pouvait produire une admirable histoire à la télé.

— Quel est actuellement votre poste, à Key News ? interrogea Matthew pour changer de sujet.

— Je travaille au service des Informations.

— Et qu'y faites-vous ?

— Je traite des sujets d'information brute. Plus précisément, on m'a fait une spécialité des nécros.

— Très amusant. Pas étonnant que vous vouliez partir.

— Ce n'est pas si terrible que cela, en réalité, protesta Laura. J'y ai même pris un certain plaisir.

Matthew considéra sa réponse et acquiesça.

— À y réfléchir, vous avez raison, Laura. Il me vient à l'esprit plusieurs personnes dont j'aimerais assez voir publier la nécrologie.

32

— Vous m'avez évitée toute la soirée, docteur.

Francesca se tenait derrière Leonard. Elle venait de lui glisser ces mots à l'oreille.

Leonard se retourna et afficha un sourire plein de chaleur, mais sa voix siffla quand il répondit :

— Que diable cherches-tu ?

Il jeta un regard furtif à la masse des invités, pour localiser sa femme.

— Ne t'en fais pas, mon amour. Mme Costello se trouve dans la file d'attente des toilettes pour dames. Tu es en sécurité.

Francesca arborait une expression souriante.

— Arrête, Francesca. Tu n'es pas drôle.

— Moi je trouve que si, au contraire ! La situation est plutôt amusante. Excitante, aussi. On s'éclipse pour un petit plaisir en vitesse ?

Pendant une fraction de seconde, elle se rendit compte qu'il considérait sérieusement la proposition. Puis, son instinct de survie reprit le dessus. Sa femme et bon nombre de ses patients se trouvaient présents dans l'assistance.

— Tais-toi, ça va comme ça, Francie ! Et comment as-tu fait pour rentrer, au fait ?

— Moi aussi j'ai des amis haut placés, Leo ! Laura m'a invitée.

Francesca s'empara d'une coupe de champagne sur un plateau d'argent au passage d'un serveur.

— Je me suis dit qu'il serait amusant de te faire la surprise.

— Eh bien, c'est gagné. Maintenant, bonsoir ! Je t'appelle demain.

— Je n'aime pas que l'on me congédie, Leonard.

— Pourtant, cela fait partie de notre arrangement, Francesca, tu le sais très bien. Tu as ton garni dans un endroit chic, sur l'Upper East Side, je t'ai donné les cartes de crédit et tout ce que ton petit cœur désirait. La robe que tu portes va certainement me coûter un maximum. Et c'est parfait. Mais en échange, tu me dois la discrétion. Si ma femme ouvre les yeux, tout est fini. Tu étais prévenue dès le départ.

— Tu aurais pu au moins faire semblant d'avoir l'intention de la quitter pour moi.

— Je n'ai jamais prétendu le faire. S'il te plaît, ne recommence pas avec ces conneries.

Il chercha du regard son épouse.

Francesca baissa les yeux pour ne pas lui montrer son émotion. Elle préférait lui cacher qu'il la blessait. Elle se détourna, puis elle s'en alla.

33

Bien que la réception de Gwyneth soit très dispendieuse, l'attraction principale ne lui coûtait pas un dollar.

À minuit, la magie du grand feu d'artifice devait se déployer au-dessus de Central Park.

Alors qu'approchait de minute en minute la nouvelle année, les participants, dont certains revêtirent leur manteau, gagnèrent la large terrasse panoramique. Le verre à la main, ils attendirent depuis leur observatoire privilégié que débute le spectacle.

Quand l'ensemble de ses invités se furent regroupés au-dehors, Gwyneth emprunta le couloir jusqu'à sa chambre, plongée dans le calme, pour y prendre un châle de Pashmina. Elle entendit la première fusée exploser dans le ciel à l'instant où elle sortait le moelleux cachemire de la penderie, et sursauta en sentant la tape sur son épaule.

— Mon Dieu, je déteste ce genre de manières !

— Toutes mes excuses. Il faut qu'on parle.

— Qu'y a-t-il ?

— C'est très important. Nous ne devons pas rester ici. Quelqu'un pourrait nous entendre. Montons donc sur le toit un moment, juste pour fumer une cigarette. Disons, en mémoire du bon vieux temps.

— Mais j'ai mes invités.

Gwyneth eut un mouvement pour s'esquiver.

— Tout va très bien pour eux. Leur attention se concentre sur le feu d'artifice. De toute façon, notre absence ne durera que quelques instants. Cela en vaut la peine. Je le jure.

34

« Quatre, trois, deux, un... Bonne et heureuse année ! »

Seul dans son living-room, Emmett regardait comme chaque année sur l'écran de télévision les célébrations du Nouvel An à Times Square. Les fêtards s'égaillaient, dansaient un peu partout, les klaxons retentissaient, et une pluie de confettis s'abattit au signal de minuit.

Bon pour les rigolos, tout ça.

Il ne comprenait pas ces idiots qui s'embêtaient à aller en ville, pour s'agglutiner et se geler en attendant la chute de la grande boule de cristal marquant symboliquement le changement d'année. Pitoyable, vraiment. N'avaient-ils rien de mieux à faire, ces crétins ? Il les soupçonnait de ne sortir qu'une seule fois dans l'année : cette nuit-là. Quel intérêt, en fin de compte ? Il se jeta une nouvelle goulée de Budweiser dans le gosier.

Il était bien mieux seul. Du moins, c'est ce qu'il se disait.

Pourtant, il se réjouissait que sa fille Laura ait été invitée à cette réception huppée, dans les beaux quartiers. Il souhaitait qu'elle passe un bon moment. Et en général, que la vie lui sourie. Il savait que les choses n'avaient pas toujours été faciles pour elle.

Emmett se rendait bien compte qu'il aurait dû, dans le passé, porter plus d'attention à sa fille. Il aurait dû s'arrêter de boire, se remettre dans la bonne voie. Seulement, il n'en était pas capable.

Au lieu de quoi il était passé d'un job dégueulasse à un autre, arrivant à peine à boucler ses fins de mois. Chaque fois qu'il perdait son travail, il allait se cuiter. Si ces chèques n'étaient pas régulièrement tombés, il ne savait pas comment il s'en serait sorti.

Enfin, en dépit de tout, Laura avait réussi. La fille de sa mère brillante, consciencieuse, déterminée. Elle jouait dans la cour des grands, désormais. Productrice à Key News ! Avec une invitation pour le Nouvel An chez Gwyneth Gilpatric.

Emmett se leva de son fauteuil et éteignit le poste. Il gagna la cuisine, ouvrit le réfrigérateur pour y prendre une autre bière. Puis, il se dirigea vers la porte de la cave. Il trébucha sur les marches supérieures, se rattrapa à la rampe, se redressa et reprit la descente de l'escalier de bois.

Son parc d'attractions était tout illuminé à l'occasion des vacances. Il tira son siège près du Cyclone et poussa délicatement le minuscule train jusqu'au sommet des montagnes russes. Il le maintint quelques instants dans cette position, puis le libéra, le regardant descendre avec un faible chuintement.

Il y avait si longtemps de cela. Cette nuit avait changé sa vie, pour toujours.

Cela avait commencé si innocemment.

C'était juste un accident.

Il n'avait pas eu le courage d'avouer ce qui s'était passé. Les choses auraient pourtant tourné autrement.

Aurait-il alors dû aller en prison ? Sarah l'aurait-elle épousé ? Une Laura Walsh aurait-elle vu le jour ? On dit que les voies de Dieu sont impénétrables. Peut-être tout cela était-il selon Ses plans. Emmett ne pouvait l'affirmer. Dieu, au moins, avait sûrement voulu qu'il y ait Laura.

Le Seigneur lui avait-il pardonné ?

D'une lointaine éducation religieuse, il se souvenait que Dieu ne lui ferait grâce de ses péchés que s'il se confessait, que s'il reconnaissait ses actes.

Aujourd'hui, il était trop tard.

Il finit sa boîte de bière et éteignit l'éclairage de la maquette. En remontant les marches, il se demanda si Gigi savait que Laura travaillait sur une histoire concernant Palisades Park et Tommy Cruz. Si Gwyneth Gilpatric l'apprenait, cela lui déplairait sans doute fortement. Il laissa échapper un petit rire.

35

Une seule fois auparavant, elle avait ressenti la même chose.

Lors de son accident de voiture, sur la route 95, en allant au lycée. Gwyneth avait agrippé le volant de toutes ses forces, se raidissant au moment où son véhicule lui échappait, sur la chaussée humide de la voie rapide. Elle avait compris qu'elle roulait bien trop vite, comme toujours.

Dérivant en diagonale sur la route glissante, elle s'était attendue à une collision imminente avec une autre voiture, tout en se rapprochant de la glissière d'acier. Une énorme tracto-pelle se profilait de l'autre côté, dans la circulation inverse. Gwyneth s'était dit que, si la glissière de sécurité ne remplissait pas son office, son véhicule la ferait voler en éclats et irait s'encastrer sous l'impressionnante masse métallique de l'engin de chantier. Son conducteur le craignait, lui aussi : elle avait distingué le hurlement de ses avertisseurs.

Derrière le ballet des essuie-glaces, elle avait pensé que d'autres voitures, incapables de s'arrêter, allaient déraper sur le macadam mouillé et se percuter les unes les autres. Et combien de vies se trouveraient-elles alors gâchées ?

Une vieille chanson des Beatles s'échappait des enceintes de l'autoradio, à l'instant où Gwyneth avait eu la vision fugitive de ce qu'elle pouvait causer comme peine à ses parents et à toutes les personnes qui comptaient pour elle.

Elle s'était alors demandé si elle allait mourir.

Il ne lui avait fallu que cinq secondes pour réfléchir et saisir tous ces détails. Cinq secondes, depuis le moment où la voiture avait dérapé, frotté le rail de sécurité, effectué une rotation complète et percuté de nouveau la glissière par l'avant pour finir bousillée, transformée en accordéon.

Aucun véhicule ne lui était rentré dedans. Elle s'en était sortie indemne, quittant l'habitacle par ses propres

116

moyens. « Un miracle », avait précisé un peu plus tard le policier. Elle devait être protégée par un ange gardien.

Cinq secondes, dont elle s'était parfaitement souvenue ensuite, comme d'une séquence au ralenti, chaque horrible image se succédant avec lenteur.

Voilà ce qu'elle avait une nouvelle fois l'impression de vivre, à présent. Un film au ralenti.

Simplement, il n'y aurait pas de miracle, cette fois-ci. Elle ne se demanda pas si elle allait mourir. Elle en fut certaine.

Le vent glacial de janvier fit claquer le velours de sa tenue de soirée. Quand ils la trouveraient, sa robe serait-elle remontée jusqu'à la poitrine ? Elle portait un collant, sans sous-vêtement pour ne pas déformer sa ligne. Détail intéressant. Elle était sûre qu'il y aurait bien un journaliste pour le rapporter.

Elle entendit éclater la poudre des fusées et perçut les flashes étincelants de couleur, blancs, verts, rouges sur la voûte sombre de la nuit. Diamants, rubis, émeraudes... Le bijou qui ornait son propre cou, un rang de perles d'Akoya, la souffleta au visage d'une étrange caresse.

L'inévitable approchait. Plus près, plus près encore. Ce que l'on disait était faux. Votre vie ne vous repassait pas devant les yeux. En ces instants, elle n'avait qu'une seule pensée. Qu'un seul regret, pour une unique personne.

Quelques secondes avant qu'elle ne s'écrase sur le trottoir gelé, une dernière idée la traversa.

« Ce doit être ce que Tommy Cruz a ressenti. »

Deuxième partie

LA NOUVELLE ANNÉE

36

Samedi 1ᵉʳ janvier, jour de l'an

Laura et Mike Schultz n'attendirent pas que l'ascenseur soit remonté jusqu'au dernier étage. Ils se précipitèrent dans les escaliers, les dévalant à toute vitesse elle, avec le mouvement régulier de ses gracieuses jambes, lui plus lourdement, mais l'un et l'autre aussi vite qu'ils purent. Au moment où ils traversèrent en flèche l'élégant hall de l'immeuble, Mike cria au concierge d'appeler les secours.

La rue était bizarrement déserte, excepté la forme sans vie plaquée sur le ciment glacé, qu'une robe de velours noir ne couvrait qu'en partie. Dans ce quartier privilégié, sécurisé, abritant les plus grosses fortunes de la planète, les gens restaient calfeutrés dans leur confortable intérieur. Ils se délectaient de dom pérignon ou de veuve-clicquot, sans se douter le moins du monde que l'une des leurs gisait, brisée et ensanglantée, à leurs pieds.

« Seigneur », murmura Mike lorsqu'ils s'agenouillèrent au-dessus de Gwyneth. Elle était étendue sur le dos, yeux ouverts, fixant sans le voir le ciel nocturne. Une sombre auréole de sang cerclait son crâne fracassé. Un filet écarlate coulait au coin de sa bouche maquillée avec soin.

Mike tendit la main vers son cou, certain à l'avance qu'il ne sentirait pas de pouls.

Laura tira sur l'ourlet de la robe, essaya de la rabattre tant bien que mal pour rendre à la dépouille de Gwyneth un semblant de dignité. Elle remarqua les perles éparpillées, telle une grêle luminescente, tout autour du corps de la présentatrice, alors que se rapprochait le hurlement d'une première sirène de police.

Mike Schultz sortit un téléphone portable de la poche intérieure de sa veste.

— Qui appelles-tu ?

— La chaîne.

— Oh ! mon Dieu, Mike, non ! Tu ne vas tout de même pas demander qu'ils envoient une équipe ?

Il n'eut pas besoin de répondre. À l'écoute de ses propos, elle apprit tout ce qu'elle voulait savoir : les caméras allaient arriver.

Elle eut une réelle hésitation avant de parler.

— La nécrologie de Gwyneth est prête à être diffusée, Mike. La cassette se trouve dans le tiroir de mon bureau.

37

Des rangées de flûtes à champagne inutiles et des plateaux entiers de petits-fours avaient été abandonnés sur le marbre de la table de cuisine. Delia se tenait debout dans un coin, les yeux au sol, les bras convulsivement serrés autour du corps, retenant un tremblement nerveux.

Les policiers vêtus d'uniformes bleus et les enquêteurs en pardessus s'affairaient méthodiquement dans chaque pièce, questionnant les participants à la soirée et les membres du personnel. Delia comprit que, à son tour, elle allait être interrogée.

Elle avait une terrible envie de fumer, mais elle n'osa pas allumer de cigarette.

Levant la tête, elle vit un homme entre deux âges portant un manteau gris sombre s'avancer vers elle.

— Inspecteur Alberto Ortiz, du vingtième commissariat, dit-il d'un ton machinal. Vous êtes ?

— Delia. Delia Beehan.

— Et vous ne travailliez ici que pour la soirée ?

Il restait impassible, le regard posé sur le tablier blanc de la bonne.

— Non, monsieur. Je suis l'employée de maison de Mme Gilpatric. Je travaille pour Madame à plein temps.

L'indifférence d'Ortiz se mua en intérêt soudain. Il la fixa d'un œil aigu. La lèvre inférieure de Della frémissait.

— Avez-vous une idée sur ce qui s'est passé ce soir ?

— Aucune, monsieur.

— Mme Gilpatric a-t-elle eu une contrariété quelconque ?

— Je l'ignore, monsieur.

— Était-elle déprimée ?

L'inspecteur s'efforçait visiblement de lui soutirer un renseignement.

— Pas à ma connaissance, monsieur.

— Voyez-vous une raison qui aurait pu pousser Mme Gilpatric à mettre fin à ses jours ?

À cette question, Delia éclata en sanglots.

38

Nancy Schultz, très choquée, rentra chez elle en voiture, seule.

Elle suivit prudemment la file de feux arrière qui remontait la voie rapide Ouest. À 2 heures du matin, le trafic demeurait dense. Après le réveillon, les fêtards regagnaient leurs banlieues résidentielles.

Dieu merci, la nuit était claire. Ni neige ni grésil. Nancy en était à son troisième martini quand la fête avait brutalement pris fin. Sur le coup, elle s'était sentie glacée d'effroi. Elle avait été à peine consciente qu'il lui fallait remonter dans son véhicule et repartir.

Elle aurait pourtant dû se rendre compte que, cette fois encore, Key News et Gwyneth Gilpatric parviendraient à envahir leur vie personnelle.

Au volant de son vieux break Ford Taunus, Nancy s'engagea sur le pont George Washington. À travers la vitre, elle contempla l'Hudson, qui s'étirait jusqu'aux lumières de Manhattan. Là-bas se dressait l'Empire State Building, brillamment illuminé.

Un coup de klaxon strident l'avertit qu'elle s'écartait de la file. Elle se concentra à nouveau sur la conduite. Un accrochage était la dernière chose qu'elle souhaitait. Ils ne pouvaient pas se le permettre. En fait, elle en était au point de redouter d'avoir à aligner les cinquante dollars pour payer Julie, la baby-sitter.

Elle alluma l'autoradio et fit défiler les fréquences, stoppant quand elle obtint ce qu'elle cherchait.

« La présentatrice, âgée de quarante-sept ans, a été immédiatement reconnue pour morte. La police mène son enquête. Nous répétons : Gwyneth Gilpatric, présentatrice de Key News, est donc décédée cette nuit après une chute depuis le toit de son appartement, sur Central Park West. »

Nancy ouvrit la boîte à gants et fouilla jusqu'à ce que ses doigts rencontrent le paquet que Mike conservait là. Elle attendit le claquement sec de l'allume-cigares, enflamma l'extrémité de sa cigarette et inhala profondément.

Ce qui devait arriver arrivait.

39

L'Amérique entière put se faire une idée de la vie et de la mort de Gwyneth Gilpatric grâce à la biographie en images réalisée par Laura Walsh que diffusa le réseau de Key News.

Le montage s'ouvrait sur une séquence d'archives, tirée de la première édition de « Plein Cadre » :

« Bonsoir. Je suis Gwyneth Gilpatric, et j'ai le plaisir de vous présenter "Plein Cadre". »

Ensuite débutait le commentaire, lu par Eliza Blake, tandis que s'affichaient à l'écran des scènes où Gwyneth était en reportage pour Key News, un peu partout sur le globe, à différents moments de ces quinze dernières années dont plus de dix ans pour « Plein Cadre ».

« Gwyneth Gilpatric, rappelait Eliza Blake, fut l'hôte régulier de chaque foyer américain, tous les jeudis, en tant qu'animatrice attitrée de l'émission "Plein Cadre".

À travers sa présence, nous avons participé aux grands événements de notre temps. »

Suivaient des images vidéo de Gwyneth interviewant des présidents, des monarques, marchant aux côtés de stars de cinéma ou debout sur le mur de Berlin le jour où les Allemands firent tomber le symbole du communisme.

« Gwyneth Gilpatric ne se contenta pas de commenter l'actualité la plus évidente. Sa passion entre toutes fut de découvrir et de nous présenter des sujets que nul journaliste n'avait traités, de nous raconter des histoires qui ne l'avaient jamais été. Pour son travail d'investigation, elle avait reçu un grand nombre de récompenses. »

À l'écran, une Gwyneth en blouse blanche se déplaçait dans un abattoir insalubre au milieu de carcasses contaminées. Ensuite, on la voyait s'agenouiller auprès d'une petite fille en chaise roulante, qui ne pourrait plus parler ni marcher par la faute de négligences médicales, à l'hôpital. Dans une autre séquence, Gwyneth serrait la main d'une dame âgée dépossédée de ses économies par un escroc professionnel.

« L'Amérique faisait confiance à Gwyneth Gilpatric. Chacun a une pensée pour elle, en ces instants de deuil national. »

Ces propos étaient ponctués d'un clip montrant Gwyneth lors d'une célébration commémorative au lycée de Columbine, où un élève armé avait commis un massacre parmi ses camarades, Gwyneth était au micro :

« Quand j'étais en terminale, mes principaux soucis étaient de rentrer à l'université et de trouver un cavalier pour le bal de la promo. Les étudiants d'aujourd'hui ont des préoccupations plus immédiates. Ils se demandent s'ils vont survivre à leur journée dans l'établissement. »

En incrustation, on découvrait une photo noir et blanc de Gwyneth tirée de son album de fin d'études. Elle ressemblait à toutes les filles de son âge, telles qu'elles étaient à cette époque, avec sa longue chevelure sombre séparée par une raie médiane, la traditionnelle toge noire drapant ses épaules. Sur son frêle cou, une croix pendait à sa chaîne.

« Elle avait grandi à Fort Lee, dans le New Jersey. Enfant unique, elle était issue d'une famille de la classe moyenne. Alors qu'elle suivait les cours du Boston College, elle avait choisi sa vocation : mener une carrière de journaliste à la télévision. Pour notre bénéfice à tous, Gwyneth Gilpatric n'était jamais revenue en arrière.

« C'était Eliza Blake, pour Key News, depuis New York. »

40

Il faisait déjà jour quand Joel fut de retour de Key News. Les policiers avaient souhaité l'interroger, après avoir emporté le corps de Gwyneth. Il s'était ensuite rendu au bureau pour prendre quelques décisions. Il fallait détermi-ner la façon dont la chaîne gérerait la prochaine édition de « Plein Cadre ». Le réseau de télévision continuerait à fonctionner, avec ou sans Gwyneth. Cependant, Joel ne savait pas encore ce qu'il allait faire.

Il fut surpris de trouver Kitzi éveillée. Elle se tenait assise sur le sofa, dans le living-room. Elle portait toujours sa robe pêche de la veille au soir.

— Bonne année, mon chéri ! murmura-t-elle.

Elle était ivre.

— Je pense que tu es au courant.

Il ignora délibérément son ébriété, alors qu'en temps normal elle l'eût révulsé. Il n'y attachait aucune importance. Tout lui était égal, en cet instant.

— Tu es sans doute très heureuse, ajouta-t-il.

— Et toi, mon Joel chéri, très triste. Ta pauvre Gwyneth s'en est allée. Que vas-tu devenir sans elle ?

— Arrête tes conneries, Kitzi !

La situation plaisait à Kitzi. Elle s'amusait de le voir souffrir. Ne lui avait-il pas tant de fois fait mal ? Chacun son tour.

— Que vas-tu faire, maintenant, Joel ? Plus de Gwyneth, plus de star pour maintenir « Plein Cadre » au sommet des sondages ! Finie, la travailleuse acharnée avec qui tu préparais l'émission, très tard le soir. Plus de Gwyneth à observer, pour le pathétique espion et son fidèle télescope.

— Tu me dégoûtes.

Il se détourna, préférant s'éloigner d'elle.

— Hé ! Veux-tu savoir comment j'ai appris la triste nouvelle ? lança-t-elle d'un ton railleur.

— Je le devine. Par la télé ou la radio. C'est ça ? dit-il d'une voix morne.

Secouant sa crinière auburn, Kitzi eut un rire de défi.

— Tu n'y es pas, mon chéri. Bien mieux que cela, je pense que tu vas apprécier. Je l'ai vue en direct.

Joel se figea et fit volte-face.

— Que veux-tu dire ? demanda-t-il avec brusquerie.

Kitzi se dérobait déjà.

— Tu sais combien j'ai toujours détesté ce foutu télescope et ce que tu faisais avec. Puis, celui que tu as offert à Gwyneth, pour que vous puissiez jouer à vos innocents petits jeux par-dessus Central Park. Je n'ai jamais pu supporter que tu préfères l'observer elle, plutôt que moi. Tu la trouvais tellement plus fascinante. Et moi, Joel ? Et moi ?

Il fit mine de ne pas entendre, la pressant encore de s'expliquer,

— Que veux-tu dire ? Qu'as-tu donc vu ?

Kitzi interrogea son regard. Elle ne fut pas certaine de ce qu'elle y lut. Était-ce l'effroi ? Ou peut-être la panique ?

— J'ai vu la chute mortelle de ta Gwyneth chérie, Joel. Grâce à ton précieux télescope.

41

— Je n'arrive toujours pas à comprendre pourquoi tu as bien pu préparer la nécrologie de Gwyneth. Laura, je sais que vous étiez liées. T'a-t-elle confié qu'elle n'allait pas bien, qu'elle était malade ?

Mike Schultz et Laura Walsh, encore en tenue de soirée, se trouvaient au service des Informations. La bande produite par Laura avait déjà été communiquée trois fois aux stations affiliées à Key News. Partout à travers les États-Unis, les téléspectateurs n'avaient eu qu'à presser un bouton pour visionner la séquence consacrée à la présentatrice sur leur chaîne locale.

— Non. Jamais elle ne m'a laissé entendre qu'elle était malade. En réalité, j'ai monté ce clip il y a très longtemps. À l'époque, je l'avais réalisé pour m'entraîner.

Mike la fixa, l'air sceptique.

— Je t'assure, Mike. J'ai travaillé dessus il y a quelques années, quand je commençais juste à monter des nécros. Depuis, je me suis contentée de le remettre à jour deux ou trois fois. Gwyneth s'est promenée un peu partout dans le monde, elle a vécu des rébellions, des guerres, des catastrophes naturelles. Je me disais qu'elle aurait pu facilement perdre la vie. D'autre part, je savais que nous avions beaucoup de matériel de première qualité en ce qui la concernait : travailler sur sa nécrologie se révélerait particulièrement formateur. J'ai même envisagé de lui montrer, pour lui demander ce qu'elle en pensait. Cependant, je ne l'ai pas fait. Je me suis dit qu'il ne valait mieux pas. Je voulais éviter qu'elle le prenne comme une offense.

Mike acquiesça.

— Je n'aimerais guère qu'on m'apprenne que ma nécro est déjà en boîte, et je ne suis pas le seul.

Il réfléchit quelques secondes, puis reprit :

— Tu as fait lire le commentaire à Eliza Blake. Elle ne t'a pas posé de questions ? N'a-t-elle pas trouvé ça plutôt malsain ?

Laura chercha dans sa mémoire.

— Eliza présentait alors « Key to America ». Je me rappelle lui avoir glissé mon texte à la fin d'une session d'enregistrement réalisée après l'émission. Il ne me semble pas qu'elle ait posé la moindre question. Elle a dû se dire que nous le faisions pour l'ADITR.

L'Association des Directeurs de l'Information de Télévision et de Radio tenait des conventions plusieurs fois par an dans différentes villes. Les directions de l'Information des grands serveurs nationaux offraient alors de généreux banquets à leurs homologues des stations locales, s'efforçant de leur plaire, de les convaincre de leur rester fidèles. C'était l'occasion de shows vidéo racoleurs, destinés à faire l'article pour les émissions d'actualité ; les stars de la télé étaient tout spécialement filmées. « Plein Cadre » constituant un atout essentiel pour Key News, il n'y avait donc rien de surprenant à réaliser un sujet sur Gwyneth.

Mike se rendit à ces raisons.

— Je reconnais qu'une fois de plus, Laura, tu nous as évité à tous un sacré merdier. Un grand merci à toi.

42

En cette période de vacances, le bus n'effectuait qu'un service partiel. Il lui fallut une éternité pour rentrer à la maison. À son retour, Ricky fut soulagé de ne pas trouver sa mère. Elle était sans doute à l'église. Elle était toujours fourrée à la messe.

Quand sa mère rentrerait, elle lui demanderait où il était passé, ce soir. Il lui répondrait comme d'habitude : par le silence.

Ricky suspendit son tout nouveau caban en poil de chameau dans l'étroit placard de l'entrée, enclencha l'interrupteur de la télévision et pressa la télécommande jusqu'à ce qu'il ait ce qu'il voulait. Le visage de Gwyneth Gilpatric.

Une présentatrice racontait sa sensationnelle disparition, avec la chute fatale au moment où le feu d'artifice explosait au-dessus de Central Park. On supposait pour l'instant qu'il s'agissait d'un suicide ; néanmoins, la police avait entrepris d'interroger tous ceux dont le nom figurait sur la liste des invités.

Le sourire aux lèvres, Ricky se dirigea vers sa minuscule chambre à coucher. Il se dépouilla de ses vêtements, enfila un jean et un pull marin. Tout serait parfait, désormais. Peu importait au fond la manière dont cela s'était produit. Gwyneth était morte. Ce n'était que justice.

Il s'était tenu en retrait, lorsque les portes de l'ascenseur s'étaient ouvertes à l'étage où l'on attendait les invités. Il avait laissé ceux-ci passer devant et, tandis que Gwyneth souhaitait la bienvenue au petit groupe, il s'était faufilé directement à l'intérieur, hors de son champ de vision. Il avait suivi la bonne chargée à pleins bras de manteaux, lui avait remis son pardessus et s'était esquivé pour se dissimuler dans l'une des chambres.

La police ne le rechercherait pas pour l'interroger. Il s'était échappé furtivement de l'appartement avant qu'elle n'arrive, et son nom n'apparaissait pas dans la composition originale des invités.

L'année commençait juste comme il fallait.

43

Il était presque midi lorsque Laura ouvrit la porte de son appartement. Elle se débarrassa avec soulagement de ses coûteuses chaussures, qui lui comprimaient les orteils. Elle était debout depuis trente heures. Cependant, elle savait qu'elle ne pourrait pas dormir. Son esprit galopait.

Le témoin rouge du répondeur clignotait d'une manière insistante. Machinalement, elle fit défiler les messages.

« Laura, c'est moi, Francesca. Tu es OK, au moins ? Quelle soirée on a eue ! Appelle-moi. »

« Laura, c'est papa. J'ai entendu ce qui s'était passé. Est-ce que tu vas bien, ma chérie ? Je t'en prie, appelle-moi vite. »

« Laura, c'est Maxine. Maxine Bronner. Je me rappelle t'avoir entendue dire que tu serais à la soirée chez Gwyneth Gilpatric. Je suis désolée. Passe-moi un coup de fil quand tu le pourras. Je me fais du souci pour toi. »

« Laura, ici Joel Malcolm. Excusez-moi de vous déranger chez vous, mais avec tout ce qui s'est passé ce soir, je voudrais mettre un peu les choses en ordre. Vous avez le job. Je viens de parler à Mike Schultz, en lui expliquant que je souhaitais vous voir commencer tout de suite chez nous ; il a accepté, en rechignant, de vous libérer à partir de la semaine prochaine. Je veux que cette histoire sur Palisades Park soit bouclée pour les vagues de sondages de février. Sans Gwyneth, tout le monde va nous attendre au tournant. Je suis déterminé à leur montrer que l'émission est plus importante que toute personnalité. »

C'était la nouvelle qu'attendait Laura.

44

Au bout du compte, la récompense. La patience, l'attente, tout cela finissait par valoir le coup.

La partie n'avait pas été facile. Tant de nuits passées à se tourner et se retourner sans pouvoir trouver le sommeil, sous la torture de l'angoisse. À se morfondre dans l'inquiétude qu'un autre ne meure avant elle. À prier pour que les quatre-vingt-dix-neuf autres personnalités des médias peuplant le Pays de Casper restent en parfaite santé.

Casper, le gentil petit fantôme. Pas vraiment l'ami de Gwyneth Gilpatric, pourtant.

Remporter la super-cagnotte signifiait une complète indépendance à partir de ce jour.

Pour la nouvelle année, une page était tournée.

45

En ce week-end du 1er janvier, le docteur Leonard Costello ne travaillait pas. Debout dans l'immense cuisine de sa demeure de Scarsdale, il était occupé à mesurer un quart de cuillère à café de crème de tartre. Il la versa dans la casserole contenant le sucre et l'eau, placée sur la gazinière. Une demi-heure s'était écoulée depuis qu'il avait pris son médicament ; ses gestes étaient sûrs, maintenant.

Il jeta une pincée de sel dans le mélange, qu'il porta à ébullition sans cesser de le remuer. Il réserva des blancs d'œufs dans un bol mixeur, y ajouta un peu de vanille. Puis, petit à petit, il incorpora aux blancs d'œufs le mélange sucré, en actionnant le mixeur. Au bout de sept minutes, il aurait des blancs battus en neige très fermes, et il pourrait commencer.

Il savait que plusieurs de ses excellents confrères en chirurgie esthétique avaient un violon d'Ingres, qu'ils prenaient très au sérieux. Quelques-uns peignaient des aquarelles, d'autres faisaient de la peinture à l'huile, pour laisser s'exprimer leur sensibilité. Un petit nombre sculptaient ou modelaient leurs créations dans l'argile. Leonard, lui, aimait décorer des gâteaux.

Tandis qu'il fixait attentivement le bol mixeur où se formait peu à peu le blanc coton du glaçage, Leonard sentit toute tension l'abandonner. Il s'était tellement inquiété à propos de Gwyneth. Elle aurait pu tout gâcher.

Après avoir travaillé si dur pendant des années pour lui conserver toute sa beauté, quelle ironie que d'avoir dû constater son décès, alors qu'elle gisait sans rémission sur le trottoir.

Leonard éteignit le mixeur. Au moyen d'une spatule en inox, il déposa une couche uniforme de glaçage frais sur la bûche jaune.

Une nouvelle année de prospérité s'ouvrait devant lui. Il se sentait reconnaissant.

46

Lorsque Laura se présenta à la rédaction de « Plein Cadre », Joel Malcolm était absent. Toutefois Claire Dowd, sa charmante secrétaire, l'attendait.

— Joel est au Lincoln Center. Il voulait régler lui-même certains détails du service religieux en la mémoire de Gwyneth.

— Il n'a pas perdu de temps ! s'étonna Laura, surprise.

— Joel agit toujours de cette façon, commenta la secrétaire d'un ton neutre. S'il attache de l'importance à quelque chose, il s'en occupe tout de suite.

Laura hocha la tête.

— Faut-il que je revienne un peu plus tard ?

— Non. Joel a dit que vous deviez voir Matthew Voigt. C'est au bout du couloir, le dernier bureau à gauche. Et il y a une réunion du *staff* à 15 heures, dans la salle de conférences.

Laura arpenta d'un pas lent les bureaux de « Plein Cadre ». L'endroit était nettement plus calme que le reste des locaux de la chaîne. Ces bureaux semblaient constituer un monde à part, au sein de Key News : l'univers créé par Joel Malcolm, que protégeaient les formidables revenus générés par son émission.

Devant la porte du bureau de Matthew Voigt, Laura prit une profonde inspiration.

Matthew tenait une conversation téléphonique en griffonnant sur un bloc-notes à couverture jaune. À l'apparition de Laura, il releva la tête. Il sourit, lui fit signe d'approcher, désigna le canapé placé contre le mur, Laura s'assit prudemment sur le bord du siège.

En attendant la fin de l'entretien, elle parcourut du regard le petit espace de travail. Une affiche de concert de Bruce Springsteen, avec son autographe, était fixée au mur derrière le bureau encombré. Deux Emmy Awards reposaient sur une étagère de bibliothèque pleine à craquer. Un sac de sport et une paire de Nike fatiguées avaient été jetés dans un angle.

— Ce n'est pas grand, mais c'est chez moi ! déclara Matthew, qui sourit d'un air aimable en reposant le combiné. Bienvenue dans les locaux de « Plein Cadre ».

— En ce qui me concerne, répliqua Laura en riant, je rêve d'avoir mon propre bureau. J'ai toujours travaillé dans des salles de presse où l'on doit se battre pour obtenir le moindre tiroir. Je trouve votre bureau grandiose.

— Tant mieux, Laura. Vous ne serez pas déçue quand vous découvrirez le placard qui vous est réservé. Ici, l'espace est un sacré luxe ! Venez, je vais vous montrer. C'est à côté.

Laura suivit Matthew dans le couloir.

Il lui ouvrit la porte, alluma le commutateur. La pièce, quoique meublée sommairement d'un étroit bureau et d'une unique chaise, ne paraissait pas beaucoup plus petite que celle qu'il occupait. Laura eut hâte d'y mettre une touche personnelle, pour en faire véritablement son bureau.

— C'est parfait. Absolument parfait, jugea-t-elle, l'air ravi.

— Vous vous contentez du strict nécessaire. J'apprécie. Nous avons beaucoup trop de divas, à cet étage. Assommant ! dit le jeune producteur en secouant la tête.

Maintenant, si vous le voulez bien, retournons chez moi pour discuter un peu, Oh ! à moins que vous ne préfériez la cafétéria ? J'ai une envie terrible de boire un café. Un expresso bien tassé ; le café que nous prépare Claire, ici, ressemble plutôt à un thé léger.

Une fois installés sur des banquettes devant deux gobelets fumants, Matthew lâcha l'information. Il allait travailler avec Laura sur l'histoire de Palisades Park.

Sur le coup, elle parut désappointée. Son expression ne trompait pas.

— Mais, c'est *mon* sujet !

— Bien entendu. C'est vous qui nous apportez l'idée. Néanmoins, avec « Plein Cadre », vous courez dans le peloton de tête, Laura. Je pense que vous serez heureuse de pouvoir compter sur toute l'aide disponible. D'ordinaire, les sujets diffusés dans l'émission demandent des mois de préparation. Celui-ci doit être réalisé en seulement six semaines. Joel vous a signalé qu'il voulait le faire passer à l'antenne au moment des vagues de sondages de février, non ?

Elle confirma d'un simple signe de tête, les yeux fixés sur son gobelet de plastique blanc.

— Allons, Laura... Je n'ai aucune intention de vous doubler. Vous serez créditée. Voyez-moi simplement comme une sorte de mentor. Mon Dieu ! « mentor », comme cela fait vieux ! Je suis trop jeune pour être le mentor de qui que ce soit, en fait.

Il eut un petit rire et avala une gorgée de son expresso.

Elle ne disposait d'aucune alternative. Si Joel souhaitait que Matthew supervise son sujet sur Palisades Park, on prendrait cette direction. Après tout, ce ne serait peut-être pas si mal. Elle pourrait se décharger d'une partie de la pression. Les choses auraient même pu être pires. Joel aurait pu lui associer un autre producteur, qu'elle n'aurait pas aimé ; alors qu'elle commençait à apprécier Matthew.

— Très bien, reprit-elle d'une voix résolue. Quand voulez-vous que nous démarrions ?

— À vous de me le dire, Laura. C'est votre sujet.

Elle lui raconta tout ce qu'elle savait de l'histoire du parc d'attractions. Quand elle eut achevé, il lui posa quelques questions.

— Je réfléchissais aux personnes que nous pourrions interviewer. Bien sûr, nous interrogerons les enquêteurs qui à l'époque ont travaillé sur l'affaire, s'ils n'ont pas tous disparu de la circulation. Et nous essaierons de retrouver la trace de l'ami du garçon mort cette nuit-là. Ainsi que celle des parents, s'ils veulent bien nous parler.

Il finit son gobelet de café.

— Je pense à quelque chose en particulier. Vous aviez mentionné, lors de la soirée, que votre père travaillait aux montagnes russes de Palisades Park. Il pourrait nous fournir un bon point de départ. Je parie qu'il nous donnerait un tas d'anecdotes et de détails sur le parc tel qu'il était lors de la disparition de Tommy Cruz, s'il en a conservé le souvenir.

Laura marqua une hésitation. L'idée de voir Matthew Voigt rencontrer son père ne l'enchantait guère.

— Ça pose problème ? s'enquit-il.

— Non, Bien sûr que non, répondit Laura.

47

L'équipe de « Plein Cadre » se trouvait au complet dans la spacieuse salle de réunion, où l'on attendait le producteur exécutif en personne. Laura avait pris une chaise tout au fond, près du mur. Elle se demanda si elle trahissait sa nervosité.

Se concentrant pour cesser de balancer les pieds d'avant en arrière sous sa chaise, Laura se rendit compte qu'elle reconnaissait presque la moitié des personnes présentes : elles étaient déjà là au moment de son stage. Cependant, il y avait beaucoup de visages sur lesquels Laura ne pouvait mettre un nom. On se parlait entre voisins, et elle capta des bribes de conversation :

— Joel doit se sentir paumé. Comment va-t-il faire, sans elle ?

— Je l'ai vu au déjeuner. Il m'a paru aller plutôt bien.

— Tu connais Joel. Il a sûrement son plan.

— Attendons voir. Ce ne sera sans doute pas une partie de plaisir.

Au moment où le producteur exécutif fit son entrée dans la pièce, les conversations cessèrent. Tous les regards convergèrent en direction de Joel Malcolm. Il était vêtu d'une veste de cachemire grise sur un pantalon noir, avec une cravate noire, et il tenait à la main une canette de boisson gazeuse. Il s'avança pour se placer devant les participants.

— Vous savez tous pourquoi je vous ai réunis, commença-t-il. Nous avons perdu Gwyneth. Je suis sûr que chacun d'entre vous lutte avec son émotion depuis cette disparition. Gwyneth était une véritable légende, une très grande professionnelle, extrêmement talentueuse. Travailler avec elle a constitué pour nous un authentique privilège. C'était aussi une amie sincère - combinaison tellement rare, de nos jours.

Il marqua une pause pour boire une gorgée de son Coca Light.

— Cependant, mes amis, sa disparition ne signifie nullement, bien entendu, la fin de « Plein Cadre ». Au contraire. Certains vont me trouver indélicat, mais je crois que sa mort représente des taux d'audience encore plus forts pour l'émission. Au moins dans un premier temps. Simplement par curiosité, un plus grand nombre de téléspectateurs vont nous regarder. Nous devons capitaliser sur cette opportunité.

Quelqu'un toussa, rompant le lourd silence qui enveloppait l'assistance. Laura se demanda si les autres trouvaient eux aussi ces propos inquiétants. Elle lança un coup d'œil à Matthew Voigt. Il regardait Joel avec une attention soutenue, sans pourtant laisser supposer le moindre malaise.

— J'attends de chaque personne ici présente qu'elle mette tout en œuvre pour que nous conservions ces nouveaux téléspectateurs. Je veux que nous arrivions en pleine puissance aux vagues de sondages de février. Pour la prise en compte des taux, le mois prochain, notre objectif sera non seulement de dépasser « 60 Minutes », mais de porter « Plein Cadre » jusqu'à l'évaluation maximale sur l'échelle des annonceurs télé. D'ici là, et, cela va de soi, en mémoire de Gwyneth, « Plein Cadre » mènera sa propre investigation sur les circonstances de sa mort. Nous devrions progresser plus vite que la police ou, plutôt, nous *progresserons* plus vite qu'elle, voulais-je dire. Les spectateurs nous regarderont pour obtenir les dernières révélations sur l'affaire. *Nous ne les décevrons pas.* Chaque semaine, il faudra que nous ayons du neuf. Quelque chose que l'on ne savait pas encore ou qu'aucun autre média n'aurait pu apprendre.

Joel fit un signe de tête à sa secrétaire.

— Claire ?

Celle-ci distribua un paquet de photocopies aux participants. Laura examina rapidement le schéma des éditions de « Plein Cadre » pour janvier. Tandis qu'ils lisaient, Joel leur exposa les détails.

— Notre prochain passage à l'antenne a lieu dans seulement deux jours. Le public sera très nombreux, du simple fait de la disparition tragique de Gwyneth. Eliza Blake, qui continue, bien évidemment, à présenter « À la une ce soir », va reprendre à titre provisoire le rôle de Gwyneth. À l'issue de l'émission, nous promettrons de toute façon des révélations pour la semaine suivante, afin de fidéliser nos nouveaux téléspectateurs.

— Ne devrions-nous pas nous assurer d'abord que nous serons en mesure de les produire, ces révélations ? risqua bravement quelqu'un dans l'assistance.

Joel le fusilla du regard.

— Nous disposons d'ores et déjà d'informations exclusives, que je ne divulguerai pas ici. Néanmoins, dans la semaine qui s'ouvre, j'attends de vous tous que vous m'apportiez des matériaux inédits pour notre enquête.

Laura avait l'estomac noué. Où avait-elle mis les pieds ? À l'instant où Joel Malcolm posa les yeux sur elle, elle eut envie de rentrer sous terre.

— Avant que nous nous séparions, je voudrais présenter à ceux qui ne la connaissent pas encore Mlle Laura Walsh.

Toutes les têtes se tournèrent vers Laura. Elle sentit son visage s'empourprer.

— Laura nous vient du service des Informations. Elle a su, de façon renversante, anticiper la nécrologie de Gwyneth. Son application et ses dons de prescience représenteront, j'en suis sûr, un réel bénéfice pour « Plein Cadre ». Bienvenue à bord, Laura !

48

L'inspecteur Alberto Ortiz, de la brigade criminelle, se tenait au pied de l'immeuble massif de Central Park West. Malgré la bise glaciale de janvier, son pardessus était déboutonné. Là-haut se situait l'appartement de Gwyneth Gilpatric. Sous le clair soleil, il regarda en direction du sommet de l'immeuble, frémissant à l'idée de ce qu'avaient pu être les tout derniers instants de la star, lors de cette tragique nuit.

Ortiz était de plus en plus convaincu que Gwyneth Gilpatric ne s'était pas donné la mort. Si l'autopsie avait révélé que la présentatrice avait bu, elle avait aussi mis en évidence des traces de lutte sur son corps. Elle portait des marques en haut des bras et l'on avait retrouvé de minuscules fragments de peau sous ses ongles. Les tests ADN n'étaient pas encore arrivés, mais il avait la conviction que ces fragments ne provenaient pas de la propre peau de Gwyneth Gilpatric. Sa longue expérience soufflait à Alberto Ortiz qu'il avait affaire à un meurtre.

Il s'était porté volontaire pour être de service lors du réveillon du Nouvel An, en remplacement d'un collègue plus jeune qui, d'habitude, était de l'équipe de nuit, mais avait souhaité coûte que coûte disposer de sa soirée. Le vieux routier s'était senti heureux de faire une bonne action. Divorcé et sans personne dans sa vie, il n'avait rien prévu de spécial. Il s'était souvenu du temps où il était jeune flic, quand son fils Michael était petit ; il était vraiment pénible d'avoir à travailler les jours fériés. Leur vie de famille s'en trouvait encore réduite.

Aujourd'hui, il venait de passer les cinquante ans. Alors que son fils était grand et volait de ses propres ailes, Ortiz se retrouvait au bénéfice de l'ancienneté dans la meilleure équipe, et pouvait aménager son temps de travail. Il disposait de plus de jours de congé qu'il n'en avait besoin. Système profondément débile, se répétait-il.

Sa bonne action l'avait conduit à la plus grosse affaire dont il ait hérité. Quand l'appel était arrivé au poste, Ortiz s'était brièvement senti désolé pour le pauvre garçon qui faisait la fête quelque part en ville, manquant la grande opportunité de sa vie de policier. Un dossier comme celui-ci pouvait faire l'essentiel d'une carrière.

Ortiz, lui, n'était plus qu'à quelques années de la retraite. S'il élucidait cette affaire, elle constituerait son legs final. Jouissant d'une solide réputation, il n'avait cependant jamais bénéficié d'une telle occasion de s'illustrer. Il se sentait déterminé à comprendre ce qui était arrivé à Gwyneth Gilpatric. Et pas seulement pour combler son ego susceptible de flic vieillissant. Il souhaitait que son fils Michael soit fier de lui. Depuis le divorce, ils s'entendaient mal. Ortiz estimait que Michael les rendait responsables, lui et son travail, de la dissolution du mariage.

Effleurant ses dernières touffes de cheveux gris, l'inspecteur Ortiz franchit les quelques mètres qui le séparaient de l'entrée. Il pénétra dans le hall et se présenta au concierge. Celui-ci émit un appel sur l'interphone, puis le pria de monter.

« Le luxe dans lequel vivent ces gens ! » Ortiz s'en émerveillait encore lorsque les portes de l'ascenseur s'ouvrirent sur le vestibule. « À elle seule, l'entrée dépasse en surface mon premier appartement. »

Le grand sapin, maintenant lugubre, se dressait toujours au même endroit. Delia Beehan, l'employée de maison, était occupée à en retirer un à un les ornements. Des boîtes de rangement se trouvaient éparpillées au pied de l'arbre de Noël.

Delia s'essuya les mains sur son tablier et salua l'inspecteur.

— Madame Beehan ? Merci de me recevoir.

Elle avait la main glacée ; il eut l'impression qu'elle tremblait légèrement.

— Nous pouvons nous installer à l'intérieur pour parler, si vous voulez bien, inspecteur.

Ortiz la suivit à travers le couloir. Dans le living, il prit place à l'une des extrémités de l'interminable canapé blanc. Il eut aussitôt un bref fantasme, rêvant de s'y étendre par un beau dimanche après-midi, une bière à la main, pour regarder tranquillement un match des Giants à la télé. Le paradis,

— Madame Beehan, j'ai senti que vous étiez bouleversée, le soir où nous nous sommes brièvement entretenus, et je souhaitais vous poser deux ou trois questions qui pourraient faire progresser mon enquête.

Elle acquiesça avec gravité.

— Je vais essayer de vous répondre de mon mieux, inspecteur.

— Avez-vous le souvenir que Mme Gilpatric ait eu des ennemis ?

— Non, inspecteur. Pas à ce que je sache.

— Était-elle contrariée ?

— En vérité, elle ne me racontait pas grand-chose, inspecteur. J'étais sa bonne, pas l'une de ses amies.

— Je comprends, assura Ortiz en hochant la tête. Cependant, vous l'avez peut-être entendue parler à un tiers. Lors d'une conversation téléphonique, par exemple.

Delia fixa en silence ses mains croisées sur ses genoux.

— Je vous en prie, madame Beehan. Le moindre élément que vous pourriez m'apporter me sera d'un grand secours.

— Eh bien, je..., tenta la domestique.

Elle releva la tête et croisa le regard d'Ortiz, dont la douceur la surprit,

— Je sais qu'elle a eu des mots avec M. Malcolm,

— Vous parlez certainement de Joel Malcolm, le producteur exécutif de « Plein Cadre » ?

— Hmm hmm,

— Quand cela s'est-il produit ?

— La veille de la réception. La veille au soir, en fait.

Ortiz gribouilla quelques mots sur son carnet.

— M. Malcolm se trouvait donc ici, ce soir-là ?

— Non. Madame lui parlait au téléphone, depuis sa chambre.

— Qu'avez-vous entendu ?

Delia, mal à l'aise, s'efforça de préciser.

— Elle n'avait jamais employé ce genre de mots. J'ai honte de l'avouer, mais j'ai écouté à la porte, dans le couloir.

Les traits d'Ortiz ne reflétaient pas la moindre désapprobation. Il attendait qu'elle continue,

— Je lui ai entendu dire à M. Malcolm qu'elle quittait « Plein Cadre ».

Delia posa les yeux sur le visage de l'inspecteur, cherchant sa réaction. Elle n'en décela aucune.

— Et ?

— Bien sûr, je n'ai pas entendu les propos de M. Malcolm, mais Madame est entrée dans une grande colère. Elle a dit qu'elle ne lui devait rien du tout. Que c'était lui qui lui devait quelque chose. Qu'elle était la raison de son succès. Ensuite il a dû dire quelque chose qui l'a vraiment rendue folle car elle s'est mise à le traiter de tous les noms et à lui conseiller en hurlant de pratiquer des choses.

— OK, OK. Voilà des éléments très utiles. Maintenant, j'aimerais encore vous interroger sur un ou deux points. Comme vous le savez, nous avons emporté le soir même certains objets appartenant à Mme Gilpatric. L'un d'eux était son agenda. À ce qu'il semble, elle avait pris rendez-vous chez un chirurgien cette semaine ?

— Oui, inspecteur,

— Dans quel but ?

— Elle ne me l'a pas dit.

Une fois de plus, il avait décelé son hésitation.

— Elle ne vous l'a pas dit, mais le saviez-vous quand même ?

La bonne rougit légèrement.

— Je crois qu'il s'agissait de chirurgie esthétique.

— Un lifting facial ?

— Oui.

— Le cabinet du docteur a-t-il rappelé pour confirmer le rendez-vous. ?

— Non, inspecteur. Pourquoi l'auraient-ils fait ? Je pense que tout le monde est au courant de l'accident dont Madame a été victime. D'ailleurs, le docteur Costello était présent lors de la soirée.

— Le docteur Costello était son chirurgien esthétique ?

Elle approuva d'un hochement de tête.

— Pourtant, il est marqué à la date du rendez-vous « Docteur Koïzim ».

Delia parut embarrassée. Elle haussa les épaules en signe d'incompréhension.

— Bien, madame Beehan. Une dernière question. Le carnet de chèques de Mme Gilpatric, maintenant. Seuls quelques talons portent des indications.

— Son comptable s'occupait de pratiquement tout. Ce chéquier supplémentaire ne servait que pour des achats dont elle avait soudain envie, sur le moment.

« Ou pour des opérations qu'elle souhaitait ne divulguer à personne », songea Ortiz.

— Cela semble juste. Néanmoins, il y a un nom qui revient régulièrement, ici. Il apparaît que Mme Gilpatric signait tous les mois un chèque à une personne répondant au nom d'Emmett Walsh. Savez-vous de qui il s'agit ?

Delia marqua un temps de réflexion.

— Non, je n'ai jamais rencontré ni entendu Madame parler d'un Emmett Walsh. En revanche, elle était très attachée à une jeune femme de Key News portant le nom de Laura Walsh. Mlle Walsh est venue ici juste avant Noël.

Ortiz feuilleta son carnet jusqu'à ce qu'il retrouve la page où il avait noté la liste des personnes en relation avec son enquête.

— Oh ! en effet, Mlle Walsh a également assisté à la réception, n'est-ce pas ?

— Oui, inspecteur, elle était là.

Ortiz rabattit les feuillets de son bloc-notes et le rangea dans sa poche.

49

Après une attente à n'en plus finir, quand la décision de Joel était tombée, Laura avait dû s'installer en toute hâte dans les locaux de « Plein Cadre ». Elle n'avait même pas eu le temps de ranger son bureau de la salle de presse, aux Informations.

À la fin de cette première journée dans ses nouvelles fonctions, Laura avait hâte de rentrer chez elle. Tout ce qu'elle désirait, c'était un bon bol de soupe et un bain très chaud. Au lieu de quoi elle devait repasser au service des Informations et faire un peu de ménage pour laisser place nette à son successeur. Ensuite, elle avait promis de dîner avec Francesca, qui voulait fêter la nouvelle affectation de son amie.

Son maquillage s'étant défait depuis plusieurs heures, Laura était consciente d'avoir largement l'air aussi fatigué qu'elle l'était, lorsqu'elle tomba sur Mike Schultz. Il quittait le service.

— Hé ! Tu as l'air crevée, Qu'est-ce qu'ils te font, là-bas ? plaisanta-t-il. Je le savais : en testant Joel Malcolm, tu vas commencer à apprécier le travail avec moi.

Laura secoua la tête. Elle entraîna Mike dans un coin, là où personne ne risquait de capter ses propos.

— Mike, ce type est un cinglé de l'Audimat !

Mike Schultz s'esclaffa bruyamment.

— Bien vu. Par contre, c'est également un génie de la télé. Tu vas apprendre beaucoup avec lui. Mais raconte-moi donc ce qui s'est passé.

Laura le briefa sur la teneur générale de la réunion, lui rapportant les plans de Joel pour la gloire de « Plein Cadre ».

— Ce que tu me dis ne me surprend pas, Laura. Malcolm est fou de son bébé. Il a toujours été foutrement frustré que « Plein Cadre » ne puisse battre le « 60 Minutes » de CBS. Là, il commence à renifler l'odeur du sang. Il doit penser qu'il a une occasion unique de mettre en avant son émission, et il ne va pas la laisser s'échapper comme ça.

Laura fit la grimace.

— La réunion m'a laissé une sale impression. Mike, dans quel pétrin me suis-je fichue ?

Mike posa sa grosse patte sur l'épaule de la jeune femme.

— Accroche-toi, petite. Tu vas voir, tu vas t'y faire. Et puis, tu en rêvais, non.

— Oui, reconnut-elle d'un ton amer. Avant de former un vœu, on devrait toujours y réfléchir à deux fois.

50

Assis à la table de cuisine recouverte de journaux, Emmett épluchait des pommes de terre, lorsqu'il reçut l'appel. Il se passa en vitesse les mains sous le robinet et, à la quatrième sonnerie, décrocha le téléphone mural.

— Monsieur Walsh ?

— Oui ?

— Bonjour, monsieur. Mon nom est Matthew Voigt. Je travaille avec votre fille à Key News.

— Laura va bien ? s'enquit Emmett, soudain angoissé.

— Oh ! oui, bien sûr. Tout se passe pour le mieux. En réalité, je vous appelle à propos d'un sujet dont nous nous occupons ensemble. Laura vous en a peut-être parlé. Un reportage sur Palisades Park et son histoire.

Le poing d'Emmett se crispa sur le combiné.

— Oui. Elle a mentionné quelque chose là-dessus.

— Eh bien, monsieur Walsh, Laura m'a appris qu'on vous avait confié les montagnes russes lors des dernières saisons du parc. Vous auriez sans doute quelques histoires à nous raconter.

— Quel genre d'histoires ? demanda Emmett d'un ton suspicieux.

Il préférait être damné plutôt que de revenir sur l'affaire du petit Tommy Cruz, même pour Laura.

— Des souvenirs, monsieur Walsh. À quoi ressemblait le parc. Les gens qui le fréquentaient. Telle ou telle célébrité que vous auriez fait grimper dans le train des montagnes russes. Ce genre de choses.

— Je suis pas très bavard de nature, vous savez.

Matthew n'était pas prêt à se décourager aussi facilement.

— Écoutez, monsieur Walsh, ceci est le premier sujet que produit Laura pour « Plein Cadre ». Il est capital pour elle de récolter de bons résultats.

— Pourquoi n'est-ce pas Laura qui m'appelle ?

— Mieux valait que je le fasse. Bien entendu, il s'agit de l'histoire de Laura, mais il paraît plus logique que ce soit moi qui vous interviewe. Nous voulons éviter tout conflit d'intérêt.

Emmett ne voyait pas trop de quel « conflit d'intérêt » il était question. Il comprit pourtant que sa fille devait absolument réaliser un bon travail à partir du sujet qu'elle avait choisi. Il estima qu'il lui suffirait de se montrer prudent dans ses déclarations.

— Très bien, c'est d'accord, concéda-t-il, plutôt récalcitrant.

— Formidable ! Je vous rappelle dans quelques jours pour que nous fixions ensemble la date de l'interview. Nous tournerons peut-être l'entretien sur le site où s'élevait autrefois le parc.

— Je doute que vous y arriviez. Une espèce de gros complexe immobilier s'est assis dessus et a tout recouvert.

— Ah ! Chez vous, alors ?

Emmett regarda autour de lui. Il ne voulait pas que sa vieille cuisine défraîchie passe sur une chaîne de télé nationale.

— Voigt, j'ai une idée à vous proposer. Est-ce que Laura vous a expliqué que j'avais construit une maquette de Palisades Park dans ma cave ? Ça vous plairait peut-être de la voir. On pourrait faire l'interview en bas.

— Excellent.

Revenant ensuite à ses patates, Emmett finit de les éplucher, les coupa et les jeta dans l'huile.

Il observa la friture. Dès qu'elle eut pris un aspect doré, croustillant, il repêcha les pommes de terre, les essuya dans des serviettes en papier, y ajouta une généreuse quantité de sel et de vinaigre de malt.

Il porta une frite à sa bouche, en savoura le goût. « Exactement celui qu'elles avaient à Palisades Park. »

51

Laura déposa sur son nouveau bureau le dernier carton d'affaires rapporté du service des Informations, éteignit toutes les lumières, ferma la porte et se dirigea vers les toilettes des dames pour se rafraîchir un peu avant d'aller retrouver Francesca.

En passant, elle jeta un œil chez Matthew à travers la cloison vitrée. Il était toujours penché sur sa table de travail.

— Je vais me sentir coupable à cause de vous, lui lança-t-elle d'un ton enjoué en s'arrêtant sur le seuil. Devrais-je rester encore, moi aussi ?

Il lui fit un grand sourire,

— Ce soir, non, ma belle. Mais vous allez avoir fréquemment l'occasion de travailler très tard, ici. Partez tant que vous le pouvez encore. Au fait, je pourrais laisser tomber pour aujourd'hui, moi aussi ! Voulez-vous que nous prenions un verre ensemble ?

— Il faut que j'aille me repoudrer, malheureusement. J'ai rendez-vous à dîner avec quelqu'un.

Laura jeta un coup d'œil à sa montre.

— Et je vais être en retard.

— Ce sera pour une autre fois, alors. Où allez-vous dîner ?

— Chez Picholine.

— Mmmm ! Puis-je vous demander si ce quelqu'un est de sexe masculin ou féminin ?

— Il s'agit en fait de Francesca, ma meilleure amie. Elle m'invite en l'honneur de mon tout nouveau poste.

— Généreuse.

— Oui ! Et elle va s'indigner si je ne respecte pas l'horaire prévu. Je viens vous voir demain !

Elle tourna les talons. Il la rappela.

— Hé, Laura, attendez ! J'ai appelé à l'instant votre père.

Laura se figea et revint en arrière.

— Vous avez fait cela ? Pourquoi ?

— J'ai pensé qu'il valait mieux préparer l'interview.

— Que vous a-t-il dit ?

Elle prenait sur elle pour ne pas laisser voir son agacement. « Matthew aurait dû d'abord me demander s'il pouvait lui téléphoner, m'en parler à l'avance. Il s'agit de mon sujet. Et de mon père. »

— Il a paru un peu récalcitrant au début, mais en fin de compte il a accepté l'interview. Sa petite histoire de maquette a l'air sympa. Elle pourrait faire un visuel intéressant, je crois.

Laura songea à la cave sombre, à l'escalier raide aux marches de bois défoncées. Elle s'imagina Matthew et les techniciens, traînant le matériel sur le tapis usé du salon, traversant la minuscule cuisine et descendant jusqu'au sous-sol où flottaient des relents de moisi. Qu'allaient-ils penser de cette maison où elle avait grandi ? Elle savait qu'elle ne devait pas se soucier de leur opinion. Pourtant, elle s'en préoccupait. Elle s'en voulut aussitôt d'éprouver une telle honte.

Il y avait plus inquiétant encore : Quelle allait être l'attitude de son père ? Que leur raconterait-il ?

« S'il boit, je n'aurais plus qu'à disparaître sous terre. » Pour peu qu'Emmett s'envoie quelques Budweiser avant l'interview, il articulerait mal et ne cesserait de divaguer. Pis, il pourrait se montrer odieux, agressif.

« Seigneur, faites qu'il soit dans un bon jour ! »

Pourtant, jusqu'ici, ce sujet qu'elle avait trouvé seule, son ticket d'entrée pour « Plein Cadre », lui avait semblé si bon.

Elle connaissait le parc et son histoire, l'endroit où il était implanté, et s'était depuis toujours sentie intriguée par l'affaire du jeune garçon disparu durant la dernière saison. Comment ne s'était-elle pas rendu compte des interférences qu'il aurait sur leur vie privée ? Rien de ce qui impliquait Emmett n'était jamais facile. « Pourquoi suis-je si lente à comprendre ? »

Laura dit bonsoir à Matthew, puis alla se remaquiller et quitta les locaux de la chaîne. Dans la rue sombre et glacée, elle héla un taxi jaune. Elle y prit place, indiqua la destination au chauffeur, se renfonça dans le siège arrière recouvert de skaï et lâcha un gros soupir.

Pas vraiment un bon début, pour un premier jour.

52

La beauté aux cheveux d'un noir profond était assise au bar de Picholine, sur la 64ᵉ Rue Ouest. Elle attendait son amie en savourant un martini-vodka.

Francesca était parfaitement consciente que chaque homme qui pénétrait dans le restaurant la soupesait du regard. Elle ne s'embêta pas à tirer sur sa robe, tendue un peu trop haut sur ses cuisses croisées, gainées de bas nylon noirs.

Si l'on doit rencontrer quelqu'un, on ne le sait jamais à l'avance ; mais se trouver au bon endroit se révèle souvent payant. Elle avait fait la connaissance de Leonard de cette façon.

Elle avait compris tout de suite qu'elle avait affaire à une belle ordure. Il l'avait levée au bar du Carlyle alors que sa femme, qui ne se doutait de rien, l'attendait tout près au restaurant de l'hôtel. Francesca lui avait quand même laissé son numéro de téléphone, impressionnée par ses airs farouches, son magnifique costume deux-pièces, son parfum entêtant et l'éclat de la Rolex qui dépassait de ses manchettes immaculées. Quelle idiote elle avait été !

Elle avait dépensé deux ans de sa vie pour Leonard. Deux ans de trop.

Elle finit son cocktail et en commanda un autre. Puis elle fit tourner l'olive sur sa langue avant de la croquer, la mâchant avec lenteur. « Où est donc Laura ? »

Son exaspération momentanée se changea en une admiration mêlée d'envie à la pensée de ce qu'avait réalisé son amie. Laura avait beaucoup payé de sa personne ces dernières années ; maintenant, elle récoltait les fruits de son labeur. « Productrice à "Plein cadre" ! »

Francesca avait été témoin de ses premiers jobs, qui lui demandaient de longues heures de travail contre un salaire ridicule. Quand elle avait été entraînée dans le sillage de Leonard, elle avait eu tout le temps de faire ce qui lui plaisait. Au même moment, Laura commençait sa carrière de journaliste télé. Francesca sortait, faisait du shopping, prenait des vacances. Laura, elle, passait ses journées à Key News.

Laura ne détestait pas prendre un peu de bon temps. Elle sortait à l'occasion dans les bonnes soirées. Cependant, elle ne laissait jamais ses distractions interférer sur sa vie professionnelle, qui restait sa priorité.

Aujourd'hui, Francesca déplorait de ne pas avoir ressemblé un peu plus à son ancienne colocataire. Il avait été plus facile de s'amuser, de mener grand train en laissant Leonard payer pour tout.

Malheureusement, elle était tombée amoureuse de Leonard Costello. Fatale méprise.

Elle prit une nouvelle gorgée de martini-vodka, regretta de ne pas avoir emporté son paquet de cigarettes. Une fois de plus, elle essayait de se sevrer. Mais elle savait que son abstinence ne durerait pas. Arrêter le tabac maintenant serait trop dur, si elle allait au bout de son projet : la rupture définitive avec Leonard.

Leur échange lors de la soirée du Nouvel An avait été la goutte qui fait déborder le vase. Elle refusait, à l'avenir, d'être encore humiliée et blessée de cette façon.

N'y avait-il pas tant d'autres poissons à attraper, dans les riches eaux de Manhattan ?

— Francesca ! Je suis désolée d'être en retard !

Laura se tenait devant elle, les joues rouges de s'être dépêchée, ou bien à cause du froid qui régnait au-dehors.

— *No problema*, ma belle.

Francesca fit la bise à son amie.

— J'ai l'habitude, ajouta-t-elle. Laisse donc ton manteau au vestiaire et allons nous asseoir. Je n'ai rien avalé de la journée, je meurs de faim !

Le maître d'hôtel les escorta, sous les lustres étincelants, jusqu'à une table couverte d'une nappe de lin, dans la grande salle à manger. Les deux jeunes femmes parcoururent attentivement le menu et la carte des vins. Laura choisit le tournedos de saumon, Francesca l'agneau rôti.

— Alors ? comment s'est passée cette première journée ? s'enquit Francesca, tout en goûtant le pain délicieux que le serveur avait apporté dans une petite corbeille, en prenant la commande.

Laura eut un gémissement.

— Aussi géniale que ça ?

— Oh, Francie, j'espère ne pas avoir commis une terrible erreur.

Et Laura entreprit d'expliquer en détail à sa meilleure amie ce que Joel avait planifié pour « Plein Cadre ».

— Il a vraiment l'air d'un animal à sang froid ! Je savais qu'on était à couteaux tirés dans ton milieu, mais n'y avait-il pas, à ce que l'on racontait, une histoire de cœur entre ce Malcolm et Gwyneth Gilpatric ? On aurait pu s'attendre à ce que ce mec fasse preuve de davantage de délicatesse. Qu'il soit davantage perturbé par la mort de Gwyneth. Contrairement à ce que tu viens de me décrire !

Le serveur déposa quelques amuse-gueule sur la table. Elles avalèrent en une bouchée les canapés à la mousse de champignons des bois truffée. L'extase.

— C'est sans doute moi qui t'avais appris leur liaison, répondit Laura. À Key News, tout le monde était au courant. Je ne sais pas s'ils étaient toujours ensemble. En tout cas, cet après-midi, Joel ne m'a pas paru avoir le cœur brisé. On m'avait relaté des exemples de son enthousiasme pour l'émission, mais rien d'aussi extrême. Je te jure, Francie, qu'il salivait en expliquant comment il avait l'intention de tirer parti de la mort de Gwyneth.

— À propos de saliver...

Laura s'interrompit au moment où l'on apportait les plats.

Le saumon commandé par Laura, servi dans sa sauce au raifort, était garni d'un caviar de concombre et d'œufs de saumon. Le tendre agneau de Francesca s'accompagnait d'un gratin de pommes de terre au chèvre et d'artichauts à la barigoule.

Alors que les deux jeunes femmes se délectaient de ces mets savoureux, Laura parla à son amie de Matthew Voigt, et de son malaise à la perspective de l'entretien avec Emmett.

Quand le serveur leur eut présenté le fameux plateau de fromages de Picholine, Laura s'excusa auprès de son amie : elle monopolisait la conversation.

— Ne t'en fais, ma chérie, assura Francesca. Mais j'ai quand même une petite nouvelle qui va t'émouvoir. Je romps avec le Sculpteur de Visage.

— C'est génial, Francie ! Je suis très impressionnée. Je n'ajouterai pas qu'il était largement temps.

— Oui, s'il te plaît !

— Et pourquoi juste maintenant ?

Francesca haussa les épaules.

— Disons que puisque tu cesses de préparer tes nécrologies, tu n'auras plus besoin des confidences exclusives de Leonard. Celles qui te permettaient de savoir qui se trouvait à l'hôpital en train de passer l'arme à gauche, et que je t'ai si généreusement soufflées à l'oreille pendant ces deux ans.

— C'est vrai, je dois le reconnaître, dit Laura en riant. À son insu, le docteur a été pour moi une source extraordinaire. J'ai pu prévoir quelques nécros, grâce à lui. Il a beaucoup aidé ma carrière. Au fait, Francie, à propos de carrière, comment as-tu l'intention de faire, quand il ne te financera plus ?

Francesca finit son expresso et se laissa aller dans son siège.

— Je t'en prie, Laura. Ne me harcèle pas avec ça ce soir !

53

Mardi 4 janvier

Il était déjà presque 22 heures lorsque le dîner fut enfin avalé, la cuisine nettoyée et le ménage fait. Nancy s'était battue pour que les enfants éteignent la télévision. Ils avaient pris leur bain, s'étaient brossé les dents et se trouvaient maintenant sagement rangés dans leurs lits. Elle devait encore se rendre à son fastidieux travail chez Macy's et marcher trois kilomètres pour y parvenir. Mais elle ne put s'y résoudre. Ses jambes ne la portaient plus. Sa vie était devenue une interminable corvée. Quand Mike avait perdu son job, elle avait dû se séparer de la femme de ménage ; depuis, la maison n'avait jamais recouvré son aspect antérieur. Si son foyer était le reflet de sa personnalité, Nancy Schultz n'avait qu'à regarder autour d'elle pour s'apercevoir qu'elle n'était pas en bonne condition.

Mike, toujours accommodant, ne se plaignait pas, non. Il ne l'avait pas épousée pour ses talents de ménagère, répétait-il. Nancy se demandait parfois s'il lui arrivait désormais de regretter de l'avoir choisie, elle. Elle sentait qu'elle était de moins en moins agréable à vivre et elle s'en voulait beaucoup.

Chaque fois qu'elle se promettait de se montrer plus optimiste, plus positive, sa résolution ne tenait guère. Elle retrouvait rapidement ses soucis, son stress permanent. Mike lui avait conseillé de suivre une thérapie. Seulement, elle ne réussissait pas à décrocher son téléphone pour prendre rendez-vous.

Elle se consolait en se disant qu'elle était semblable à tant d'autres Américaines d'aujourd'hui. Oprah Winter n'aurait pas fait ces émissions sur les femmes submergées d'obligations si elles ne touchaient pas une très large audience.

Mike se trouvait assis à la table de la salle à manger, devant un tas de factures et de papiers divers. Elle s'installa à côté de lui.

— Comment va-t-on se débrouiller, Mike ?

Il se renfonça dans son fauteuil et se passa la main dans les cheveux.

— On va tenir bon, ma chérie. Mais les factures de Noël ne sont pas encore tombées.

— Mike, qu'est-ce qu'on peut faire ? Tu es bien payé, pourtant, on vit au jour le jour. On a l'impression de ne jamais s'en sortir. J'aimerais contribuer un peu plus à notre train de vie. Mon salaire chez Macy's ne représente presque rien et les remplacements sont rares.

Mike se pencha vers sa femme et lui déposa un baiser sur la joue.

— Écoute, tu travailles à temps partiel, ça suffit. Il ne faut pas que tu t'inquiètes sans arrêt. Tout va bien se dérouler. Quand nous avons eu les enfants, on a décidé ensemble qu'il valait mieux que tu restes à la maison pour t'en occuper.

— C'était avant tout ce qui s'est passé.

Mike se replongea dans ses talons de chèques, précisant qu'il n'avait pas envie de revenir là-dessus. Ils avaient discuté et rediscuté des circonstances dans lesquelles il avait perdu son job à « Plein Cadre », jusqu'à ce que Mike déclare que, dorénavant, il ne voulait plus aborder la question. Il ne fallait pas rester là-dessus. Trop d'amertume risquait d'empoisonner leur vie.

— Tu as raison, mon chéri, murmura Nancy en passant le bras autour des fortes épaules de son mari.

« Et puis, songea-t-elle, Gwyneth Gilpatric est morte. Il n'y a plus de haine à avoir. »

54

Le thème musical de l'émission se fit entendre, et l'image du sable rose s'écoulant dans le grand sablier, emblème de l'émission, se dessina en incrustation sur celle du plateau télé.

Ainsi débutait le générique de la première édition de « Plein Cadre » depuis la mort de Gwyneth Gilpatric. Elle était diffusée sur toutes les chaînes composant le réseau de Key Television,

Le sablier s'évanouit et le buste d'Eliza Blake derrière son *desk* de présentatrice apparut à l'écran.

« Bonsoir, je suis Eliza Blake. Merci d'avoir choisi "Plein Cadre". »

Dans la salle de régie, Joel Malcolm suivait l'émission. Il avait pris place derrière le réalisateur J. P. Crawford, entouré d'une équipe d'assistants et de techniciens, assis devant des consoles multifonctions surmontées de douzaines de moniteurs de contrôle,

« Ça va marcher parfaitement, pensa Joel. Eliza a une allure formidable. Elle est belle, intelligente, elle a de la présence. Et quelque chose d'autre que Gwyneth n'avait plus : la jeunesse. »

« Notre émission de ce soir est un hommage à Gwyneth Gilpatric, l'animatrice de "Plein Cadre" depuis sa création il y dix ans. Gwyneth, qui était une légende dans la profession, a fait une chute mortelle le soir du Nouvel An, du haut du toit de son appartement new-yorkais. La police mène l'enquête. Nous-mêmes, à Key News, avons pris la décision de mettre tout en œuvre pour tenter de découvrir ce qui est arrivé à Gwyneth Gilpatric. Chaque semaine, nous vous tiendrons informés des progrès de l'enquête, ce dès la prochaine édition de "Plein Cadre".

Pour commencer, vous y découvrirez en exclusivité un témoin oculaire de ses derniers instants. »

Joel fut impatient de lire les résultats de l'Audimat.

55

Furieux, Alberto Ortiz éteignit son poste.

Key News promettait de faire passer à l'antenne un témoin oculaire.

« Les fumiers ! »

Ces bâtards prétentieux se croyaient-ils au-dessus de la loi ? Ils dissimulaient des informations réservées à l'enquête criminelle !

56

Mercredi 5 janvier

La nouvelle courait dans toute la rédaction. Le taux d'audience enregistré la veille au soir était le plus élevé qu'ils aient jamais réalisé.

Joel se pavanait dans les couloirs, serrant des mains, distribuant des claques sur l'épaule, tel un jeune père fier de sa progéniture.

Mal à l'aise, Laura restait dans son bureau, à passer des coups de fil concernant son sujet. Le premier fut pour Maxine Bronner. Elle lui expliqua qu'elle cherchait à retrouver Ricky Potenza.

— Je me souviens vous avoir entendue dire que vous échangiez encore des cartes de vœux avec sa mère. Cela vous ennuierait-il de me communiquer son adresse ?

Un silence s'ensuivit. Laura la sentit hésitante.

— Maxine ?

— Je ne sais pas, Laura. Cette pauvre femme a vécu tant de choses terribles.

— Écoutez, voilà ce que je vous propose : pourriez-vous lui téléphoner vous-même pour lui expliquer l'objet de mon travail ? Et voir ainsi si elle est disposée à ce que je la contacte ?

— Je crois que ce serait préférable, convint Maxine d'une voix incertaine, je vais appeler les renseignements et leur demander s'ils ont le numéro.

57

Elle était toujours payée avant la fin du mois et, chaque matin, sans savoir exactement pourquoi, elle arrivait à l'heure à l'appartement pour prendre son service auprès de Mme Gilpatric. Mais l'extrait du testament que le notaire venait de lui communiquer lui révélait la vérité : sa défunte patronne lui accordait en fait bien peu de valeur.

La collection de santons peints à la main créés par Christopher Radko. Magnifique. Delia détestait ces saletés. Ils étaient si délicats, ils se brisaient si facilement. Ils prenaient la poussière. Il faudrait y faire attention. Comme elle avait été stupide de s'extasier à leur propos devant Madame ! Maintenant, ils constituaient son héritage.

Cela, et rien de plus.

Elle se sentait furibonde. Entre employées de maison, on se racontait souvent l'histoire de riches patronnes qui, à leur mort, comblaient de largesses leurs fidèles servantes. On ne pouvait pas en dire autant de Gwyneth Gilpatric. Sept ans de services dévoués ne signifiaient rien pour elle.

Mon Dieu ! Laura Walsh, elle, lui importait davantage ! L'appartement et tout ce qu'il contenait étaient désormais à elle. Plus une grosse somme d'argent dont Delia était à peine capable de se figurer le montant.

Laura s'était-elle montrée soumise aux volontés de Gwyneth, avait-elle répondu à son caractère autoritaire ? Delia en doutait, d'après ce qu'elle avait pu observer. Non, dès qu'il s'agissait de la jeune femme, Gwyneth n'était que douceur et tendresse.

Mais, envers elle-même, s'était-elle attendue à ce que Gwyneth se montre attentionnée ? Leurs relations, elle devait l'admettre, ne s'étaient jamais départies d'une certaine froideur.

Gwyneth avait clairement posé qu'elle était la patronne. Elle lui avait fait comprendre qu'elle ne recherchait pas son amitié. Delia ne s'était jamais vraiment sentie liée à elle, sur un plan personnel.

D'autre part, Gwyneth n'était pas sotte. Avait-elle compris que sa bonne l'enviait ?

« Qui n'aurait pas été jalouse d'elle ? » se dit Delia en traversant le somptueux tapis jusqu'à la baie vitrée, d'où elle contempla Central Park. Gwyneth vivait telle une princesse. Comment ne pas en souhaiter autant pour soi-même ? Elle s'était souvent prise à rêver, certains jours où elle se trouvait seule à l'appartement, d'en être l'heureuse propriétaire. Quelle joie d'être environnée de toutes ces belles choses ! Comme cela avait été amusant d'essayer les robes de sa patronne !

Son rêve s'était brisé. Elle allait devoir se mettre en quête d'un nouveau travail, à moins que Laura ne la garde à son service.

« C'était injuste. »

Delia prit sa décision. Elle avait conservé, pour elle ce qu'elle savait, évitant de tout raconter à l'inspecteur Ortiz.

Elle alla décrocher le téléphone et composa le 12. Non sans une vive appréhension, elle pria pour obtenir le numéro.

58

Rose Potenza resserra le pull noué autour de ses épaules, en regardant son fils se concentrer sur le puzzle géant disposé sur la table du living-room. Ricky semblait aller mieux depuis quelque temps. Rose ne voulait pas compromettre son fragile équilibre mental.

Quand Maxine Bronner l'avait appelée, elle avait eu tout d'abord une réaction d'effroi. En faisant resurgir ce vieux cauchemar, ils risquaient de nuire à Ricky.

Mais Maxine l'avait encouragée à parler à la productrice, lui assurant qu'elle pouvait faire confiance à Laura Walsh, qui respecterait ses vœux et ne porterait pas atteinte à sa vie privée si elle décidait finalement qu'il valait mieux laisser Ricky tranquille.

Au téléphone, Laura lui avait paru sympathique. Elle s'attendait à une journaliste arriviste, agressive et indiscrète, La jeune femme au contraire avait manifesté de la sensibilité. Elle se sentait concernée par le bien-être de son fils.

— Madame Potenza, je dois vous avouer que « Plein Cadre » va traiter ce sujet, que nous interviewions ou non Ricky. Je ne veux pas que vous vous sentiez engagée par ma demande. D'un autre côté, tout ceci ne pourrait-il se révéler profitable à votre fils ? Nous lui offrons une chance de parler franchement de son ami, de faire partager ses souvenirs. Cela pourrait l'aider à mieux s'en détacher.

— Ricky n'a jamais communiqué ses sentiments à propos de la disparition de Tommy. Pas même depuis qu'ils ont trouvé ce qui reste de Tommy.

— Ricky est au courant de cette découverte ?

— Oui, il l'a vue aux informations. Il regarde sans arrêt la télé, je ne parviens pas à l'empêcher. En réalité, il est bizarre que ce soit justement vous qui nous contactiez à propos de cette histoire. Ricky est un fan de « Plein Cadre ». Il ne manque jamais une émission. Il ne va sûrement pas rater celle-ci.

— Il aura peut-être le désir d'y participer, risqua Laura, pleine d'espoir. Pourriez-vous le lui proposer sans lui faire de mal ? Madame Potenza, je prends l'engagement de ne le bousculer en aucun cas.

Rose avait promis d'y réfléchir, avant de raccrocher. Elle avait appelé le médecin traitant de Ricky au centre psychiatrique du comté de Rockland. Sans lui donner de réponse catégorique, ce dernier avait suggéré que Ricky, si fasciné par la télévision, pourrait se montrer plus ouvert devant une caméra. Cela lui ferait peut-être du bien.

Toutefois, il n'écartait pas le danger de réveiller son traumatisme. Une fois encore, elle allait devoir décider seule pour son fils de quarante-deux ans.

— Ricky ?

— Oui, maman ? répondit-il sans lever les yeux de son puzzle.

Elle se répéta que cela pourrait l'aider, implorant le Ciel pour ne pas lui causer un choc.

59

L'inspecteur Ortiz fut introduit dans le bureau du producteur. La secrétaire offrit de lui apporter une tasse de café, qu'il refusa poliment.

Le soleil entrait largement par la baie vitrée, l'obligeant à cligner des yeux devant les trois conseillers juridiques de Key News, qui avaient pris place dans le canapé de cuir. Joel Malcolm, assis à son bureau, se leva pour serrer la main de l'officier de police. D'un geste, il pria Ortiz de s'asseoir dans le fauteuil qui lui faisait face.

— Que puis-je pour vous, inspecteur ?

— Tout d'abord, monsieur Malcolm, ma présence ici est liée à ce que vous avez annoncé hier soir dans votre émission. Vous prétendez connaître un témoin oculaire de la mort de Gwyneth Gilpatric ?

— Exact.

— Et de qui s'agirait-il ?

L'un des costumes-cravates assis sur le canapé se fit entendre.

— Nous avons pour politique, à Key News, de ne pas révéler l'identité d'un informateur à qui nous promettons la confidentialité. Une stricte observation de ce principe est nécessaire pour conserver un climat de confiance vis-à-vis d'éventuels nouveaux témoins.

— Nous pouvons vous citer à comparaître, rétorqua aussitôt Ortiz.

— Nous ferons appel devant le juge, répliqua Joel d'une voix égale. Et notre émission passera à l'antenne bien avant que le débat juridique se soit conclu dans un sens ou dans l'autre. Je me permets de vous suggérer la patience, inspecteur. Regardez l'émission la semaine prochaine, vous aurez la réponse à votre question.

Ortiz comprit que l'insolent producteur maîtrisait la situation. Ses avocats pouvaient facilement se dérober pendant une semaine.

— Le fait de dissimuler le témoin d'un crime peut, en la retardant, se révéler très préjudiciable à l'enquête. Je n'ai plus, sans doute, qu'à en appeler à votre sens moral pour vous inciter à agir de manière correcte.

Malcolm resta silencieux.

« Le fils de pute ! »

Ortiz s'efforça de ne pas laisser voir sa frustration.

— Très bien, monsieur Malcolm. J'ai d'autres questions à vous poser. D'ordre personnel.

— Allez-y.

Ortiz jeta un coup d'œil aux juristes.

— Ils peuvent rester, déclara Malcolm.

L'inspecteur tourna quelques feuilles de son bloc-notes.

— Est-il exact que Gwyneth Gilpatric avait prévu de quitter « Plein Cadre » ?

— Oui. Son contrat avec Key News arrivait à terme. Elle ne souhaitait pas le renouveler.

— Savez-vous pourquoi ?

— Elle m'a dit qu'elle voulait changer. CBS lui offrait un pont d'or.

— Quel fut votre sentiment ?

Malcolm haussa les épaules.

— Bien entendu, j'ai été très déçu de la perdre. Nous avions lancé « Plein Cadre » ensemble, recueillant un succès démentiel au fil des années. Néanmoins, comme vous ne l'ignorez pas, inspecteur Ortiz, la télévision est un média fondé sur l'image. Je ne voudrais pas être grossier, mais Gwyneth vieillissait. Sur un plan plastique, ses meilleures années étaient derrière elle. Je me suis dit qu'il était préférable d'injecter un peu de sang neuf dans l'émission.

— Ainsi, lorsque Mme Gilpatric vous a appris qu'elle quittait « Plein Cadre », vous ne vous êtes pas senti furieux ?

— Non. En fait, je fus soulagé. J'étais très attaché à Gwyneth.

Malcolm regarda brièvement les trois hommes en costume-cravate avant de poursuivre.

— Je suis sûr qu'en fouillant un peu de-ci de-là, vous avez appris notre romance. Mais elle date déjà d'il y a quelque temps. Je souffrais à la pensée qu'il allait bientôt falloir me défaire d'elle en tant que présentatrice. Sa décision m'a enlevé une épine du pied. Quand Gwyneth m'a révélé qu'elle partait chez CBS, je lui ai donc souhaité bon vent.

Ortiz savait désormais que le producteur mentait ; de ce fait, il ne pouvait plus accorder beaucoup de crédit à ses propos. Il choisit de poser quand même ses questions.

— Monsieur Malcolm, voyez-vous quelqu'un qui aurait pu souhaiter la mort de Mme Gilpatric ?

Joel fronça les sourcils en donnant une réponse.

— Les grands reporters s'attirent beaucoup d'ennemis, inspecteur. Cela fait partie du métier.

— Aucune personne en particulier ne vous vient à l'esprit ?

— Allez donc consulter les archives de notre société, inspecteur. Demandez n'importe quel dossier traité par Gwyneth. Je suis certain que vous y trouverez des dizaines de noms de personnes qui avaient intérêt à la voir disparaître, suggéra Malcolm, avec un peu trop de suffisance au goût de l'officier de police.

— Et à Key News même ? appuya Ortiz. Elle ne comptait pas d'ennemis dans son environnement de travail ?

Malcolm se balança maladroitement dans son fauteuil à large dossier. Ortiz, qui attendait, le fixa d'un regard perçant.

— Eh bien, il y a peut-être quelqu'un, commença-t-il, hésitant.

Les trois juristes se redressèrent. Le producteur improvisait, ce qui ne leur plaisait pas du tout. Il s'écartait du scénario de l'entretien qu'ils avaient travaillé ensemble.

— Poursuivez, monsieur Malcolm, je vous en prie.

— Il y a quelques années, nous avons réalisé un sujet spécial pour les vagues de sondages de février. Il portait sur un quartier violent, du côté d'East Harlem. Nous disposions d'une source confidentielle, un jeune type qui essayait de s'en sortir.

Malcolm ferma les yeux, se frottant le front.

— Je n'ai plus son nom en tête, mais ça va me revenir.

— Quel est le rapport avec la mort de Gwyneth Gilpatric ? pressa Ortiz.

Malcolm sortit un paquet de Chesterfields de la poche de sa veste, en offrit sans succès à l'inspecteur et en alluma une.

— Eh bien, continua-t-il, exhalant la fumée par les narines, le gamin nous a fourni un tas d'informations sur les dealers du Barrio ; en outre, il s'est montré disposé à passer devant la caméra. Nous l'avons filmé, en cryptant les images, naturellement. Vous savez, en brouillant son visage et en déformant sa voix.

Ortiz acquiesça.

— Le problème est que l'un des plans utilisés dans le montage final permit d'identifier le gosse. À l'image, on pouvait voir Gwyneth se promener dans un squat jonché de tout un attirail appartenant à des drogués, qui avait été abandonné là. En éditant la bande, nous ne nous sommes pas aperçus que Cordero, – je me souviens de son nom, maintenant – apparaissait dans un coin de l'image.

Malcolm tira une profonde bouffée.

— Et ?

— Une semaine après la diffusion de cette séquence dans l'émission, Cordero fut retrouvé mort. On lui avait planté deux douzaines de seringues dans la peau.

Le producteur écrasa son mégot.

— Où intervient ce fameux ennemi à Key News même ? demanda Ortiz.

— Vous le devinez, nous fûmes blâmés pour ce gros ratage. Tous les journaux en parlèrent. La direction eut si peur d'encourir un procès que j'ai dû assister aux obsèques, en les faisant filmer par une flopée de caméras, pour attendrir un peu la famille.

Ortiz étudia avec attention l'expression de son interlocuteur, qui acheva son récit.

— La famille de Cordero ne nous a pas intenté de procès. Ils déclarèrent qu'ils se sentaient fiers du courage de leur fils, et qu'ils ne voulaient pas profiter de sa mort. C'est rafraîchissant, n'est-ce pas ? Cependant, il fallut prendre une sanction. Quelqu'un devait porter le chapeau. Gwyneth se montra inflexible sur ce point. Elle sentait que sa réputation se trouvait mise en jeu.

— Qui en a fait les frais ?

— Le producteur, Mike Schultz. Il fut viré.

60

« Nom de Dieu ! »

La bonne les avait vus quitter ensemble l'appartement de Gwyneth pour se rendre sur le toit.

Et elle exigeait de l'argent contre son silence.

Même en payant, elle resterait dans les parages, avec son secret. Il n'y a aucune limite au chantage.

Depuis l'appel téléphonique de Delia Beehan, son cœur battait à tout rompre. Les idées se bousculaient dans son cerveau.

« Ce n'est pas le moment de paniquer. Respire à fond. Ressaisis-toi. Réfléchis.

Tu peux trouver la solution. Tu es allé trop loin pour tout envoyer promener.

Tu as eu assez de présence d'esprit pour fixer immédiatement un rendez-vous. Ce fut très adroit de ta part.

Il faut que tu règles ce problème tout de suite, avant qu'elle n'ait des remords et qu'elle n'aille trouver la police. Elle était tellement honteuse de ce qu'elle faisait qu'elle a accepté de te rencontrer à la nuit tombée. La conne !

Ces beaux ciseaux tout brillants pourraient largement convenir. »

61

Depuis qu'elle avait regardé la dernière édition de « Plein Cadre », seule, le soir précédent, Kitzi redoutait sa prochaine entrevue avec son mari.

Elle était certaine qu'ils allaient avoir une terrible dispute.

L'annonce faite par Eliza Blake l'avait cueillie par surprise. Plongée dans un brouillard éthylique, elle avait mis quelques minutes à réaliser. C'était elle, la personne qui devait « tout dire » à l'antenne la semaine suivante.

Kitzi s'était laissée tomber dans le sofa, stupéfaite, paralysée par ce qu'elle venait d'entendre sur les ondes. Elle savait depuis longtemps que Joel plaçait son émission au-dessus de tout – sa femme y compris. Mais là, il allait trop loin.

Elle s'était mise au lit dans la chambre d'ami, pour éviter tout contact avec Joel lorsqu'il rentrerait des studios, tard dans la soirée. Elle ne l'affronterait que lorsqu'elle aurait recouvré ses esprits. Il n'était pas question qu'elle le fasse sans attendre, alors qu'elle avait bu et se sentait exténuée.

La pendule de l'entrée sonna 19 heures. Joel serait bientôt de retour, puisqu'il n'était qu'au début de sa semaine de production. Il ne travaillait tard que les deux derniers jours avant la diffusion, en général.

Kitzi avait terriblement envie de se servir un verre ; elle dut mobiliser toute sa concentration pour parvenir à s'en empêcher.

Elle vérifia sa coiffure et son maquillage dans la glace de la salle de bains, déposa une goutte de parfum derrière ses oreilles et au revers de ses poignets. Elle voulait se rendre armée sur le champ de bataille.

Le bruit des clés dans la serrure de la porte d'entrée se fit entendre. « Action ! »

Kitzi se rendit à pas lents dans le living, Joel gagna le bar en droite ligne.

— Je t'en sers un ? offrit-il en déposant deux glaçons dans son verre à whisky.

— Non, je te remercie,

Il prit un air railleur.

— Qu'est-ce qui ne va pas ? Tu ne te sens pas bien ? demanda-t-il ironiquement.

Elle pencha légèrement la tête, faisant mine d'examiner la question.

— En réalité, je ne me sens pas trop mal, pour une femme que son mari veut exhiber devant tout le monde afin de satisfaire les ambitions dévorantes que nourrit son ego démesuré.

— Oh, Kitzi ! Ne commence pas, s'il te plaît ! Je n'ai pas la tête à ça, ce soir, prévint-il en versant une généreuse rasade de Glenfiddich sur ses glaçons.

— « Pas la tête à cela ? » Merveilleux. Et moi ? Tu crois que j'ai la tête à me montrer à la télé devant tous les habitants de ce pays, y compris le malade qui l'a tuée pour raconter que j'ai vu Gwyneth Gilpatric se faire pousser du haut du toit de son immeuble ?

Kitzi se rendit compte que sa voix montait jusqu'au cri. « Reste calme. Tu dois te maîtriser. »

— Assieds-toi, Kitzi, lui ordonna-t-il. Discutons un peu de tout cela.

— Il n'y a rien à discuter. Je n'irai pas, point final.

— Oh, si ! tu vas le faire, et je vais te dire pourquoi. Si tu acceptes, je t'accorde le divorce et je fais en sorte que tu puisses conserver jusqu'à la fin de tes jours le train de vie auquel tu t'es si bien accoutumée. Si tu refuses, en revanche, je transformerai notre séparation en enfer. Je m'assurerai de te pourrir l'existence en te traînant de procès en procès, au moyen des meilleurs avocats que je pourrai engager. Tu ne risques pas de rajeunir, Kitzi. Alors ne va pas gâcher les quelques bonnes années qui te restent en te jetant dans un gouffre financier et affectif. Trouve-toi plutôt un nouveau nigaud plein de fric.

— Tu y perdrais beaucoup toi aussi, Joel.

En sirotant son *single malt*, Joel parut savourer l'argument qu'il allait abattre.

— Tu oublies quelque chose, mon amour. Je me délecte de ce genre de conflit. Toi, tu n'auras pas assez d'estomac pour soutenir une aussi longue bataille.

Comment avait-elle pu croire qu'elle le dominerait ? Si elle voulait préserver ce qui lui restait de dignité, elle devait se sortir de ce mariage. Joel était un chien. Il avait un goût prononcé pour la bagarre. Elle ne se sentait pas de taille à affronter ses crocs.

— Même si j'acceptais de faire cette interview, Joel, je me figure mal ce que tu me crois en mesure de dire. Je t'ai déjà raconté ce que j'avais vu. Rien que des ombres. Je ne pouvais pas distinguer leurs visages. Je ne sais même pas si c'était un homme ou une femme qui se trouvait face à Gwyneth.

Joel comprit qu'il avait gagné.

62

Sur le chemin du retour, Laura fit un arrêt chez D'Agostino's pour acheter quelques provisions. Elle avait envie de blinis et de tarama. Un petit pot plastique ferait l'affaire.

Comme d'habitude, elle sortit en définitive du magasin les bras chargés de victuailles. En pénétrant dans l'entrée de son immeuble, elle se résigna à consulter sa boîte aux lettres plus tard ; elle redescendrait quand elle aurait tout déposé.

Le répondeur clignotait dans la pénombre. Elle accrocha son manteau et se débarrassa de ses paquets avant toute chose, puis mit une grande casserole d'eau sur le feu. Ensuite seulement, elle appuya sur le bouton de lecture des messages.

La voix était agréable, avec un léger accent hispanique. Laura la reconnut immédiatement.

« Mademoiselle Walsh, inspecteur Ortiz, de la brigade criminelle. Nous nous sommes rencontrés le soir de la mort de Gwyneth Gilpatric. Je voudrais vous parler, mademoiselle Walsh. Pourriez-vous m'appeler demain ? »

Avec un brusque sentiment d'oppression, Laura griffonna le numéro qu'il lui laissait. Que lui voulait-il ?

En remuant les pâtes, elle s'efforça de se souvenir de ce qu'elle avait déclaré à la police lors de la soirée chez Gwyneth Gilpatric.

Non, elle n'avait pas remarqué que Gwyneth ne se trouvait pas comme tout le monde sur la terrasse à regarder le feu d'artifice. Non, elle ne se rappelait pas qui s'y trouvait ou ne s'y trouvait pas. Elle était occupée à admirer les fusées.

Laura mangea assise sur le canapé devant la télévision, à laquelle elle n'accorda qu'une attention distraite. Demain, sa journée serait chargée. Elle devait appeler l'inspecteur Ortiz dès son arrivée au bureau car, ensuite, elle partirait avec Matthew dans le New Jersey pour des prises de vues destinées à leur reportage sur Palisades Park. Cela aussi la rendait nerveuse. Et l'interview d'Emmett, qui arrivait en tête sur son agenda.

Elle suivit *Jeopardy !* jusqu'à l'ultime question, puis se leva, déposa son assiette à la cuisine, la rinça dans l'évier. Elle allait se déshabiller pour la nuit lorsqu'elle repensa au courrier qu'elle n'avait pas relevé.

À l'intérieur de la boîte aux lettres placée dans l'entrée l'attendait une grande enveloppe de papier kraft au format des plis officiels.

L'adresse de l'expéditeur était libellée : « ALBERT, HAYDEN, AND NEWSOME, NOTAIRES ASSOCIÉS ».

Remontant dans l'ascenseur, elle déchira l'enveloppe et commença à lire la lettre à en-tête.

« Chère Mademoiselle Walsh,

Nous sommes chargés de vous informer que vous avez été désignée première légatrice sur le testament de Mme Gwyneth Gilpatric. Vous trouverez ci-joint l'extrait de ses dernières volontés vous concernant. »

63

Les images colorées du site Web dédié à Palisades Park occupèrent Matthew Voigt pendant presque toute la soirée, la veille de son entretien avec Emmett Walsh.

Assez élaboré, le site comportait une galerie de photos, un juke-box virtuel, l'historique du parc, un forum sur lequel les visiteurs pouvaient partager leurs souvenirs en les mettant en ligne, et même une boutique d'articles à l'emblème du parc. Il commanda deux casquettes de base-ball noires marquées « Palisades Park », pour Laura et lui-même.

Ayant grandi dans le Midwest, Matthew n'avait pu connaître le parc d'attractions. Et même s'il avait vécu dans la région de New York, il était trop jeune. Cependant, il en avait souvent entendu parler.

Il cliqua sur *Historique*. Il fit défiler une à une les pages, lisant tout depuis la mise en service du parc.

« L'histoire de Palisades Park nous invite à remonter jusqu'en 1898, année où l'on aménagea pour la première fois des aires de pique-nique et de jeu sur une zone boisée dominant l'Hudson, à l'extrémité de l'une des lignes de tramway.

Au tournant du siècle, le parc fut utilisé par l'industrie naissante du cinématographe, qu'abritait Fort Lee. Le célèbre *Pauline en péril* aurait été filmé sur place, et le parc aurait servi de cadre aux premiers moyens métrages de Mary Pickford et Buster Keaton.

En quelques années, on vit s'élever un kiosque à orchestre, des stands de boissons et un manège. À cette époque, les ascensions en ballon constituaient la grande attraction, et plusieurs vols de Palisades à Times Square firent la une des journaux.

Par la suite, on construisit sur le site la plus grande piscine d'eau salée au monde, mesurant 120 mètres de large par 180 mètres de long et remplie chaque jour de plus de 7 500 000 litres d'eau pompés en contrebas, dans l'estuaire de l'Hudson.

Dans les années 1930, deux frères, Irving et Jack Rosenthal, promoteurs dans le show-business, achetèrent Palisades Park et y ouvrirent de nouvelles allées ; le parc perdit ses sobres couleurs vert et blanc pour prendre une allure bigarrée. La publicité claironnait que 3 000 seaux de peinture de plus de 200 nuances différentes étaient utilisés chaque saison pour l'habiller d'une débauche de couleurs.

Au fil du temps, le parc vit passer parmi ses employés une foule d'habitants de la région. Il offrait à beaucoup de jeunes leur premier job. Si vous habitiez dans les environs du parc, vous étiez pratiquement assuré d'y trouver du travail. Quant aux anciens, on les engageait comme vendeurs de tickets, responsables ou concessionnaires de stand, ce qui contribua à donner au parc sa réputation de lieu de loisirs bon enfant, convenant à toute la famille.

Il se produisait toujours quelque chose. Des bébés furent mis au monde dans le parc, des couples se formèrent lors d'un tour de manège. On construisit une ménagerie censée reconstituer la jungle, d'où s'échappèrent les singes en escaladant des câbles électriques. On les retrouva un peu partout en ville.

Les publicitaires engagés par les Rosenthal utilisèrent la moindre occasion pour faire parler du parc. Deux ou trois événements promotionnels avaient lieu chaque semaine. Par exemple, l'élection de dizaines de miss : Miss Teenagers, Mini-Miss, Miss Latine d'Amérique ou encore Miss Pologne, Allemagne ou Italie d'Amérique, suivant la nationalité des immigrants. Miss Starlette, Miss Grand-Mère, aussi. On alla même jusqu'à élire la Plus Grosse Miss d'Amérique et, pour public averti, Miss Mini-jupe. Ces pompeuses cérémonies devinrent si populaires que l'un des points d'accès du parc fut surmonté d'une banderole proclamant : "SOUS CETTE BANNIÈRE PASSENT LES PLUS BELLES FILLES DU MONDE !"

La musique constituait l'un des atouts du parc depuis son origine et, quand débuta l'ère du rock'n'roll, les *teenagers* envahirent Palisades Park pour y écouter leurs idoles. À la fin des années 1950, « Cousin » Bruce Morrow, le célèbre disc-jokey new-yorkais, commença à animer un show radiodiffusé en direct de Palisades Park. Il y attira alors les chanteurs et les groupes les plus célèbres de l'époque, tels Frankie Avalon, Bobby Rydell, Fabian, Little Anthony, Petula Clark, les Jackson Five, Diana Ross et les Supremes, les Fifth Dimension, les Rascals, les Lovin'Spoonful, les Shangri-Las, les Comets.

On matraquait sur les ondes des annonces en faveur du parc. À la télévision, on diffusait des écrans publicitaires vantant Palisades Park aux heures où enfants et adolescents rentraient de classe. Les gosses ne pouvaient regarder leurs séries préférées, *La Chasse aux Myrtilles* ou *Les Trois Crétins* par exemple, sans qu'elles soient interrompues par des spots Palisades Park. Dans le métro, des centaines d'affiches aguicheuses incitaient le chaland à venir "voir et revoir" les attractions. On distribuait des boîtes d'allumettes offrant une entrée gratuite et, pour certaines d'entre elles, si elles contenaient un petit coupon à l'effigie de Pal le Copain, mascotte du parc, des tickets gratuits pour certaines attractions. Les BD vendues en kiosque offraient aussi des coupons de réduction ou des laissez-passer, imprimés au revers de la couverture.

Irving Rosenthal encouragea un partenariat entre le parc et les éditeurs de *comics*. À la suite d'un accord avec Harvey Comics, il transforma le vieux Tunnel de l'Amour en Pays de Casper le Fantôme, puisque la généralisation de l'automobile avait détourné du Tunnel les jeunes amoureux qui s'embrassaient autrefois dans l'obscurité. Casper, Wendy la Sorcière et Spooky le Méchant Petit Fantôme hantèrent le nouveau stand, entièrement redessiné, et le Pays des Fantômes devint l'une des attractions les plus visitées du parc.

Naturellement, il survenait parfois des accidents ou des actes de violence, mais les attachés de presse du parc apprirent très vite à en minimiser la portée. Entretenant les meilleures relations avec les médias, ils se débrouillèrent pour que certaines nouvelles dites "négatives" ne figurent jamais dans les informations. Palisades Park devait évoquer la joie sans limite dans l'esprit des familles qui affluaient à des dizaines de kilomètres à la ronde.

Cependant, au fil du temps, alors que la foule se répandait de plus en plus nombreuse dans le parc, les riverains commencèrent à se plaindre des lumières, des bruits nocturnes, du trafic incessant qui bloquait leurs rues, des voitures envahissant les trottoirs. Puis les tours d'habitation avec vue sur Manhattan fleurirent au sommet du promontoire dominant l'Hudson, à côté du parc. On s'aperçut que ces logements rapportaient une véritable manne en taxe foncière. Le plan d'occupation des sols fut alors modifié pour étendre la zone constructible ; les jours du vieux parc étaient comptés.

Lors de sa dernière saison, il rapporta 500 00 dollars de taxes à la commune de Cliffside Park. Quand les premières tours Winston furent construites sur son emplacement, ce furent environ 3 000 000 de dollars qui tombèrent dans les coffres de la ville. »

Matthew, soudain mélancolique, abandonna un instant son écran pour aller prendre une bière dans le frigo. « Pourquoi l'argent finit-il par tout gâcher ? »

Il se souvint que lorsqu'il était enfant, à Waukegan, ses parents avaient des soucis d'argent, son père devant lutter pour maintenir leurs finances à flot. Ses parents se disputaient fréquemment à propos d'argent ; très souvent, sa mère finissait en pleurs, tandis que son père sortait en colère de la maison. Matthew craignait que ses parents ne divorcent, mais ils ne le firent pas. Aujourd'hui encore, ils habitaient la petite maison de ses jeunes années où, néanmoins, il n'aimait pas trop retourner.

Il supposait que son enfance avait à voir avec le fait qu'à trente-cinq ans, il était encore célibataire. Avant de se marier, il avait voulu s'établir financièrement et professionnellement. D'autre part, il n'avait pas jusqu'ici rencontré la femme qui corresponde à son idéal, et avec qui il aurait souhaité passer le restant de ses jours.

Et puis Laura était apparue.

Il se sentait extrêmement attiré par son physique, il admirait sa vivacité, et il décelait en elle une vulnérabilité qui le touchait au plus profond. Il voulait se rapprocher d'elle, apprendre à mieux la connaître ; mais il percevait sa réticence. Elle paraissait réservée. Et il ne savait pas comment faire pour l'amener à lui.

Il revint vers l'écran et reprit sa flânerie à travers les rubriques du site de Palisades Park. Cliquant sur *juke-box*, il téléchargea sur le disque dur de son ordinateur un fichier son.

Matthew se prit à siffloter l'air de la chanson de Chuck Barris tandis qu'il cliquait ensuite sur *Vos souvenirs du parc*. La liste des contributions s'afficha à l'écran. Il en fit défiler quelques-unes.

« Chaque été, notre plus grand plaisir, ma sœur et moi, était de nous rendre à Palisades Park. Nous attendions ce moment tout le reste de l'année. »

« Je me souviens que les responsables des montagnes russes associaient deux par deux les filles et les garçons seuls. C'est comme ça que j'ai rencontré ma première femme, sur l'Himalaya. »

« Mes frères et moi, on se gavait de leurs délicieux sandwichs. Et les frites qu'on vendait à Palisades Park étaient vraiment les meilleures. »

« J'ai toujours vécu dans une chaise roulante. L'un des plus beaux souvenirs de mon enfance est d'avoir été conduite au parc par des bénévoles, et de m'être vu remettre des tickets gratuits pour les attractions et les stands de gaufres. »

« J'ai eu l'impression d'avoir réalisé un exploit extraordinaire le jour où j'ai réussi à lancer la balle de ping-pong dans l'étroite ouverture du petit aquarium où nageait ce superbe poisson rouge à gagner. Mais mes parents m'obligèrent à le relâcher dans le bassin d'un jardin public. J'ai encore l'aquarium ! »

Matthew prit tout spécialement en note l'anecdote suivante :

« J'habitais à deux pas du parc, à Fort Lee, et j'y passais donc beaucoup de temps. Le dernier été, je me suis dit que ce serait vraiment super si le jeune gars qui s'occupait du Cyclone pouvait me laisser faire quelques tours gratuits, le soir, après la fermeture. Alors je me suis mis à aller lui chercher des cigarettes ou du Coca lorsqu'il en avait envie et qu'il ne pouvait abandonner son poste. À l'époque, on n'embêtait pas encore les mômes qui achetaient des cigarettes. Enfin, je me croyais chanceux, avec cette combine. Et puis je me suis rendu compte que le gars utilisait un tas d'autres gamins. »

Il serait sûrement intéressant d'interroger le père de Laura à propos de cette histoire, demain.

64

Jeudi 6 janvier

Laura fit halte chez Dunkin'Donuts, emporta un café et un beignet aux airelles allégé, puis elle franchit à pied la courte distance qui la séparait encore de l'immeuble de

Key Television. Elle appréhendait de téléphoner à l'inspecteur Ortiz. Était-il au courant des dernières volontés de Gwyneth ? Était-ce le mobile de son appel ?

Elle se trouvait encore sous l'énorme choc que lui avait causé la lettre du notaire. Qu'avait-elle bien pu faire pour mériter cet héritage ? Laura connaissait à peine Gwyneth Gilpatric, en réalité. Bien que flattée de l'attention que lui portait la présentatrice, elle n'avait jamais compris ce qui lui avait valu d'être remarquée parmi tant d'autres.

Elle aimait croire qu'elle ne se faisait pas beaucoup d'illusions sur elle-même. Elle se savait intelligente, active et pourvue d'un peu de talent, mais elle ne se trouvait pas extraordinaire, comparée aux gens extrêmement doués aux côtés de qui elle travaillait. Certains étaient remarquablement intelligents ou sacrifiaient en totalité à leur carrière leur vie personnelle.

Sur quoi Gwyneth s'était-elle donc focalisée ? Pour quelle raison lui laissait-elle cette fortune ? C'était réellement incroyable ! Comme de gagner au Loto.

« Bien sûr, tout cet argent, ça va être génial », songea-t-elle, levant une main gantée vers son front pour frotter du doigt la petite cicatrice dissimulée par sa frange de cheveux. Pour commencer, elle prendrait rendez-vous chez un chirurgien afin qu'il fasse disparaître cette douloureuse trace du passé.

Il lui parut incroyable de ne plus désormais se soucier du loyer ou des factures à payer. Elle n'aurait même pas besoin de calculer son budget, de faire attention à ne pas trop accumuler de tickets de carte de crédit. Elle pourrait se permettre de vivre là où elle en aurait envie, si elle ne conservait pas le luxueux appartement de Gwyneth. Il lui suffirait de le vendre et d'en acheter un autre à son goût, pas aussi grand, peut-être. Elle goûterait à la vie des habitants de résidences privilégiées.

Laura allait pouvoir faire ce qu'elle voudrait. Elle commençait seulement à entrevoir l'infinité de possibilités qui s'ouvraient à elle.

L'air froid apporté par le vent qui soufflait sur l'Hudson la frappa en plein visage, détournant momentanément le cours de ses pensées. Glacée jusqu'aux os, elle se maudit de ne pas avoir pensé à se couvrir la tête.

Elle fut soulagée d'atteindre la lourde porte tournante marquant l'entrée des locaux de la chaîne. Elle salua la réceptionniste et les vigiles, glissa son passe d'identification dans le scanner mural, puis s'engouffra dans l'ascenseur. Quand les portes s'ouvrirent, elle fut accueillie par Matthew Voigt, qui tenait un gobelet de café.

— Laura, je viens de croiser l'équipe technique à la cafétéria. Nous pourrons partir dans vingt minutes.

— Parfait, répondit-elle. Juste un coup de fil à passer et je suis prête.

En entrant dans son bureau, elle ne se dévêtit pas tout de suite. Elle se laissa tomber dans le fauteuil, respira un grand coup, décrocha pour composer le numéro que lui avait laissé l'inspecteur Ortiz.

— Vingtième commissariat.

— L'inspecteur Ortiz, je vous en prie.

Laura patienta quelques instants.

— Inspecteur Ortiz, je vous écoute.

— Bonjour, je suis Laura Walsh. Vous m'avez laissé un message.

— Oui, en effet ! Mademoiselle Walsh, merci de me répondre si promptement. Vous allez peut-être pouvoir m'aider.

— Je l'espère.

— Je suis tombé, en parcourant les papiers de Mme Gilpatric, sur le nom d'Emmett Walsh. Avant de lancer une recherche nationale par ordinateur, j'ai pensé vous demander s'il vous disait quelque chose.

Laura sentit son cœur s'emballer. Elle perdit instantanément toute sensation de froid.

— Mademoiselle Walsh ?

— Emmett Walsh est le nom de mon père, inspecteur.

— Votre père connaissait donc Gwyneth Gilpatric ?

— Pas autant que je le sache, déclara-t-elle, embarrassée. Bien entendu, par « Plein Cadre », il savait qui elle était et, parfois, il m'arrivait de lui parler d'elle. Mais ils n'avaient aucun contact personnel.

— Il ne l'a jamais rencontrée ?

— Non. À ma connaissance, non.

Ortiz essaya une autre direction.

— Quand avez-vous vu Mme Gilpatric pour la dernière fois, avant la réception ?

— Deux ou trois jours avant Noël. Nous avons échangé des cadeaux à son appartement.

— Comment la décririez-vous, ce jour-là ? Je veux dire, son comportement ?

— Elle semblait aller parfaitement bien.

— Vous a-t-elle paru tracassée ?

— Non. Elle m'a semblé de bonne humeur. Elle s'est montrée tout à fait gaie.

Laura se souvint alors de l'appel téléphonique.

189

— Cependant, reprit-elle, je dois reconnaître qu'elle fut dérangée par un appel, auquel elle n'était pas très heureuse de devoir répondre.

— Savez-vous qui était en ligne ?

— Un médecin. Le docteur Costello.

— Vous avez une excellente mémoire des noms, mademoiselle Walsh.

Laura ne lui expliqua pas. Elle en parlerait d'abord à Francesca. Elle avait envie que cet entretien prenne fin au plus vite. Mais l'inspecteur insista.

— Pourriez-vous m'en dire plus sur vos relations avec Mme Gilpatric ? D'après ce que vous m'avez indiqué le soir de la réception, elle était en quelque sorte votre mentor ?

— Oui. Gwyneth se montrait très attentionnée. Je l'ai rencontrée pour la première fois lorsque j'ai effectué mon stage de fin d'études à Key News. Elle a commencé alors à s'intéresser à moi et m'a encouragée à revenir travailler pour la chaîne après mon diplôme.

— Vous travaillez donc à « Plein Cadre » depuis plusieurs années ?

— Non, depuis cette semaine seulement. Le jour du Nouvel An, j'ai appris que l'on m'accordait ce poste.

La voix d'Ortiz parut s'estomper.

— C'est bizarre, non ? Vous apprenez votre promotion un jour férié.

— Dans d'autres secteurs, peut-être. Pas dans l'audiovisuel. Joel Malcolm m'a appelée chez moi et me l'a annoncée sur mon répondeur.

— Vous n'étiez pas chez vous le jour du Nouvel An ?

— Le matin, je me trouvais au bureau. J'avais beaucoup de travail, comme vous pouvez l'imaginer.

— Vous voulez dire, à cause du meurtre de Gwyneth Gilpatric ?

— Oui. Tout le monde était stupéfait ; néanmoins, il fallait rendre compte de la nouvelle.

— Je m'intéresse au traitement de l'information à la télévision, mademoiselle Walsh. J'aimerais vous demander quelle part vous avez prise à ce qui lui a été consacré à l'antenne.

— J'ai fait sa nécro.

— Vous voulez dire, sa nécrologie ?

— Oui.

— Cela a dû être très éprouvant pour vous, étant donné les circonstances.

— En réalité, je l'avais déjà réalisée.

Pourquoi lui cacher ? Il s'en serait aperçu, tôt ou tard.

— Vraiment ? Comment expliqueriez-vous cela ?

— Nous le faisons très souvent, inspecteur. Quand une personnalité est assez importante pour justifier une biographie en images, nous la réalisons longtemps à l'avance.

— Key News, si je vous suis, dispose de la nécrologie de toutes les célébrités, des chefs d'État et en général de toute personne qui compte dans son domaine particulier ?

— Non. Pas toutes. Simplement, quand nous apprenons par certaines rumeurs qu'il se pourrait fort bien que quelqu'un disparaisse, nous commençons à préparer sa nécro.

— Ainsi, mademoiselle Walsh, vous pensiez que Mme Gilpatric allait mourir.

Laura bégaya en tentant d'expliquer à l'inspecteur pourquoi elle avait entièrement préparé d'avance la nécrologie de Gwyneth. Elle ne sut dire si Ortiz la croyait. Mais elle se rendit compte qu'il y avait des chances pour qu'il la considère comme suspecte dans la mort de Gwyneth Gilpatric,

« Tu n'as rien à te reprocher. Reste calme. N'émets aucune protestation. »

Matthew apparut sur le seuil du bureau. Il pointa le doigt vers sa montre et articula un « On y va ! » muet.

— Inspecteur Ortiz, je le regrette, mais je crains de devoir vous quitter. Une équipe de tournage m'attend pour des prises de vues. Pourrions-nous poursuivre cette conversation un peu plus tard ?

— Bien sûr, mademoiselle Walsh. Je vous téléphonerai.

Avant de prendre congé, elle lâcha la nouvelle.

— Inspecteur, je pense qu'il faut que vous le sachiez, j'ai reçu un courrier du notaire de Gwyneth. Elle m'a nommée principale légataire. J'hérite d'une large part de sa fortune.

Il l'aurait découvert de toute façon, se dit-elle. Mieux valait lui offrir volontairement l'information.

65

Emmett changea deux fois de chemise à carreaux alors qu'il attendait l'arrivée de sa fille et de l'équipe de Key News. Sur la première, il renversa du café. Et il transpira tellement ensuite qu'il dut en passer une troisième,

Il avait fait tout ce que lui avait indiqué Laura. Passer l'aspirateur et dépoussiérer en haut, donner un coup de balai à la cave. La bombe d'air parfumé qu'il avait vidée au sous-sol embaumait aussi fort que dans une boutique de fleurs ou au parloir d'un incinérateur, songea-t-il froidement. Plus important, il avait tenu sa promesse de ne pas absorber une goutte d'alcool.

Bien entendu, il n'était que 11 heures du matin.

Deux packs de six bières rafraîchissaient au frigo, pour après l'interview, quand Laura et les autres seraient enfin partis.

Au coup de sonnette, Emmett toussa, puis il alla ouvrir en se raclant la gorge.

Laura embrassa son père, fit les présentations et désigna rapidement l'escalier.

— Matthew, tu peux conduire l'équipe au sous-sol pour commencer à tout mettre en place, si tu veux. Moi, je vais aider papa à préparer le café.

— Il y en a déjà dans la cafetière, déclara Emmett.

— Je peux en faire du frais ! coupa Laura. D'accord, papa ?

Elle tenait à parler à son père avant l'interview. Pendant tout le trajet de Manhattan jusqu'au New Jersey, elle s'était demandé si elle devait lui rapporter sa conversation avec l'inspecteur Ortiz. Elle ne voulait pas le contrarier, mais elle avait besoin de savoir ce qu'il y avait eu entre Gwyneth Gilpatric et lui, s'il s'était vraiment passé quelque chose. Le plus tôt serait le mieux.

Elle les entendit cogner plusieurs fois leur matériel contre les murs en descendant l'étroit escalier. Quand leurs voix furent englouties dans les profondeurs, Laura referma en silence la porte de la cave.

Elle se tourna vers Emmett.

— Papa, je sais que cette interview te rend nerveux, et je ne veux pas te déstabiliser, mais j'ai eu une conversation extrêmement troublante, ce matin, au téléphone.

Emmett tourna furtivement les yeux vers le réfrigérateur.

— Ah oui ?

— Avec un inspecteur qui enquête sur la mort de Gwyneth Gilpatric. Il m'a demandé si je connaissais Emmett Walsh.

— Et que lui as-tu répondu ?

— Qu'est-ce que tu crois ? s'étonna Laura, consternée. Je lui ai dit que c'était le nom de mon père.

— Alors ?

— Il m'a dit qu'il en avait trouvé mention dans les papiers de Gwyneth.

— Bizarre, commenta Emmett avec un haussement d'épaules. Il faut croire qu'elle était en relation avec un autre Emmett Walsh.

— Donc, j'ai eu raison de lui dire que tu ne la connaissais pas ?

— Absolument. Il ne peut s'agir que d'une espèce de coïncidence, assura Emmett à sa fille.

La porte de la cave s'ouvrit et Matthew Voigt passa la tête dans la cuisine.

— Nous sommes prêts, monsieur Walsh. C'est quand vous voulez.

En suivant son père dans l'escalier de bois, Laura s'interrogea. Selon quelle probabilité Gwyneth aurait-elle pu connaître un autre Emmett Walsh ? Infime, sans doute. Elle n'ignorait pas que son père pouvait se montrer très secret. L'image confuse de sa mère, couchée et agonisante, revint douloureusement à sa mémoire.

Elle prit une chaise sur le côté, laissant à contrecœur Matthew conduire seul l'interview.

« C'est mieux de cette façon, se dit-elle. Qu'il pose les questions. Il est préférable que tu ne te mêles pas trop du passé. »

Matthew débuta par un vif éloge de la maquette de Palisades Park réalisée par son père. Tel un enfant, il s'extasia sur les minuscules détails du modèle réduit.

Il voulut filmer une séquence dans laquelle Emmett ferait faire un petit tour de la maquette, devant les caméras.

— Montrez-moi tout, faites comme si les caméras n'étaient pas là.

Emmett fut très coopératif. Un peu tendu au départ, il prit confiance, encouragé par l'enthousiasme dont témoignait Matthew.

Il commença par l'entrée côté Hudson, fit se pointer l'objectif des caméras sur la piscine d'eau salée, les entraîna dans l'allée centrale, passa le stand des gaufres, le Looping et la Chenille. Il leur désigna l'ouverture par laquelle les gosses s'introduisaient en fraude dans le parc, leur raconta ce qu'on pouvait voir sur l'estrade des spectacles gratuits, ce qu'on mangeait dans le restaurant. Une minicaméra suivit les évolutions du Grand Tourniquet, de l'Ouragan, du Boomerang, trois attractions dont Emmett manipula les mécanismes reconstitués par ses soins. Puis ils visitèrent les manèges de chevaux de bois, le salon du Bingo, la galerie marchande, avant d'atteindre le Cyclone.

— Pendant combien de temps avez-vous actionné le Cyclone, monsieur Walsh ?

— Durant un été seulement. Le dernier. J'ai commencé à travailler dans le parc à seize ans, comme serveur à la buvette. L'été après mes vingt et un ans, ils m'ont laissé m'occuper des montagnes russes.

— Cela vous plaisait-il ?

— Ça oui !

— Avez-vous vu monter des célébrités dans le Cyclone ?

— Ouais.

Depuis qu'il avait abordé le chapitre des montagnes russes, Matthew avait noté une baisse d'entrain chez son interlocuteur. Une tension se développait de nouveau.

— Vous savez, la nuit dernière, je me baladais sur Internet quand je suis tombé sur l'un des sites consacrés à Palisades Park, raconta Matthew avec l'intention de l'aider à se relaxer. Ils ont créé une rubrique où les gens transcrivent leurs souvenirs du parc. Un type y a écrit que vous lui accordiez des tours gratuits, contre quelques petites commissions.

Emmett fixa intensément Matthew, d'un air affolé.

— Écoutez, ce n'était pas très légal. Vous n'allez pas mettre ça dans votre histoire, quand même ?

Matthew tenta de le rassurer.

— En réalité, non, ça n'a pas grand rapport avec notre sujet. J'ai simplement trouvé bien que le gars s'en souvienne, après toutes ces années.

— Bon, on en a encore pour longtemps ?

Emmett s'impatientait.

D'expérience, Matthew comprit qu'il ne pouvait plus poser que quelques questions. L'interviewé allait craquer.

— Juste encore deux ou trois points, monsieur Walsh. Au sujet de Tommy Cruz. Vous souvenez-vous de sa disparition ?

— Je n'ai su que ce que l'on rapportait à l'époque dans les journaux, et ce que disaient les gens du quartier. Les gens étaient plutôt choqués.

— Connaissiez-vous Tommy ?

— Bien sûr. C'était un enfant du coin. Il passait beaucoup de temps au parc.

— Vous l'avez sûrement fait monter dans le Cyclone ?

— J'suppose, oui.

— Vous souvenez-vous de quelque chose en particulier, à son propos ?

— Écoutez, il y avait des milliers de gosses qui passaient par le parc. Au bout d'un moment, vous les voyez tous pareils.

— OK, merci, monsieur Walsh ! Ça ira comme cela. On s'arrête là, les gars, vous pouvez débrancher, conclut Matthew, assez déçu qu'Emmett ne leur ait pas donné plus de matière.

Il faudrait trouver des interviews plus intéressantes, sinon leur sujet ne convaincrait pas.

La petite troupe remonta l'escalier. Alors qu'ils allaient quitter la maison des Walsh, Laura se tourna vers son père.

— Au fait, papa. J'allais presque oublier. Passe-moi l'album dans lequel tu as rangé toutes ces vieilles photos du parc. Nous pourrions en utiliser au montage.

Emmett remit à sa fille l'album à la couverture rouge.

Dès que l'équipe de télé eut franchi le seuil, il referma la porte et fonça tout droit vers le réfrigérateur.

66

Matthew offrit le choix à leur petit groupe. Ils pouvaient s'arrêter pour déjeuner et filmer le mémorial de Palisades Park plus tard, dans l'après-midi, ou bien enchaîner directement après l'interview, mettre en boîte la deuxième séquence avant de déjeuner, et se retrouver libres pour le restant de la journée. Ils préférèrent la deuxième solution.

Laura se tint silencieuse, les lèvres serrées sous la morsure du vent froid, tandis qu'elle regardait le cadreur régler le zoom de sa caméra sur le grand bloc de pierre au centre du petit Jardin des Souvenirs, dédié au parc.

Elle lut sur la plaque de bronze que ce monument avait été érigé : « EN SOUVENIR DU PARC D'ATTRACTIONS DE PALISADES PARK. ICI NOUS FÛMES HEUREUX, ICI NOUS AVONS GRANDI ! »

« Ça sonne juste », songea Laura.

— Assure-toi de bien prendre aussi les noms, indiqua Matthew au cameraman.

L'objectif balaya les dizaines de noms des souscripteurs du modeste mémorial, gravés pour l'éternité sur les briques rouges.

— Je m'attendais à mieux, tout de même, observa le jeune producteur. On dirait un petit coin de cimetière.

Il avait raison, reconnut Laura. Visuellement, le mémorial ne faisait pas grand effet.

— Il y a en ce moment une sorte de mouvement qui milite en faveur d'un musée de Palisades Park. En fait, je crois qu'ils vont monter à la fin du mois un grand gala pour recueillir des fonds.

— Excellent ! se réjouit Matthew. Nous devrions voir s'il est possible de s'en servir pour quelques plans. On mettrait sans doute la main sur des nostalgiques du parc, et on enregistrerait leurs souvenirs. On montrerait à quel point le parc comptait pour ces gens.

Laura acquiesça, le visage sans expression.

— Vous êtes affreusement calme, Laura, lui glissa Matthew alors que l'équipe rangeait le matériel.

— J'ai froid, c'est tout. Et la journée a déjà été bien remplie.

Elle lui tourna le dos et s'en alla vers la voiture. Celle-ci étant fermée, elle dut attendre que Matthew ait fini de fixer rendez-vous à l'équipe pour le tournage du lendemain. Il leur donna d'avance des indications sommaires sur ce qu'ils filmeraient.

Tandis que les membres de l'équipe technique repartaient dans le break portant le logo de Key News, Laura monta dans la Saab noire de Matthew.

— On s'arrête pour manger un morceau ? proposa-t-il.

— Bien sûr. Pourquoi pas.

Elle semblait s'en moquer.

— Génial. Je meurs de faim. Vous êtes sur vos terres, ici. Vous auriez une suggestion ?

— Aimez-vous les hot-dogs ?

— Beaucoup.

Laura pointa le menton.

— C'est tout droit.

Ils roulèrent en silence dans Fort Lee, descendant Palisades Park Avenue, jusqu'au parking de chez Hiram, qui était bondé. Une fois à l'intérieur, ils commandèrent des hot-dogs, des frites et un soda.

— Cet endroit existe depuis toujours, tout comme Callahan's, juste à côté.

Laura désigna le bâtiment voisin à travers la vitre, dans une tentative laborieuse pour ranimer la conversation.

— Les menus sont pratiquement les mêmes, et les deux établissements sont toujours pleins. Au départ, ce n'étaient que deux buvettes en plein air sur le bord de la route. Ils travaillaient surtout en été. Puis ils ont bâti ces murs, et les gens du coin ont pu venir y prendre leur glucose toute l'année.

Matthew mordit à pleines dents dans la francfort fumante.

— C'est bien, ça !

Laura s'amusait à tremper une frite dans du ketchup.

— OK, commença-t-il, Qu'est-ce qui ne va pas ?

— Rien.

— Ah, rien. Et pourtant, vous êtes malheureuse depuis le début de la journée. Pourquoi ne pas me confier ce qui vous tracasse ?

Il allongea le bras au-dessus de la table et posa sa chaude main sur les doigts glacés de la jeune femme.

Ce contact lui fit tant de bien, même si elle le repoussa, qu'elle faillit lui raconter le testament de Gwyneth, sa conversation avec l'inspecteur Ortiz et son inquiétude à propos de son père. Cependant, elle se retint de s'épancher devant lui. Elle ignorait si elle pouvait lui faire confiance.

Laura prit congé lorsqu'il eut réglé l'addition et pris la note de frais.

Dès qu'elle fut partie, il sortit un petit flacon de sa poche et fit tomber une pilule au creux de sa paume, qu'il porta aussitôt à sa bouche. Il avait espéré faire toute la journée sans. « J'aurais plus de chance demain », se dit-il en attendant que le calme se fasse en lui.

67

Après le travail, Delia descendit à pied Central Park West jusqu'à la 72e Rue, se dirigeant vers le petit square de Strawberry Fields. La pluie verglacée la piquait au visage. Elle remonta le col de son vieux manteau de laine. La première chose qu'elle avait l'intention de faire avec cet argent était de s'acheter une chaude pelisse, comme celles dont on voyait la publicité dans les magazines. Un beau manteau noir, lourd et épais, bordé de fourrure. Un vêtement de grande dame riche.

Depuis qu'elle avait passé ce coup de fil, le jour précédent, Delia se demandait si ce qu'elle faisait n'était pas mal. Sa mère aurait été scandalisée ; elle lui aurait immédiatement dit d'aller à la police et de leur indiquer ce qu'elle savait. Sa mère s'était battue toute sa vie et avait toujours cru que la vérité finissait par payer. Delia n'était pas du même avis. Elle se sentait fatiguée de se tuer au travail sans arriver à rien.

Néanmoins, ses scrupules l'embarrassaient, à cet instant, alors qu'elle attendait au feu rouge avant de traverser la large avenue. Elle récita une prière silencieuse, se souvenant qu'on célébrait aujourd'hui l'Épiphanie et, à cette occasion, la visite des Rois mages qui avaient apporté à l'Enfant Jésus la myrrhe, l'or et l'encens. Delia avait hâte de mettre la main sur l'argent.

De ce côté, l'entrée de Central Park se trouvait déserte, excepté un joggeur frigorifié qui sortait sous la lumière crue de l'éclairage artificiel. Delia se tint debout près d'un réverbère, contemplant l'avenue encore tout illuminée par les guirlandes électriques des fêtes. La pluie commençait à tomber serré.

Au bout de dix minutes, elle sentit monter la panique. Que faire si personne ne venait ?

Avec prudence, elle s'aventura à l'intérieur du parc, vers la dalle en mémoire de John Lennon, l'ancien Beatle, assassiné là vingt ans plus tôt à quelques dizaines de mètres du Dakota, l'immeuble où il résidait. Elle frissonna sous son manteau humide.

Portant le regard plus loin dans l'allée, elle aperçut une silhouette assise sur un banc, presque recroquevillée.

— Delia ? Je suis ici.

Lentement, elle marcha jusqu'au banc public. La silhouette se redressa.

— Venez, faisons quelques pas ensemble. Je ne veux pas qu'on nous voie.

La bonne fixa le paquet passé sous la manche du caban en poil de chameau.

— Pourquoi ne pas me le donner tout de suite ? Il n'y a personne.

— Si c'est ce que vous voulez, très bien !

Delia eut à peine le temps de saisir l'éclat blanc sur les lames d'acier, reflet des lumières de l'avenue : les ciseaux s'enfoncèrent brutalement dans l'espace compris entre son menton et son col de laine, lui sectionnant la veine jugulaire.

68

Après plusieurs heures d'hésitation, en fin de matinée, Laura vint frapper à la porte du bureau de Joel Malcolm, entrouverte.

— Vous avez une minute ?

— Bien sûr. Pour vous, oui ! Entrez donc, Laura.

Il lui désigna un siège.

— Je constate que vous avez survécu à votre première semaine chez nous. Et quelle semaine !

Laura eut un faible sourire.

— Alors, qu'y a-t-il, ma petite ?

Les mains serrées l'une contre l'autre et posées entre ses genoux, la jeune femme prit la parole d'une voix incertaine.

— Puisque, de toute façon, cela va se savoir, je préfère vous l'annoncer moi-même.

L'expression avenante que s'était composée Joel se changea en attention.

— Allez-y.

— Gwyneth m'a couchée sur son testament. Elle me lègue ses biens.

— Comment le savez-vous ? s'enquit Joel, gardant un ton calme.

— Son notaire me l'a appris par lettre.

Pourquoi n'avait-il reçu aucun courrier ?

Il sentit une bouffée de chaleur lui monter au visage lorsque la vérité se fit jour dans son esprit. Gwyneth ne l'avait pas inclus dans ses dernières volontés. Après tout ce qu'ils avaient traversé ensemble. Malgré ce qu'ils avaient signifié l'un pour l'autre. Elle aurait pu lui laisser quelque chose qui lui fasse penser à elle !

Il aurait bien voulu l'envoyer au diable.

Il l'avait déjà fait, d'ailleurs.

— Puis-je vous demander ce qu'elle vous a légué exactement ?

— Tout, ou presque.

Joel siffla entre ses dents.

— Mon petit, vous n'avez plus besoin de travailler, jusqu'à la fin de vos jours !

Décontenancée, elle secoua la tête.

— Je n'y comprends rien. Je savais que Gwyneth avait de l'affection pour moi, mais je n'aurais jamais imaginé une telle faveur. Avant mon stage professionnel, je ne la connaissais même pas. Et je n'ai jamais pu savoir pourquoi elle me portait tant d'intérêt.

Il parut déconcerté.

— Que voulez-vous dire, en déclarant que vous ne la connaissiez pas avant ce stage ? Elle l'avait programmé spécialement pour vous !

69

Prenant l'ascenseur, Mike Schultz descendit de l'étage du service des Informations jusqu'au hall, où il avait donné rendez-vous à l'inspecteur Ortiz. Il avait prévu de s'installer dans la cafétéria pour leur entrevue, préférant s'éloigner de son bureau pour ne pas être dérangé sans cesse. Il ne s'était pas senti préoccupé à la perspective de cet entretien. En fait, il s'attendait à l'appel de l'inspecteur.

Dès qu'ils furent assis l'un en face de l'autre devant un café fumant, Ortiz entra dans le vif du sujet.

— Monsieur Schultz, comment qualifieriez-vous vos rapports avec Mme Gilpatric ?

— Nos rapports étaient très tendus, admit honnêtement Mike. J'avais été producteur à « Plein Cadre », et nous ne nous étions pas quittés en bons termes.

— Racontez-moi cela.

Mike lui fit à peu près le même récit que Joel Malcolm, à propos de l'informateur identifié par les dealers qui l'avaient ensuite assassiné.

— Avez-vous éprouvé un sentiment d'injustice en étant désigné comme bouc émissaire, pour porter la responsabilité de cette bavure ?

Mike haussa ses larges épaules.

— Oui et non. Au montage, je me suis aperçu de l'erreur. Il n'était pas possible de rectifier l'image. J'ai alors proposé à Gwyneth de refaire le plan, de façon que Jaime Cordero n'y apparaisse plus. Elle a refusé, prétextant un emploi du temps trop chargé. Elle m'a affirmé que personne n'y ferait attention. À ce stade, j'aurais dû en parler à Joel et insister pour que l'on réalise une nouvelle prise de la scène. Mais je ne l'ai pas fait. Ma loyauté allait à Gwyneth plus qu'à l'émission. Ce fut une grave méprise.

Lâchant un profond soupir, Mike avala une gorgée de café.

— Mais par la suite, monsieur Schultz, Gwyneth ne vous témoigna pas de gratitude ?

— Non, inspecteur. Aucune.

70

Samedi 8 janvier

— « Il est né à Porto Rico ; son premier rôle, celui du diable, il le joua lors d'un spectacle au cours préparatoire, à San juan. Jeune homme, il partit pour New York, où il étudia le métier d'acteur. Il finit par apparaître dans de nombreux films et pièces de théâtre. On le connaît notamment pour le rôle de Gomez, dans *La Famille Addams*. »

— Raul Julia ! clama Jade, triomphante.

— E-xac-te-ment !

Laura gratifia son élève enthousiaste d'un large sourire.

Ils jouaient, dans le cadre du tutorat éducatif, à *Jeopardy !* version « afro-américaine », c'est-à-dire revue et complétée sur des sujets relatifs aux minorités, l'un des jeux préférés de Jade. Laura aimait ajouter encore des questions de son invention, concernant des Hispano-Américains et des femmes, avec l'espoir de suggérer à l'enfant des modèles pour son épanouissement personnel.

— Encore une autre ! réclama Jade, les yeux brillants.

— « Connue comme la mère du Mouvement pour les Droits Civiques, cette couturière noire refusa en 1955 de céder sa place de bus à un Blanc, à Montgomery, Alabama, et contribua à lancer la lutte contre la ségrégation. »

— Rosa Parks !

— Réponse correcte ! Mademoiselle Jade Figueroa, vous avez gagné le bonbon de votre choix !

— Est-ce qu'on peut aller l'acheter tout de suite ? demanda avec gaieté la petite fille.

Laura consulta sa montre. Au bout de ces deux heures, leur séance du samedi matin touchait à sa fin.

— Si tu veux. Mais et ma leçon d'espagnol ? Quel est le nouveau mot que je dois apprendre, aujourd'hui ?

Jade approuva d'un air solennel. Elle prenait très au sérieux son rôle réciproque de petite maîtresse d'espagnol.

— Ah oui, c'est vrai Ce mot est *cruz*. Sais-tu ce que signifie *cruz*, Laura ?

— Dis-le-moi.

— Ce mot signifie « croix », déclara fièrement Jade.

« Un mot qui convient à la situation », songea Laura, obsédée par la disparition mystérieuse de Tommy Cruz. Felipe et Marta Cruz avaient certainement eu leur croix à porter.

71

Dimanche 9 janvier

Matthew avait proposé de se retrouver le dimanche matin pour un jogging dans Central Park, suivi d'un petit-déjeuner quelque part, occasion de faire rapidement le point au sujet de l'histoire de Palisades Park. Laura se réjouissait que le temps fût clair, bien que froid. Elle sentait le besoin d'un exercice fortifiant pour clarifier ses idées.

Bel endroit pour courir. Les silhouettes élégantes des gratte-ciel de Manhattan se profilaient tout autour du parc. Le long du réservoir Jacqueline Kennedy-Onassis, à travers le rideau d'arbres dénudés bordant l'allée où ils faisaient leur jogging, Laura distinguait des cavaliers exerçant leur monture sur la piste jumelle. Les amoureux des oiseaux et les amis de la nature se faisaient nombreux, en cette vivifiante matinée, avides de partager un peu de beauté au cœur de la froide et grise cité.

Alors qu'ils achevaient leur troisième tour, se laissant dépasser par des joggeurs plus pressés, Matthew rompit le silence qui les unissait.

— Aviez-vous l'intention de m'avouer votre héritage exceptionnel ?

Laura s'arrêta de courir. Elle cherchait son souffle.

— Qui vous l'a appris ? Joel ?

— Bien sûr. En le lui disant, vous saviez que cela revenait à le crier en face de tous, non ?

— À l'évidence, c'est ce que j'aurais dû me dire.

Ils bouclèrent leur dernier tour sans ajouter un mot, se rafraîchissant dans la brise. Leur haleine, au contact de l'air glacé, se changeait en buée.

Laura regarda Matthew, vit ses joues empourprées et la sueur qui perlait à ses tempes sous ses cheveux bruns. Il gardait les yeux rivés au sol. « Il paraît offensé », songea-t-elle.

Elle aurait pu le lui confier lorsquils se trouvaient attablés chez Hiram, ou à un autre moment depuis ce jour-là. Elle ne l'avait pas fait. Or, maintenant qu'elle le savait au courant, elle se sentait soulagée. Attirée par lui, elle voulait partager davantage mais ne pouvait dire ce qui la rendait si hésitante.

Francesca lui répétait toujours qu'elle avait un problème avec les hommes : elle ne parvenait pas à leur faire confiance, étant donné ce qu'elle avait vécu avec Emmett.

Laura n'avait pas besoin d'un psy, juste peut-être d'une thérapie. Elle n'avait jamais vécu de relation de plus de six mois, rompant chaque fois que les choses prenaient un tour trop sérieux. Si elle n'apprenait pas à s'ouvrir davantage, elle ne connaîtrait jamais de véritable intimité avec un homme.

— Je suis désolée de ne pas vous l'avoir dit, déclara-t-elle d'une voix douce. J'en avais l'intention, pourtant je ne l'ai pas fait.

Il saisit ses mains gantées de laine.

— Laura, dit-il avec tendresse, j'ai envie de mieux vous connaître, et vous n'avez pas l'air de le vouloir. Pourquoi ne me laissez-vous aucune chance ? Vous ne m'accordez aucune confiance ? Je n'ai pas l'intention de vous faire du mal, vous savez.

Laura resta silencieuse. Machinalement, ses doigts se portèrent à son front et elle repoussa sa frange.

— Qui vous a fait cela ? demanda Matthew en découvrant la mince cicatrice.

— Mon père, répondit-elle d'une voix tranquille.

Après une courte pause, elle ajouta :

— Je ne voudrais pas entrer maintenant dans ces détails sordides, mais si j'ai un problème avec les hommes, c'est sans doute à cause de lui.

Matthew pencha la tête et déposa un baiser sur la marque irrégulière au-dessus du sourcil de Laura. S'écartant d'elle, il ajouta, avec un sourire compréhensif :

— Vous m'en parlerez lorsque vous serez prête. Venez ! Allons grignoter quelque chose.

Ils s'assirent dans un *coffee shop* de l'East Side, devant des gaufres, du bacon et du café brûlant. Matthew l'écouta avec attention expliquer ses relations avec Gwyneth ; elle lui fit part de son étonnement lorsqu'elle eut appris les dernières volontés de la présentatrice.

— J'ignorais totalement que Gwyneth avait créé ce stage pour moi seule. Je ne l'ai jamais rencontrée avant d'arriver à Key News, et voilà qu'elle me laisse la presque totalité de ses biens. De plus, la police affirme avoir relevé sur les talons de chèques de Gwyneth la mention régulière de versements à mon père. Et, pour couronner le tout, avant de recueillir son héritage, j'avais préparé sa nécrologie. Il y a de fortes chances pour que la police me considère comme suspecte.

— Que dit votre père ?

— Je l'ai interrogé à propos de Gwyneth le jour où nous l'avons interviewé chez lui. Vous vous souvenez du moment où vous étiez à la cave, seul avec l'équipe technique ? Je lui ai posé la question ; il a nié connaître Gwyneth.

Laura aligna le couteau et la fourchette sur le côté de son assiette vide.

— Je dois préciser, ajouta-t-elle, que mon père n'a jamais brillé par sa franchise envers moi.

Matthew restait silencieux, et Laura pensa qu'elle lui en avait peut-être trop dit. Comment aurait-il pu vouloir s'engager vis-à-vis d'une jeune femme dont l'existence était si compliquée ?

— Je ne suis pas réjouissante, hein ? dit-elle avec un sourire ironique.

Matthew passa le bras par-dessus les assiettes, posant une nouvelle fois sa paume sur la main de Laura.

— Tout le monde traîne des soucis. C'est la vie, Laura.

— Vous n'en paraissez pas encombré, vous.

— Ne vous en faites pas, j'ai mes propres démons.

— Comme par exemple ?

— Un problème de drogue. Contre lequel je dois me battre chaque jour.

Laura se sentit flattée et touchée qu'il ait assez confiance pour lui révéler un drame personnel, potentiellement si destructeur. Aussitôt, elle se demanda si elle n'était pas poussée à se rapprocher de Matthew Voigt par une pulsion morbide.

72

Lundi 10 janvier

POUR : laurawalsh@key.com
DE : russdefilippis@key.com,
OBJET : hist. de Palisades Park

« Salut Laura,

Nous ne nous sommes jamais rencontrés, mais je travaille comme monteur son au département des Programmes récréatifs de Key Television.

Ayant grandi à Cliffside Park, j'ai passé des étés entiers à Palisades Park.

Les souvenirs les plus heureux de ma jeunesse y sont liés. C'était un rite de passage que d'être devenu assez grand pour monter sur le Cyclone, et un exploit que de faire le plus de tours possible sur le Tourniquet, jusqu'à en être malade. Adolescent, je me souviens d'avoir traîné des soirées entières dans la galerie marchande, vêtu de mon blouson d'aviateur fétiche, à jouer au flipper avec mes copains, cigarette au bec. Mon vieux m'attendait à la maison dans son pyjama de flanelle ; il se mettait en fureur en découvrant l'odeur de tabac sur mes vêtements et les marques jaunes laissées par la nicotine entre mes doigts. Sinon, on s'amusait aussi à inviter une fille à prendre quelques clichés dans le photomaton, juste pour le plaisir de l'asseoir sur nos genoux.

Vous avez sans doute recueilli pas mal d'infos pour votre documentaire, mais il y a une anecdote que l'on ne vous a peut-être pas rapportée : quand ils ont détruit le parc, la ville fut envahie par les rats. Ayant dû abandonner les recoins des vieilles attractions de bois et les caves des bâtiments du rivage, les rats se replièrent en masse vers les quartiers résidentiels tout neufs, dont ils firent leur nouveau domaine.

Tard dans la nuit, j'étais réveillé par le bruit des rats qui creusaient leurs galeries dans les murs, et j'avais l'impression qu'ils passaient à travers mon lit. Quand je cognais contre la paroi, je les entendais détaler.

Les services d'hygiène municipaux distribuèrent de la mort-aux-rats, mais au départ, comme nous ne voulions pas qu'ils crèvent et pourrissent dans les trous du mur, nous avons décidé de les piéger. Tous les matins, mon père me réveillait et m'ordonnait d'aller relever les pièges avant le réveil de ma mère. J'accomplissais mon devoir, jetant quotidiennement les corps de deux ou trois rats bien gras dans notre poubelle. Un jour, alors que ma mère faisait du repassage dans le living-room, un bébé rat sans poils, tout rose, a fait irruption sur le tapis. Ma mère s'est enfuie par la porte d'entrée en hurlant.

Au bout du compte, nous avons décidé d'utiliser le poison pour les éliminer. Nous avons mis de la poudre et des granules dans toutes les fissures, ainsi que sous l'évier et sous le lavabo, sachant que les rats apprécient les points d'eau et les canalisations ; ma mère devait même disposer une pile d'annuaires sur le couvercle du siège des toilettes, pour les empêcher d'utiliser ce passage.

La mort-aux-rats fit son œuvre. Nous avons dû ouvrir des trous béants dans le plafond pour en extraire les cadavres pourrissants.

Je ne sais pas si cette histoire peut vous servir à quelque chose, mais je me disais que vous aimeriez peut-être la connaître.

Russ »

73

Mardi 11 janvier

Les jambes au chaud sous la couverture en patchwork confectionnée par sa mère, Ricky Potenza se tenait affalé sur le canapé, devant la télévision, pour regarder « Plein Cadre ».

Il tenait à savoir qui était ce fameux « témoin oculaire » de la mort de Gwyneth Gilpatric promis lors de la précédente édition. Durant toute la semaine, Key News avait organisé sur ses ondes un battage autour de l'émission.

Il avait éteint les lumières pour se concentrer au maximum sur l'écran de télévision. Il s'était senti soulagé quand sa mère avait déclaré qu'elle était fatiguée et préférait aller se coucher. Il ne voulait pas qu'elle voie ce programme. Elle continuait à le scruter en permanence, notant ses gestes, cherchant encore à le comprendre. Quand comprendrait-elle que c'était inutile ?

Le sable rose commença à descendre. Ricky sentit un frisson lui parcourir l'échine.

« Bonsoir, je suis Eliza Blake. Merci d'avoir choisi "Plein Cadre". »

Eliza était tellement plus jolie et plus sympathique que Gwyneth ! Ricky appréciait la nouvelle présentatrice.

« La semaine dernière, nous vous avions assuré que "Plein Cadre" mènerait l'enquête après la disparition de Gwyneth Gilpatric, notre ex-collègue, tombée du haut du toit de son appartement new-yorkais. Nous vous avions promis que nous aurions ce soir un témoin oculaire de la scène. Cet après-midi, nous avons interviewé ce témoin, et ce qu'elle nous a déclaré indique que Gwyneth Gilpatric ne s'est pas suicidée. Elle n'a pas sauté pour s'écraser sur le trottoir de Central Park West, Gwyneth Gilpatric selon notre témoin, a été poussée. »

Eliza fixa l'objectif d'un air solennel.

« Ce soir, "Plein Cadre" vous présente en exclusivité un témoin du meurtre de Gwyneth Gilpatric. »

— Il y a donc une justice ! se dit Ricky, un mince sourire aux lèvres. Suivit une publicité pour une voiture qu'il ne pourrait jamais s'offrir – il n'avait même pas le permis de conduire – et n'avait aucune chance de l'obtenir. Il se leva et se rendit à la cuisine, où il se versa un verre de soda au gingembre et prit un paquet de bretzels dans l'armoire. Ça allait être amusant.

74

Joel n'avait pas seulement réussi à contraindre Kitzi à parler ; il lui avait fait accepter de recevoir l'équipe de « Plein Cadre » chez eux. Tous les téléspectateurs du pays allaient voir l'appartement de Kitzi, pénétrer dans son intimité, entrer par effraction dans sa vie privée.

Kitzi se recroquevilla à l'instant où elle vit apparaître son image à l'écran. Avait-elle réellement l'air aussi vieille ? Ses journées de cure au centre de beauté Elizabeth Arden faisaient donc si peu d'effet ? Se trouver assise aux côtés de la resplendissante Eliza n'aidait sûrement pas. Le contraste lui parut aigu, cruel, déprimant.

Eliza présenta Kitzi, précisant sans ambiguïté qu'elle était l'épouse du producteur exécutif de « Plein Cadre ».

« Ainsi, madame Malcolm, vous étiez attendue à cette soirée chez Gwyneth Gilpatric ?

— J'avais l'intention d'y aller, en effet, répondait Kitzi. À la dernière minute, je ne me suis pas sentie bien. J'ai pressé mon mari d'y aller sans moi.

— Vous êtes donc restée seule toute la soirée ? »

À l'écran, Kitzi donna une tape affectueuse au caniche gris couché sur ses genoux.

« Oui, j'étais seule, excepté ma petite Missy qui me tenait compagnie. »

Eliza posa un instant les yeux sur la chienne en affichant un sourire.

« Dites-nous maintenant ce qui s'est passé.

— Après le départ de Joel, je suis allée m'étendre et j'ai dormi un peu. Jusqu'à ce que Missy me réveille et m'embête pour que j'aille la promener. Je la sors tous les soirs à 23 h 30, après le journal local. L'air froid a dû me faire du bien car, en rentrant, je me sentais mieux. »

Eliza fit un signe de tête à Kitzi, l'invitant à poursuivre. « Qu'arriva-t-il ensuite ?

— Juste avant minuit, je me suis décidée à sortir sur la terrasse pour regarder le feu d'artifice au-dessus du parc.

— Pouvons-nous nous rendre sur cette terrasse en votre compagnie, madame Malcolm ? » pressa Eliza.

Les deux femmes se redressèrent et la caméra les suivit à travers le salon ; elles passèrent par la baie vitrée entrouverte et sortirent sur la terrasse. Kitzi se dirigea ensuite vers le grand télescope planté sur le sol de terre battue.

« En attendant les premières fusées, je me suis demandé si l'on ne pouvait pas apercevoir d'ici la soirée dans l'appartement de Gwyneth Gilpatric, grâce au télescope. Je me demandais si j'arriverais à reconnaître les visages de quelques-uns des invités.

— Cela fut-il possible ?

— Non, pas vraiment, je distinguais seulement des silhouettes évoluant sur la terrasse, qui n'était pas assez éclairée.

— Continuez, je vous prie, madame Malcolm. »

Sur l'écran, Kitzi contempla Central Park et rassembla ses souvenirs.

« Le feu d'artifice débuta. Très spectaculaire – ils le sont tous, à mon avis ! Chaque fusée illuminait le ciel d'une lueur éclatante. Je regardai dans le télescope, pour voir si, à la faveur d'une explosion, je parvenais à identifier Joel dans l'assistance.

— Avez-vous réussi ? Avez-vous aperçu votre mari ? »

Les bras serrés autour du corps, Kitzi tressaillit dans le vent glacial soufflant sur la terrasse.

« Préférez-vous retourner à l'intérieur, madame Malcolm ? proposa Eliza. Nous pourrions finir cet entretien au chaud. »

Kitzi écarta les mèches de cheveux qui volaient en désordre sur son visage.

« Non, ça va. »

Elle avança d'un pas, mit l'œil à la lentille et pointa le télescope en direction de la terrasse de l'appartement de Gwyneth. Puis elle recula, invitant Eliza à prendre sa place.

« C'est le toit de l'immeuble que je distingue ! dit Eliza, surprise.

— Cela ne me surprend pas, expliqua Kitzi. Quand on relâche le télescope, le cylindre a tendance à basculer légèrement, vers sa position d'équilibre. C'est ce qui a dû se produire ce soir-là. J'avais regardé une première fois dans le télescope et j'avais abandonné. Quand je l'ai repris, quelques minutes plus tard, j'ai vu ce que vous voyez maintenant, Eliza. Le toit de l'immeuble de Gwyneth Gilpatric. »

Au même moment, Nancy et Mike Schultz étaient assis devant leur poste, captivés par l'écran.

— Joel va mouiller son caleçon, railla Mike. Le taux d'audience doit être faramineux.

— Chut, tais-toi ! commanda sa femme, qui se penchait pour mieux entendre le dialogue entre les deux femmes.

À l'image, Eliza Blake et Kitzi Malcolm retournaient dans l'appartement. Elles s'asseyaient de nouveau dans le luxueux living-room. Kitzi reprit alors son récit.

« J'ai vu deux personnes sur le toit. Deux silhouettes : ça, je l'affirme. L'une dont je peux dire qu'il s'agissait d'une femme. Elle portait une robe longue, tombante, qui se soulevait au vent.

— Ce serait Gwyneth ? demanda Eliza.

— Oui. J'ai appris par la suite qu'elle portait une longue robe de soirée.

— Et l'autre personne ? Diriez-vous que c'était plutôt un homme ou une femme ?

— Je l'ignore, vraiment. Je n'ai aperçu qu'une vague forme.

— Qu'avez-vous vu d'autre ?

— J'ai distingué une faible lueur, entre les deux silhouettes.

— Quelle sorte de lueur ?

— La flamme d'un briquet, je suppose. Gwyneth fumait, vous savez.

— Ah, je l'ignorais, déclara Eliza. À la lueur du briquet, ne pouviez-vous pas identifier leurs visages ? »

Kitzi fit non de la tête.

« Et ensuite ? Qu'avez-vous vu, madame Malcolm ? »

Kitzi appela sa chienne, qui sauta dans son giron. Elle caressa doucement le poil frisé du caniche.

« Ils sont restés là une minute ou deux. »

La voix de Kitzi devint mal assurée.

« Ensuite, l'une des formes se joignit à l'autre. Un instant, ce fut comme s'il n'y avait plus qu'un seul être sur le toit.

— Avait-on l'impression qu'ils luttaient ?

— Je ne saurais le dire, répondit Kitzi en flattant Missy d'une main tremblante.

— Poursuivez, je vous en prie, dit Eliza.

— Au moment où les fusées du bouquet final explosèrent, une grande clarté se fit, se rappela Kitzi, qui détachait ses mots. Je vis alors la silhouette à la robe longue tomber le long de la façade. »

Pendant la pause publicitaire, le téléphone sonna chez Laura.

— Tu regardes ce truc ? interrogea une Francesca stupéfaite.

— Évidemment.

— Mon Dieu ! Tu savais que ce serait aussi réussi ?

— Il y a eu des bruits de couloir à la rédaction, mais personne n'a rien vu, à part ceux qui ont réalisé la cassette avec Joel cet après-midi.

— Tu te rends compte, un meurtre ! Cette histoire me fait froid dans le dos. Comment auras-tu le courage de t'installer là-bas ? Moi, je me sentirais terrorisée, à l'idée de vivre dans un appartement où a été commis un assassinat !

Laura éprouvait la même chose.

75

Mercredi 12 janvier

Le matin suivant l'émission, Alberto Ortiz alla sans tarder interroger Kitzi Malcolm. Mais en quittant l'appartement de l'épouse du producteur, il n'avait rien appris de plus que ce qu'il savait déjà grâce à « Plein Cadre ». Kitzi lui avait tenu les mêmes propos qu'à l'équipe de télévision.

Il l'avait réprimandée pour n'être pas venue lui raconter ce qu'elle avait vu, mais il savait qu'elle n'encourait en réalité aucune sanction. S'il la poursuivait, pensait-il, son salopard de mari ferait intervenir ses avocats et elle s'en tirerait sans mal. « Pourquoi dépenser de l'énergie en pure perte ? »

Ortiz stoppa devant un kiosque, où il acheta un de ces bretzels chauds que l'on vend au coin des rues, à New York. Jetant un regard à sa montre, il se rendit compte qu'il risquait d'être en retard à son entretien avec le docteur Costello s'il ne se dépêchait pas. Le médecin ne s'était pas montré coopératif, multipliant les faux-fuyants jusqu'à ce qu'il ne puisse plus se dérober. En définitive, Costello lui avait fixé rendez-vous à l'heure du déjeuner, à l'hôpital de Mount Olympia où il consultait.

Alors qu'il pilotait la berline mise à sa disposition à travers le trafic de Manhattan, passant de Central Park à l'East Side, Ortiz regretta de ne pas avoir bouclé l'enquête.

Quand il arriva au bureau du docteur Costello, plusieurs patients avaient pris place dans la salle d'attente pour les consultations de l'après-midi. L'infirmière, Camille Bruno, s'avança au-devant de lui.

— Le docteur Costello vient d'appeler. Il est en chemin. Voulez-vous que je vous installe dans son bureau, inspecteur ?

— Volontiers.

— Puis-je vous offrir une tasse de café ? proposa avec entrain l'infirmière en le conduisant dans le couloir.

— Avec plaisir ! répondit Ortiz. Il ne fait pas chaud, en ce moment.

Tandis qu'il patientait, Ortiz contempla les diplômes dans leurs cadres, alignés au mur pour rassurer le patient.

Il admira le massif bureau d'acajou surmonté d'un micro-ordinateur dernier cri.

La porte d'entrée s'ouvrit et Camille Bruno apparut, une tasse de café entre les mains. Elle précédait un Leonard Costello peu souriant.

Costello prit place derrière son bureau. Aussitôt l'infirmière partie, il demanda abruptement :

— Eh bien, que puis-je pour vous, inspecteur ?

« Il a l'habitude de diriger son monde, ce connard arrogant ! » songea Ortiz avec une répulsion immédiate.

— Je crois vous l'avoir précisé plusieurs fois au téléphone : je travaille sur le meurtre de Gwyneth Gilpatric.

Costello eut un petit sourire plein de suffisance.

— Alors, vous avez sans doute beaucoup apprécié l'émission d'hier soir, inspecteur ! C'est formidable qu'ils aient pu vous trouver ce témoin oculaire !

Refusant de relever l'offense, Ortiz s'appliqua à rester impassible. Il préféra poursuivre.

— D'après ce que j'ai compris, Mme Gilpatric était votre patiente.

— *Était* est le terme qui convient, inspecteur.

— Je vous demande pardon ?

— C'est très simple ! Elle a été ma patiente, elle ne l'était plus au moment de sa mort, voilà tout.

— Pourquoi donc ?

— Il faudrait que vous le lui demandiez, inspecteur.

Costello se saisit d'un stylo d'argent, qu'il tint fermement entre ses doigts pour mieux contrôler un tremblement naissant.

— Mais pardonnez-moi, ajouta-t-il sur un ton de moquerie, vous allez avoir du mal, non ?

76

Lorsque Rose Potenza demanda à Laura si son fils pouvait de préférence être interviewé dans les studios de Key News, la jeune femme fut trop heureuse pour refuser. Du point de vue de la mise en scène, il aurait été sans doute préférable de filmer Ricky chez lui, pour que les téléspectateurs le surprennent dans son cadre de vie. Mais cette solution leur éviterait au moins la corvée d'une expédition jusqu'au comté de Rockland.

Les Potenza arrivèrent de bonne heure, avant que les caméras soient prêtes. Laura proposa un petit tour dans les locaux de Key News. Ricky accepta avec enthousiasme.

« Cela l'aidera à se relaxer, à se détendre un peu », se dit Laura en guidant Ricky et sa mère dans le labyrinthe des couloirs. En pénétrant dans les studios de « À la une ce soir », ils tombèrent sur Eliza Blake. Laura fit les présentations, justifiant la présence des Potenza.

— Je vous ai vue passer à « Plein Cadre », déclara Ricky en rougissant. Je vous préfère nettement à Gwyneth Gilpatric. Je suis content qu'elle ne soit plus là.

— Très heureuse de vous rencontrer, Ricky, répondit Eliza d'une voix doucereuse, ignorant le coup de griffe à Gwyneth. Bon courage pour votre interview !

Ricky parut interloqué.

— Ce n'est pas vous qui me posez les questions ?

— Non, en réalité, ce sera Laura. Souvent, ce sont les producteurs qui réalisent leurs entretiens. J'interviendrai plus tard, quand davantage d'éléments et d'interviews auront été rassemblés.

La déception assombrit le visage de Ricky.

— Ne vous inquiétez pas, Ricky ! lui conseilla Eliza d'un air engageant. Avec Laura, vous êtes en bonnes mains. À ce stade, elle en sait beaucoup plus que moi sur l'histoire de Palisades Park. Laura est la mieux placée pour cet entretien avec vous.

Ricky ne parut pas convaincu, mais Laura n'y prêta aucune attention, et ils continuèrent leur visite des studios. Elle les conduisit à la régie, où ils découvrirent une nuée de moniteurs reliés à des claviers et à des tables de mixage plus sophistiqués les uns que les autres, pour gérer le son et l'image ou réaliser des effets spéciaux. Elle leur montra la division des actualités, où convergeaient les informations recueillies partout dans le monde par Key News, leur décrivit le rôle des dizaines de personnes qui travaillaient là. Ensuite, Laura expliqua le fonctionnement du réseau informatique, démontrant son utilité pour redistribuer l'information dans des délais de plus en plus courts.

— Je sais me servir d'un ordinateur, tint à préciser Ricky.

Quand ils visitèrent le plateau des actualités, où Eliza Blake présentait chaque jour le journal du soir, Laura invita Ricky à s'asseoir derrière le *desk* de la présentatrice.

— Vous êtes sérieuse ? demanda-t-il, les yeux brillants.

— Mais oui, allez-y !

Ricky jeta un coup d'œil tout autour de lui.

— Ne vous en faites pas. Personne ne regarde. Ils sont occupés à leurs tâches.

Comme il montait sur l'estrade, Laura songea à son manque de maturité : il paraissait bien puéril, malgré ses quarante-deux ans. Or, l'intérêt des propos qu'il tiendrait conditionnait en grande partie la réussite de son projet. Elle n'avait pas l'intention de lui parler comme à un enfant ni de se montrer insultante durant l'interview, connaissant sa vulnérabilité et sa fragilité. Elle prévoyait d'agir avec la plus grande prudence.

Matthew les attendait dans le studio Bill Kendall, du nom du présentateur légendaire de « À la une ce soir » qui avait dirigé Key News. Cette pièce, réservée aux interviews, assez exiguë, était tendue d'un rideau sombre qui servait de décor. Deux fauteuils s'y faisaient face. La caméra était braquée sur celui qu'on réservait à Ricky. Laura prit place dans l'autre, hors champ.

Rose Potenza semblait encore plus nerveuse que son fils, au moment où l'on fixa le clip du micro au revers de la veste de Ricky. Christina Weisberg, la maquilleuse, poudra délicatement le front de l'invité, afin que sa peau ne brille pas sous la vive lumière des projecteurs.

— Prêt, Ricky ? demanda Laura.

— Je crois que oui.

— Vous savez que nous réalisons un sujet sur Palisades Park et la mort de Tommy Cruz.

Ricky hocha la tête.

— Tommy était votre ami, n'est-ce pas ?

Nouveau hochement de tête.

« Mon Dieu, faites qu'il ouvre la bouche ! pria silencieusement Laura. Nous avons besoin de bons dialogues ! »

— Pourriez-vous me parler un peu de lui, Ricky ? reprit-elle d'une voix douce, tentant de le faire sortir de sa coquille.

Ricky décocha un regard à sa mère. Celle-ci lui sourit, l'encourageant des yeux à s'exprimer.

— Je vais vraiment passer à la télé ?

— Oui. Si vous avez quelque chose d'important à nous dire.

Ricky remua le pied d'avant en arrière sous sa chaise, et une expression plus décidée se peignit sur ses traits.

— Tommy était mon meilleur ami.

— Dites-moi par exemple ce que vous aimiez faire, tous les deux.

— Nous étions dans la même classe. Nous avons été scouts ensemble. On a joué dans la même équipe de football américain.

— Vous vous amusiez bien avec Tommy ?

Laura essayait de le stimuler.

— Oui, on passait de bons moments.

— Vous alliez aussi au parc avec lui ?

Ricky acquiesça.

— Que faisiez-vous, là-bas ?

— On allait nager à la piscine, se souvint Ricky. On essayait d'arriver assez tôt, avant qu'il y ait trop de monde.

— Ça devait être super !

— Ouais, mais l'eau devenait souvent horriblement sale. On tombait sur des hot-dogs, des paquets de cheveux ou des trucs verts repoussants qui flottaient à la surface. Les gosses avaient l'habitude de faire pipi dedans, directement dans l'eau. Ils étaient trop fainéants pour sortir de la piscine et aller aux toilettes publiques. Ils disaient qu'ils changeaient l'eau chaque jour, mais je ne l'ai jamais cru.

Rose Potenza se contracta.

— Et les attractions, Ricky ? s'enquit Laura, changeant de sujet. Tommy et vous, vous les aimiez ?

— Oui, c'était génial quand on avait assez d'argent pour y monter. Et même, de temps en temps, le gars qui s'en occupait nous laissait faire un tour gratuit.

— Aviez-vous une attraction préférée ?

— Non, pas vraiment.

— Vous savez, Ricky, mon père s'est occupé un temps des montagnes russes. Y étiez-vous monté, sur le Cyclone ?

Ricky décroisa les jambes et se raidit dans son fauteuil. Ses phalanges blanchirent tant il serrait le poing sur les accoudoirs.

— Ricky ?

— Le Cyclone me faisait peur, se contenta-t-il de marmonner.

Sentant sa nervosité monter en flèche, elle ne voulut pas l'exacerber. Elle ne lui avait pas encore posé les questions auxquelles elle tenait le plus.

— J'aimerais revenir encore sur Tommy, si vous le voulez bien, Ricky. À propos de sa disparition. Elle s'est produite lors du dernier été de Palisades Park, c'est bien cela ?

Ricky reprit son hochement de tête.

— Juste avant la rentrée ?

Il acquiesça en silence.

— Vous souvenez-vous de la dernière fois où vous avez vu Tommy ?

Il la dévisagea, posant sur elle un regard aigu.

— Ricky ?

Il détacha le clip du micro du revers de sa veste. L'interview était terminée.

77

Devant un whisky-glace, Francesca écoutait Leonard lui raconter par le menu la dure journée qu'il disait avoir eue. Bien qu'il s'efforçât de n'en rien laisser paraître, elle devinait que cette visite de l'inspecteur de police le contrariait.

— Je n'ai rien à cacher ! Ce fouille-merde peut chercher partout !

Elle n'avait nulle envie, comme elle le faisait auparavant, de l'entourer de ses bras et de le distraire par un baiser appuyé. Pas ce soir.

Il était possible qu'il ne se montre pas trop affecté lorsqu'elle lui dirait que tout était fini entre eux. Quoi qu'il en soit, elle s'était tout particulièrement apprêtée, voulant être sûre de bien lui faire sentir ce qu'il allait perdre.

— Viens là, mon ange.

Leonard, sur le sofa, tapota le coussin à côté de lui. Francesca s'approcha. Sa peau mate resplendissait à la lueur des chandeliers qui éclairaient la pièce. Ses cheveux noirs tombaient souplement sur le pull de cachemire. Elle s'assit tout près.

Leonard se pencha pour humer son cou.

— Tu sens bon, bébé.

Si elle le laissait démarrer, elle ne pourrait plus le lui dire. Elle le repoussa.

— Eh ! Que se passe-t-il, ma belle ? interrogea Leonard.

Sa voix était tendre, mais Francesca savait que, si elle faisait la sourde oreille, la susceptibilité de Leonard ne tarderait pas à s'enflammer.

— J'en ai assez, c'est terminé, Leo. Je n'en veux plus.

Il la fixa sans comprendre.

— Qu'est-ce que tu racontes ? Tu ne veux plus de *quoi* ?

— De tout cela ! déclara Francesca avec un ample geste désignant la pièce entière. De vivre de cette façon, d'être ta maîtresse ! Je déteste ces mensonges, ces moments volés et toutes ces nuits solitaires ! Je suis fatiguée de compter pour moins que rien. Je ne veux plus continuer une minute. C'est fini, Leo.

— Oh, arrête, Francie ! Je sais que ces dernières semaines ont été difficiles pour toi, avec les vacances et tout. Je suis désolé d'avoir dû passer tant de temps à la maison avec les gosses, mais je pensais que tu comprenais.

— Bien sûr que je comprends. Tu devrais être avec ta femme et tes enfants. Justement, j'ai besoin de plus que ce que tu peux m'offrir, Leonard. Je veux être une mère un jour ou l'autre, moi aussi. Or, malgré mes prières, et contrairement à ce que j'ai souhaité avec ardeur, tu ne seras jamais le père de mes enfants. Je dois renoncer à notre relation, m'en sortir, aller voir ailleurs. J'ai envie de mener une vie décente. Ma décision est prise.

Sans un mot, Leonard se redressa, alla jusqu'au portemanteau et décrocha son pardessus. Sur le seuil de la porte, il se retourna et lança :

— Tu vas changer d'avis, Francie. Tu verras. Tu vas te rendre compte que tout n'est pas rose au-dehors. Quand tu reviendras ramper à mes pieds, il vaudra mieux pour toi que j'aie envie de te reprendre. Crois bien que j'y mettrais des conditions.

— J'aurai vidé les lieux à la fin du mois ! cria Francie, les yeux pleins de larmes, juste avant qu'il claque la porte derrière lui.

78

Jeudi 13 janvier

— L'interview s'est plutôt bien passée, jusqu'au moment où tu lui as parlé du Cyclone, fit observer Matthew tandis qu'ils se repassaient la bande de l'enregistrement effectué la veille.

— C'est vrai, reconnut-elle d'un ton découragé.

De façon naïve, peut-être, elle avait cru décider Ricky à s'exprimer sur les circonstances de la mort de son ami. Comme elle avait été présomptueuse de prétendre réussir là où tant de spécialistes avaient échoué ! D'autre part, plus ennuyeuse que l'absence de relief de leur dialogue, l'idée d'un lien entre la mention de son père et le soudain mutisme de Ricky la taraudait.

Lorsque la cassette toucha à sa fin, la monteuse déclara que, s'ils n'avaient plus besoin d'elle, elle allait déjeuner. Restés seuls dans le demi-jour de la cabine de montage, Matthew et Laura discutèrent des éléments qu'ils avaient pu rassembler.

Nous avons filmé Ricky, ton père et sa maquette, le mémorial de Cliffside Park. Nous détenons ces vieux films d'archives en noir et blanc. Je suis en train de réunir des chansons sur Palisades Park. Et nous avons la permission de filmer le gala destiné à collecter des fonds pour le musée, qui se tiendra dans deux semaines.

C'était un début, mais cela ne permettait pas de passer à l'antenne sous le générique de « Plein Cadre ». Ils en étaient conscients l'un et l'autre.

— Je n'ai pas beaucoup progressé vis-à-vis des services de police de Cliffside Park, avoua Laura d'un air triste. Il ne reste plus aucun de ceux qui avaient travaillé sur l'affaire Tommy Cruz, et les policiers ne souhaitent pas commenter leur récente découverte. Toutefois, je vais essayer de retrouver la trace du flic à la retraite cité dans un journal de l'époque.

— C'est bon, ça ! appuya Matthew d'une voix ferme. Sur ce point, puis-je être utile ?

— Non, merci. Je ferais appel à vous s'il me faut autre chose.

— Que nous reste-t-il encore ?

Matthew réfléchissait en mâchonnant un stylo. Son regard errait sur les feuilles d'un bloc-notes.

— Nous devons amener les parents de Tommy Cruz à nous parler, dit Laura.

— Voulez-vous que je me charge d'obtenir un rendez-vous ?

Elle pesa le pour et le contre avant de répondre.

— Il me semble qu'il serait préférable que je les appelle moi-même. En leur expliquant que je suis une fille du coin, etc.

— Parfait. Vous n'avez donc pas la moindre tâche pour moi ? Vous préférez vous occuper de tout toute seule ?

Il souriait. Néanmoins, Laura décela dans ses paroles une pointe de mécontentement.

— Ça vous dirait de parcourir le vieil album de photos que nous a confié mon père, à la recherche d'images utilisables ? proposa-t-elle.

— Sans problème. Il me semble que je pourrais m'en sortir.

Il recapuchonna son stylo et quitta brusquement la salle de montage.

Matthew dévissa le couvercle de plastique du petit flacon opacifié pour en extraire une pilule, qu'il fit passer avec un fond de café froid retrouvé dans un gobelet sur le bord de son bureau. Il s'en voulait à mort de faire cela.

Était-ce l'effet de son imagination ou Laura le traitait-elle différemment depuis qu'il lui avait avoué sa dépendance à la drogue ?

Son problème avait commencé d'une façon si innocente. Il n'était à « Plein Cadre » que depuis peu lorsque l'un des sujets sur lequel il travaillait l'avait obligé à veiller tard durant de nombreuses nuits. C'était ce reportage avec Jaime Cordero. Il s'échinait à tenir des délais impossibles. Gwyneth s'était changée en une espèce de harpie hystérique, Joel, ne voulait pas entendre un mot de travers et aboyait sur tous ceux qui l'approchaient. Même Mike Schultz, un garçon d'habitude si gentil, perdait patience pour un oui pour un non.

Matthew s'était ouvert à un ami de l'anxiété qui le rongeait et perturbait son court sommeil, ce qui le rendait encore plus mal pendant la journée. Il redoutait de perdre son job. Il avait alors reçu un « conseil d'ami », sous la forme d'une petite fiole de Valium. On lui avait dit : « Tu vas voir, tu vas te sentir simplement apaisé, et après les vagues de sondages de février, quand tout sera fini, tu retrouveras la forme. »

Le scénario s'était révélé tout autre. En quelques semaines, Matthew était devenu accro. Il n'était plus capable d'attendre le métro en allant au travail sans avaler ses cinq milligrammes de Valium sur le quai. Aujourd'hui, trois ans plus tard, après douze saisons télévisuelles rythmées par les périodes intenses précédant les vagues de sondages, il essayait sans grand succès d'arrêter.

Seulement, le meurtre de Gwyneth avait mis tout le monde sur les nerfs, à Key News. Et ce sujet sur Palisades Park faisait renaître son anxiété. Dans ces conditions, son idylle avec Laura lui parut chimérique.

Il s'efforça de se montrer philosophe – une fois encore.

« Hé ! il n'y a rien de mal à être anxieux ! Chacun en fait l'expérience un jour ou l'autre, oui ou non ? Qui n'a jamais senti ses paumes devenir moites avant un entretien d'embauche ou enduré de violentes douleurs au ventre alors qu'il devait prendre la parole en public ? »

Sa profession favorisait le stress, plus qu'aucune autre. Délais impossibles, compétition acharnée, normes draconiennes. N'importe qui aurait redouté comme lui de mal répercuter une information devant des millions de téléspectateurs.

Travailler pour Joel Malcolm lui rendait la tâche encore plus ardue. Joel demandait sans cesse des sujets de plus en plus percutants, au risque d'épuiser ses collaborateurs.

Il se demanda combien d'autres producteurs se dopaient, à la rédaction. Il était sûr de ne pas être le seul à prendre du Valium pour se relaxer.

L'ennui, c'était sa dépendance, devenue très forte. Il s'était montré assez malin pour obtenir une prescription de plusieurs médecins, de sorte qu'aucun d'eux ne se rende compte de rien.

Il essayait d'en finir avec la drogue. Lors de sa première tentative, il s'était senti en manque. Le sevrage s'était transformé en cauchemar. Il ne pouvait plus dormir, son estomac refusait toute nourriture, la migraine le paralysait.

Il s'occupait d'une séquence dont le bouclage approchait et son inertie devenait intenable. Pris de panique, il avait repris des pilules.

Ce n'était jamais le bon moment pour arrêter, quoi qu'il en soit. Parce qu'il se sentait toujours pris dans une situation stressante, et que le Valium la rendait supportable.

80

Depuis deux jours, son inquiétude ne cessait de croître pour se muer en une véritable torture.

Et si Kitzi Malcolm n'avait pas dit la vérité au cours de cette interview ?

Quand elle avait parlé de l'impossibilité de distinguer les visages. Quand elle s'était déclarée incapable de préciser si la personne qui était sur le toit avec Gwyneth était un homme ou une femme.

Et si elle mentait ? Et si le feu d'artifice avait parfaitement illuminé le toit de l'immeuble alors qu'ils s'y trouvaient ?

Devrait-il y avoir un troisième meurtre ?

Ni les journaux ni la télévision n'avaient rapporté la découverte du cadavre d'une femme dans un fourré au fin fond de Central Park. Mais tôt ou tard, le corps de Delia serait mis au jour.

Un morceau de choix, pour le prochain épisode de « Plein Cadre ». « *La bonne de Gwyneth Gilpatric retrouvée assassinée ! »*

Tuer Kitzi serait certainement moins facile. Mais pas impossible.

81

Avant de quitter le bureau pour rentrer à son appartement, Laura composa le numéro de son père.

— Salut, papa, c'est moi. Juste pour prendre des nouvelles. Comment ça va ?

— Je vais bien, gamine. Et toi ?

— Je suis OK, répondit Laura.

Elle coinça le téléphone entre son épaule et son oreille, le temps d'enfiler des baskets à la place de ses chaussures de ville.

— Je bosse dur sur l'histoire de Palisades Park.

Son père ne fit aucun commentaire.

— Sais-tu qui j'ai interviewé, hier ? reprit Laura. Ricky Potenza. Il était le meilleur ami de Tommy.

— Est-ce qu'il t'a appris quelque chose ?

Laura crut reconnaître cette mauvaise élocution. Elle se contracta.

— Non. Pas réellement. Mais il nous reste du temps pour travailler sur d'autres sources. J'espère sincèrement que nous découvrirons ce qui est arrivé à Tommy Cruz avant de diffuser ce sujet.

Silence à l'autre bout du fil.

— Papa ?

— Oui, ma grande ?

— Que se passe-t-il ? Pourquoi te montres-tu si négatif vis-à-vis de mon travail sur Palisades Park ?

Un profond soupir lui parvint.

— Je te l'ai dit à Noël, Laura : je crois que tu ferais mieux de ne pas remuer cette affaire. Quel intérêt y a-t-il à tout déterrer ?

— Essayer d'aider les Cruz à comprendre ce qui s'est produit, par exemple, dit Laura, irritée.

— Tu prétends vraiment que toi, tu vas les aider à faire une croix définitivement sur leur passé ? Arrête ça, Laura ! Ce n'est pas ton principal objectif, tu ferais mieux de le reconnaître.

Elle sentit percer la colère dans sa voix.

— Ne prends pas tes grands airs, ajouta-t-il. Tu cherches le sensationnel, c'est tout ! Tu veux impressionner tes nouveaux petits copains de Key News. « La jeune productrice de génie résout l'énigme d'un meurtre trente ans après », c'est ça, hein ?

Laura resta interloquée, blessée par les paroles venimeuses de son père.

82

Emmett avait l'impression que la corde se resserrait autour de son cou.

Alerté par la police de New York, un inspecteur de la brigade de Cliffside Park s'était présenté cet après-midi à son domicile pour lui poser un tas de questions sur ces chèques que Gwyneth lui avait envoyés pendant des années. Il était tout à fait inutile de nier. Ils l'auraient prouvé facilement, puisque les banques en conservaient la trace.

— Gwyneth et moi étions de très vieux amis, avait-il déclaré à l'inspecteur. Après la mort de ma femme, je me suis d'une certaine façon effondré, et Gwyneth a pris sur elle de me soutenir. C'était quelqu'un de très fidèle.

— Et de très généreux, avait ajouté l'inspecteur.

Mais il avait paru se contenter de son explication.

Elle sonnait vrai. Aucun de ceux qui vivaient à Cliffside Park depuis un bout de temps n'ignorait qu'il avait un problème d'alcoolisme. Au fil des ans, il avait vivoté d'un job à l'autre. Les gens s'étaient toujours demandé comment il faisait pour conserver une maison à peu près bien tenue et envoyer sa fille dans une école assez chère.

Après le départ de l'inspecteur, Emmett s'était ouvert une bière, en espérant que l'affaire retomberait toute seule. Mais deux heures et six bières plus tard, Laura l'appelait et lui racontait cette histoire d'interview de Ricky Potenza.

Il vivait depuis des années dans la terreur de le voir réapparaître. Jamais il n'aurait imaginé que sa propre fille harcèlerait un jour Ricky pour qu'il lui dise ce qu'il savait.

Emmett aplatit la boîte de bière et la balança vers le baquet où s'accumulaient les récipients vides. « Raté. »

Le passé se refermait sur lui de toutes parts.

83

Vendredi 14 janvier

Le vendredi matin, Laura fit un saut à la bibliothèque de Key News, quelques étages au-dessus de la rédaction de « Plein Cadre ». Les coupures de presse qui s'y alignaient sur des centaines de mètres d'étagères constituaient une véritable mine d'informations.

Bien des années avant l'ordinateur, qui permettait d'accéder facilement à de multiples sources d'information localisées partout sur la planète, les archivistes de Key News s'asseyaient à leur bureau pour parcourir tranquillement les journaux à la recherche d'informations intéressantes. Ils découpaient des articles et les regroupaient dans de grands classeurs, accumulant une documentation complète sur toutes sortes de matières ou de personnes. L'âge de l'électronique avait rendu l'usage des ciseaux moins nécessaire, mais les classeurs continuaient d'être mis à jour.

Après une patiente exploration des rayonnages, elle finit par tomber sur une étiquette portant les mots « PARCS D'ATTRACTIONS – Palisades Park ». Elle saisit le dossier de presse et s'installa à une table près d'une fenêtre pour le consulter.

Les clairs rayons du soleil matinal tombaient sur le papier jauni par le temps. Avec précaution, Laura feuilleta un à un les articles de journaux, jusqu'à ce qu'elle ait trouvé ce qu'elle cherchait.

Un officier de police de Cliffside Park du nom d'Edward Alford se trouvait cité dans un article consacré à l'enquête ayant suivi la disparition de Tommy Cruz.

Laura photocopia la coupure de presse, la replaça au milieu des autres et rangea le dossier sur son étagère, à la lettre P.

Elle allait quitter la bibliothèque lorsqu'une impulsion la fit s'arrêter brusquement en face d'un rayonnage.

GATES, BILL.

GIFFORD, FRANK.

GIGANTE, VINCENT.

GILBERT AND SULLIVAN.

Laura passait le doigt sur les étiquettes. GILPATRIC, GWYNETH.

Debout dans l'allée, elle feuilleta rapidement les articles et les photos contenus dans le dossier. Il avait déjà été complété par des comptes rendus sur la mort de la présentatrice.

Laura parcourut la dernière liasse. L'ultime document se trouvait être une photo de fin d'année, en noir et blanc, montrant une Gwyneth aux cheveux longs : l'image qu'elle avait utilisée pour la nécrologie de la présentatrice.

84

Samedi 15 janvier

Laura vit arriver le week-end avec plaisir. La semaine ayant été intense, elle se réjouit de cette coupure. Passer son samedi matin avec Jade comme à l'accoutumée, c'était exactement ce qu'il lui fallait.

Alors qu'elle travaillait sur un problème de mathématiques, Laura observa sa brillante petite élève.

« Quelle tête bien faite ! » Laura espérait poursuivre leurs relations au fil des ans et voir l'enfant développer pleinement ses qualités.

Désormais, avec plus d'argent qu'elle n'en avait jamais rêvé, Laura pourrait accorder à Jade autre chose que son temps. Son mental et son physique constitueraient sans doute d'excellentes ressources, mais Jade aurait également besoin d'argent si elle souhaitait faire des études. Il serait merveilleux de le lui permettre !

En la voyant penchée sur son cahier d'arithmétique, Laura se souvint de l'époque où elle préparait son entrée au collège. Elle s'était inquiétée de ne bénéficier que d'une scolarité dans un médiocre établissement, son père manquant de moyens. Néanmoins, il fallait reconnaître qu'ensuite, il lui avait offert de préparer l'université de son choix. Ils trouveraient l'argent nécessaire, disait-il.

Quand la lettre d'admission à Holy Cross lui était parvenue, elle l'avait montrée à son père en retenant son souffle. Elle n'ignorait pas que les frais de scolarité, ajoutés à son entretien, représentaient à eux seuls plus que ce que gagnait Emmett en une année. Et lorsqu'il avait accepté qu'elle entre à Holy Cross, elle s'était tellement concentrée sur ses rêves de jeunesse qu'elle avait négligé de se demander comment il se débrouillerait pour payer.

Les questions de l'inspecteur Ortiz l'obligeaient aujourd'hui à regarder le problème en face. Malgré les dénégations de son père, Laura sentait au fond d'elle-même qu'il avait très certainement perçu ces chèques signés par Gwyneth.

Ils expliquaient pourquoi la table restait bien garnie et la maison chauffée, bien qu'Emmett ne se soit pas rendu tous les jours au travail. Et qu'il ait pu l'envoyer en colonie de vacances plusieurs étés de suite. Idem pour le manteau neuf qu'adolescente elle recevait chaque hiver, dans ces années qui suivirent la mort de sa mère. Et la montre précieuse en cadeau de fin d'études.

« Mais pourquoi ? Pourquoi la célèbre Gwyneth Gilpatric envoyait-elle de l'argent à son père alcoolique ? Quel lien y avait-il entre eux ? »

Jade présenta fièrement son exercice à la jeune femme pour qu'elle le corrige.

— Bon à cent pour cent ! s'exclama Laura. Joli travail !

Jade rayonna sous le compliment de sa tutrice, qui l'attira à elle, lui passant le bras autour des épaules.

Laura aimait l'enfant de plus en plus. Jade progressait intellectuellement, et Laura se dit qu'elle recevait, elle, sur le plan affectif. Elle se sentait heureuse d'aider quelqu'un, d'enrichir une jeune vie.

Tandis qu'elles commençaient à jouer à *Jeopardy !*, les pensées de Laura se reportèrent sur sa conversation avec Joel Malcolm. Sans que Laura soit le moins du monde au courant, Gwyneth lui avait spécialement ménagé ce stage professionnel. Et elle l'avait soutenue financièrement durant des années. Enfin, en dernier lieu, Gwyneth Gilpatric s'était assurée de mettre Laura à l'abri du besoin pour le reste de ses jours.

« Pourquoi ? »

85

Maxine Bronner étudiait une sonate de Mozart au piano quand le téléphone l'interrompit. Elle se résigna à aller répondre, s'attendant à l'un de ces désagréables appels commerciaux pour lui vendre un nouveau type de fenêtres, un système d'alarme ou l'abonnement à un quelconque magazine.

Elle eut une bonne surprise.

— Chère Laura ! Comme il est agréable de t'entendre !

— Vous ne direz plus la même chose quand vous saurez que je viens encore vous demander un service.

Laura laissa échapper un rire gêné.

— Je recherche la trace d'un policier qui avait participé à l'enquête sur la disparition du petit Tommy Cruz, continua-t-elle. J'ai essayé les renseignements sans aboutir. La police de Cliffside Park ne me donnera certainement pas d'informations sur ses anciens membres. Mais vous, peut-être le connaîtriez-vous ? Il s'appelle Edward Alford.

Maxine identifia immédiatement ce nom.

— Oui, je connais Eddie Alford. J'avais l'habitude de jouer au bridge avec sa femme, Dorothy.

« Toujours le bon filon ! » se dit Laura.

— Auriez-vous conservé son numéro ? interrogea la jeune femme avec excitation.

— Ils ont déménagé en Floride il y a quelques années, réfléchit Maxine, qui étira le cordon du téléphone pour se rapprocher de son carnet d'adresses.

Elle saisit dans un tiroir son vieil agenda tout usé à couverture de cuir et l'ouvrit à la première page.

— Oui, il y est. « ALFORD », lut Maxine avant de réciter le numéro. Je ne pense pas qu'Eddie puisse être incommodé par votre appel. C'est un homme formidable.

Laura se sentit gênée d'utiliser ainsi leur amitié, mais elle posa tout de même son autre question :

— Auriez-vous le numéro des Cruz, également ?

86

Dimanche 16 janvier

— Oh là ! J'ai du mal à réaliser que tout ceci t'appartient. Francesca, impressionnée, secoua la tête. Laura lui ouvrait les différentes pièces de l'ex-appartement de Gwyneth.

— Moi aussi ! précisa-t-elle.

Elles entrèrent dans la chambre de Gwyneth. Les murs étaient tendus de soie peinte ; un tapis d'Aubusson du XVIIIe siècle couvrait le sol. Le lit à baldaquin dominait la pièce, avec ses motifs floraux et animaliers sculptés dans l'acajou. Les moelleux oreillers brodés qui s'alignaient à la tête du lit ainsi que la finesse des draps invitaient au repos.

— As-tu vraiment l'intention de dormir dans cette chose ? s'enquit Francesca.

— Plutôt intimidant, n'est-ce pas ?

— Tu peux le dire, dit Francesca en se laissant tomber avec un bruit mat sur le dessus-de-lit. Ce serait plutôt cool de s'amuser un peu là-dessus. Crois-tu que ça plairait à Matthew ? demanda-t-elle, une lueur taquine dans le regard.

Laura se saisit d'un oreiller et le lança sur son amie.

— Tu sais, Francesca, commença-t-elle en prenant place dans le grand fauteuil rembourré, près d'une fenêtre qui donnait encore sur Central Park, cet endroit est immense. Ce n'est pas la seule chambre, il y en a trois autres. Tu pourrais t'installer dans celle de ton choix.

Francesca la dévisagea.

— Maintenant que tu as donné congé au docteur, poursuivit Laura, pourquoi ne pas revenir habiter un peu avec moi, comme autrefois ? Tu me rendrais service. Je n'ai aucune envie de me retrouver seule dans cet appartement.

— Je ne sais pas, Laura, reconnut son amie, incertaine. Ce qui s'est passé ici me donne des frissons, conclut-elle en agrippant des deux mains le traversin où reposait sa tête.

— Écoute, reprit Laura, j'ignore si je vais garder cet appartement. Ce n'est pas vraiment mon style. Enfin, je finirais peut-être par m'y habituer.

Elle ponctua ces mots d'un large sourire.

— Dans l'intervalle, tu as besoin d'un endroit pour vivre, et moi, de compagnie. L'immeuble est sécurisé. Nous serons deux. Il n'y aura pas à s'inquiéter.

— Gwyneth se disait la même chose.

Laura voulut persévérer.

— Promets-moi au moins d'y réfléchir, d'accord ? implora-t-elle.

— Entendu. Merci en tout cas pour ta proposition. Tu es une véritable amie.

Un peu plus tard, alors qu'elles empruntaient l'ascenseur pour sortir et chercher un endroit où prendre leur *brunch*, Francesca se tourna vers Laura.

— Au fait, tu vas avoir besoin d'aide pour tenir l'appartement. Comment feras-tu ? As-tu l'intention de garder la bonne ?

— Je le pense, oui. Mais je n'ai pas réussi à joindre Delia de toute la semaine,

87

Lundi 17 janvier

Dans les locaux de la rédaction de « Plein Cadre », l'atmosphère était encore plus tendue qu'à l'ordinaire. Pour la diffusion de la nouvelle édition du magazine, le lendemain soir, Joel cherchait désespérément du nouveau sur l'assassinat de Gwyneth Gilpatric. Laura se terrait dans son bureau afin d'éviter de tomber sous les yeux du producteur exécutif.

Seule à sa table de travail, elle s'efforçait de clarifier son esprit avant le coup de fil important qu'elle devait passer. Les paroles cruelles de son père la hantaient ; elle savait qu'elles contenaient une part de vérité. Elle voulait découvrir ce qui était arrivé à Tommy Cruz au moins autant pour des motifs d'ambition professionnelle que pour aider les parents de ce pauvre gosse à retrouver la paix de l'âme. Elle ne s'en vantait pas mais c'était un fait.

Quel sentiment complexe que l'ambition ! Elle vous propulsait en avant, vous stimulait, vous forçait à vous accomplir. Cependant, ses répercussions ne se révélaient pas toutes positives. Parfois, vous ne pouviez prévoir ce qu'elle risquait de générer autour de vous, en bien ou en mal.

Laura ne voulait blesser personne. Toutefois, même si elle avait voulu faire demi-tour maintenant, ce n'était plus possible.

Un coup frappé à la porte lui signala l'arrivée de Matthew. Son sourire s'évanouit dès qu'il perçut l'expression de Laura.

— Pourquoi faites-vous cette tête ? demanda-t-il.

— Je m'apprêtais à téléphoner aux Cruz pour tenter d'arranger un rendez-vous. Ça me dégoûte.

Laura soupira et, les coudes posés sur le bureau, plongea le visage dans ses mains ouvertes.

— Je peux m'en charger, si vous voulez.

Elle releva les yeux, fortement tentée de saisir sa proposition. « Non, ce serait lâche. »

— Merci, Matthew, mais je dois le faire moi-même.

88

Marta Cruz replaça le combiné sur son support mural et se laissa tomber sur une chaise de cuisine.

« Ce cauchemar allait-il finir un jour ? »

Elle avait remarqué que Laura Walsh s'était sentie mal à l'aise durant leur conversation. Pas assez néanmoins pour renoncer à son projet d'interview.

Laura avait déclaré qu'elle comprenait combien ce serait douloureux pour eux. Qu'en savait-elle vraiment ? Seuls des parents qui auraient vécu le même drame pourraient avoir une idée de leur chagrin. Il était possible d'apprendre à vivre avec la douleur. Toutefois, elle ne disparaissait jamais.

Se forçant à se ressaisir, Marta se leva et ouvrit le réfrigérateur pour préparer le déjeuner de Felipe. Ayant sorti les poivrons, elle en ôta le cœur et les grains, en se demandant ce qu'elle gagnerait à parler à Laura Walsh.

Felipe et elle s'étaient promis, maintenant qu'on avait retrouvé Tommy, d'essayer réellement d'oublier cette histoire. Ils devaient profiter du restant de leurs jours du mieux qu'ils pouvaient. Pourquoi donc tout remettre sur la table, retourner une nouvelle fois le couteau dans la plaie ? Ils avaient besoin de s'en guérir.

Et si, cependant, comme Laura l'avait suggéré, leurs souvenirs pouvaient finalement permettre de résoudre l'énigme du meurtre de leur fils ? Y avait-il quelque part un monstre en liberté, capable de faire à un autre petit garçon ce qu'avait subi le leur ? N'avait-elle pas, avec son mari, l'obligation morale de tout mettre en œuvre pour préserver la vie d'autres enfants ?

Marta éplucha un oignon blanc. En le coupant en lamelles, elle se mit à pleurer. Bonne excuse pour verser des larmes.

89

Après les résultats du basket qui clôturaient le journal du soir, Kitzi ne put attendre. Pendant qu'elle prenait son manteau de fourrure dans le placard, Missy, impatiente de sortir, gratta contre la porte. Kitzi accrocha la laisse au collier du caniche.

Dans l'ascenseur, elle se demanda à quelle heure tardive rentrerait Joel.

Claire, sa secrétaire, avait appelé pour signaler que l'émission du lendemain soir était loin d'être prête et que Joel ne savait à quelle heure il serait de retour,

Kitzi doutait que l'idée de la faire prévenir ait pu germer dans l'esprit de Joel. La secrétaire était au courant de la façon dont il traitait son épouse. Apitoyée par ce manque d'égards envers une autre femme, Claire avait sans doute pris l'initiative d'appeler Kitzi pour l'avertir du retard de son mari.

Missy trottait de ses petites pattes sur le marbre du hall. Le concierge les salua au passage.

— Il fait très froid, madame Malcolm, et il y a du verglas. Soyez prudente !

Kitzi approuva de la tête et sortit dans la nuit glaciale.

90

« Ça devrait aller sans problème. »

Dieu merci, la plupart des êtres humains avaient leurs petites habitudes. Cependant, Kitzi avait menti à la télévision en déclarant qu'elle promenait son caniche tous les jours. Les trois derniers soirs, elle ne l'avait pas fait. Son assassin avait cette toux sèche et opiniâtre pour le prouver.

Bien entendu, la cigarette n'arrangeait rien.

Il fallut attendre dans l'obscurité, en plein frimas, que Kitzi sorte avec Missy, la petite compagne frisée qu'elle avait tenue sur ses genoux pendant l'interview.

Et observer la forme féminine enveloppée dans son vison qui avançait prudemment sur l'asphalte gelé du trottoir de la Cinquième Avenue, évitant les plaques de glace, puis tournait dans une rue transversale plus tranquille, le caniche tirant sur sa laisse.

Traverser ensuite la large chaussée et suivre sa cible, les doigts serrés sur le manche du cutter, lisse et chaud au toucher, au fond de la poche du caban en poil de chameau.

Marcher à grands pas pour rattraper sa proie.

Lire, enfin, la panique dans ses yeux, au moment où Kitzi réalisait ce qui lui arrivait.

Maintenant, c'était réglé. Le témoin oculaire ne parlerait plus.

Il n'y avait aucune raison de tuer le petit animal frisé.

91

Mardi 18 janvier

La sonnerie stridente du téléphone perça les ténèbres, tirant Joel d'un mauvais sommeil. Il tâtonna à la recherche de l'interrupteur de la lampe de chevet.

Trois heures du matin. Et il n'était couché que depuis une heure.

Il ne sentit pas la présence de Kitzi à ses côtés. Il ne s'en alarma pas le moins du monde. Sa femme avait pris depuis des mois l'habitude de dormir dans l'autre chambre. Cette nuit, lorsqu'il était rentré des studios, il n'avait pas jugé utile d'entrouvrir la porte de la chambre d'ami. Il n'avait aucune envie de coucher avec elle non plus.

La sonnerie insistante se poursuivit. Il décrocha.

— Oui ?

— Monsieur Malcolm, je... C'est Martin, le concierge. Je suis désolé de vous déranger à une heure aussi tardive.

— J'espère que vous ne m'appelez pas pour rien, grommela Joel.

— Monsieur Malcolm, je crois qu'il faut que vous descendiez tout de suite. Il y a eu un...

La voix du concierge se fit inaudible, et Joel perçut l'aboiement du petit chien près de lui.

— Parlez plus fort, bon sang ! De quoi s'agit-il ?

— Un accident, monsieur Malcolm. Il y a eu un accident. Venez immédiatement, je vous en prie.

92

À Key Television, on ne parlait que de cela.

Le corps de Kitzi Malcolm avait été retrouvé dans une petite rue transversale, non loin de son domicile de la Cinquième Avenue, grâce à un passant attiré par les jappements répétés de Missy.

Le personnel des *news* était plus abasourdi encore par la rumeur qui se répandait dans ses locaux : Joel Malcolm s'était retranché dans son bureau pour préparer la prochaine édition de « Plein Cadre », qui allait être diffusée dans la soirée. Même le plus blasé des journalistes était stupéfait qu'il soit au travail, quelques heures seulement après la découverte du cadavre de sa femme.

D'une manière ou d'une autre, Joel avait eu la présence d'esprit d'appeler l'équipe de permanence au service des Informations de Key News pour faire partir sur-le-champ une équipe vidéo.

Dans les salles de montage, on visionnait plan par plan les cassettes tournées sur le lieu du crime. Matthew et Laura se trouvaient réquisitionnés pour collaborer à cette tâche.

La bande qui défilait sur le moniteur fascina Laura. Il faisait encore nuit au moment où les caméras étaient arrivées sur place. Laura reconnut la clarté des puissants projecteurs alimentés par des batteries. Un cordon de plastique jaune et noir interdisait l'accès au périmètre immédiat du cadavre.

Sur la bande-son, Laura reconnut aussitôt la voix qui aboyait aux policiers : « Comment cela, les caméras ne sont pas autorisées à pénétrer à l'intérieur de ce périmètre ?

Il s'agit de ma femme, bordel de Dieu ! J'ai le droit d'enregistrer la scène. Je l'exige ! »

De toute évidence, les policiers ne cédaient pas, puisqu'elle entendit ensuite Joel indiquer au cadreur de zoomer le plus possible vers le fond de la rue. Laura vit alors la scène se rapprocher.

Des agents de police et des enquêteurs étaient rassemblés autour d'un lourd camion-benne vert garé tout au fond. La caméra fit un plan d'ensemble centré sur le véhicule. À l'arrière du camion, un peu en dessous de lui, s'étendait la bâche de plastique jaune recouvrant le corps de Kitzi Malcolm.

Laura perçut de nouveau la voix de Joel.

« Ils ne peuvent pas m'empêcher d'y aller. Je suis son mari. »

L'objectif changea de focale, le cadre s'élargissant pour capter l'image de Joel, qui avait franchi le cordon jaune et avançait d'un air important vers le bout de la rue. Il fonça tout droit vers la bâche de plastique et, avant que les policiers aient pu faire quoi que ce soit, il la rabattit pour découvrir le visage de sa femme.

Laura entendit le cameraman jurer en zoomant avec fébrilité sur la tête de Kitzi Malcolm.

Elle eut envie de vomir.

— Arrête la bande, dit-elle à la monteuse.

Le visage ensanglanté de Kitzi s'étalait sur l'écran du moniteur,

— Ce type n'est qu'une brute, siffla Matthew entre ses dents, et il palpa le tissu de sa veste, pour vérifier la présence de ce dont il avait besoin.

250

93

Laura referma la porte de son bureau derrière elle, se dirigea vers le téléphone et fit machinalement défiler les messages du répondeur vocal.

« Laura ? C'est moi, Francesca. J'ai repensé à l'offre que tu m'as faite de venir vivre m'installer chez toi. Si elle tient toujours, j'accepte ta proposition. Je veux avoir quitté l'appartement à la fin du mois. D'ici là, je n'aurai pas le temps de trouver un nouveau logement. Merci beaucoup, ma chérie. Appelle-moi quand tu peux. *Adiós, amiga.* »

La jeune femme tapota les touches de son téléphone. Enfin une bonne nouvelle.

Francesca décrocha à la deuxième sonnerie.

— *Mi casa es su casa, mi amiga.*

— *Gracias, gracias, gracias !* répondit son amie dans un rire. Je vois que les moments que tu passes à East Harlem profitent à ton espagnol !

— Ne te moque pas. Après ce qui s'est passé aujourd'hui, je ferais aussi bien de quitter ce business malsain pour me chercher un job de professeur dans le quartier.

— Ma chérie, tu as tant d'argent, désormais, que tu peux te permettre de suivre toutes les envies de ton petit cœur !

— Exact, admit Laura. Tu ne vas pas croire la dernière folie qui nous est arrivée, ici.

En soupirant, elle décrivit à Francesca les images qu'elle venait de voir, avec la prestation de Joel.

— Ce mec est complètement dérangé. Mais je crois que je vais quand même regarder l'émission de ce soir.

— C'est cela, le problème, Francesca. Tu vas être devant ton poste, comme des millions d'Américains. Le taux d'audience va crever le plafond. Et tout va continuer sur ce rythme.

94

— Vous ne devriez pas rester seule, ce soir, insista Matthew, Pourquoi ne pas venir chez moi, nous regarderons l'émission ensemble. Je vais commander une pizza, mettre deux ou trois bières au frais, et nous pourrons nous lamenter sur nos sordides petites vies.

Après quelques secondes d'hésitation, Laura accepta.

Elle passa ensuite à son appartement pour prendre une douche et se changer, Elle se sentait sale, fatiguée et effrayée.

« Le meurtre de Gwyneth. Et maintenant, celui de Kitzi Malcolm, son témoin oculaire. » Elle frissonna en entrant dans la douche, sous le jet brûlant. Heureusement, Francesca avait accepté de venir vivre avec elle dans l'ex-appartement de Gwyneth. Après ce qui s'était passé, elle doutait d'avoir le cran de s'y installer seule. Son minuscule logement de la tour Cromwell lui parut tout à coup un havre de paix, et la présence de ses voisins, les Pilsner, lui sembla rassurante, même si elle ne les connaissait pas.

Elle s'essuya, passa un pull à col roulé, enfila son jean préféré et une paire d'épaisses socquettes de coton blanc. Elle était trop fatiguée pour se remaquiller. Matthew devrait l'accepter telle qu'elle se présenterait devant lui, *au naturel*.

Hélant un taxi devant son immeuble, elle indiqua au chauffeur hispanique l'adresse de Matthew, dans l'East Side. Alors qu'ils traversaient Central Park, elle lut le nom du conducteur sur la plaque de sa licence, apposée au dos de son siège.

José Rios. Joe Rivers, s'amusa-t-elle à traduire en elle-même, songeant aux leçons d'espagnol de son petit professeur. La pensée qu'il y avait Jade dans sa vie la réconforta. Elle s'évadait grâce à l'enfant d'un travail qui la mobilisait trop. Il lui fallait une vie plus équilibrée.

Matthew pourrait être celui qui l'aiderait. Si du moins elle lui en laissait la possibilité.

La pizza était prête lorsque Laura fit son apparition. Ils mangèrent, burent leur bière de bon cœur, se lançant des plaisanteries macabres sur Joel et Key News pour détendre l'atmosphère avant le début de l'émission.

Laura consulta sa montre.

— Où est la télécommande ? « Plein Cadre » va commencer !

Matthew afficha tout à coup une expression de défi.

— Qu'est-ce qu'il y a ? demanda Laura.

— Et si on jouait les vilains rebelles ? proposa-t-il.

Laura s'immobilisa.

— Ne regardons pas ce foutu show, Laura.

Ses yeux brillaient d'une joie espiègle.

Laura ne put retenir son rire.

— C'est une plaisanterie, non ?

Matthew marqua un temps d'arrêt, comme s'il réfléchissait.

— Non, pas du tout. Nous avons déjà tout vu. Pourquoi nous l'infliger une nouvelle fois ? De plus, la tentation de se soustraire au chef-d'œuvre journalistique de Joel séduit l'hérétique qui dort en moi !

Matthew se leva et vint s'asseoir sur le canapé au côté de Laura.

— Je pensais à une autre façon de passer la soirée, bien plus intéressante pour nous deux.

Il se pencha vers elle et embrassa doucement ses lèvres. Puis, il fixa son visage et caressa ses brillants cheveux blonds.

— Tu es encore plus belle sans maquillage, murmura-t-il.

Il écarta sa frange et déposa un baiser sur la fine cicatrice qui barrait son front.

— Alors ? On la regarde ou non ?

Dès cet instant, ils n'accordèrent plus aucune attention à la télécommande.

Quand, au petit matin, Laura se réveilla entre les bras de Matthew, elle lui avait raconté pendant la nuit la plus grande partie de son enfance et de sa jeunesse auprès d'Emmett.

95

Mercredi 19 janvier

Une simple poussée du haut d'un toit, une paire de ciseaux plantée dans le cou, un coup de cutter à la gorge. Comme il était facile de tuer ! Il suffisait d'ouvrir les yeux et de faire attention. Les médias offraient plein d'idées.

Ce matin, par exemple, les journaux avaient raconté l'histoire d'une étudiante morte après avoir absorbé à son insu une dose de GHB, la « drogue des violeurs ». Il s'agissait d'un poison violent qui paralysait le système nerveux central. Comme le GHB rendait souvent inconscient pendant les premières minutes de son absorption, il était utilisé par des « prédateurs sexuels » qui versaient la drogue dans le verre de leur victime.

L'article expliquait que le GHB, ou gamma-hydroxybutyrate, était incolore, sans odeur et sans goût. Si le produit, en toute petite quantité, provoquait euphorie et hallucinations, un dosage légèrement supérieur rendait inconscient ou causait des troubles respiratoires, voire entraînait la mort en quelques minutes. Après avoir ingéré une dose létale de GHB, la jeune fille de seize ans dont il était question était tombée dans le coma, puis décédée.

La drogue se diffusait très vite dans le sang et sa présence se révélait extrêmement difficile à détecter à l'autopsie.

« Parfait. »

Pour couronner le tout, le toxicologue cité par le journal indiquait ensuite que l'on pouvait facilement se procurer une recette pour synthétiser le GHB en cherchant sur Internet.

« Et c'est parti pour un petit tour sur le Web ! Juste au cas où. »

96

Il avait longtemps évité cette corvée, mais il s'apprêta à feuilleter l'album de souvenirs que leur avait confié Emmett Walsh. Après leur nuit, il se dit qu'il devait s'y mettre. Quoiqu'il ne se fût pas ouvert à elle de ses inquiétudes, il craignait pour leur sujet sur Palisades Park.

Ils n'avaient tout simplement pas assez de matière. Il souhaita trouver des éléments intéressants dans l'album, mais il n'y comptait pas trop.

Matthew étudia soigneusement les photographies contrecollées sur l'épais papier noir. Il y avait des images du Cyclone, pris sous tous les angles. Le père de Laura devait être réellement tombé amoureux des vieilles montagnes russes.

C'était drôle, le peu qu'ils avaient en commun, pour autant qu'il ait pu les observer. Et, physiquement, elle ne lui ressemblait pas non plus. Elle devait tenir davantage de sa mère.

Matthew continua à feuilleter l'album de souvenirs. Emmett était visiblement un collectionneur acharné : il avait gardé des couvercles de boîtes d'allumettes à l'emblème du parc, des coupons de réduction, des tickets de manèges ou d'attractions, de vieux autocollants. Les graphistes pourraient peut-être en tirer quelque chose. Il marqua plusieurs pages à l'aide de Post-It jaunes.

À la fin de l'album, il trouva encore d'autres photographies, dont plusieurs images prises lors de spectacles offerts gratuitement aux visiteurs du parc. Il reconnut sans peine Diana Ross et les Supremes, et les Jackson Five.

Sur la dernière page était fixée une ultime photo des montagnes russes, devant lesquelles posaient un jeune homme et une jeune fille, bras dessus bras dessous. Matthew cligna des yeux, certain que le garçon aux cheveux sombres n'était autre qu'Emmett plus jeune. La jeune fille avait de longs cheveux sombres, séparés par une raie au milieu. Si c'était la mère de Laura, d'où cette dernière tenait-elle donc sa chevelure blonde ?

Il se promit d'interroger Laura. Il avait tant de choses à lui demander.

97

Jeudi 20 janvier

Avant d'aller au travail, Laura fit halte à la laverie, où elle punaisa une petite annonce pour mettre en vente l'essentiel de ce que contenait son ancien appartement. Elle ne prévoyait de transférer dans son nouveau logement que ses vêtements, ses livres, son micro-ordinateur et quelques posters encadrés.

Elle aurait voulu contacter Délia, pour lui annoncer que Francesca et elle viendraient dimanche apporter quelques affaires, mais la bonne était apparemment déjà partie vers d'autres cieux. Laura ne pouvait pas lui en vouloir. Après avoir pris connaissance du legs de Gwyneth, Delia s'était sûrement sentie dégoûtée.

Elle avança à pas rapides sur le trottoir de Broadway, ne s'arrêtant que pour acheter une douzaine de roses jaunes chez un épicier coréen. Elle ne les paya pas moins de six dollars. Laura pouvait désormais se permettre de faire des folies. Mais elle n'arrivait toujours pas à réaliser qu'elle n'aurait jamais plus aucun souci d'argent.

Elle n'était pas pour autant délivrée de toutes ses inquiétudes. « La vie est comme ça », songea-t-elle. La date de bouclage de leur sujet sur Palisades Park approchait dangereusement et ils étaient encore loin du compte.

Les parents de Tommy Cruz n'avaient pas encore répondu à sa demande d'interview. Elle ne souhaitait pas les harceler ; cependant, elle allait devoir les appeler dans la journée, pour connaître leur décision.

Il fallait encore dénicher en Floride ce flic à la retraite pour l'interroger à propos de ses souvenirs d'enquête.

Et la crainte que son père ait pu se trouver mêlé à ce qui s'était passé trente ans plus tôt ne cessait de la tarauder.

Dieu merci, Matthew travaillait sur l'affaire, à ses côtés.

98

— Viens, je t'emmène déjeuner. Nous devons fêter quelque chose !

Laura se tenait sur le seuil du bureau de Matthew, un grand sourire aux lèvres.

Il leva les yeux vers elle, ravi et surpris.

— Laisse-moi deviner... Notre soirée ensemble ?

— Chut ! fit-elle en pénétrant dans la pièce. Pas besoin de mêler toute la rédaction à nos affaires !

— Je me fiche qu'ils le sachent.

Il lui sourit.

— Et même, précisa-t-il, j'en serais plutôt fier. De toute façon, ici, tout finit par se savoir.

— Gardons-le au moins pour nous aussi longtemps que possible, d'accord ?

Laura lui mit la main sur l'épaule ; elle sentit sa force sous la chemise.

— Entendu, si tu le vois ainsi ! approuva-t-il en faisant un effort pour se retenir de la prendre dans ses bras. Mais que veux-tu donc célébrer ?

— J'ai des nouvelles des Cruz : ils acceptent l'interview ! J'ai tout mis en place, pour lundi matin.

99

Au grill de la cafétéria, Mike Schultz commanda un cheeseburger et une portion de frites géante. « Que les docteurs aillent se faire foutre ! »

Il paya son repas, se fraya un chemin dans la salle bondée à la recherche d'une place libre, et en dénicha bientôt une dans un angle. Habituellement, il emportait son repas et l'engloutissait dans son bureau, au prix d'une demi-douzaine d'interruptions. Aujourd'hui, il avait besoin de s'asseoir vingt minutes, de se relaxer.

À la maison, ça allait plutôt mal. Il s'inquiétait au sujet de Nancy. Elle se montrait si négative, si déprimée en permanence.

Ils avaient effectivement des soucis financiers. Toutefois, rien de dramatique. Leurs trois gosses étaient adorables. Ils étaient tous les cinq en bonne santé. N'était-ce pas ce qui importait ?

Il perdait patience vis-à-vis de sa femme. En rentrant chez lui, après une journée stressante à Key News, il espérait trouver le calme et la tranquillité. Au lieu de quoi Nancy gémissait devant lui, à propos de tout ce qu'elle aurait voulu faire dans la journée, mais n'avait pas su accomplir. Dans ces moments-là il aurait voulu la secouer un bon coup.

Pourquoi était-elle si malheureuse ?

Il lui restait quelques jours de congé à prendre. Il pourrait peut-être réserver deux billets d'avion pour la Floride et ils partiraient une semaine au soleil. Rien qu'eux deux.

Bien entendu, Nancy déclarerait qu'il n'était pas question d'abandonner les gosses. De ça aussi, Mike allait devoir s'occuper. Il appellerait les parents des meilleurs copains des trois enfants et leur demanderait de les prendre chacun deux jours. Les Schultz auraient sans doute l'occasion de leur rendre la pareille,

Oui, quelques jours à se dorer la pilule pourraient faire le plus grand bien à leur couple,

Mike mâchonna son cheeseburger en mettant au point son plan, sans remarquer Matthew et Laura qui venaient dans sa direction, plateaux repas en mains.

— Hello, Mike ! Peut-on s'asseoir à côté de toi ?

D'un geste de sa large main, Mike les invita à prendre place.

— Je vous en prie !

Tandis qu'ils déposaient leurs plateaux sur la table, Mike émit un petit rire,

— Vous devez vous sentir fous furieux, après ce qui s'est passé !

Ses deux compagnons gémirent à l'unisson.

— Comment Joel fait-il pour tenir le coup ? s'interrogea Mike, plongeant une poignée de frites dans le ketchup avant de les avaler goulûment.

— Pas trop mal, pour un type qui vient de perdre sa femme.

Matthew secouait la tête d'un air de dégoût.

— Tu connais sa devise : « Que le spectacle continue ! »

— Hélas ! Sinon, rien de nouveau, du côté de l'enquête sur le meurtre de Kitzi ?

— Non, pas que je sache, déclara Laura en ouvrant un sachet de moutarde forte. Enfin, connaissant Joel, il va sans doute trouver du neuf pour l'émission de la semaine prochaine.

Mike poussa un long soupir.

— Bon sang, j'avoue que, malgré la façon écœurante dont m'a traité Joel, ce fut une bénédiction que de me faire virer de « Plein Cadre ». Sans le vouloir, Gwyneth et Joel m'ont accordé une faveur !

— Tu ne m'as jamais vraiment raconté ce qui s'était passé, Mike, glissa Laura. Et je n'ai pas osé te le demander, jusqu'ici.

Mike hocha la tête en se tournant vers Matthew.

— Il pourrait te le dire. N'est-ce pas, Matthew ?

Mike n'attendit pas la réponse.

— J'en ai été malade, dit-il en se levant de table. Bon, il faut que je remonte.

100

Vendredi 21 janvier

L'officier de police à la retraite Ed Alford vidait une valise de vêtements lorsque retentit la sonnerie du téléphone dans sa résidence d'Ocean Ridge, Floride.

— Monsieur Alford ?

— Je vous écoute.

— Monsieur Alford, mon nom est Laura Walsh. Je suis productrice à Key News. Je travaille actuellement sur un documentaire d'enquête, et vous pourriez peut-être m'aider.

À travers la fenêtre de sa chambre, Alford fixa la vue imprenable sur la côte.

— De quoi s'agit-il ? demanda-t-il d'un ton brusque.

Il n'avait aucune intention d'accepter quoi que ce soit avant de savoir au juste ce qu'elle voulait.

— La disparition de Tommy Cruz. Ses restes ont récemment été mis au jour, trente ans après.

— Ah oui ! J'en ai entendu parler.

— D'après ce que j'ai compris, vous aviez participé à l'enquête ? commença-t-elle.

— C'est exact,

— Eh bien, j'aimerais vous interviewer à propos de cette affaire, pour l'émission « Plein Cadre ». Vos impressions, vos souvenirs, etc.

Alford triturait le cordon du téléphone.

— Je ne sais pas.

Sa voix était fuyante. Il reprit :

— Que dit la police de Cliffside Park ?

— Pas grand-chose, avoua Laura avec franchise. Ils déclarent éviter tout commentaire au sujet des enquêtes qu'ils mènent.

— Ça paraît sensé, vous ne trouvez pas, mademoiselle Walsh ?

Laura ignora la remarque.

— Nous voudrions vous interroger sur ce qui s'est produit *autrefois*. Sur ce que pensait alors la police.

— Je ne pourrais parler qu'en mon nom. Et ne rapporter que mes convictions d'il y a trente ans.

— Ce serait parfait, assura Laura, pleine d'espoir. Quel fut votre sentiment, après les faits ?

— Évidemment, nous n'avons pas pu le prouver, à l'époque. Mais après de nombreux entretiens avec ses parents, ses voisins, ses professeurs, je savais que le garçon n'était pas un fugueur. Mon instinct me disait que Tommy Cruz était mort à Palisades Park. J'en étais convaincu.

— Seriez-vous disposé à le répéter devant une caméra ?

Alford réfléchit quelques secondes. « Pourquoi pas ? »
Il ne gênerait pas l'enquête actuelle, de toute façon.

— Il faudra que l'entretien se passe ici. Ma femme et
moi redescendons à peine de l'État de New York. Nous
sommes allés rendre visite à mon fils, ma belle-fille et nos
petits-enfants ; ils vivent à Long Island.

« Voilà pourquoi on ne pouvait pas le joindre », songea
Laura. Dommage qu'elle n'ait pas su qu'il se trouvait si
près d'elle.

— Très bien, monsieur Alford. Nous viendrons à vous.

101

Nancy Schultz remua dans la casserole la soupe de
nouilles au poulet achetée en conserve. Elle avait l'impression de devenir folle.

Brian était rentré de l'école avec un refroidissement. La
semaine précédente, c'était Aaron. La semaine prochaine,
ce serait le tour de Lauren, si la logique était respectée.

Elle aimait ses enfants. Évidemment. Mais devoir
rester cloîtrée chez elle à cause d'eux, cela lui tapait sur
les nerfs.

Nancy contempla le paysage grisâtre à travers la vitre.
Sans doute devait-elle accepter la suggestion de Mike et
aller faire un tour avec lui en Floride. Il avait raison. Il fallait qu'il fasse une pause, pour couper le stress du bureau.
Elle aussi avait besoin d'une pause, en tant que mère au
foyer surchargée.

À titre d'illustration, Brian l'appela d'une voix plaintive depuis le salon où il regardait la télévision, enroulé dans un édredon.

— J'arrive dans une seconde, mon chéri, soupira-t-elle.

Elle versa la soupe dans un bol, le posa, à côté d'une cuillère, sur le plateau où elle avait arrangé un napperon, et l'apporta à son fils de six ans.

— Je m'ennuie, maman, gémit Brian d'une voix enrouée.

— Mange ta soupe, mon lapin. Tu te sentiras mieux.

— Mais je n'ai rien à faire. Je voudrais m'amuser à un jeu ! supplia-t-il.

Génial. Il allait falloir le distraire par l'un de ces jeux à n'en plus finir. Son cerveau allait se racornir encore davantage.

— Tu sais quoi, lui répondit Nancy, résignée, en se dirigeant vers le coffre à jouets. Dès que tu auras fini ta soupe, on va faire une partie de « Casper le Gentil Petit Fantôme ».

Le jeu préféré de Brian.

102

Samedi 22 janvier

La mère de Jade avait appelé Laura pour lui demander si l'on pouvait décaler la séance de tutorat dans l'après-midi. Laura avait accepté, profitant de la matinée pour aller chercher à la supérette des cartons vides, dans lesquels elle avait rangé ses livres et ses sous-verre, en prévision de leur transport dans son nouvel appartement des beaux quartiers.

Jade revenait d'un anniversaire où elle s'était gavée de sucreries. Elle était tellement surexcitée que Laura passa rapidement des leçons à sa version spéciale de *Jeopardy* !

— « Quand il était petit, on se moquait de lui parce que sa mère n'était pas mariée au moment de sa naissance. En 1971, il a fondé une organisation nommée Opération PUSH, qui se battait pour l'égalité de tous. Il a tenté une fois d'être le candidat démocrate à la Maison-Blanche, et il a dirigé la Rainbow Coalition. »

— Jesse Jackson ! hurla Jade.

— Chut, Jade ! Inutile de crier. Mais la réponse est bonne.

— Encore une, Laura. S'il te plaît, encore une ! demanda Jade, qui y prenait visiblement plaisir.

— OK, concéda Laura en cherchant dans ses cartes de questions-réponses. En voilà une, « Il a commencé sa carrière de base-ball dans la Negro League, au temps où les Noirs n'étaient pas autorisés à jouer avec les Blancs. Cependant, il a terminé sa carrière à New York, chez les Giants, puis chez les Mets. »

Jade fronça les sourcils. Elle ne connaissait pas la réponse.

— Willie Mays, fit Laura à sa place.

Jade prit un air affligé, contrairement à son habitude.

Laura jeta un regard à sa montre et se rendit compte quil restait encore plus d'une heure avant que Myra vienne reprendre sa fille. Elle n'espéra pas tirer davantage de son élève, visiblement fatiguée.

— Et si on allait faire une balade ? proposa-t-elle.

— Quel genre de balade ? interrogea la petite fille en se ranimant.

Laura réfléchit vite.

— Si l'on allait marcher un peu dans ton quartier ? Tu me ferais visiter.

— Tu veux dire que je serais ton guide ? demanda Jade, dont l'entrain revenait.

— Oui. D'ac'?

Elles revêtirent leur parka, nouèrent leur écharpe et enfilèrent leurs gants de laine. En sortant du bâtiment du centre d'entraide sociale, Jade ouvrit la voie vers les blocs d'immeubles crasseux d'East Harlem. Les plaques de vieille neige sur le trottoir se teintaient de suie. Des ordures s'étalaient devant les entrées communes. Une voiture de police passa dans la rue à vive allure, toute sirène hurlante.

Une balade comme une autre.

Elles suivirent la 106ᵉ Rue vers l'ouest, Jade récitant les noms de quelques-uns des habitants des immeubles fatigués aux murs écaillés. Un chien pelé, de race incertaine, divaguait sur la chaussée. Laura entraîna Jade plus loin.

Lorsqu'elles atteignirent Lexington Avenue, Laura songea à faire demi-tour pour rentrer.

— Si on allait à Central Park ? pressa Jade. De là, on pourrait revenir au point de départ.

Elles obliquèrent et marchèrent le long d'un nouveau bloc d'immeubles, en meilleure condition celui-ci, au soulagement de Laura. Avant de déboucher sur Park Avenue, elles passèrent devant une grande église de brique, surmontée de trois arcades géantes. « Paroisse Sainte-Cécile » lut Laura sur le fronton. Il y avait la même inscription à côté, en espagnol : « *Parroquia Santa Cecilia* ». La jeune femme déchiffra une phrase inscrite plus bas, dans les deux langues : « Comme Dieu fut bon ! » et « *Que bueno ha sido Dios !* »

— Tu veux entrer ? proposa Jade. Moi et maman, on y va souvent.

— Il faut dire : maman et moi y allons souvent, corrigea machinalement Laura, tandis que l'enfant poussait le battant de l'une des lourdes portes d'entrée, qu'un mendiant l'aida à ouvrir.

Il n'y avait qu'une douzaine de personnes à l'intérieur, éparpillées sur les bancs. Bien que Laura, à sa honte, ne soit pas allée à la messe depuis une éternité, elle reconnut les gestes de l'eucharistie célébrée par le prêtre. Se dirigeant en silence vers l'une des nefs latérales, Jade et Laura se glissèrent dans une rangée vide et s'agenouillèrent suivant l'exemple des autres.

Laura se sentit apaisée par l'enchaînement des répons, entre le prêtre et le chœur des fidèles. Puis l'ecclésiastique rompit l'hostie en fragments au-dessus d'un calice.

— « *Cordero de Dios, que quitas el pecado del mundo, ten piedad de nosotros.* »

« *Cordero de Dios, que quitas el pecado del mundo, ten piedad de nosotros.* »

« *Cordero de Dios, que quitas el pecado del mundo, danos la paz.* »

Laura se sentit rassérénée lorsqu'elle traduisit mentalement :

— « Agneau de Dieu, qui enlève les péchés du monde, donne-nous la paix »

— « *Cordero de Dios...* »

103

Un film et un bon restau italien. Pour Laura, cela faisait une excellente sortie à deux pour un samedi soir. Si du moins Matthew était bien la bonne personne.

— Laisse-moi te donner un coup de main pour déménager tes affaires demain, insista-t-il alors qu'ils s'attardaient devant un expresso.

Laura accepta volontiers, plus pour l'occasion d'être avec lui que par besoin d'aide.

— Nous devons faire attention, tout de même. Nous risquons de nous lasser d'être toujours ensemble.

— Je ne serai pas le premier à m'en plaindre. Tu es si bonne pour moi, Laura.

Matthew contempla l'adorable visage encadré de cheveux blonds qu'illuminait la bougie à leur table. Il était parfaitement conscient de n'avoir pas pris un seul Valium depuis le début de la journée. D'un air dégagé, il tendit sa carte American Express au serveur.

— On y va ?

— Hmm hmm.

La température était étonnamment douce pour un soir de janvier. Ils entamèrent une promenade tranquille, main dans la main, passant près du Lincoln Center scintillant de lumière, longeant les murs du Metropolitan Opera et ses fresques de Marc Chagall. Quelle chance d'avoir tout ceci autour de soi !

Mue par une impulsion, Laura se tourna vers Matthew.

— Veux-tu voir mon nouvel appartement ?

Un large sourire se dessina sur son visage.

— J'en meurs d'envie.

Ils avancèrent en flânant jusqu'à la nouvelle adresse de Laura, sur l'élégante avenue de Central Park West.

Matthew sifflotait lorsqu'ils sortirent de l'ascenseur pour pénétrer dans le grand vestibule. Le lustre aux cent cristaux éclaira leur chemin jusqu'au living-room. Rehaussées par la brillante lumière qui se déversait des appliques en forme de coquillages et des lampes de porcelaine, les riches nuances rouge et bleu du tapis persan couvraient presque entièrement le parquet. Un somptueux panneau oriental ajouré décorait un mur, faisant face à un grand papier découpé de Matisse. Le luxueux mobilier avait été disposé dans la pièce par un décorateur expert.

— Seigneur ! s'exclama Matthew. Le soir de la réception, il y avait tellement de monde que je n'avais pas pu saisir toutes ces splendeurs !

— Incroyable, non ? demanda Laura, Et si peu dans mon style.

— Tu t'y habitueras peut-être, non ?

— Je l'ignore.

Elle haussa les épaules, incertaine.

— Mais il y a quelque chose au moins que je souhaiterais garder.

Elle le prit par la main, le conduisit jusqu'à la baie vitrée, et ils admirèrent, se tenant par la main, le ciel piqueté d'étoiles.

Ce fut la première nuit que Laura passa chez elle, et elle n'éprouva aucune crainte.

104

Au moment où arriva Francesca, en début d'après-midi, Laura et Matthew avaient déjà fait deux allers-retours à l'ancien appartement. Ils sortaient des livres des cartons pour les ranger sur les étagères de la bibliothèque lorsque le concierge annonça Mlle Lamb.

Tandis que Laura lui présentait sa meilleure amie, Matthew étudia son visage. Il parut troublé.

— Il me semble vous reconnaître, dit-il en détachant ses mots. Nous serions-nous déjà rencontrés ?

— Je ne le pense pas, répondit Francesca en souriant. Je me serais souvenue de vous. Je suis très heureuse de faire votre connaissance, Matthew. Laura m'a beaucoup parlé de vous.

Matthew réalisa soudain que Francesca ployait sous un lourd paquet ; il lui prit des mains le moniteur qu'elle portait.

— Oh, excusez-moi, laissez-moi vous aider ! Où doit-on le mettre ?

— Tout ce qui est ordinateur va dans la bibliothèque, indiqua Laura.

— Il est mignon, glissa Francesca à l'oreille de son amie lorsque Matthew se fut éloigné. Tout marche bien, entre vous ?

— À merveille. Je n'arrive pas à y croire.

Elles entendirent se rapprocher son pas.

— Bon, je crois qu'il vaut mieux que j'y aille, déclara Francesca en se dirigeant vers la porte. Je vous laisse tous les deux ensemble, ajouta-t-elle avec un clin d'œil à Laura.

— Attends, c'est ridicule, Francesca. Reste donc ! insista Laura.

Matthew joignit sa voix à la sienne, d'un ton sincère.

— Non, vraiment, j'ai à faire. Très heureuse de vous avoir rencontré, Matthew. Laura, je te rappelle plus tard !

Et elle disparut.

Ils retournèrent alors dans la bibliothèque, pour finir leur rangement.

— Je connais ce visage. Francesca Lamb.

Matthew réfléchit. En vain, il chercha dans sa mémoire.

— Elle a été mannequin, tu sais, observa Laura. Tu l'auras certainement vue dans une pub.

— Oui, tu as sans doute raison.

105

Profitant de ce bel après-midi de janvier, d'une grande douceur pour la saison, Roger Chiocchi décida d'emmener sa fille de six ans, Catherine, faire une petite promenade dans Central Park. Au moment de quitter l'appartement, il prit le frisbee dans la caisse à jouets.

Catherine était d'une nature si sérieuse, songea-t-il en serrant la petite main dans la sienne. Elle devait sortir un peu plus, courir, s'amuser et rire dehors, comme il le faisait étant enfant. Même s'il n'avait pas grandi dans cette ville, lui.

Ils traversèrent la chaussée de Central Park West et pénétrèrent dans le parc par la porte située à hauteur de la 72ᵉ Rue. De nombreux parents avaient eu la même idée. Le parc était rempli de familles, avec leurs poussettes et leurs chiens en laisse.

— Voyons si nous pouvons trouver un endroit dégagé pour lancer notre frisbee, proposa jovialement Roger.

La petite fille le suivit avec bonne volonté. Ils abordèrent pour finir un coin de pelouse vide, où l'herbe ne paraissait pas trop humide.

Roger fit pour sa fille la démonstration du geste du poignet permettant au frisbee de voler correctement. Mais Catherine se montra plus à l'aise pour courir chercher le disque de plastique que pour le lancer. Sans se démonter, il recommença son explication, jusqu'à ce que Catherine, graduellement, réussisse à attraper le coup.

— Très bien, ma chérie, prévint Roger en se reculant de plusieurs mètres. Je le lance, et toi, tu essaies de l'attraper !

Il envoya voguer le frisbee avec ce mouvement trop ample qu'il regretterait toujours, et le disque de plastique jaune passa au-dessus de la tête de l'enfant, pour atterrir dans le fourré.

— Je vais le chercher, papa ! cria Catherine, avide de retrouver le frisbee à demi dissimulé dans les broussailles.

— Attends, mon ange ! Laisse-moi faire ! Il y a des épines dans ces buissons.

L'enfant ignora l'avertissement de son père. Elle atteignit le fourré bien avant lui et s'agenouilla pour attraper son jouet.

Roger ne put jamais oublier le cri de sa petite fille lorsqu'elle toucha la botte du cadavre.

106

Son appartement était silencieux et tranquille. Mais en rentrant, Francesca remarqua avec inquiétude que la porte du placard du couloir était entrebâillée. Elle aurait juré l'avoir refermée après y avoir pris son manteau pour aller chez Laura.

Elle alluma l'électricité dans le living. Tout semblait comme elle l'avait laissé.

Elle gagna le réfrigérateur et se versa un verre de jus d'orange, puis ouvrit le bar et ajouta un doigt de vodka dans son verre, avant de se diriger vers sa chambre.

Les placards étaient ouverts, ici aussi.

Leonard était passé par là.

Son cœur battit à toute vitesse. Elle n'avait plus eu de nouvelles de lui depuis qu'elle lui avait annoncé qu'elle le quittait. Il n'avait pas appelé. Elle ne souhaitait pas le voir, n'ayant pas l'intention de revenir sur sa résolution.

Elle se demanda s'il s'était aperçu qu'il manquait certains de ses vêtements. Si oui, il avait dû être surpris car il ne la croyait sans doute pas capable de le quitter comme elle l'avait annoncé. Mais c'était bien ce qu'elle allait faire, se dit-elle avec satisfaction. Finalement, elle se montrait capable d'aller jusqu'au bout et elle s'en sentait fière.

La sonnerie de la porte d'entrée se fit entendre. Elle ne répondit pas, revint s'asseoir dans le salon et attendit, face à la porte.

Elle perçut le bruit des clés dans la serrure, regarda tourner la poignée ronde. Elle n'ouvrit la bouche que lorsqu'il poussa la porte.

— Hello, Leo.

Cueilli par surprise, il afficha une expression de stupeur.

— Où étais-tu passée ? Je te cherchais.

Francesca se pencha pour extraire une cigarette du paquet qu'elle avait laissé sur la table basse, l'alluma et souffla lentement la fumée.

— Je n'ai plus à te dire ce que je fais ni où je vais, Leonard.

— Allons, ma chérie, éteins cette cigarette. Tu sais que ce n'est pas bon pour ta santé, et tu risques de gâter ton allure. Arrêtons tout ce cirque, maintenant. Je crois qu'on est allés assez loin comme ça.

Lorsqu'il approcha, elle nota avec satisfaction que ses mains tremblaient. Il était hors de lui. Parfait. Elle se réjouit de l'avoir à son tour blessé.

Elle tira une nouvelle bouffée.

— Si tu veux vraiment savoir, j'ai commencé aujourd'hui à déménager mes affaires dans mon nouvel appartement.

Il ouvrit de grands yeux, se ressaisit et eut un méchant sourire à son adresse.

— Bien sûr. Et d'où vas-tu sortir l'argent pour payer ton loyer ?

— Je vais m'installer chez Laura. Dans l'appartement de Gwyneth Gilpatric. Celui-ci par comparaison me paraît désormais un taudis minable, tu dois t'en douter.

Le visage anguleux de Leonard s'assombrit sous l'effet de la colère. Il s'avança vers elle, lui cracha sa réponse :

— Personne ne peut me traiter de cette façon et s'en tirer sans mal, Francesca. Pas même toi. Tu m'appartiens. Tu vas bientôt le regretter. Je t'en fais la promesse.

Francesca remarqua la veine qui courait sur sa tempe, gonflée par la rage qui le saisissait ; elle l'écouta vider tout son fiel d'une voix courroucée.

— Vas-y, lance-toi, Francesca ! Essaie donc d'aller voir ailleurs. Tu reviendras te jeter à mes pieds, j'en suis absolument certain. Tu ne seras toujours que la maîtresse d'un autre. Tu n'es pas le type de femme que les hommes épousent. Et devine quoi, ma chérie ? Tu ne resteras pas éternellement belle. Je sais exactement à quoi tu ressembleras dans dix ou douze ans. Je peux le deviner d'après la structure de tes os. Ton visage va se défaire. J'ai vu des dizaines de fois se produire ce genre de choses. En fait, siffla-t-il pour conclure, j'ai déjà observé que ton cou commençait à s'épaissir.

Leonard tourna les talons et quitta l'appartement, claquant sans pitié la porte derrière lui, laissant Francesca effondrée se répandre en larmes sur le sofa.

107

Lundi 24 janvier

Matthew ayant d'autres tâches à effectuer pour « Plein Cadre », Laura dut interviewer les Cruz sans lui, ce qu'elle préférait. Elle voulait s'en occuper seule, cesser de se sentir chaperonnée en permanence,

Ce n'était pas que l'attention qu'il lui portait lui déplaisait, non. Mais, s'ils devaient avoir une relation sur un pied d'égalité, il fallait qu'elle gagne son estime en lui prouvant qu'elle pouvait se comporter en professionnelle compétente.

D'autre part, elle se félicitait aussi qu'il ne l'accompagne pas parce qu'elle voulait faire un détour, après l'interview des Cruz, pour aller parler à son père. Elle se ferait déposer chez lui par l'équipe technique et regagnerait Manhattan grâce aux transports en commun.

Felipe Cruz l'accueillit poliment à l'entrée de sa modeste maison – et l'invita à le suivre à l'intérieur. Marta Cruz attendait, figée dans une attitude solennelle, au milieu du petit salon impeccable.

« Comme cela doit être dur pour eux », se dit Laura alors que les techniciens déballaient leur matériel et installaient la caméra, Les Cruz attendaient patiemment que débute l'entretien. Elle admira leur courage tranquille.

— Merci infiniment d'accepter de nous parler, monsieur et madame Cruz.

— Nous espérons que ce que nous faisons servira à quelque chose, Laura, déclara Felipe avec douceur.

— Je dois vous préciser avant tout que j'ai pu discuter avec un policier qui a participé à l'enquête ayant suivi la disparition de Tommy. Edward Alford. Vous souvenez-vous de lui ?

Le couple acquiesça aussitôt.

— Bien sûr que nous nous rappelons du lieutenant Alford, répondit Marta. Il s'est montré très gentil envers nous. Je sais qu'il a travaillé dur pendant longtemps pour retrouver la trace de Tommy. Et au cours des années même, alors que l'on ne parlait plus du tout de notre Tommy et que nous le croyions complètement oublié, le lieutenant

Alford nous appelait de temps en temps. Il voulait nous demander de nos nouvelles, savoir où nous en étions.

« Ils ont réellement dû traverser de terribles périodes. » Laura s'efforça de dissimuler son émotion en continuant à les interroger.

— Le lieutenant Alford m'a assuré qu'il n'avait jamais cru que votre fils puisse être un fugueur. Il m'a dit que vous étiez des parents si dévoués, que vous formiez une famille si unie, qu'il ne pouvait souscrire à l'hypothèse selon laquelle Tommy se serait enfui de son foyer.

Felipe approuva gravement.

— Entendre dire que notre fils nous avait volontairement abandonnés nous faisait mal. Nous connaissions notre Tommy. C'était un bon garçon. Il ne se serait jamais enfui comme cela.

Felipe regarda sa femme dans les yeux et, lorsqu'il vit perler ses larmes, il lui prit la main.

— Le lieutenant Alford s'était forgé une théorie selon laquelle il était arrivé quelque chose à Tommy à l'intérieur même du parc, affirma Laura.

— Oui, nous le savions, murmura Marta. Il nous faisait part de son opinion.

— Qu'en pensez-vous ?

— Nous ne savons plus quoi penser, déclara Felipe d'une voix angoissée. Quelle différence ? Notre fils est mort. Ça, nous en sommes sûrs.

Laura fixa son bloc-notes en tentant de se ressaisir. Elle avait envie de boucler rapidement l'interview afin d'éviter de les faire souffrir davantage. Cependant, elle était consciente que, pour que la séquence soit valable, elle devait encore leur poser deux ou trois questions.

— Savez-vous où en est l'enquête aujourd'hui ? La police a-t-elle mentionné de nouvelles pistes ?

Felipe et Marta se regardèrent.

— La police nous a priés de ne rien déclarer tant qu'ils n'auraient pas mené à bien leur investigation, précisa Felipe Cruz.

Marta relâcha la main de son mari.

— Felipe, en trente ans, la police s'est montrée incapable de résoudre l'affaire. Comment croire qu'ils vont tout à coup y arriver ?

Elle se leva et se dirigea vers le vaisselier patiné adossé au mur. Elle ouvrit un petit tiroir, y prit un quelque chose.

— Marta ! avertit son mari.

— Je suis désolée, Felipe. Je ne t'ai jamais désobéi en quarante ans de mariage, déclara-t-elle d'un ton résolu, mais si je peux me rendre utile pour faire arrêter celui qui a porté la main sur Tommy, je dois agir. C'est un devoir envers tous les parents.

Elle tendit à Laura le rectangle de papier brillant.

— Voici la photographie d'un collier qu'ils ont retrouvé près des restes de Tommy. La police pense qu'il a pu se détacher du cou de l'une des personnes qui auraient enterré son corps. J'ai supplié les policiers de me fournir cette reproduction. Je tenais à conserver tout ce qui a à voir avec la disparition de Tommy.

Laura étudia le cliché, où figurait une chaîne au bout d'une croix. Ce pendentif ne ressemblait à aucun autre. Sa poitrine se serra lorsqu'elle réalisa qu'elle l'avait déjà vu auparavant.

108

Bien que le meurtre de Kitzi Malcolm près de la Cinquième Avenue relevât du ressort d'un autre commissariat que le sien, Alberto Ortiz avait reçu communication des informations que détenait la police de l'East Side, et il leur avait fait part en retour de ce qu'il savait.

Un troisième commissariat, celui de Central Park, s'occupait du meurtre de Delia Beehan.

Un reçu de carte de crédit froissé, portant la signature de Delia, avait été retrouvé dans la poche de son manteau, ainsi qu'un trousseau de clefs dont Ortiz fut certain qu'il ouvrait l'appartement de Gwyneth Gilpatric.

L'inspecteur Ortiz avait formellement reconnu le cadavre de Delia, mais la police de Central Park se devait de rechercher les proches de la victime pour confirmer l'identification ; pour l'instant, ils n'avaient abouti à rien.

Ortiz feuilleta son bloc-notes pour retrouver l'information qu'il cherchait. Il décrocha le téléphone et composa le numéro de Key News.

109

L'interview terminée, l'équipe vidéo rangea le matériel dans le coffre de la voiture garée devant la maison des Cruz, tandis que Laura sortait son téléphone portable.

Pas de réponse chez Emmett.

Elle consulta ensuite ses messages.

« Mademoiselle Walsh ? Inspecteur Alberto Ortiz. Pourriez-vous m'appeler, je vous prie ? C'est urgent. »

Il laissait le numéro auquel on pouvait le joindre.

Debout en plein vent sur le trottoir, effrayée par ce qu'il pourrait lui dire, Laura se força à le rappeler. Il s'en tint aux faits, et Laura s'assombrit en écoutant ce qu'il avait à lui dire.

— Je serai sur place dans une heure, conclut-elle avant d'éteindre son mobile et de le ranger dans sa veste.

— Où va-t-on, maintenant, Laura ? lui demanda le cadreur, une fois dans la voiture.

— On rentre aux studios. Mais je voudrais que vous me déposiez quelque part en chemin.

110

Laura ne regagna les locaux de la chaîne qu'au milieu de l'après-midi. Elle était pâle et paraissait épuisée. Elle alla directement dans le bureau de Matthew.

— Salut, belle inconnue ! lui lança-t-il avec un sourire accueillant. Où étais-tu passée ?

Son expression devint préoccupée lorsqu'il s'aperçut qu'elle n'allait pas bien.

— Quel est le problème ? Qu'est-il arrivé ?

Elle s'écroula sur la chaise et entreprit de déboutonner son manteau.

— Je reviens de la morgue.

— Quoi ?

— Je suis allée identifier la bonne de Gwyneth, Delia Beehan. On l'a retrouvée morte hier, dans Central Park.

— Bon Dieu, Laura, cela a dû te faire un choc terrible !

Matthew saisit ses mains glacées et les frotta doucement entre les siennes, avant de les porter à ses lèvres.

— Je suis désolé, ma chérie.

Elle avait retenu ses larmes durant tout le trajet en taxi depuis la morgue, mais à cet instant, vaincue par la tendresse de Matthew, elle les laissa couler.

Il la prit dans ses bras, la serra contre lui alors qu'elle sanglotait, lui murmura que tout irait bien.

— D'une certaine façon, lui glissa-t-il en plaisantant dans l'espoir de la détourner de son chagrin, on peut maintenant dire que Joel tient un premier rôle pour son show, demain soir.

111

Mardi 25 janvier

— Pourquoi n'abandonnes-tu pas ce satané job ? demanda Francesca. Il te stresse trop. Tu n'as pas besoin de cela, après tout ce qui s'est passé. Mon Dieu ! Laura, tu n'attends pas leur chèque pour boucler tes fins de mois !

Francesca était arrivée tôt le matin, traînant derrière elle une grande valise sur roulettes qui contenait l'essentiel de ses affaires. Elle avait trouvé Laura dans la cuisine, assise devant son café, le visage morne.

— Écoute, Francesca, ce n'est pas le fait de démissionner qui va arranger les choses. Cela ne résoudrait rien. Trois femmes, toutes les trois assassinées, et j'étais en relation avec chacune d'elles, d'une manière ou d'une autre.

— Tu veux dire qu'elles étaient liées à Gwyneth Gilpatric, plutôt ! corrigea Francesca. Je t'assure, Laura, qu'il faut que tu quittes ces cinglés et leur petit monde. Ils sont malsains.

— J'ai besoin de travailler, déclara Laura avec fermeté pour mettre fin à la discussion.

Elle se leva, la tasse à la main, et vida son fond de café tiède clans l'évier.

— Et toi, que vas-tu faire, aujourd'hui ? demanda-t-elle, soudain sarcastique.

« Une insinuation cruelle. » Laura regretta aussitôt ses paroles et le ton qu'elle avait employé. Francesca se battait pour quitter Leonard. Il n'y avait rien de bon à lui rappeler qu'elle était sans travail.

Pourtant, si Francesca était blessée, elle ne le montra pas.

— Je vais transporter d'autres affaires. Je devrai venir dormir ici à partir de la semaine prochaine, dès que j'aurai été rendre visite à mes parents.

— Tant mieux, dit Laura, qui serra son amie contre elle. J'ai hâte que tu sois là. Ça va être super de se retrouver toutes les deux comme avant.

En quittant la cuisine, Laura se retourna pour ajouter :

— N'oublie pas. Tu as promis de m'accompagner demain soir à la soirée de gala organisée pour réunir des fonds en faveur du musée de Palisades Park.

Francesca émit un soupir exagéré.

— Il faut vraiment que j'y aille ? Mon vol pour San Juan part le lendemain matin !

Pour la première fois depuis la veille, Laura sourit.

— Oui. Tu n'y échapperas pas. J'ai annoncé à Emmett que tu venais. Il est si fier que son miniparc fasse la vedette de la soirée ! Tu ne peux quand même pas le décevoir !

112

Quand Ricky Potenza avait montré à sa mère l'encart du journal local annonçant la soirée de gala en mémoire du parc et qu'il lui avait déclaré qu'il avait l'intention d'y assister, elle avait été sidérée.

Il s'était tenu très tranquille depuis leur déplacement à Key News pour cette interview, ce qui ne le changeait pas beaucoup. Rose avait osé croire à une amélioration mais, cette fois encore, son espoir restait vain.

Elle ne s'attendait pas le moins du monde à son insistance à se rendre à cette soirée. Fallait-il le prendre comme un signe positif ? Ricky était-il en train, à sa manière, de s'arranger avec le passé, de faire la paix avec son enfance, tellement liée à Palisades Park ?

Cela valait sans doute d'être tenté. Elle pouvait se débrouiller pour payer leurs réservations, grâce aux économies qu'elle accumulait patiemment mois après mois. Pour le bien de son fils, lui qui montrait si rarement de l'enthousiasme, elle sacrifierait avec plaisir le pèlerinage en bus qu'elle devait faire en compagnie d'autres fidèles de la paroisse. Tout, pourvu que Ricky soit heureux.

« Je vous en prie, mon Dieu, faites qu'il aille mieux ! »

En prononçant sa prière, Rose se préparait déjà à n'être pas exaucée.

113

La mort de Delia Beehan allait faire la une de la nouvelle édition de « Plein Cadre », mais Laura ne voulait participer en rien à l'émission. La date de diffusion de son sujet sur Palisades Park approchant, elle lui fournit une excuse.

Elle se rendit à la bibliothèque, dans les étages supérieurs du bâtiment de Key News, et gagna la salle où s'alignaient les dossiers de presse.

Elle sortit la chemise contenant les articles sur Gwyneth Gilpatric et feuilleta rapidement les liasses à la recherche du document auquel elle pensait.

La photo de fin d'année tirée de l'album de Gwyneth.

Plissant les yeux, elle étudia le pendentif que portait la jeune fille. De toute évidence, il s'agissait de la même croix de marcassite que sur la photo détenue par Marta.

« Qu'est-ce que cela signifie ? » se demanda Laura. Gwyneth Gilpatric n'aurait pas pu enterrer Tommy Cruz. Trop invraisemblable. Refusant d'y croire, elle tenta d'écarter cette idée de son esprit.

Mais elle n'y parvint pas.

Impossible à croire, excepté pour Emmett, peut-être. La relation entre Gwyneth et son père, prouvée par les chèques qu'elle lui signait chaque mois, créait un lien entre Gwyneth, le père de Laura et son cher Palisades Park. Et si Gwyneth était liée à la disparition de Tommy Cruz, cela voulait dire que son père, lui aussi, l'était.

Gwyneth envoyait-elle de l'argent à son père pour que celui-ci ne parle pas ?

Laura tourna les articles découpés, sans trop savoir ce qu'elle cherchait. Elle examina une photo sur laquelle Gwyneth recevait un Emmy Award : la journaliste avait l'allure d'une professionnelle accomplie, au sommet de la carrière qu'elle s'était forgée.

Elle ne paraissait pas être le genre de femme impliquée dans un meurtre.

Laura allait refermer le dossier, lorsqu'elle tomba sur un article rapportant la présence de Gwyneth aux obsèques d'un informateur qui lui avait permis de réaliser l'un de ses sujets d'investigation. Parce qu'elle l'avait jugé accessoire, Laura l'avait laissé de côté lors de la préparation de la nécrologie de la présentatrice. Elle réalisa qu'il s'agissait de l'épisode qui avait coûté son poste à Mike Schultz.

Captivée, Laura lut le compte rendu des funérailles de Jaime Cordero, le jeune Hispanique qui avait courageusement témoigné pour dénoncer le trafic de drogue dans le quartier d'East Harlem, puis avait été atrocement assassiné, lorsque les dealers l'avaient identifié.

L'image montrait Gwyneth tendant les bras vers la mère de Jaime Cordero en pleurs. Une femme plus jeune tenait la mère de Jaime par son bras droit ; elle avait la tête baissée et portait à son visage une main gantée de noir. Quoique partiellement dissimulés, ses traits avaient été fixés sur la pellicule.

Laura porta les yeux sur la légende de la photo. Elle déchiffra les quelques lignes, les lut et les relut encore :

> « Gwyneth Gilpatric, la journaliste de Key News, réconforte Juanita Cordero, mère de Jaime Cordero, le jeune héros de East Harlem sauvagement assassiné. Mme Cordero est soutenue par sa fille, Francita Cordero, qui apparaît à gauche. »

Francita Cordero.

Cordero de Dios. L'« Agneau de Dieu ».

En anglais, *Lamb of God*.

Francesca Lamb !

114

— Je savais que je l'avais déjà vue quelque part ! s'exclama Matthew lorsque Laura lui montra l'article, qu'elle avait retiré discrètement du dossier de presse à la bibliothèque. À l'enterrement de ce Cordero !

Laura, qui restait sur sa surprise, examina encore le visage de Francesca, légèrement flou sur la photo.

— Je ne comprends pas. Pourquoi ne m'en a-t-elle jamais parlé ? J'avais l'impression que nous étions si proches l'une de l'autre.

Sa voix s'éteignit en un murmure de déception.

Matthew resta silencieux. Il revenait à Laura et à son amie de mettre les choses au point entre elles.

— Au fait, j'ai confirmé mon rendez-vous avec le lieutenant Alford. Je m'envole vendredi pour la Floride.

Ils étaient tombés d'accord sur le fait qu'il irait seul, tandis que Laura resterait à New York pour travailler sur leur sujet, le bouclage approchant à grands pas.

— Excellent, dit-elle d'un ton mélancolique, tandis qu'elle se remémorait son autre découverte dans le dossier de Gwyneth.

Elle lui parla du collier trouvé avec les restes de Tommy, qu'elle avait vu en photo, et lui mit sous les yeux le cliché de Gwyneth étudiante chipé à la bibliothèque.

— Ils correspondent, précisa-t-elle en désignant le pendentif.

Matthew siffla lentement entre ses dents.

— Plus fort que l'émission de Joel !

Il scruta intensément la photographie de Gwyneth Gilpatric. Puis il préleva sur son étagère encombrée l'album de souvenirs à la couverture rouge. L'ouvrant à la dernière page, il jeta un coup d'œil à l'image d'Emmett debout devant le Cyclone en compagnie de son amie. La fille aux cheveux longs séparés par une raie médiane.

Cela aussi correspondait.

115

« Plutôt facile. »

La petite pochette cartonnée était arrivée par le courrier, glissée dans une enveloppe de papier kraft pour que personne ne puisse deviner son contenu. Il s'agissait d'un envoi prioritaire, sans reçu à signer.

Il contenait une boîte de plastique scellée, un doseur et une notice d'emploi. Il y avait aussi une carte d'avertissement :

Le GHB peut être dangereux s'il n'est pas utilisé conformément aux prescriptions, ou s'il est associé à d'autres calmants. Une dose normale de GHB prise avec de l'alcool peut provoquer une surdose entraînant un coma irréversible. Aux États-Unis, plusieurs décès ont été attribués au GHB par les autorités sanitaires.

Mais mélanger le GHB et l'alcool n'était pas nécessaire pour que le produit soit mortel. La jeune fille de l'article victime du GHB l'avait absorbé dans une boisson gazeuse.

Toutes les informations pour doser le produit se trouvaient imprimées sur la notice. Avec la quantité exacte de poudre à mesurer. Comme dans un livre de cuisine ou dans la recette d'un gâteau.

Une recette pour tuer.

116

En ouvrant la porte, Francesca eut la surprise de découvrir Laura.

— Salut, ma belle ! fit-elle en lui souriant. Viens, entre donc !

Avec une expression grave, Laura pénétra dans l'entrée de l'appartement. Elle alla directement au fait, sans même enlever son manteau.

— Pourquoi ne me l'as-tu pas dit, *Francita* ? demanda-t-elle d'une voix implorante. Pourquoi ne m'as-tu rien dit au sujet de ton frère ?

Francesca blêmit. Elle se détourna et se dirigea vers la cuisine, Laura sur ses talons.

— Tu veux boire quelque chose ? proposa-t-elle en laissant tomber deux glaçons dans un verre.

— Non ! Ce n'est pas cela que je veux. Je veux savoir pourquoi tu ne me l'as pas raconté. Je croyais que nous nous nous disions tout. Et c'est si...

Elle cherchait l'adjectif juste.

— C'est tellement *énorme* ! Tu as perdu ton frère dans des circonstances atroces, d'une violence inouïe. Je ne peux pas comprendre que tu ne t'en sois jamais ouverte à moi.

— Certaines choses sont trop douloureuses pour que l'on puisse en parler, Laura, déclara Francesca presque à voix basse.

— Même à moi ?

— À n'importe qui.

— Mais je ne suis pas n'importe qui ! Je suis ta meilleure amie.

— Je suis désolée, Laura. Je voulais laisser derrière moi la mort de Jaime. Parfois, Leonard se réveillait et me surprenait en train de pleurer en pleine nuit. Il me demandait ce qui n'allait pas. Il m'était simplement impossible de me confier. Essaie de comprendre ce que j'ai ressenti.

Laura resta silencieuse devant son amie. Oui, elle pouvait la comprendre. Quoiqu'elle ne sache pas ce que représentait la mort d'un frère, elle se souvenait trop bien de ce que c'était que de perdre sa mère. Aujourd'hui encore, il lui était pénible d'en parler. Pourtant, elle en avait

289

plusieurs fois discuté avec Francesca. Il lui semblait dur de se dire que Francesca, elle, n'avait pas su partager sa douleur avec elle.

— Et ce changement de nom ? Cela au moins, tu peux me l'expliquer ?

Francesca haussa les épaules.

— Mes parents sont retournés à Porto Rico pour tenter d'oublier toute cette histoire. Dieu seul aurait pu dire si ces fous de dealers n'allaient pas vouloir s'en prendre aux proches de Jaime. D'autre part, je me lançais dans une carrière de mannequin. « Francesca Lamb » sonnait à mon avis mieux que « Francita Cordero ». Je voulais prendre un nouveau départ, sous une nouvelle identité. Ce n'est pas un crime. Beaucoup de gens font ça, un jour ou l'autre.

117

Mercredi 26 janvier

En arrivant à « Plein Cadre », Laura tomba directement sur Joel Malcolm.

— Vous avez vu les taux d'audience de la dernière émission ? On crève le plafond !

— Félicitations, répondit-elle avec un faible sourire.

— Mettez-vous la pression, mon petit ! Il faut que votre truc soit béton, pour que l'on passe à fond la vague de sondages, la semaine prochaine. Je compte beaucoup sur vous. Ne me décevez pas.

Elle le regarda s'éloigner dans le couloir. Que ressentirait-il si l'on devait conclure que Gwyneth était responsable de la mort de Tommy Cruz ?

Il n'irait pas trop mal, estima-t-elle. Puisqu'une fois mise en images, après tout, cette histoire pourrait battre des records d'audience.

118

Laura, vêtue de la robe de velours bleu qu'elle portait lors de la réception du Nouvel An chez Gwyneth Gilpatric, se tenait dans l'entrée du Palisadium, le restaurant choisi pour accueillir la soirée de gala destinée à collecter des fonds pour le futur musée.

À travers les baies vitrées de l'établissement, situé sur l'une des falaises dominant l'Hudson, s'offrait une vue splendide vers Manhattan qui scintillait sur l'autre rive de l'estuaire.

Il sembla à Laura que la réunion était déjà un grand succès. Le restaurant était bondé, mais un flot continu de participants continuait d'arriver. Elle identifia quelques visages dans la foule. Joel Malcolm avait consenti à venir. Maxine Bronner et son mari, Allan, se trouvaient présents. Même Ricky Potenza et sa mère étaient là.

Le parc miniature de son père avait été disposé bien en vue, au centre de la salle, Emmett était debout à côté de son œuvre, dont il paraissait très fier. Il rayonnait sous les compliments des visiteurs qui désignaient avec plaisir la reconstitution de telle ou telle attraction encore très présente dans leur mémoire.

Comme son père se délectait de ces instants ! Mais comme il allait être amer, bientôt, lorsqu'elle le confronterait aux faits plus que suspects qu'elle avait découverts.

Laura sentit une tape sur son épaule. Elle fit volte-face, saluée par Mike Schultz.

— Mike ! Que fais-tu ici ?

— J'ai voulu sortir ma Nancy. Elle ne voulait pas venir, il a fallu que je l'entraîne de force ! Nous avons besoin de bouger, de nous amuser un peu. Et puis, enfants, il nous arrivait l'un comme l'autre d'aller à Palisades Park, alors pourquoi pas ?

— Où est Nancy ?

— Elle est allée se rafraîchir.

— Bon, je l'attraperai plus tard. Je dois m'occuper de notre reportage. Matthew est déjà à l'œuvre, il est parti glaner des interviews et je devrais déjà être en train de l'aider.

Matthew et Laura prospectèrent l'assistance, incitant les joyeux participants à exprimer devant la petite équipe vidéo leurs souvenirs de Palisades Park.

— On est en train d'accumuler un tas de trucs super ! hurla Matthew par-dessus le vacarme des bons vieux rocks et des chansons dédiées à Palisades Park que déversait la puissante sono.

— Dieu merci ! lui répondit Laura.

Alors qu'ils continuaient à travers la foule, Laura remarqua Francesca en conversation avec un homme, au bar. Reconnaissant son interlocuteur, elle gémit intérieurement.

« Que fait donc ici Leonard Costello ? »

119

Ça ne marchait pas.

Quand il l'avait appelée, dans l'après-midi, elle avait paru heureuse de lui apprendre qu'elle sortait ce soir. Fière de lui dire qu'elle allait à un gala organisé pour collecter des fonds, en compagnie de Laura et d'une équipe télé. Elle reprenait le cours de sa vie, avait-elle expliqué. Une vie intéressante, une vie meilleure, sans lui.

Il avait acheté une entrée à la dernière minute, avec l'espoir, en venant à cette soirée, de montrer à Francesca combien elle comptait pour lui, d'essayer de la convaincre de rester avec lui. Mais elle n'en avait cure. Elle se sentait excitée à la perspective de vivre dans un cadre luxueux en compagnie de sa meilleure amie, se disant heureuse de prendre un nouveau départ.

Par-dessus l'épaule de Francesca, il aperçut Laura qui, micro en main, écoutait avec beaucoup d'attention un gros type chauve se répandre en anecdotes sur ce stupide parc d'attractions.

Leonard maudit en silence la jeune productrice. Si Laura n'existait pas, Francesca resterait avec lui, dans son appartement. Là où était sa place.

120

Quelqu'un commanda un Coca au bar et, fendant l'assistance, alla se réfugier dans un angle de la salle. Alors que les danseurs se déchaînaient sur les rythmes entraînants des années 1960, personne ne remarqua son geste pour diluer la poudre blanche, légèrement grumeleuse, dans le liquide sombre.

Le serveur, réclamé de toutes parts, accepta enfin de porter la boisson gazeuse rafraîchissante à la jeune femme blonde en robe bleue. Celle qui travaillait si dur, avec son équipe vidéo.

121

Laura sentit quelqu'un lui tirer la manche.

— Je dois rentrer, lui souffla Francesca. Mon vol décolle de bonne heure et je n'ai pas encore fait mes valises.

— Je ne peux pas partir maintenant. Nous n'avons pas fini de tourner.

— Ne t'en fais pas, ça ira. J'ai un chauffeur.

Laura adressa à son amie une moue dégoûtée.

— Tu ne vas quand pas me dire que tu rentres avec le docteur Costello ? Je vous ai vus au bar, les yeux dans les yeux.

— Non, ne te fais pas de souci, ma belle ! assura Francesca d'un air de triomphe. J'ai envoyé promener Leonard. En revanche, j'ai fait la connaissance de ton patron. Joel me reconduit en ville.

Laura lâcha un soupir.

— Méfie-toi, alors ! C'est une vraie sangsue, lui aussi. Tu me le promets ?

— Sois sans crainte. Je suis une grande fille. Je prends soin de moi toute seule.

122

Le Coca avait un petit goût salé mais Laura, assoiffée, le but d'un trait. Un quart d'heure plus tard, elle commença à ressentir une très légère nausée.

Ils avaient presque fini. Encore une interview ou deux et ils auraient suffisamment de matière pour disposer d'un large choix au montage.

Au moment où elle faisait épeler son nom à un nouvel interviewé, la pièce se mit à tourner de façon vertigineuse devant ses yeux. Elle tendit la main vers le bras de Matthew et s'effondra au sol.

123

Jeudi 27 janvier

Emmett, assis dans la salle d'attente des urgences du Palisades Medical Center, priait.

« Mon Dieu, je Vous en prie. Ne me prenez pas aussi Laura, s'il Vous plaît. »

Mais il doutait que le Seigneur écoute maintenant ses prières. Il n'avait pas vraiment été un fidèle serviteur.

L'ami de Laura, Matthew, s'approcha avec une expression grave et lui tendit un gobelet.

— Tenez, monsieur Walsh.

Emmett le remercia et prit le café.

— Merci de toute votre attention pour la petite, dit-il simplement.

— Elle va aller mieux, murmura Matthew en prenant le bras du père de Laura. J'en suis certain.

Alors qu'ils attendaient ensemble qu'on les rassure sur l'état de la jeune femme, le temps parut s'éterniser, Emmett se décida à former un vœu.

« Si Laura s'en sort, je jure de raconter ce qui s'est passé ce soir-là à Palisades Park. Mon Dieu, je Vous le promets. »

124

Étendue sur un brancard, plongée dans une profonde torpeur, Laura était totalement inconsciente de l'agitation qui régnait autour d'elle,

Elle ne sentit pas le tube froid qu'on lui enfonçait dans la gorge. Elle n'allait pas se rappeler, plus tard, la sensation pénible que lui causait le lavage d'estomac. Elle ne se rendit pas compte qu'on lui injectait ensuite au fond des entrailles une mixture épaisse, contenant des charbons de bois actifs, pour qu'elle absorbe les toxines.

Elle allait seulement se souvenir d'une façon vague de sa toux déchirante lorsque le tube fut douloureusement retiré de son œsophage.

Respirer lui faisait mal. Sa poitrine était meurtrie. Comme elle l'apprendrait par la suite, Matthew avait pratiqué sur elle une réanimation cardio-pulmonaire.

Elle se sentait fatiguée. Si fatiguée, tellement fatiguée. Tout ce qu'elle voulait, c'était dormir.

125

Francesca attacha sa ceinture lorsque l'avion commença son lent démarrage sur la piste de l'aéroport La Guardia de New York. Elle ne se réjouissait pas vraiment de ce voyage.

Pour l'anniversaire de l'assassinat de Jaime, elle ne voulait pas laisser ses parents seuls. Elle savait que sa présence les réconforterait.

Ses parents étaient des gens si bons, si simples, qui n'avaient jamais montré de rancœur, malgré l'horrible meurtre commis sur leur enfant. Ils acceptaient sa mort, considérant leur fils comme un héros.

Elle regretta de ne pas avoir leurs convictions religieuses, de ne pas partager leur croyance en un Dieu agissant par des voies mystérieuses, impénétrables au commun des mortels.

C'eût été tellement plus facile.

126

Il était tard dans l'après-midi quand Matthew reconduisit à son grand appartement une Laura très affaiblie. Emmett et lui avaient été furieux que l'hôpital refuse de la garder plus longtemps mais les nouvelles méthodes de management de l'assistance publique exigeaient une rentabilité maximale. « Soignez-les, et réexpédiez-les chez eux en vitesse. »

Le médecin des urgences suspecta que du GHB, la fameuse « drogue des violeurs », avait été versé dans le verre de Laura. Le composant chimique, qui se dissolvait rapidement dans l'organisme, était très difficile à détecter. Seuls un petit nombre d'hôpitaux de la mégalopole new-yorkaise disposaient des instruments adéquats, et le laboratoire du Palisades Medical Center ne comptait pas parmi eux. Mais, dans tous le pays, les praticiens étaient informés de l'utilisation croissante de la drogue, qui se traduisait par une multiplication des signalements de ce genre de pathologie aux urgences.

Matthew et Emmett, en entendant le médecin leur faire part de ses soupçons, furent choqués et effrayés qu'un des participants au gala ait pu vouloir assassiner Laura.

L'hôpital avait alerté la police de Cliffside Park. Celle-ci devait examiner la liste de ceux qui avaient réservé pour la soirée et interroger le personnel du restaurant. Or les policiers avaient dû tout de suite admettre que de nombreuses personnes avaient payé leur entrée directement à la porte, et qu'il serait donc impossible de les retrouver.

Quand l'officier de police demanda à Laura de lui donner la liste des personnes qu'elle connaissait parmi les participants, la jeune femme commença réellement à se sentir terrifiée.

— Vous pensez que c'était quelqu'un qui me connaissait ?

— Dans un cas de ce genre, c'est la règle, mademoiselle. On n'imagine pas un type qui se baladerait là par accident, sortirait de sa poche un poison et le verserait au hasard dans *votre* boisson.

Emmett avait essayé de convaincre sa fille de venir chez lui, à la maison. Sans résultat, car Laura voulait retourner à son appartement et retrouver son lit.

Laura était chez elle, maintenant. Elle se déshabilla avec précaution, pour ne pas brusquer son corps endolori. Elle avait la gorge sèche. Le docteur lui avait expliqué qu'elle se sentirait déshydratée pendant deux ou trois jours.

— Pourrais-tu avoir le gentillesse de me faire du thé avant de partir, demanda-t-elle à Matthew en se glissant avec contentement entre les draps frais.

— Je veux bien te préparer du thé, mais je n'ai pas l'intention de m'en aller, répondit Matthew en lui caressant les cheveux. Je veux rester avec toi.

— Matthew ! S'il te plaît, ne m'embête pas. Et ne fais pas l'enfant. Je n'ai pas assez d'énergie pour lutter. Tu dois t'en aller, tu as cette interview d'Edward Alford à aller faire demain en Floride.

— Je me contrefous de cette interview, je reste, insista-t-il.

— Écoute. Tout ce que je vais faire, c'est dormir. Je n'ai envie de rien d'autre. Je veux juste que l'on me laisse me reposer. Je t'assure que je vais m'en sortir toute seule. Personne ne va venir me chercher ici. L'immeuble est totalement sécurisé.

Son assurance la surprit elle-même. Elle se tourna sur le côté et ajouta pour conclure :

— Matthew, je veux que tu y ailles, pour nous rapporter cette interview. On en a besoin pour notre sujet.

127

— Écoutez, je ne crois pas que mon nom vous soit utile, murmura la voix étouffée. Mais vous devriez aller jeter un coup d'œil sur quelque chose, inspecteur Ortiz. Envoyez les fédéraux avec un mandat vers le serveur Internet PDQ.com, et procurez-vous les noms de ceux qui cotisent à un jeu baptisé « Le Pays de Casper et ses Fantômes ». Ça risque d'être un peu long, toutefois je pense que votre enquête pour retrouver l'assassin de Gwyneth Gilpatric en sera grandement facilitée.

Après que la voix eut raccroché, Ortiz vérifia le numéro. L'appel avait été passé depuis le central de Key News.

128

Vendredi 28 janvier

La neige tombait à gros flocons, mais Emmett restait immobile à quelques mètres de la porte du poste de police de Cliffside Park. Il n'avait pas envie d'entrer.

Pourtant, il le devait. Au moins une fois dans sa vie, il allait tenir une promesse.

Ce qui lui arriverait ensuite, il l'ignorait. Il ne s'en souciait plus vraiment.

Laura était sauve. C'était tout ce qui comptait pour lui.

Il détacha la neige de ses bottes en tapant du pied sur le sol devant l'entrée et poussa le lourd battant de métal, pour se diriger tout droit vers le bureau du policier de permanence.

129

Laura fut réveillée par la sonnerie du téléphone.

— Allô ! fit-elle d'une voix pâteuse.

— Laura ? C'est Joel. Joel Malcolm. Comment vous sentez-vous ?

— Mieux, merci. Mais je suis tellement fatiguée.

— C'est vraiment moche, ce qui vous est arrivé, mon petit. Je suis content d'apprendre que vous allez mieux. Enfin, même si je déteste avoir à vous poser la question, je dois vous demander si vous serez en mesure de boucler votre sujet à temps ?

Laura comprit qu'il n'avait aucun scrupule à la relancer. Les sondages de février étaient tout ce qui lui importait. « L'ordure ! »

— Ne vous en faites pas, Joel, déclara-t-elle en bâillant. Le reportage sera fini à la date prévue. Je serai là demain, et le reste du week-end sil le faut, pour tout mener à bien.

Dès qu'elle eut reposé le combiné, Laura se leva et marcha lentement vers la salle de bains. Elle contempla le reflet de son visage, dont la pâleur se trouvait accentuée par les puissants spots de maquillage qu'avait fait installer Gwyneth.

Quelqu'un avait tenté de l'assassiner. Elle ne voulait pas mourir.

Laura regagna sa chambre et essaya à plusieurs reprises de joindre son père. Sans succès. Elle se sentait en colère contre lui. Il ne s'était pas donné la peine de l'appeler, ni ne s'était soucié de prendre de ses nouvelles.

Elle resta calmement étendue sur son lit, sans parvenir à se replonger dans le sommeil. Il lui fallait confronter son père à ce qu'elle avait appris. Elle voulait savoir ce que lui et Gwyneth avaient été exactement l'un pour l'autre, et s'ils avaient ou non quelque chose à se reprocher au sujet de la disparition de Tommy Cruz.

Il y avait encore tant à faire. Le script de leur reportage n'était même pas écrit et ils étaient loin du montage final.

Avant qu'elle puisse rédiger quoi que ce soit, elle devait avoir cette discussion avec son père. Ce qu'Emmett pourrait lui apprendre résoudrait peut-être le mystère de la disparition de Tommy.

Si Matthew et elle parvenaient à ce résultat, leur sujet serait une vraie bombe. Une énigme vieille de trente ans résolue grâce à « Plein Cadre ». Joel en frémirait de plaisir. Le taux d'audience serait au plus haut.

Mais, dans cette hypothèse, son père serait un assassin.

130

Il y avait du nouveau dans l'affaire concernant leur fils.

Felipe et Marta Cruz entrèrent au poste de police, main dans la main, une demi-heure après avoir reçu l'appel les invitant à passer. Un jeune agent escorta le couple jusqu'au bureau de l'officier responsable.

— Vous avez quelque chose à nous apprendre ? s'enquit timidement Felipe.

Mal à l'aise, l'officier de police s'éclaircit la gorge.

— Oui, monsieur et madame Cruz. Quelqu'un s'est présenté à nous pour faire des révélations sur la mort de Tommy.

Le couple attendit qu'il poursuive.

— Selon cette source, ce qui s'est passé ce soir-là fut un accident. Un terrible, un tragique accident.

Marta ferma les yeux et garda les mains jointes sur ses genoux, en écoutant les explications du policier.

— Il semblerait que, cette nuit-là, Tommy et son ami Ricky Potenza se soient faufilés dans le parc, pour aller y chercher une récompense.

— Une récompense ? interrompit Felipe. Je ne comprends pas. Quelle sorte de récompense ?

Le policier était patient. Il avait lui-même deux enfants.

— Ils avaient effectué tout l'été de petites commissions pour le compte du jeune homme qui s'occupait des montagnes russes. En échange, celui-ci leur avait promis des tours gratuits après la fermeture.

Il marqua une pause. Les Cruz gardèrent le silence.

— Tommy et Ricky vinrent donc chercher leurs tours gratuits. Il semblerait qu'ils se soient défiés l'un l'autre de se tenir debout sur la banquette lorsque les voitures ont atteint le sommet des montagnes russes. Au moment de la brusque redescente, Tommy a perdu l'équilibre et est tombé.

— Mais et ensuite ? s'écria Marta. Dites-nous ce qui lui est arrivé ! Comment se fait-il que l'on ait retrouvé ses restes enfouis dans le sol ?

— Le gars qui s'occupait des montagnes russes et sa petite amie ont sorti le corps de l'enceinte du parc pour l'enterrer. La croix que nous avons retrouvée parmi les ossements appartenait à la jeune fille.

Ainsi, en définitive, c'était aussi simple que cela, songea Marta, qui se sentit envahie d'un étrange sentiment de paix. Un accident. La frayeur qu'a dû connaître Tommy n'aura pas duré longtemps, Dieu merci. Personne ne l'avait torturé ni ne lui avait fait subir de sévices sexuels. Aucun des scénarios terrifiants qu'elle avait échafaudés n'avait été infligé à son petit.

Grâce à Dieu.

131

Samedi 29 janvier

Elle n'aimait pas annuler ainsi sa séance avec Jade, mais elle ne pouvait pas faire autrement. Il fallait qu'elle aille au bureau. Elle avait rendez-vous avec Matthew.

Tandis qu'elle rassemblait quelques effets dans son sac de toile, la sonnerie de l'interphone retentit. Le concierge annonça un visiteur. Surprise, Laura indiqua de le laisser monter.

Elle attendit dans le vestibule que son père sorte de l'ascenseur.

— Je n'ai pas cessé d'essayer de te joindre, papa.

— Désolé, ma grande. J'ai été très occupé.

Elle lui fit signe de la suivre.

— Viens, entre ! Nous devons parler.

Emmett balaya la pièce du regard, sans aucun commentaire sur le cadre luxueux de l'appartement. Il s'installa dans le fauteuil que lui désignait Laura.

— Tu te sens mieux, ma chérie ?

— Assez pour aller travailler. Je n'en ai pas fini avec mon reportage.

— C'est de ça dont je viens te parler.

Elle écouta en silence Emmett se décharger du lourd fardeau qu'il portait depuis des année. Il lui raconta ce qui s'était produit sur les montagnes russes, lors de cette nuit d'été à Palisades Park.

— Et Gwyneth ? s'enquit Laura lorsqu'il eut fini.

— Crois-le ou non, ma chérie, mais Gwyneth trouvait ton vieux père plutôt attirant, à l'époque. Peut-être qu'elle était excitée de sortir avec un garçon hors de son milieu, ce que ses parents n'auraient jamais approuvé.

Il ponctua ses propos d'un haussement d'épaules.

— Une fois à l'université, elle aurait déjà tout oublié de moi, si nous n'avions pas eu ce secret en commun. Plus tard, enfin, lorsqu'elle est devenue riche et connue, elle commença à m'envoyer l'argent. Elle prétendait vouloir me donner un coup de main, puisque tu étais là et qu'il fallait que je t'élève seul. Tu vois, c'était comme qui dirait une police d'assurance, pour elle. De cette façon, elle se disait que je ne parlerais pas.

— Et maman savait ? demanda Laura, en se souvenant des conversations étouffées surprises en écoutant à la porte de leur chambre, à l'époque où sa mère se mourait dans son lit.

— Elle n'a jamais su, pour l'argent. C'est venu plus tard, répondit Emmett d'une voix triste. Par contre, elle n'ignorait rien de ce qui s'était produit dans le parc. Elle voulait que je le dise à la police, mais je ne l'ai pas fait.

— Tu aurais dû, murmura Laura, le cœur lourd.

132

En ce samedi matin, au moment où Laura fit son apparition, l'atmosphère était calme dans les bureaux de « Plein Cadre », Matthew et le monteur qu'il avait fait venir étaient déjà en train de visionner des bandes.

Un bel homme d'âge mûr s'exprimait à l'image, tandis que Matthew prenait quelques notes sur son ordinateur portable.

— Ed Alford ? demanda Laura en entrant.

— Mmm.

Les doigts de Matthew continuaient à courir sur son clavier.

Laura fixa l'écran ; le policier en retraite confiait à la caméra ses souvenirs sur l'affaire. Elle identifia immédiatement le passage qu'il faudrait conserver au montage. Alford déclarait :

« Tommy Cruz n'avait visiblement rien d'un fugueur. Il était très certainement arrivé quelque chose à ce garçon. Un événement qu'il ne maîtrisait pas. Et j'avais la conviction intime, même si je ne disposais pas de preuves, que ce qui lui était arrivé se trouvait en rapport direct avec Palisades Park. »

— Il avait raison, souffla Laura.

Matthew jeta à Laura un regard pénétrant. Elle lui fit signe de la suivre hors de la salle de montage, pour lui parler en privé. Tandis qu'ils arpentaient ensemble le couloir, elle lui rapporta d'une voix calme la confession d'Emmett.

— Je devrais me réjouir. Notre sujet va casser la baraque, conclut-elle sur un ton ironique, d'une voix teintée d'amertume. Nous tenons notre taux d'audience garanti, au bout du compte. Nous avons résolu le mystère.

133

Il était près de 20 heures lorsqu'ils décidèrent qu'ils avaient assez travaillé, avec la satisfaction d'avoir accompli beaucoup en une seule journée. Ils avaient rédigé une ébauche de script, avaient glané dans les diverses séquences enregistrées depuis un mois, réfléchi à la meilleure façon d'intégrer les vieilles photos et les actualités en noir et blanc et même déterminé à quels endroits ils incluraient des extraits de chansons évoquant le parc.

Le lundi suivant, ils montreraient le script à Joel, tout en sachant très bien que le producteur exécutif éreinterait leur projet, le critiquerait et leur demanderait des modifications. Le système fonctionnait ainsi ; il allait falloir essayer de ne pas prendre ombrage de ses critiques.

Ils avancèrent des hypothèses sur la réaction qu'il aurait en apprenant que Gwyneth Gilpatric avait aidé à enterrer le cadavre de Tommy Cruz, pour finir par s'accorder sur une quasi-certitude : Joel ne s'intéresserait qu'à l'aspect sensationnel de l'affaire. « L'audience, l'audience, l'audience ! »

— Tu as l'air crevé, ma chérie, fit Matthew tandis qu'ils attendaient l'ascenseur pour quitter les locaux de Key News. Si on allait dans un restaurant chinois se détendre un peu ?

Laura secoua la tête.

— Merci, Matthew. Tu es un amour mais, comme tu l'as remarqué, je suis morte de fatigue. J'ai juste envie de rentrer et de dormir. Je suis désolée. Tu comprends, n'est-ce pas ?

Il lui baisa tendrement le front.

— Bien sûr que je comprends,

À 21 heures, Laura dormait déjà à poings fermés dans le grand lit de Gwyneth.

134

Après une attente insupportable, le jet entama enfin sa trajectoire de décollage sur la piste de l'aéroport de San Juan.

Francesca se réjouissait d'avoir pu déplacer sa réservation afin de rentrer plus vite, Elle n'aimait pas se trouver loin de New York.

Elle détestait décevoir ses parents en les quittant plus tôt. Cependant, elle se sentait incapable de supporter plus longtemps les radotages de son père à propos de Jaime et elle en avait assez d'accompagner sa mère à l'église où elles priaient pour le repos de son frère.

Au moment où l'avion s'élança dans les airs, Francesca se pencha pour regarder à travers le hublot. Elle songea qu'il était absurde de regarder en arrière.

Elle voulait rentrer chez elle, à New York. Sa vie était là-bas.

135

Dimanche 30 janvier

Laura ouvrit les yeux et cligna des paupières en essayant de déchiffrer l'heure sur les aiguilles phosphorescentes du réveil.

2 h 15.

Allongée dans l'obscurité de la chambre, elle laissa galoper son esprit. Qu'allait-il arriver à son père ? Quelles seraient les conséquences de ses actes ? Bien qu'elle se sente mortifiée par ce qu'il avait commis, elle ne souhaitait pas que son père aille en prison. Comment pourrait-il survivre, là-bas ?

Elle se tourna et se retourna dans l'espoir de retrouver la paix du sommeil, mais elle fut bientôt complètement éveillée.

Elle alluma l'interrupteur, se rendit à la cuisine, mit une bouilloire sur le feu. Puis préleva un sachet de décaféiné clans la boîte métallique posée sur l'étagère.

Sa tasse à la main, elle alla musarder dans la bibliothèque. Peut-être un bon bouquin lui permettrait-il de s'évader.

Elle passa devant les longues rangées de livres. Son regard tomba alors sur les affaires déposées dans un coin par Francesca. Le micro-ordinateur et une imprimante attendaient d'être remis en service.

Pourquoi pas ? Francesca serait aux anges, lorsqu'elle découvrirait que cette corvée n'était plus à faire. Laura avait conscience que le voyage de son amie allait la laisser très éprouvée. Francesca serait agréablement surprise en trouvant son ordinateur prêt à fonctionner, surtout si, comme elle le disait, elle avait l'intention de reprendre des cours afin de décrocher un vrai job.

Laura souleva l'unité centrale, puis le moniteur, avec précaution car elle sentait encore des douleurs dans sa poitrine. Elle les disposa sur un bureau avant de brancher et de raccorder les différents périphériques : moniteur, clavier, souris, une paire de petites enceintes et l'imprimante-photocopieur-fax.

Maintenant, le test. Elle appuya sur le bouton d'allumage.

« Magnifique », se dit Laura en reconnaissant le logo de Windows, suivi du bureau avec ses icônes. Elle allait éteindre l'appareil, lorsqu'elle songea tout à coup qu'il serait amusant d'imprimer un petit message, qu'elle fixerait sur l'écran.

Laura ouvrit le traitement de texte Word et créa un nouveau document, Elle choisit une police de caractères et tapa : « BIENVENUE À LA MAISON, FRANCESCA ! TU ES CONNECTÉE ! » Elle déplaça ensuite la souris pour cliquer sur « Imprimer ». Lorsqu'elle ouvrit le menu déroulant, la liste des derniers fichiers consultés par l'utilisatrice apparut elle aussi.

« Grille des Fantômes »

« Fordham »

« Recette »

« Mama Y papa »

Avec un sentiment de culpabilité, Laura fit glisser le pointeur jusqu'au premier nom de fichier et cliqua dessus pour l'ouvrir.

136

Irritée, se sentant sale et mal à l'aise dans ses vêtements froissés, Francesca patientait comme les autres passagers de ce vol. Ils avaient atterri avec beaucoup retard à l'aéroport La Guardia et devaient faire la queue pour le taxi.

Quand son tour vint enfin, elle aboya son adresse de Central Park West au conducteur. Bientôt, elle dormirait dans le lit de Gwyneth Gilpatrick.

137

Laura, incrédule, fixait l'écran de l'ordinateur.

En ouvrant le fichier « Grille des Fantômes », elle n'avait pas découvert un quelconque tableur financier.

Cent noms défilaient devant ses yeux, classés par ordre alphabétique dans la colonne de gauche, avec, associée à chacun d'eux, une adresse e-mail différente pour chaque mois de l'année.

En se déplaçant dans la liste, elle reconnut les noms de presque toutes les personnalités en vue de la presse d'information et des chaînes d'actualité. Elle s'émerveilla du pouvoir et de l'argent qu'ils concentraient.

À la trentième ligne environ, l'attention de Laura fut attirée par un nom en particulier, celui de GWYNETH GILPATRIC. Elle remarqua qu'au lieu d'une adresse e-mail, un simple nom lui était associé : « CASPER » !

Laura s'efforça de comprendre ce qui s'offrait à sa vue. Elle repensa aux soirées passées chez son père en compagnie de Francesca, quand elles étaient colocataires, et avec quelle insistance son amie demandait à voir la maquette de parc, s'extasiant chaque fois sur la même attraction : celle de Casper et son Pays des Fantômes, avec les personnages du dessin animé, Casper, Wendy et Spooky.

Que signifiait tout cela ?

Elle décida de revenir à la liste des quatre derniers fichiers consultés qu'elle avait vus s'afficher dans le menu déroulant. Ignorant celui qui avait pour titre Fordham, sans aucun doute une demande de renseignement sur l'inscription aux cours, elle cliqua sur le troisième fichier.

Laura sentit battre son pouls à ses tempes et une brusque chaleur lui monta au visage lorsqu'elle lut le contenu du fichier « Recette ». Il ne laissait aucun doute sur le fait que Francesca Lamb, son amie sincère, n'était pas celle que Laura croyait.

Francesca avait commandé de la poudre de gamma-hydroxybutyrate. Elle avait de toute évidence téléchargé et enregistré des instructions pour doser les ingrédients d'une substance nommée GHB.

Francesca avait tenté de la tuer !

Les idées de Laura se bousculèrent dans sa tête tandis qu'elle s'efforçait de se remémorer la suite d'événements ayant conduit à sa perte de connaissance, lors de la soirée de gala. Francesca était partie avant que Laura ne se sente mal, ce qui signifiait qu'elle ignorait encore que le poison ne l'avait pas tuée. L'estomac noué, Laura se rendit compte que son « amie » s'était envolée pour Porto Rico, persuadée qu'elle serait morte au moment de son retour.

Tout s'enchaînait à la perfection, maintenant, comme une macabre rangée de dominos. Francesca avait un mobile pour tuer Gwyneth, si elle tenait la présentatrice pour responsable de la mort de son frère. Francesca avait également une raison de tuer Kitzi Malcolm, témoin du crime. Et Francesca avait pu assassiner Delia elle aussi, si elle pensait que la bonne l'avait aperçue juste avant la mort de Gwyneth.

Fascinée par l'horreur de cette trahison, Laura se rua sur le téléphone pour appeler Matthew, sans prêter attention au bruit des portes de l'ascenseur qui s'ouvraient sur le vestibule.

138

— Va plus doucement, Laura. Attends, je n'arrive pas à te comprendre, ma chérie, insista Matthew en se frottant les yeux.

— C'est Francesca ! je crois que c'est elle qui a versé du poison dans mon verre et elle a tué Gwyneth et les autres ! débita Laura à toute allure.

— Laura, il faut que tu te calmes, mon cœur. Tu ne te sens pas bien. Tout a été très dur pour toi et...

— Ne me parle pas comme si j'étais folle ! Je sais de quoi je parle ! J'ai des preuves !

Matthew frissonna en entendant le clic, suivi de la déconnexion.

139

Le doigt orné d'une bague d'émeraude s'était abattu sur le support du téléphone, coupant la conversation.

— Quel genre de preuves, Laura ?

Levant les yeux, Laura vit Francesca qui la dominait. Un grand couteau de cuisine brillait dans son autre main.

— Francesca, comment peux-tu..., murmura-t-elle dans un souffle.

— Ce monde est sans pitié, Laura. Chacun doit accomplir ce qui lui revient. Tu allais tôt ou tard faire le rapprochement. Ce n'était qu'une question de temps. Tu aurais réalisé que j'avais une raison de souhaiter la mort de Gwyneth. Tu te serais demandé comment je me procurais de l'argent, si je ne travaillais pas et je ne tiens pas à travailler, Laura.

Elle pointa le menton d'un air provocateur.

— Je te connais trop bien, continua-t-elle. Quand tu tiens un os, tu n'es pas prête à le lâcher. Une vraie chienne. Tu n'aurais pas accepté de laisser les choses telles qu'elles sont. Moi, je ne pouvais pas te laisser recoller les morceaux du puzzle.

— Tu as assassiné ? répéta Laura sans y croire.

— C'est une chose que l'on fait, parfois ! Tu ne te souviens pas ? Ton amie Gwyneth m'a aidée à m'en rendre compte.

Laura resta silencieuse. De quelle manière s'en sortir ?

— Lève-toi ! commanda Francesca en poussant Laura du genou. Ton Matthew chéri est probablement déjà en route. Allons donc faire un petit tour au salon.

Laura se leva de son siège, tandis que Francesca se plaçait derrière elle. Sous la menace du couteau, dont elle sentit la froide lame frôler sa nuque, Laura avança en silence dans le couloir.

« Réfléchis ! Réfléchis ! »

Elle ne pariait pas sur ses chances, en cas de lutte avec une adversaire armée d'un couteau.

— Francesca, implora-t-elle, il doit y avoir un moyen de tout arranger.

Son ex-amie laissa échapper un rire sans chaleur.

— Oui, c'est ça ! Pour quelqu'un d'intelligent, tu viens de faire une réflexion bien stupide. *Imbecil !* Ta petite Jade ne t'a pas appris ce mot, lors de vos leçons d'espagnol ? Il n'y a aucun moyen d'arranger les choses, je n'ai pas la moindre envie de passer le restant de mes jours en prison ni de finir sur la chaise électrique. Je dispose désormais de tout l'argent dont j'ai besoin et je vais en profiter, tu peux me croire.

Elles se trouvaient dans le living, maintenant ; derrière la baie vitrée les lumières de Manhattan illuminaient le ciel.

— Mais tu l'as dit toi-même, Francesca, Matthew va surgir d'un moment à l'autre. S'il te plaît, pose ce couteau, et nous allons discuter de ce qu'il faut faire.

— J'en ai déjà décidé, Laura. Seule. Quand Matthew arrivera, tu ne seras plus là. Éperdue, affolée par les événements, tu te seras suicidée en sautant toute seule du haut de la terrasse. Moi, j'aurai quitté l'appartement.

— Et l'ordinateur ?

La voix de Laura s'éteignit, Francesca eut un haussement d'épaule.

— Matthew ne pensera pas à y aller voir. Pas ce soir, en tout cas. Demain, je m'assurerai d'effacer les fichiers que j'ai si étourdiment sauvegardés.

140

« Où sont ces fichus taxis, bon sang ! »

Hors de lui, Matthew se tenait à l'angle de la Troisième Avenue. Il attendait depuis ce qui lui paraissait une éternité.

Laura semblait prise de démence. Il se demanda s'il devait appeler la police.

Non, décida-t-il en courant vers Park Avenue, espérant avoir plus de chances de dénicher un taxi de ce côté-là. Les prévenir n'était pas indispensable.

Il arriverait bien à calmer Laura tout seul.

141

Laura se tenait debout sur la terrasse en chemise de nuit. Elle ne sentait pas le froid.

D'une chose au moins, elle était sûre. Elle n'allait pas tomber sans se battre.

« Comment faire pour se tirer de là ? »

— Allez, saute donc, Laura ! murmura d'une voix pressante Francesca, lui appliquant la lame du couteau sur la veine jugulaire. Facilite-moi les choses.

Laura tourna la tête pour fixer son agresseur.

— Que crois-tu que tes parents ressentiront, Francesca, lorsqu'ils apprendront ce que tu as fait, ou ce que tu as l'intention de faire ? Eux qui ont déjà enterré leur fils, je suis certaine qu'ils préféreraient voir se répéter cent fois cela plutôt que d'apprendre que leur fille est une meurtrière !

Pour une fraction de seconde seulement, Francesca baissa le regard, offrant sa chance à Laura.

Elle se rua derrière le grand télescope à côté d'elle et, mue par une poussée d'adrénaline, trouva la force de faire pivoter le lourd cylindre de métal pour frapper violemment le beau visage de Francesca déformé par la rage.

Troisième partie

LES VAGUES DE FÉVRIER

142

Mardi 1er février

L'édition spéciale de « Plein Cadre » apprit au public que la police venait d'appréhender une femme suspectée d'être l'assassin de Gwyneth Gilpatric. Francesca Lamb gisait dans un lit au Mount Olympia Hospital. Deux policiers gardaient la porte de sa chambre. Mlle Lamb était considérée, en outre, comme responsable du meurtre de Kitzi Malcolm et de celui de l'employée de maison de Gwyneth Gilpatric. La police attendait de pouvoir l'interroger plus complètement, dès qu'elle se serait remise d'une blessure à la tête récoltée en luttant avec Laura Walsh, la jeune productrice de « Plein Cadre » qui avait découvert son implication dans les trois meurtres.

Le dernier sujet de l'émission révélait le rôle qu'avait tenu Gwyneth Gilpatric dans la disparition du petit Tommy Cruz, sur l'ancien site de Palisades Park.

Lorsque Eliza Blake eut annoncé la fin de l'émission, Laura regarda attentivement le générique pour voir défiler son nom parmi les crédits des journalistes et des producteurs. Elle avait attendu ce moment, mais les circonstances lui parurent bien différentes de ce qu'elle avait imaginé.

Sa satisfaction d'atteindre son but en tant que productrice et d'avoir révélé ce qui était arrivé au petit Tommy Cruz se trouvait occultée par la découverte du rôle de son père dans la disparition de l'enfant. Avoir appris que sa meilleure amie était une meurtrière et qu'elle voulait l'assassiner l'avait en outre profondément déstabilisée, la laissant dans le doute sur sa capacité à juger les gens qui l'entouraient.

Mais les taux d'audience, eux, allaient être excellents.

143

Rose Potenza éteignit le poste de télévision et alla vers le canapé pour embrasser son fils.

— Ça va aller, Ricky ? demanda-t-elle d'une voix douce, sur un ton qui reflétait toute l'attention qu'elle lui portait.

— Je n'ai pas envie d'en parler, maman. Fiche-moi la paix !

Ricky venait de regarder l'heure d'émission la plus impressionnante qu'il ait jamais vue. Il n'était pas sûr de ce qu'il ressentait. Un mois plus tôt seulement, il se réjouissait de la mort de Gwyneth Gilpatric. Il était même déçu de ne pas avoir été sur le toit pour la pousser. Ni d'avoir pu la prendre à partie, comme il avait prévu de le faire en s'introduisant chez elle lors de cette réception.

Cependant, après le « Plein Cadre » de ce soir, il ne voyait plus tout à fait les choses du même œil.

Tout avait été entièrement accidentel. Gwyneth n'avait que cinq ans de plus que lui, ce jour où Tommy fut victime d'une chute mortelle. Elle avait paniqué, elle aussi. La différence, c'était que Gwyneth s'en était remise, qu'elle avait réussi sa vie et rencontré le succès, alors qu'il devait se contenter, semaine après semaine, de la voir lui sourire sur un écran de télévision. Une situation qui lui était restée en travers de la gorge et l'avait rendu à moitié fou.

Gwyneth aurait dû se confier à la police. Mais lui aussi, il aurait pu.

Ni l'un ni l'autre ne l'avaient fait.

Pouvait-il vraiment se croire meilleur qu'elle ne l'avait été ?

Peut-être, en définitive, lui serait-il possible d'en parler à ce docteur du centre psychiatrique de Rockland ?

144

Mercredi 2 février

Le matin suivant l'édition de « Plein Cadre » soumise à la vague spéciale de sondages, Laura reçut les félicitations de ses collègues. Ils eurent cependant du mal à trouver un compliment approprié aux circonstances.

« Vraiment impressionnant, mais je pense que cela a dû être dur, pour toi. »

« Beau travail, Laura ! Enfin, tu dois regretter d'avoir coincé ton père, non ? »

« Bon sang, si ça m'arrivait à moi, j'en ferais une dépression nerveuse. Ça doit t'aider, quand même, de voir tomber tous ces millions et de vivre dans un appartement si luxueux ! »

« En matière d'audience, on doit reconnaître que t'es une tueuse. Tu sais vraiment comment faire pour fabriquer un super sujet. »

« Hé Laura ! Tu le tiens, ton Emmy Award ! Découvrir qui a tué Gwyneth Gilpatric *et* résoudre le mystère de Palisades Park... Quand tu renégocieras ton contrat, tu vas pouvoir demander un max de fric ! »

La crème du tact, ces gens de télé.

Laura se réfugia dans son bureau. Elle envisagea la possibilité de donner sa démission.

— Rude matinée, hein ?

Matthew se tenait dans l'encadrement de la porte.

— C'est bien le moins qu'on puisse dire, répondit-elle d'un ton mélancolique.

Il s'approcha et prit un siège.

— J'espère que tu ne m'en voudras pas, mais j'ai appelé un bon avocat du New Jersey pour qu'il s'occupe de ton père.

— T'en vouloir ? Je serais plutôt épatée. J'avais pensé faire la même chose, mais...

— N'en dis pas plus. Tout a été si dur. Je ne me pardonnerai jamais de ne pas avoir appelé plus tôt l'inspecteur Ortiz pour lui parler de mes soupçons au sujet de Casper et ses Fantômes. Laisse-moi au moins t'aider de cette façon, Laura. J'y tiens.

Laura lui adressa un regard plein de reconnaissance. Elle sentit des larmes lui monter aux yeux.

— Qu'a dit l'avocat ? demanda-t-elle d'un ton grave, en retenant son souffle.

— Eh bien, ce n'est pas aussi sérieux que nous le pensions. Il a déclaré qu'il n'imaginait pas qu'un procureur aille se fourvoyer dans cette affaire. À la vérité, si Emmett n'aurait en aucun cas dû faire faire des tours gratuits aux gosses, surtout après la fermeture du parc, il n'a pas provoqué directement la mort de Tommy. C'est triste à admettre, mais le gosse s'est tué tout seul. Et il semble que l'action pénale soit prescrite. Elle aurait dû être ouverte moins de cinq ans après que Tommy fut enterré. Emmett n'ira donc probablement pas en prison.

Dieu merci ! Ce qu'avait fait son père était une terrible, une gravissime erreur, et il devait certainement y avoir un prix à payer. Pourtant, elle n'aurait pu supporter l'idée de le savoir en prison jusqu'à la fin de ses jours.

— Même si une action civile est engagée contre lui, continua Matthew, par exemple dans le cas où les Cruz lui demanderaient des dommages-intérêts, Emmett n'est pas solvable. Il n'a pratiquement rien à offrir comme compensation.

Laura songea aux biens de Gwyneth Gilpatric, désormais à elle.

— De l'argent, moi j'en ai !

— Oui, mais c'est le tien. Pas celui d'Emmett. Les Cruz n'ont pas le droit d'en profiter.

Elle songea aux malheureux parents. Leur vie avait été fracassée et on les laissait en rassembler les débris sans leur accorder la moindre contrepartie. Ce n'était pas juste.

— Sauf si je leur offre, corrigea Laura.

145

Laura déambulait de pièce en pièce dans l'appartement, en évitant de regarder la terrasse.

« Cet endroit restera toujours la demeure de Gwyneth. Je ne pourrai jamais réellement me l'approprier. »

Elle était sûre de prendre la bonne décision en appelant Roberta Golubock chez Sotheby's, afin de fixer un rendez-vous pour une estimation de l'appartement et de tout ce qu'il contenait.

Elle ignorait quel montant il rapporterait, mais cela devait se chiffrer en millions de dollars. Avec une telle somme, plus ce que Gwyneth lui avait légué sur ses comptes bancaires, Laura devenait une femme riche qui pouvait faire ce dont elle avait envie.

Elle pourrait tout donner aux Cruz. Ou garder une partie de l'argent afin de l'investir et consacrer ces fonds à de bonnes causes ; aider d'autres personnes, par exemple. L'image de sa joyeuse petite Jade lui vint à l'esprit. Laura fut certaine de pouvoir mettre suffisamment de côté pour subvenir aux frais de scolarité de la future jeune étudiante.

Et Ricky Potenza ? Il n'était qu'un enfant, à l'époque. Il n'avait pris aucune part active aux événements, n'avait pas maîtrisé sa vie, n'était pas responsable du malheur de ses parents. Peut-être fallait-il faire quelque chose pour lui et sa mère, maintenant ?

Laura se saisit d'un grand bloc-notes, Elle commença à écrire, dressant la liste de ce qu'elle réaliserait avec cet argent. Elle voulait contribuer, à sa façon, à réduire les injustices autour d'elle. Tandis qu'elle faisait courir la pointe de son stylo sur le papier ivoire, son esprit s'envola.

Il y avait largement de quoi faire le bien autour d'elle.

Elle alla décrocher son téléphone et composa le numéro de Jade.

Si près de vous

Prologue

Elle présentait le journal télévisé de 22 heures pour GSN depuis deux ans et pas une fois elle n'avait frémi à l'idée d'emprunter seule le parking souterrain, le soir, après l'émission. Elle avait jusqu'alors été si sûre d'elle.

Depuis peu cependant, sa vie avait basculé dans l'horreur.

L'air vif et froid de cette fin octobre la saisit tandis qu'elle traversait le parking pour rejoindre sa voiture. Frissonnant sous son manteau de laine qui sortait tout juste du pressing, elle chercha la serrure à tâtons avec sa clé, mais son extrême nervosité rendait ses gestes maladroits. Un soupir de soulagement lui échappa lorsque, enfin, elle se retrouva à l'intérieur et verrouilla la portière derrière elle.

Elle ne serait pas une victime. Pour preuve, elle avait résolu de prendre des cours d'autodéfense à son club de gym, et d'équiper sa maison d'un système de sécurité. Il fallait continuer à vivre normalement et ne pas se laisser empoisonner la vie par un détraqué.

Au volant, elle repensa à son boss, le directeur de l'information de la chaîne. Bien qu'inquiet pour elle, il ne cédait pas à la panique. Depuis vingt ans qu'il faisait ce boulot, il avait entendu des dizaines d'histoires

semblables à la sienne : des présentatrices-vedettes harce-
lées par certains téléspectateurs – des fans certes insistants,
mais qui se révélaient la plupart du temps inoffensifs. La
plupart du temps...

Sa décapotable bleue connaissait la route par cœur.
Lorsqu'elle s'immobilisa sur sa place réservée, au fin fond
d'une rangée de maisons individuelles, elle se souvint
avec ironie des raisons qui l'avaient décidée à l'achat de ce
pavillon. Son emplacement l'avait particulièrement ravie,
un vis-à-vis seulement d'un côté, de l'autre une étendue
de verdure qu'elle n'aurait à partager avec personne. Qui
aurait pu prévoir qu'un jour elle regretterait amèrement
son excès d'individualisme ? Elle pesta intérieurement. Si
seulement elle pouvait se sentir en sécurité, avec des voisins de part et d'autre de chez elle !

Le moteur coupé, elle chercha son trousseau de clés et
ne le lâcha plus. Hésitante, elle s'attarda encore un instant, le temps de jeter un œil aux alentours pour s'assurer
qu'il n'y avait personne. Elle quitta sa voiture. Quelques
pas seulement la séparaient du perron.

Le verrou du haut céda sans problème. La seconde clé se
coinça à mi-chemin dans la serrure. Cédant à la panique,
elle s'acharna frénétiquement.

— Linda, tu cherches à m'éviter.

Les mots tombèrent comme un couperet dans la nuit.
Brutalement, des mains l'empoignèrent. La violence de
l'étreinte ne permit aucune lutte, aucun cri.

Le lendemain matin, des gouttelettes de rosée scin-
tillaient sur la pelouse. Bientôt une atmosphère chaleureuse baignerait la ville entière et Halloween serait célébrée
dans tous les foyers. Cette année, la fête des morts-vivants

tombait un samedi. Tout joyeux, un gamin déguisé en gorille remontait la rue bordée de maisons. On le félicitait et le récompensait partout pour son costume en lui offrant des friandises.

Arrivé devant la dernière porte, il frappa, mais personne ne vint lui ouvrir. Il haussa les épaules et tourna les talons. De toute façon, les portes ouvertes et les sucreries ne manqueraient pas aujourd'hui.

Impatient, il poursuivit son chemin jusqu'au bois voisin. De là, il rejoindrait d'autres quartiers résidentiels. La présence incongrue d'un escarpin et d'un vaporisateur sur la pelouse ne sembla pas éveiller sa curiosité.

Rageuse et accusatrice, la mère de la présentatrice-vedette gesticulait et s'époumonait face aux policiers. Sa fille leur avait pourtant signalé qu'elle se sentait suivie. Pourquoi, bon sang ! s'étaient-ils montrés aussi passifs ?

Devant les invectives de cette mère, les agents restaient sur la défensive. Ils lui rappelèrent la filature prolongée dont sa fille avait bénéficié, au terme de laquelle rien d'anormal n'avait été constaté. Pas une seule menace n'avait été proférée, c'est pourquoi ils avaient mis fin à leur protection rapprochée. Pour des questions de budget, ils ne pouvaient pas continuer indéfiniment à la raccompagner tous les soirs.

Avant de la quitter, ils lui promirent de tout mettre en œuvre pour retrouver la disparue, Linda Anderson. GSN suivait l'affaire de près. Chaque jour, la chaîne faisait pression pour que l'inspecteur principal continue les recherches sans relâche. L'enquête s'annonçait compliquée, la liste des suspects étant vertigineuse.

Elle incluait quiconque possédait un poste de télévision.

AOÛT

1

— Eliza ! J'ai trouvé, mais il faut faire vite, c'est une affaire en or, pressa Louise Kendall, coupant court à toute objection.

Eliza Blake ne put masquer son excitation fébrile. Elle jeta un œil à sa montre et pivota nerveusement sur son fauteuil en cuir noir. De l'immense baie vitrée qui la séparait du studio, elle voyait s'affairer les techniciens en contrebas. Ils préparaient le plateau pour l'enregistrement du journal télévisé.

— Mais Louise, enfin, tu n'y penses pas ! Pas maintenant, tenta Eliza sans conviction.

Son ton faussement plaintif n'eut aucun effet sur son interlocutrice.

— Il le faut, Eliza. Écoute, cette maison est faite pour toi. À l'agence, on vient juste de signer les accords avec le propriétaire et demain elle sera officiellement mise en vente. Tout le monde va se jeter dessus. Crois-en mon expérience, le marché immobilier est sans pitié, tu peux être sûre que demain, à la même heure, la maison aura trouvé de nouveaux acquéreurs.

Louise parlait en professionnelle avisée et Eliza le savait. Depuis quelques semaines, celle-ci s'était résolue à chercher un nouveau logement, mais chaque nouvelle offre exigeait une réponse quasi immédiate. Les transactions immobilières se concluaient en effet à une vitesse décourageante dans le comté de Bergen. Eliza commençait vraiment à désespérer de trouver un endroit tranquille où vivre avec sa fille Janie. Leur appartement new-yorkais était suffisamment spacieux et confortable mais, depuis les récents événements survenus dans sa vie privée, elle tenait à changer d'environnement, même si cela impliquait de quitter la capitale culturelle du pays.

À l'autre bout du fil, Louise ne lâchait pas prise.

— Autre chose, Eliza. J'ai oublié de te dire que la maison est inoccupée. Sans compter qu'ils viennent de construire une école maternelle dans le quartier. Tu pourras y inscrire Janie dès la rentrée prochaine.

Pas de doute, Louise Kendall constituait bien l'élément moteur du Million Dollar Sales Club, pensa Eliza. Un sens inné de la vente immobilière.

— Bon, écoute, Louise, voilà ce que je peux faire : après la diffusion du journal, je vais récupérer Janie et on se retrouve là-bas à 20 heures.

— Génial ! s'exclama Louise, triomphante. Il fera encore assez jour pour faire le tour du propriétaire. Je sens que tu vas avoir un coup de cœur pour ce bijou, Eliza. Je me charge du contrat et toi, amène ton chéquier.

2

Le Like It Rare, bar-restaurant situé à deux pas du tunnel Lincoln, dans le New Jersey, affichait complet. Comme toujours aux alentours de 18 h 30, les habitués de l'établissement rouspétaient lorsque le barman se hissait jusqu'au poste de télévision pour changer de chaîne. C'était l'heure où Eliza Blake assurait la présentation du journal télévisé.

— Allez, Bidoche, c'est nul ! Remets le catch.

— Bordel, Bidoche ! On vient ici pour oublier ce qui se passe ailleurs et faut toujours que tu nous bassines avec tes actualités !

— Laissez tomber, les gars. Vous avez pas encore compris ? Cornie en pince pour Eliza Blake et rien n'y fera, y changera pas de chaîne.

Effectivement, pour Cornelius Bacon, à cette heure de la journée, plus rien n'importait vraiment. Même agressives, les protestations des clients le laissaient indifférent. Un mélange de fascination et de colère s'emparait de lui dès qu'Eliza Blake apparaissait à l'écran. Sa manière de ne pas se figer derrière le bureau comme les présentateurs masculins des chaînes concurrentes l'exaspérait. Elle arpentait en effet le plateau, obligeant la caméra à suivre ses déambulations. La chaîne avait beau nier l'évidence, les records d'audience enregistrés par le journal étaient le fait de cette brunette svelte et élancée, au charme irrésistible.

Avec un aplomb naturel, elle observait un rituel savamment orchestré : de l'accueil chaleureux des téléspectateurs, elle passait à l'énumération cadencée des principaux titres du jour, puis rejoignait sa place sur le rythme trépidant d'un jingle.

Ce soir, Cornelius n'aimait pas le tailleur qu'elle portait. Trop courte, la jupe !

Ne l'avait-il pas prévenue à ce sujet ? Les yeux du barman ne quittaient pas les cuisses découvertes de la présentatrice. Il lui avait précisé ce qu'elle risquait à jouer des jambes comme ça.

— Elle aurait dû m'écouter, siffla-t-il, mâchoire serrée.

3

Peu avant la fin du générique, Eliza dégrafa son micro et remercia l'équipe technique et tout le personnel pour leur professionnalisme. Elle n'avait rien trouvé à redire. Alternance parfaite de reportages et de directs, pas de noms écorchés ni d'erreurs dans le lancement des visuels. Bref, un produit bien ficelé, propre à satisfaire les abonnés.

— Bon boulot, assura Range Bullock, producteur délégué, depuis la régie.

Au moment où Eliza quittait le plateau, une casquette de base-ball truffée de paillettes dorées vint à sa rencontre. C'était Doris Brice, la maquilleuse. Secouant la tête, Eliza ajourna le rituel du soir.

— Merci, Doris, mais je n'ai pas le temps de me démaquiller. J'ai une maison à visiter.

Doris savait qu'Eliza cherchait à déménager. Depuis quelques semaines, elles évoquaient le sujet pendant les séances de maquillage, avant chaque passage à l'antenne. Doris, comme d'ailleurs presque toute l'équipe de Key News, connaissait les événements marquants de la vie de la présentatrice. Le décès de John, son mari, des suites d'un cancer alors qu'elle était enceinte de leur premier enfant. Sa sévère dépression après la naissance de leur fille et sa lutte acharnée pour revenir travailler. Et, comme si cela ne suffisait pas, Eliza avait eu maille à partir avec la nourrice de sa petite Janie – épisode tragique au terme duquel son employée avait fait feu sur elle, la blessant au ventre. Aujourd'hui encore, la douleur se réveillait lorsque, pressée, elle se relevait trop vite.

Après tout ce qu'elle avait enduré, Doris comprenait qu'Eliza aspirât à vivre dans un cadre nouveau pour repartir de zéro. Les deux femmes partageaient à présent une réelle complicité. Doris espéra sincèrement que cette maison lui conviendrait. Eliza le méritait. Pour une fois, le destin pouvait bien se montrer plus clément.

Et puis, elle pouvait se le permettre. Son statut de présentatrice lui assurait un bon revenu.

— Bonne chance à toi ! lança Doris à la volée.

Eliza se retourna vivement, grimaça furtivement de douleur, puis tendit les pouces en signe de victoire.

4

Depuis qu'elle officiait à « Key Evening Headlines », Jerry Walinski avait programmé ses séances de massage après la diffusion du journal de 18 h 30. La vision d'Eliza le mettait dans un tel état de tension nerveuse qu'il avait absolument besoin des doigts experts de Lori, sa masseuse attitrée, pour retrouver ses esprits.

Ce soir-là, il appréciait particulièrement la présence de Lori. Affalé à plat ventre sur la table de massage au beau milieu de sa chambre, il gardait les yeux fermés tandis qu'elle pétrissait avec application ses membres inférieurs. Impossible pourtant de ressentir les bienfaits du massage, Eliza Blake ondulait encore sous ses paupières.

C'était la femme rêvée. Du charme, de l'intelligence et une classe exceptionnelle. Et ce petit tailleur crème qu'elle portait ce soir la rendait encore plus sublime. Elle savait comme personne observer une juste mesure entre souplesse et rigueur. Féline, elle se déplaçait lentement sur le plateau avant de s'immobiliser enfin, nuque droite et regard fixe. Comment résister au bleu intense de ses yeux qui fouillaient jusqu'au tréfonds de votre être ? Elle le comprenait, lui, Jerry, intimement. Il en était persuadé. D'ailleurs, quand elle parlait, c'était comme si elle s'adressait à lui seul.

Il pouvait rester des heures à la regarder, à contempler inlassablement sa photo qu'il avait disposée sur sa table de nuit, dans un petit cadre argenté. Il avait tout simplement demandé un autographe d'Eliza Blake à Key News et on lui avait rapidement retourné ce portrait souriant.

Lori prétendait qu'à s'agissait certainement d'un courrier-type que la chaîne envoyait aux admirateurs. Jerry connaissait la jalousie féminine. Lori avait le droit de lui en vouloir, il ne l'avait jamais draguée ouvertement. Pourtant, ce soir, les allégations de sa masseuse l'avaient assombri. Il ne la laisserait pas ternir l'image de son idole. Eliza avait choisi cette photo en pensant spécialement à lui. Exclusivement à lui.

Les mains puissantes de Lori s'acharnaient à présent sur son dos, chassant avec vigueur les tensions musculaires.

— Je vois que vous avez fait vos exercices, observa-t-elle. Vos muscles commencent à se dessiner.

Elle n'obtint pour toute réponse qu'un mm-hmm laconique. Elle comprit que son client ne souhaitait plus parler et poursuivit son travail en silence. Le contact tiède des huiles essentielles entre ses omoplates conforta Jerry dans sa folle décision. Il appellerait Eliza et lui déclarerait sa flamme.

Pendant de longs mois, il avait réussi, au prix d'efforts considérables, à garder son sang-froid. À présent, il devait lui avouer ses sentiments.

5

Garée le long du trottoir, devant l'entrée des studios d'enregistrement, une voiture bleue avec chauffeur attendait, moteur en marche. En cette fin d'après-midi étouffante du mois d'août, Eliza quittait enfin les bureaux de Key News. Elle était en nage. Son visage s'illumina lorsqu'elle vit sa petite Janie, le front collé contre la vitre arrière de la voiture, à côté de sa grand-mère. Cédant aux demandes répétées de la fillette, le chauffeur ouvrit la portière. L'enfant s'échappa vers sa mère.

— Mmmmm, ma puce, comme tu m'as manqué ! s'exclama Eliza tandis que deux petits bras se refermaient autour de son cou. Alors, qu'est-ce que tu as fait aujourd'hui, mon ange ?

— Je suis allée au zoo avec KayKay voir les singes.

— Et Poppie ?

— Il est resté à la maison faire la sieste.

Eliza jeta un regard vers Katharine Blake avant de s'engouffrer à l'intérieur de la voiture. Pour une femme de soixante-dix ans, aller au zoo sous cette chaleur avait dû relever de l'héroïsme. Même si, à l'évidence, Janie s'était régalée – les taches de chocolat sur son T-shirt, ses joues rouges et ses cheveux ébouriffés en témoignaient –, sa grand-mère, elle, avait les traits tirés.

— Je ne sais pas comment je ferais sans vous, glissa Eliza à l'oreille de sa belle-mère avant de l'embrasser.

En guise de réponse, Katharine lui tapota la main. Les deux femmes se comprenaient parfaitement. L'épisode traumatisant de la nourrice les avait sérieusement ébranlées. Depuis, Janie n'avait plus quitté le cercle familial. Confiée à ses grands-parents la journée, elle rejoignait sa mère le soir. Pourtant, Eliza commençait a mesurer toute la précarité de la situation. Elle savait que cet arrangement ne pourrait se prolonger indéfiniment.

Et aujourd'hui, le visage exténué de sa belle-mère sonnait pour elle comme un signal d'alarme. Katharine et Paul avaient enduré trop de choses. D'abord la perte prématurée de John, leur fils unique, puis l'angoisse de perdre leur petite-fille. Eliza ne pouvait plus reculer. Il fallait qu'elle se mette en quête d'une nouvelle nourrice, et au plus vite.

Mais ce qui l'inquiétait davantage encore, c'était l'apparente indifférence de Janie aux événements survenus avec Mme Towmey. La fillette avait vu sa nourrice adorée tirer sur sa mère. Comment expliquer à une enfant aussi jeune que Mme Towmey avait déjà commis deux meurtres auparavant et qu'elle avait tenté de tuer Eliza lorsque, en l'apprenant, celle-ci lui avait signifié son congé ? Les conseils du pédopsychiatre qu'elle avait consulté lui avaient été précieux. Selon lui, les véritables troubles mentaux étaient causés par la répétition de comportements abusifs comme l'abandon ou l'humiliation.

Un seul événement, même terrifiant, pouvait être surmonté à condition que l'entourage familial continue d'offrir des repères sécurisants et un environnement affectif rassurant.

Certes, Janie n'avait pas de père, mais le fait qu'il fût mort avant sa naissance lui avait, en quelque sorte, épargné l'expérience de sa disparition.

Bientôt, Janie serait confrontée à d'autres enfants qui, eux, auraient deux parents. Sans doute ressentirait-elle alors plus violemment le vide laissé par son père. En ce cas, l'aide d'un psychologue pourrait se révéler opportune. Mais, pour le moment, le médecin se montrait plutôt confiant.

— Vous devez être fatiguée, Katharine, mais je tenais à ce que vous visitiez la maison avec moi. Votre opinion m'est toujours très utile et, d'après ce que m'a dit Louise, il faudra que je me décide dès aujourd'hui.

La vieille dame secoua la tête avec lassitude.

— Avant, on avait le temps de réfléchir à de tels investissements, je ne me ferai jamais aux lois du marché actuel. C'est de la folie pure et simple.

Les yeux rivés sur le fleuve Hudson, Eliza acquiesça, cependant qu'elles roulaient vers le pont George Washington pour rejoindre l'État du New Jersey.

— De la folie pure et simple, répéta Eliza, pensive.

Elle avait le sentiment d'avoir perdu tout contrôle sur sa vie ces dernières semaines. Au moins ce déménagement lui apporterait-il un peu de stabilité.

6

Joe Connelly assurait la sécurité dans les locaux de Key News. À ce titre, il était entre autres chargé de repérer les lettres les plus suspectes adressées à Eliza Blake. Et pour cause ! Si la présentatrice vedette avait eu vent de l'abondance de courrier malsain qui parvenait à la direction, le sommeil l'aurait quittée pour de bon. La politique de Connelly consistait à ne rien lui dire, sauf cas exceptionnel. Toute la difficulté de sa tâche résidait là. Savoir différencier l'auteur réellement menaçant de l'admirateur transi.

L'assistante d'Eliza, qui ouvrait le courrier, transmettait à Connelly tout ce qui lui paraissait suspect. Depuis qu'Eliza présentait « Key Evening Headlines », les lettres suivaient la courbe ascendante de l'Audimat. On était bien loin du temps où elle était cantonnée à une émission matinale, « Key to America ». Connelly se rappelait avoir fait suivre certaines missives au FBI à l'époque, mais rien de bien sérieux comparé à la situation actuelle.

— Les services de sécurité de Key News étaient situés dans les sous-sols du bâtiment. Une quinzaine de caméras filmaient en permanence les portes d'entrée et les issues de secours du bâtiment, les sorties d'ascenseur et les couloirs. Seules les toilettes échappaient à l'œil inquisiteur de la vidéosurveillance, au grand regret de Joe, car la loi l'interdisait. Mais pareil dispositif semblait infaillible. Il avait d'ailleurs permis de régler le problème du manque d'effectif.

346

Un vigile était placé en observation devant les moniteurs de contrôle dès qu'une vedette de la chaîne travaillait dans les studios. Il était interdit de déroger à cette règle.

— Rien à signaler ? demanda Connelly à l'agent de surveillance.

— J'essaie de pas m'endormir, il se passe rien.

— Maintenez le cap, ordonna Connelly, imperturbable.

7

En arrivant au rendez-vous fixé par Louise Kendall, Eliza découvrit une magnifique maison de style colonial, dont l'environnement naturel rehaussait le charme. Elle possédait un cachet indiscutable et la jeune femme eut presque aussitôt la certitude qu'elle allait en faire l'acquisition. Profitant de la magie du lieu, Louise Kendall attendait patiemment sa cliente sur la pelouse.

— Je l'aime déjà, laissa échapper Eliza, encore assise dans la voiture.

Elle évalua rapidement les avantages de sa future maison. En retrait par rapport à la route principale, la propriété s'étendait sur un peu plus d'un hectare.

Sa belle-mère, plus méfiante, la mit en garde.

— Montre-toi plus distante face à Louise. Ne lui laisse pas voir ton enthousiasme.

— D'accord, KayKay, répondit docilement Eliza, nullement contrariée.

Elle comprenait la réserve de Katharine et l'embrassa sur la joue pour la rassurer.

— Promis, j'essaierai de ne pas me trahir.

Cela fut toutefois peine perdue car Janie s'élançait déjà hors de la voiture en traînant Zippy, son inséparable singe en peluche, pour se précipiter vers Louise.

— Ma maman, elle adore la maison ! lança-t-elle fièrement.

Les deux femmes lui emboîtèrent le pas. Eliza ne pouvait contenir sa bonne humeur.

— C'est bon, Louise, je me rends. Allez, fais-nous faire le tour du propriétaire.

La lumière du jour déclinait lorsqu'elles arpentèrent l'extérieur de la propriété. Surexcitée, Janie ne tenait pas en place. Elle courait au-devant du trio et décrivait en criant tout ce que les visiteuses ne pouvaient encore voir. Soudain, elle poussa un cri de joie, n'en croyant pas ses yeux.

— Maman ! Il y a une piscine !

— Parfait, grommela Katharine, d'un ton sarcastique. Une nouvelle source d'ennuis en perspective !

Eliza ne releva pas la remarque. Elle comprit que les nerfs de sa belle-mère étaient à ce point éprouvés que le moindre détail constituait à ses yeux une menace potentielle. Elle partageait quant à elle l'enthousiasme de sa fille.

— Et regarde là-bas, ma chérie, il y a un cabanon, lança-t-elle.

En fait de cabanon, il s'agissait d'une petite dépendance dont l'entrée donnait sur une cuisine coquette équipée d'un réfrigérateur, d'un double évier, d'un four intégré et d'un lave-vaisselle. À côté, entièrement carrelée, se trouvaient une salle de bains avec douche ainsi qu'un petit débarras avec une machine à laver et un sèche-linge.

— Pense aux fêtes que tu pourras donner ici, déclara Louise avec entrain.

L'argument ne séduisit guère Eliza qui, après une dure journée de travail, se voyait plutôt allongée confortablement sur un transat au bord de la piscine à regarder sa fille patauger.

— Maman, KayKay, venez voir !

Janie les avait précédées dehors et les appelait du pied d'un orme majestueux. Un escalier de bois rivé contre le tronc menait vers une petite cabane cachée dans l'abondant feuillage et, émerveillée par cette découverte enchanteresse, l'enfant entreprenait déjà de grimper les marches. Prise de panique, KayKay se précipita vers l'arbre.

— Attention, ma chérie, l'escalier n'est peut-être pas très sûr !

Bien que compréhensible, la réaction de Katharine conforta Eliza dans sa décision de moins solliciter ses beaux-parents à l'avenir. À force de conseils et de mises en garde, Janie risquait de devenir peureuse. Or, en tant que mère, Eliza jugeait de son devoir d'aider sa fille à prendre confiance en elle. D'ailleurs, pour les avoir expérimentées, elle connaissait les vertus de l'épreuve. Janie elle aussi devrait apprendre un jour à tirer les leçons d'expériences douloureuses. Il n'y avait rien de tel pour forger un caractère.

Les pensées d'Eliza volèrent jusqu'à Mack lorsqu'elle vit sa fille apparaître sur la plate-forme en bois, rayonnante de joie. Mack McBride savait se montrer attentionné envers Janie et elle. Tous deux se connaissaient depuis peu, mais les liens qu'ils avaient tissés ces derniers mois paraissaient solides. Eliza avait beaucoup apprécié de pouvoir enfin compter sur quelqu'un après cinq longues années de solitude. Et, qui sait, peut-être Mack les rejoindrait-il dans leur nouvelle maison ?

8

À l'ouest de la 57e Rue, Yelena Gregory, présidente de Key News, et Mack McBride étaient assis face à face à l'une des tables du Manhattan Océan Club. Dès que le serveur eut apporté les cocktails, Yelena leva son verre.

— À votre santé, Mack, et à votre travail remarquable de reporter !

Mack trinqua et but une bonne gorgée de scotch.

— Eh bien, vous me voyez soulagé, avoua-t-il. Je m'attendais à une mauvaise nouvelle.

Le sourire de sympathie qu'il espérait voir s'afficher sur le visage de sa supérieure tardant à venir, il attendit qu'elle poursuive. Une fois de plus son intuition ne l'avait pas trahi.

— Pour ne rien vous cacher, il y a du nouveau, répondit Yelena en choisissant ses mots avec prudence. Vous n'êtes pas sans savoir que certaines affectations sont plus appréciées que d'autres...

— Continuez, s'impatienta Mack.

— Vous avez été pressenti pour devenir grand reporter.

L'annonce le frappa de plein fouet. C'était donc ça ! On l'envoyait ailleurs, loin de New York, loin de...

Yelena trempa ses lèvres dans son verre. Elle avait du mal à déglutir. Offrir un cadeau empoisonné, telle était sa rude mission du jour.

— Correspondant européen, en poste à Londres, bien entendu.

La vie était mal faite. Quelques mois plus tôt, Mack aurait sauté au cou de cette femme et lui aurait arraché un baiser. Ses débuts dans les vieux bureaux de Edward

R. Murrow et ses toutes premières apparitions à l'antenne lui revinrent en mémoire. Quel journaliste ne rêvait pas de devenir le correspondant à Londres de Key News ? Lui-même avait souvent caressé cette folle idée.

Aujourd'hui, son vœu était exaucé, mais sa victoire avait un goût amer. Londres. Tout un océan et pas moins de cinq fuseaux horaires entre lui et Eliza.

Yelena scruta le visage de Mack, impatiente d'y lire sa réaction. Cette fois, ce fut au tour de Mack de rester impassible.

— C'est pour quand ? se contenta-t-il de demander.

— Tout de suite.

Yelena enchaîna sur l'importance du poste et la nécessité d'apporter du sang neuf et un souffle nouveau à un service qui avait tendance à s'endormir sur ses lauriers. Mack ne toucha pas à son assiette. Il fit acte de présence jusqu'à la fin du repas et ne prêta qu'une oreille distraite aux arguments de sa supérieure.

— McBride et McGinnis : deux Mac pour le prix d'un, plaisanta Yelena en faisant allusion à Marcy McGinnis, qui venait elle aussi d'être nommée à Londres et avait déjà bouleversé les habitudes de travail de l'équipe installée là-bas.

Mack se força à sourire. Cette femme de poigne en face de lui était parfaitement au courant de sa liaison avec Eliza Blake. Yelena Gregory choisit toutefois de ne pas aborder le sujet. Un autre point tout aussi fondamental ne fut pas évoqué : s'il refusait cette promotion, Mack pouvait tirer un trait sur sa carrière journalistique.

9

La nuit était déjà bien avancée lorsque Eliza parvint enfin à coucher Janie. Épuisée, la fillette sombra presque aussitôt dans un sommeil profond. De la main, Eliza écarta la fine frange de cheveux châtains et lui baisa le front.

— Fais de beaux rêves, mon ange, murmura-t-elle.

Bien qu'exténuée elle aussi, Eliza songea à ce qu'elle venait de faire. Sans ciller, elle avait tout bonnement acheté une maison d'un prix faramineux.

Le problème n'était pas vraiment une question d'argent, car sa fonction de présentatrice lui permettait une telle acquisition. Mais, issue d'un milieu modeste, Eliza n'était pas habituée au luxe. Ses parents eux-mêmes avaient toujours eu des goûts très simples. Malgré ses propositions réitérées de leur acheter une villa pour leurs vieux jours, ils avaient préféré rester dans la maison familiale de Newport, en Nouvelle-Angleterre. C'était là qu'Eliza avait grandi et effectué sa scolarité. Après l'école publique, elle avait intégré l'université d'État de Rhode Island, accessible aux plus démunis, et y avait suivi avec succès un double cursus – journalisme et sciences politiques. Lorsqu'il lui arrivait de retracer son parcours, ses interlocuteurs pensaient qu'elle venait d'un milieu favorisé, sans imaginer un seul instant que beaucoup de gens vivaient au-dessous du seuil de pauvreté à Newport.

Seuls son talent, son travail acharné et quelques opportunités professionnelles lui avaient permis de se hisser au rang des meilleurs.

Les protestations de son estomac la rappelèrent à la réalité. Elle n'avait pas dîné. Elle enfila rapidement une chemise de nuit et s'engouffra dans l'escalier qui menait à la cuisine. Trop tard pour un vrai repas. Elle remplit rapidement un bol de céréales, trancha une banane et arrosa le tout de lait. Elle emmena son butin jusqu'à sa chambre et s'allongea enfin. Les premières bouchées englouties, elle aperçut alors le témoin lumineux clignotant de son répondeur.

— C'est moi. Appelle-moi dès que tu rentres. Même tard dans la nuit.

La voix de Mack semblait tendue. L'entrevue avec Yelena s'était-elle mal passée ?

Le contrat de Mack touchait à sa fin. Est-ce que la chaîne s'était montrée stupide au point de ne pas le renouveler ? Peu probable. Quoique... Il y avait déjà eu des exemples dans le passé. Se préparant au pire, Eliza décrocha son téléphone.

10

Écouter les messages téléphoniques de la veille au soir, telle était la première chose que ne manquait pas de faire Paige chaque matin, en arrivant sur son lieu de travail. Ce matin-là, un léger pincement au cœur la saisit lorsqu'elle tomba sur l'appel d'un anonyme qui confessait son admiration pour Eliza Blake. Le coup de fil avait eu lieu après minuit, comme l'indiquait le répondeur.

— Pauvre diable ! soupira la secrétaire en effaçant le message.

La tâche suivante consistait à éplucher le courrier de la présentatrice. Paige Tintle trouvait cette partie de son travail plutôt intéressante : trier toutes les missives, mettre de côté les plis personnels, traiter les sollicitations plus officielles, émanant souvent de personnalités importantes, et enfin répondre aux nombreuses lettres des téléspectateurs. Tout y passait. Certains complimentaient Eliza Blake pour les sujets traités, d'autres s'attardaient sur le choix de ses vêtements, critiquaient sa coupe de cheveux ou d'autres détails secondaires.

Des lettres de détraqués lui parvenaient aussi, qu'elle classait selon deux catégories : celles un peu inquiétantes et celles franchement effrayantes.

Et ce matin, l'une d'entre elles appartenait à la seconde catégorie. Ce n'était pas la première fois que ce type écrivait. Saisissant nerveusement la croix de la chaînette en or qui pendait à son cou, Paige relut ces quelques lignes :

> *Insolente petite allumeuse,*
> *Combien de fois encore je vais devoir te le répéter ?*
> *J'ai beau t'avertir, tu continues à porter ces jupes courtes moulantes. On dirait une pute.*
> *Tu cherches vraiment les ennuis, ma belle. Eh bien, tu vas les trouver, fais-moi confiance. Je vais m'en charger personnellement.*
> *Continue comme ça, madame la présentatrice, et je te jure que tu seras rouge sang quand je t'aurai réglé ton compte.*

La signature griffonnée laissait apparaître Bidoche.

La gorge nouée, Paige prit la lettre par une des extrémités, comme les consignes de sécurité l'exigeaient, la glissa dans une enveloppe grand format et l'adressa à Connelly.

11

Eliza arriva à son bureau avec les yeux cernés et la mine renfrognée.

— Pas un mot, s'il vous plaît ! lança-t-elle à son assistante. Je n'ai pas fermé l'œil de la nuit. Heureusement que Doris la magicienne est là pour accomplir des miracles !

— Et pour la maison ?

— Achetée.

— Waou ! Ça alors, c'est du rapide ! Félicitations.

Pour quelqu'un qui venait juste de trouver l'endroit de ses rêves, Eliza avait l'air plutôt préoccupé. Mais Paige en resta là. Le respect qu'elle portait à Eliza Blake dépassait de loin sa curiosité pour les affaires privées de sa supérieure.

— Des messages importants ? enchaîna Eliza.

— Range aimerait vous voir quand vous aurez une minute et Abigail Snow souhaite connaître vos disponibilités pour l'enregistrement des accroches publicitaires.

— Du courrier ?

Le mot Bidoche traversa un instant l'esprit de Paige, qui se força néanmoins à ne rien laisser paraître.

— FRAXA, la fondation pour la recherche sur le syndrome de l'X fragile, organise une collecte en mai prochain et vous demande, à cette occasion, d'assurer le discours d'ouverture de l'opération.

— Très bien. Regardez sur mon agenda, et si j'ai déjà un rendez-vous, déplacez-le.

Eliza n'avait jamais entendu parler de ce syndrome, forme très répandue de déficience mentale, jusqu'à sa rencontre avec Bill Kendall, son prédécesseur. Ce légendaire présentateur de Key News, qui avait mis fin à ses jours au mois de mai, l'année précédente, avait un fils atteint de cette maladie. Bill avait soutenu Eliza comme personne après le décès de John et sa femme, Louise Kendall, venait de lui trouver la maison idéale. Impossible de refuser un geste en faveur de FRAXA. Elle le ferait en mémoire de cet homme exceptionnel qu'elle avait eu la chance d'approcher.

Eliza s'apprêtait à quitter le bureau lorsque Paige interpella :

— Autre chose, madame Blake, une nouvelle lettre de Sarah Morton.

— Ah oui ! La petite Sarah.

La voix d'Eliza s'emplit de compassion et de tristesse. Elle prit l'enveloppe que lui tendait son assistante et la lut en se dirigeant lentement vers la pièce voisine.

La jeune Sarah écrivait à Eliza depuis plusieurs mois. Son cas était un peu spécial. Cette fillette de douze ans qui vivait à Sarasota, en Floride, était atteinte d'un cancer.

Grande amatrice de football et de base-ball, elle rêvait de devenir un jour présentatrice. Au début de leur correspondance, elle avait confié à Eliza que son émission « Key to America » la passionnait.

Eliza avait tenu à répondre personnellement aux lettres de la jeune patiente, la remerciant et l'encourageant dans son travail scolaire.

C'est ainsi que tout avait commencé. Chaque semaine, Eliza prenait le temps de répondre à l'adolescente. Petit à petit, celle-ci lui avait parlé de ses traitements médicaux, de l'inexorable chute de ses cheveux, de son affaiblissement général, de sa perte d'appétit, rappelant ainsi à Eliza la maladie de John et la longue chimiothérapie qu'il avait suivie. Impuissante, elle n'avait pu que pleurer son mari et remercier Dieu d'avoir épargné leur unique fille.

Au bas de la lettre, les yeux d'Eliza s'arrêtèrent sur le nom de l'hôpital où Sarah devait être soignée la semaine suivante. Sloan-Kettering, le centre hospitalier new-yorkais où John était mort.

Elle doit vraiment être dans un état grave, pensa Eliza.

Une seconde lettre, dactylographiée celle-là, était jointe à celle de Sarah.

L'en-tête portait le nom de Samuel Morton, avocat.

> *Chère Madame Blake,*
>
> *Je vous remercie de tout mon cœur de la correspondance que vous avez su entretenir avec Sarah.*
>
> *C'est ce qui compte le plus au monde pour elle.*
>
> *Dans les pires moments, elle relit vos lettres pour oublier la douleur qui ne la lâche plus.*
>
> *Tous les traitements qu'elle a subis ont été vains.*
>
> *Pour ne rien vous cacher, son état empire de jour en jour. Son transfert à New York représente notre dernier espoir.*
>
> *Sarah ignore que je vous écris, mais je vous adresse une requête. Vous serait-il possible de rencontrer ma fille à l'hôpital de New York ? Je sais qu'il est fou de vous demander une chose pareille, mais rien ne saurait lui faire plus plaisir, et j'aimerais tant lui faire ce cadeau.*

Avant qu'elle ne meure était certainement ce qu'il fallait entendre en conclusion de la lettre.

12

Louise Kendall présenta le contrat d'achat dûment rempli à Larson Richards, propriétaire de la maison que lui avaient léguée ses parents. Bien qu'il tentât de le dissimuler, il fut très impressionné de voir le nom de l'acheteuse la fameuse présentatrice de Key News.

— Je me fiche de l'identité de l'acquéreur, madame Kendall, je veux que l'argent soit transféré sur mon compte dès ce soir.

— Je comprends votre impatience, monsieur Richards. Vous aurez la somme dès la fin de la semaine prochaine. De toute façon, ma cliente tient à emménager avant la rentrée des classes.

N'importe qui se serait félicité d'une vente aussi rapide, mais il essaya d'obtenir davantage encore.

— Votre agence a sous-estimé la maison. Vous auriez pu demander plus.

Imperturbable, Louise lui tint tête.

— C'est vous qui décidez, monsieur Richards. Que vous acceptiez notre offre ou non, la commission que vous devez à l'agence, elle, reste inchangée. Nous avons rempli notre part du contrat en vous proposant un client prêt à payer comptant la somme dont nous étions convenus ensemble.

L'argument était imparable et Richards avait signé. Porter l'affaire devant les tribunaux n'aurait servi à rien et, d'ailleurs, un procès était bien la dernière chose dont il avait besoin ces temps-ci. Il avait d'autres chats à fouetter.

13

Abigail Snow visionnait attentivement les cassettes vidéo où apparaissait Eliza afin de sélectionner les prises de vues qui lui serviraient à concocter les nouvelles accroches publicitaires de « Key Evening Headlines ». Range Bullock, producteur de l'émission, entendait bien faire encore grimper l'audience. La concurrence était rude dans le milieu et Key News rivalisait avec les plus grands networks : CBS, NBC, ABC, FOX et CNN. Range cherchait sans cesse des idées pour rallier de nouveaux téléspectateurs à la chaîne.

Les études de marché montraient que l'excellente cote de popularité d'Eliza présentait une faille importante : le jeune âge de la présentatrice. En effet, le public estimait qu'elle manquait d'expérience pour aborder les sujets les plus graves. Il est vrai que la plupart de ses concurrents approchaient tous de la soixantaine et pratiquaient ce métier depuis de longues années. Avec ses trente-quatre ans, Eliza faisait pâle figure à côté d'eux.

Elle possédait cependant un atout inégalable : sa féminité.

Abigail étudia soigneusement les prises de vues. Les yeux de la présentatrice crevaient l'écran. Leur bleu contrastait admirablement avec le châtain soyeux de ses cheveux mi-longs et la clarté de son teint soulignait sa bouche sensuelle. Parfaitement photogénique, son visage resplendissait.

Range s'était entretenu plusieurs fois avec Abigail pour mettre au point les dernières accroches. Il tenait à miser sur le point faible d'Eliza et avait donc décidé que le slogan s'appuierait sur sa jeunesse.

Un regard neuf sur votre monde :
Eliza Blake
Key News

Abigail archivait tous les extraits qui mettaient le plus en valeur les yeux d'Eliza. Loin de trouver ce travail fastidieux, elle s'en acquittait avec la plus grande dévotion.

14

Une fois les contrats signés par Richards, Louise Kendall appela Eliza pour lui annoncer la bonne nouvelle : elle était officiellement propriétaire. Cependant, bien que Louise lui eût promis de s'occuper de la partie légale et de toute la paperasserie relative à l'achat, la simple idée de déménager mettait Eliza dans tous ses états. Elle devait à présent remplir les cartons, faire le tri dans ses affaires. Elle aurait par ailleurs voulu rafraîchir les lieux et changer le papier peint avant d'emménager, mais sa priorité était Janie. Eliza ne voulait pas rater sa première rentrée scolaire. Le reste attendrait.

Du calme, se dit-elle, réfléchis un instant. Tu as les moyens, maintenant. Paige peut contacter les déménageurs pour qu'ils s'occupent de tout. Tu n'es pas obligée de tout faire toi-même.

Elle voulait simplement s'assurer que Janie aurait un bel anniversaire pour ses cinq ans. Elle le lui avait promis, et il lui était impossible désormais de se rétracter. Comment aurait-elle pu prévoir que les choses allaient se précipiter à ce point ? D'abord l'achat de la maison, ensuite le déménagement et, pour finir, le départ de Mack pour Londres...

Quelqu'un frappa à la porte restée ouverte.

Ils échangèrent un regard et Eliza se retint de fondre en larmes. Depuis la mort de John, cinq ans auparavant, elle n'avait réussi à nouer de liens avec personne d'autre. Et maintenant qu'elle comptait sur Mack, il devait partir à son tour.

Il s'avança devant le bureau qui les séparait et s'immobilisa.

— C'est décidé, je ne pars pas.

Eliza aurait bien sauté de joie, tant elle souhaitait que cet homme partageât sa vie. Mais elle n'était pas assez naïve pour ignorer qu'il mettrait alors sa carrière en péril. Mack devait accepter le poste.

— Merci, Mack, mais nous savons tous les deux que tu dois partir.

Elle se mordit la lèvre inférieure.

— Nous ne savons rien du tout, reprit Mack avec détermination, observant une pause entre chaque mot. Et puis ce travail n'est pas si important pour moi.

Eliza eut un petit rire nerveux.

— Grand reporter, pas si important pour toi ? Tu te moques de qui ? Refuse et on verra si tu ne ressasses pas cette histoire jusqu'à la fin de tes jours. Et, par-dessus le marché, tu m'en voudras de t'avoir retenu. Tous les soirs, à la télé, tu me regarderas présenter le journal et ta rancœur ne fera que grandir. Et puis, tu connais le milieu. Si tu refuses, ceux qui t'ont hissé à ton niveau se chargeront de te démolir.

— Je m'en fiche éperdument ! Je tiens à toi, Eliza, et je ne veux pas te quitter !

Eliza s'effondra. Mack s'approcha d'elle pour la prendre dans ses bras.

— Mack, je ne suis pas sûre de mes sentiments pour toi.

Elle mentait et ils le savaient tous les deux.

15

Tous les matins, avant le lever de ses enfants, Susan Feeney se servait une tasse de café et sortait dans le jardin inspecter ses fleurs. Elle appréciait particulièrement ces moments privilégiés. Depuis qu'elle s'était installée là, trois ans auparavant, son engouement n'avait connu aucune limite. Ainsi avait-elle déjà planté des centaines de bulbes soigneusement sélectionnés pour jouir de floraisons tout au long de l'année.

En ce mois d'août bien avancé, Susan s'attarda sur les chrysanthèmes qui promettaient d'éclore dans quelques jours.

Elle était heureuse d'avoir emménagé à HoHoKus. HoHoKus - quel drôle de nom ! D'autres villes du nord du New Jersey en portaient de semblables, vestiges exotiques de l'Amérique des origines. Pascack Valley, Mahwah, Kinderkamack Road, Musquapsink Brook.

Susan composait un bouquet lorsque James apparut dans le jardin, les yeux encore embrumés de sommeil.

— Bonjour, mon chéri, tu as bien dormi. ?

En voyant son fils de cinq ans, Susan réalisa qu'il allait déjà rentrer à l'école. Comme le temps passait ! Émue, elle se rappela sa naissance, précédant celles de ses filles, Kimberly et Kelly.

Elle se félicitait de la bonne santé de tous les membres de la famille Feeney. Depuis qu'il avait monté sa société, son mari passait plus de temps en déplacements qu'au foyer, mais le couple avait accepté cette contrainte, sachant qu'elle était provisoire.

James regarda les fleurs que sa mère venait de cueillir.

— Comment elles s'appellent, ces fleurs ?

— Ce sont des Black-eyed Susans, mon chéri.

— Pareil que toi, maman !

Susan s'accroupit à hauteur de son fils. Son observation poétique l'avait attendrie.

— Tu as raison, mon cœur, sauf que les yeux de maman sont marron foncé, et pas noirs.

— Et moi verts ! annonça-t-il fièrement.

— Mm-hmm,

— Comme Kelly !

— Bravo ! Et ceux de Kimberly, de quelle couleur sont-ils ?

— Bleus, répondit-il sans hésitation.

Aucun de ses enfants n'avait hérité du marron sombre de ses yeux.

— Et que dirais-tu de quelques toasts ?

Elle savait que sa suggestion ne rencontrerait aucune objection, tant James était gourmand.

Alors qu'elle se dirigeait vers l'évier pour remplir un vase d'eau, sa bonne humeur la quitta. Son regard venait de se poser sur la maison vide des Richards, ce vieux couple chaleureux qui avait su les accueillir si gentiment. Les conditions de leur mort restaient pour elle mystérieuses.

16

À l'agence immobilière, Louise épluchait le rapport des experts qui avaient inspecté la maison d'Eliza. Les commentaires étaient bons dans l'ensemble, même si quelques travaux se révélaient nécessaires.

Louise ne trouva rien qui puisse dissuader sa cliente d'acheter la maison. Les Richards, précédents propriétaires, avaient vécu dans cette demeure pendant près de quarante ans sans pratiquement toucher à rien. Leur plus grand investissement, assez récent, avait été la construction de la piscine et de la dépendance adjacente. Louise jugeait cela un peu incongru de la part d'un vieux couple. Mais elle avait vu tant de choses bizarres, depuis qu'elle faisait ce métier qu'elle ne s'attarda pas sur ce détail.

Vivienne Dusart, sa collègue à l'agence, s'arrêta un instant dans son bureau.

— Comment ça s'annonce ? demanda-t-elle.

— Plutôt bien. Je viens de lire l'expertise. La maison est en bon état et, de toute façon, Eliza n'est pas du genre à ergoter sur la vétusté de la plomberie ou des installations électriques.

— Alors, finalement, elle l'achète ? C'est dommage pour elle, mais il faudra qu'elle change tout ça de sa poche, ajouta-t-elle en quittant la pièce.

Elle avait raison et Louise n'était pas dupe.

— Une chance qu'elle ait un nouveau chauffe-eau.

Vivienne s'arrêta net et, se retournant vers sa collègue, lui adressa un regard réprobateur.

— Tu ne devrais pas rire de ça, Louise.

— Qu'est-ce que tu veux dire par là ? s'étonna celle-ci.

— Tu plaisantes, Louise ! Tu sais bien ce qui s'est passé chez les Richards, non ? Tous les journaux en ont parlé.

— Bien sûr que non, je ne suis pas au courant. Qu'est-ce qu'il y a eu ?

— Une des arrivées de gaz était défectueuse sur l'ancien chauffe-eau. M. et Mme Richards sont morts intoxiqués. Il faut en informer ta cliente, elle pourrait te poursuivre plus tard pour rétention d'informations.

Louise la regarda, atterrée, Vivienne lui tapota l'épaule pour la réconforter.

— Si elle se rétracte, fais-moi signe. Les clients s'arrachent cette offre.

17

Des clameurs enfantines s'échappaient du salon encombré de ballons de l'appartement new-yorkais. À la queue leu leu, les petits monstres se faisaient grimer.

Au cours d'une de ses conversations avec Doris, Eliza lui avait parlé de ses préparatifs en vue de l'anniversaire de

Janie. Et lorsqu'elle lui avait avoué ne pas savoir comment occuper des bambins pendant deux heures, Doris s'était généreusement proposé de venir les maquiller.

Tout comme les enfants, Doris attendait la fête de Halloween, chaque année avec le même ravissement. Elle mettait des mois à confectionner elle-même son déguisement. Tout le monde à Key News savait qu'elle respectait cette coutume et que, à cette occasion, elle participait même à tous les concours de déguisement et événements festifs de la ville. Le jour même, il lui suffisait de passer quelques coups de fil pour déterminer l'itinéraire de sa soirée, et le tour était joué. Chaque année, elle remportait ainsi divers prix tels que voyages au soleil, chèques cadeaux ou billets de spectacles.

Pour l'anniversaire de Janie, elle portait un justaucorps et des collants violets, la couleur fétiche de la fillette. Elle s'occupait du petit Gregory Leslie, qui voulait une tête de dinosaure. L'impatience le rendait nerveux, il bougeait sans cesse. Mais lorsque, enfin, il se vit dans le miroir, il se montra tout heureux d'être devenu un animal préhistorique.

— Waou ! Génial !

— Tu veux un tatouage de dino sur le bras ? lui proposa Doris.

Malgré cette offre alléchante, Gregory ne pouvait attendre une minute de plus. Sans répondre, il détala pour rejoindre les fées et les papillons qui virevoltaient dans la salle de séjour. Amusée, Doris le suivit du regard un instant et passa à l'enfant suivant.

Eliza sentit les bras puissants de Mack autour de sa taille et la douceur de ses lèvres près de son oreille.

— Janie s'amuse comme une petite folle, c'est une réussite, murmura-t-il.

La bonne humeur d'Eliza se dissipa tandis qu'elle se tournait vers lui. Mack allait traverser l'Atlantique la semaine suivante ; elle s'installerait ici, à HoHoKus.

Trop de choses survenaient subitement. Sans compter qu'elle devait chercher une nouvelle nourrice et s'acheter une voiture. Elle n'en avait jamais possédé, ayant jusqu'alors jonglé entre des véhicules de location et ceux mis à sa disposition par Key News pour faire la navette entre son domicile et les studios d'enregistrement. Mais habiter HoHoKus signifiait s'éloigner du centre-ville.

Elle observa attentivement le visage de cet homme qu'elle aimait et toucha machinalement du doigt les fines rides au coin de ses yeux. Elles donnaient à son regard un éclat particulier et irrésistible. Le sourire rassurant de Mack la ramena à la réalité. Sa défaillance passagère se mua en ardeur. Elle ferait face et ne perdrait pas Mack, malgré l'éloignement.

— Maman, c'est quand qu'on souffle les bougies ?

Eliza sursauta et jeta un œil à sa montre.

— Tout de suite, joli papillon ! Les papas et les mamans de tes camarades vont bientôt revenir.

Elle serra Janie dans ses bras et embrassa sa petite main, puis la laissa rejoindre ses amis tandis qu'elle-même retournait s'affairer dans la cuisine.

À l'arrivée du gâteau orné des cinq bougies, les bavardages cessèrent et les enfants entonnèrent un chant désordonné. Eliza tomba sur Louise Kendall dans le couloir, un gros paquet-cadeau dans les bras. Eliza n'était pas dupe, elle connaissait l'agenda chargé de Louise et savait que la raison de sa venue était autrement plus importante que la célébration des cinq ans de sa fille.

Laissant les enfants se gaver de glace à la vanille et au chocolat, Eliza accueillit Louise avec bonne humeur.

— Tout ce petit monde sera parti dans cinq minutes. Après, on pourra discuter tranquillement.

— C'est parfait, Eliza. En attendant, je peux te donner un coup de main ?

— Merci, mais regarde-les, pour l'instant, tout va pour le mieux !

Espérons que ça va durer, pensa Louise, un peu anxieuse.

18

Sur le magnétoscope se trouvaient empilées plusieurs vidéos – de quoi s'occuper trois nuits entières. L'appareil était programmé à 18 h 30 précises, début de « Key Evening Headlines ». Même si la télévision était allumée à cette heure-là, l'enregistrement de l'émission avec Eliza Blake avait lieu, quoi qu'il arrive.

Cette façon de procéder lui apportait entière satisfaction. Le direct étant parfois trop rapide, les cassettes permettaient de revenir en arrière pour saisir le moindre détail, les mots utilisés, le ton employé et l'expression du visage de la présentatrice. Après la diffusion, elles étaient rembobinées pour être réutilisées. La presse rapportait que la jeune femme bénéficiait d'un taux d'écoute remarquable. À l'évidence, la chaîne savait utiliser et optimiser les qualités de ses employées.

Elle promettait d'être là un moment.

Quoique. L'exemple de Linda Anderson avait marqué les esprits. Elle aussi, qui présentait le journal du soir sur GSN, semblait destinée à une carrière exceptionnelle...

Sa disparition soudaine avait été un échec douloureux pour lui. S'attacher à elle et la chérir avait pourtant constitué une expérience incomparable. Linda avait repoussé son amour.

Il lui avait fallu cinq ans pour retomber amoureux.

Mais une femme comme Eliza Blake justifiait son attente.

19

— Intoxiqués au monoxyde de carbone ? Quelle horreur !

Révulsée, Eliza s'efforça néanmoins de ne pas élever la voix.

Les deux femmes discutaient dans la cuisine tandis que, dans le salon, Mack aidait Janie à construire le petit théâtre en plastique qu'elle avait reçu pour son anniversaire.

— Je suis vraiment désolée, Eliza. J'aurais dû être au courant de cette affaire sordide et t'en parler avant l'achat. Mais la mort des Richards a coïncidé avec mes vacances. À mon retour, le scandale s'était bien tassé et tout le monde semblait avoir oublié cette histoire. Quand la maison a été mise en vente, je me suis précipitée, sachant que c'était l'occasion idéale pour toi. J'ai appris la mauvaise nouvelle hier de la bouche de ma collègue et je tenais à te le dire moi-même.

Eliza se rappela avoir fait un reportage sur la toxicité de ce gaz. Chaque année, les statistiques faisaient état d'une centaine d'accidents domestiques mortels liés au monoxyde de carbone. Un gaz inodore et incolore. Toutefois, des mesures de prévention efficaces existaient. Il suffirait de vérifier la fiabilité des joints, de faire inspecter régulièrement les conduits et les aérations. Si ces règles de sécurité élémentaires étaient respectées, aucun risque n'était à craindre.

Le plus dur à accepter restait le fait d'emménager avec Janie dans une maison où un vieux couple avait trouvé la mort. Eliza en avait la chair de poule.

20

Le crépuscule des nuits d'été fascinait Cornelius comme aucun autre moment de l'année. À cette heure du jour, le dimanche, il pouvait se consacrer corps et âme à sa passion pour les chauves-souris et oublier le bar et Eliza Blake.

Depuis l'enfance, sa passion pour ces mammifères volants allait grandissant. Il se rappelait les cris hystériques de sa mère le jour où elle avait découvert que des chauves-souris nichaient dans le grenier. Elle avait demandé à son père d'aller détruire les petits en les surprenant dans leur sommeil, en plein jour. Cornelius avait seulement sept ans à l'époque, mais la brutalité de la tuerie le hantait encore.

Cornelius avait essayé, en vain, d'expliquer à sa mère la nécessité de ces mammifères dans leur région, où ils agissaient comme pesticide naturel. Les prairies marécageuses du New Jersey constituaient en effet le repaire favori des moustiques.

Comme à son habitude lorsqu'il lui demandait d'admettre une idée nouvelle, sa mère se mettait à le regarder fixement en le traitant de fou. À l'école, il s'était heurté à la même incompréhension. Les bonnes sœurs s'épouvantaient de le voir choisir les chauves-souris comme sujet d'étude et les autres enfants le trouvaient bizarre.

Face à une telle hostilité, Cornelius avait cessé de parler de sa passion en public, sans renoncer pour autant à se documenter en cachette. Après avoir quitté le domicile familial, il avait acheté un abri pour chauves-souris et l'avait installé dans le bois qui jouxtait son immeuble. Simple maisonnette dont la capacité d'accueil se limitait à cinquante individus, l'abri s'était transformé l'année suivante et pouvait désormais abriter une colonie entière de près de deux cents chauves-souris.

Chaque année, l'accouplement donnait lieu à la naissance d'un unique petit par femelle. Pendant six semaines, ils se nourrissaient du lait de leur mère, puis étaient sevrés. Au printemps, Cornelius se postait discrètement dans le bois, attendant que les premiers adultes sortent à la recherche de nourriture. Il en profitait alors pour observer les créatures aveugles et vulnérables, blotties les unes contre les autres.

Ce soir-là, alors qu'il rejoignait son poste d'observation, il sentit une immense tristesse l'envahir. Bientôt, la belle saison s'achèverait et les premiers froids feraient fuir ses amies nocturnes. Elles iraient hiberner dans des grottes et des mines situées à des centaines de kilomètres de là.

Le bruissement de leurs ailes et la grâce de leur vol allaient lui manquer. Son unique consolation était qu'elles seraient au rendez-vous l'année suivante.

Du moins, si personne ne les massacrait d'ici là.

21

Eliza s'était levée de bonne heure. Elle tendit à Paige une liste de choses personnelles à faire lorsque celle-ci arriva au bureau.

— Je suis désolée, Paige, je n'aime pas avoir à vous demander de me rendre ce genre de services. Cela ne concerne pas le journal à proprement parler. Ma seule excuse, c'est que la présentatrice de Key News ne sera pas opérationnelle si elle ne règle pas les aspects pratiques de sa vie privée.

Paige jeta un œil complaisant à la liste et rassura Eliza.

— Pas de problème, madame Blake, ce sera fait au plus vite.

— Merci, Paige, tu es un ange. Je promets de ne pas trop t'embêter avec ce genre de détails à l'avenir. Si tu pouvais commencer par les agences qui recrutent des nourrices dans le nord du New Jersey. Sers-toi de mon agenda pour essayer de caser quelques rendez-vous.

Paige hocha sa tête bouclée.

— Et, Paige...

— Oui ?

— S'il te plaît, appelle-moi Eliza. Ça me donne un coup de vieux de t'entendre m'appeler madame.

Un sourire timide se dessina sur les lèvres de la jeune femme. Elle se sentit rougir et détourna son regard, Eliza remarqua sa gêne. Ce n'était pas la première fois que la question était soulevée, mais Paige ne s'autorisait aucune familiarité avec sa supérieure. Eliza avait beau insister en soulignant qu'elles travaillaient en étroite collaboration et qu'un écart d'âge de douze ans seulement les séparait, rien n'y faisait.

Eliza regarda Paige sortir du bureau et se rappela ses vingt-deux ans. Tout juste sortie des départements de journalisme et de sciences politiques de l'université de Rhode Island, elle nourrissait alors de grands espoirs et de hautes ambitions. Elle savait que son rêve de faire de la télévision la conduirait sur des routes escarpées qui ne seraient pas de tout repos. Ce milieu était infesté de requins et elle ne l'ignorait pas. Mais, depuis l'âge de douze ans, elle avait toujours voulu devenir journaliste.

À sa sortie de l'université, la chance lui avait souri. Du moins sur le plan professionnel.

La dernière lettre de Sarah Morton lui traversa l'esprit. Encore une petite de douze ans, mordue par le virus de la télévision, qui devait lutter contre une terrible maladie. Eliza saisit son téléphone et appela Paige.

— Paige, dis-moi, quel jour Sarah Morton nous rend-elle visite ?

— Demain matin à 11 h 30... Eliza.

Le dernier mot avait visiblement requis un effort de sa part, mais c'était un bon début.

— Est-ce que je vois quelqu'un pour le déjeuner ?

— Non, personne.

— Très bien. Peux-tu réserver une table pour trois au Jekyll and Hyde ? J'aimerais emmener mes invités là-bas après notre petite visite.

De tous les restaurants à thème de la 57ᵉ Rue, le Jekyll and Hyde était de loin l'un des plus amusants. Les enfants adoraient l'atmosphère inquiétante du lieu et les hamburgers y étaient plutôt bons, En espérant que Sarah puisse y goûter.

22

Le bureau de Keith Chapel était situé au fond d'un long couloir, à l'opposé de celui d'Eliza. Sur un calepin où il avait inscrit « Un nouveau regard », il notait les idées auxquelles il avait pensé pour les mois à venir.

La nouvelle version du journal serait lancée après la fête du Travail. Chaque mercredi, il inclurait un reportage présenté par Eliza Blake. Une société d'investissement cotée en Bourse soutenait l'initiative et figurait au générique de chaque reportage. Les sommes engagées étaient importantes et la chaîne devait mener une campagne de promotion digne de ce nom.

Comme toujours lorsqu'il était soumis à une forte pression, Keith sortait un chewing-gum à la menthe du tiroir de son bureau, le délivrait de son papier doré et laissait la pâte mentholée se détendre sous sa langue un instant. Son regard tomba sur ses ongles rongés à l'extrême. Pathétique, pensa-t-il.

Mais, au vu de sa situation actuelle, l'état de ses ongles ne risquait pas de s'améliorer. Entre la promotion du journal à assurer et sa femme qui, enceinte de sept mois, devenait de plus en plus invivable, ses nerfs commençaient à lâcher.

Il serra les dents et poussa un grognement de dégoût au souvenir de la scène qu'ils avaient eue la veille au soir. Une fois de plus, Cindy s'était plainte de son état, de ce ventre de plus en plus gros qui l'empêchait de voir ses pieds. Elle pleurait lorsque, au sortir de la douche, elle était venue s'asseoir sur la cuvette des toilettes pour se sécher les jambes. Ses pieds ressemblaient à des saucisses apéritif prêtes à être piquées par un cure-dents, se plaignait-elle. Elle faisait de la rétention d'eau et la chaleur de ce mois d'août n'arrangeait décidément pas les choses. Cindy avait juré que c'était le premier et dernier enfant qu'elle porterait.

Keith avait essayé de la calmer, lui disant qu'il la trouvait toujours attirante et que, dans deux mois, elle retrouverait ses formes d'avant la grossesse.

— Facile à dire pour un mec, s'était-elle emportée. Ta vie à toi, tu peux me dire en quoi elle a changé, hein ? Tu rentres toujours dans les mêmes « fringues, tu manges à ta guise, tu saignes pas du nez constamment et tu sais même pas ce que c'est que d'avoir une sciatique. Personne te donne des coups de pied de l'intérieur et tu ne te rues pas dans la salle de bains toutes les vingt minutes pour libérer ta vessie. Et les vergetures, j'en ai pas vu une seule sur ton ventre !

Au début, elle avait tenté de se libérer de l'étreinte de son mari, avant de fondre en larmes et d'enfouir sa tête blonde au creux ses bras. Bien sûr qu'elle était heureuse d'attendre un bébé, mais la grossesse et son cortège de maux lui étaient insupportables.

— Si je pouvais alléger ta souffrance, je le ferais, ma chérie.

Keith avait séché les larmes de Cindy. Il n'avait jamais rien ressenti d'aussi intense pour une femme, enceinte ou pas. Aussi l'avait-il embrassée tendrement en espérant secrètement que, cette fois, ils pourraient faire l'amour normalement. Le docteur lui-même ne bannissait pas les rapports sexuels pendant la grossesse. Le problème était que Cindy avait perdu tout désir.

Pourtant, il avait forcé un peu les choses et s'en voulait terriblement. Elle ne voulait pas, un point c'est tout. Quel genre d'animal sommeillait en lui pour qu'il ait ainsi perdu son sang-froid ?

Les grands yeux apeurés de sa femme auraient pourtant dû l'alerter. Mais non, il avait fallu qu'il aille jusqu'au bout. Et au lieu de s'assoupir dans les bras l'un de l'autre, ils avaient dormi dos à dos et ne s'étaient plus effleurés de la nuit.

Ce matin, pas un mot. Bien qu'éveillée, Cindy était restée au lit jusqu'à son départ.

Keith était sur le point de téléphoner à sa femme lorsque Range Bullock apparut dans l'embrasure de la porte.

— Ça roule ? demanda le producteur. T'en fais une tête !

Keith se retint de s'épancher sur sa vie privée. Il savait que Range n'était pas la bonne personne pour ce genre de confidences. Range n'avait d'intérêt pour la vie privée de ses employés que lorsque la qualité du travail s'en ressentait. Keith se reprit.

— C'est juste l'air que je prends quand je suis extrêmement concentré.

Il se força à sourire.

— Je travaille sur notre nouvelle série de reportages. Je voudrais que tout soit au point.

Range vint s'asseoir sur le sofa et regarda Keith droit dans les yeux.

— Alors, ça donne quoi ?

— Eh bien, je pense que le premier sujet va t'emballer. On l'a déjà tourné avec Eliza et le montage est presque terminé.

Keith croisa les doigts. Il savait que les sommes engagées pour ces reportages étaient faramineuses et que Range se montrerait très exigeant.

Le producteur passa une main dans ses cheveux poivre et sel tout en acquiesçant.

— Celui sur les gardes d'enfants, je crois ?

— Oui. On a réussi à filmer des gosses maltraités par leur nounou et des témoignages de parents accablés. La dernière partie est consacrée aux conseils donnés aux parents pour éviter ce genre de situations.

— Parfait, déclara Range en claquant les mains sur ses cuisses. C'est exactement le type d'histoires qu'il nous faut. Pas de complaisance, mais assez d'émotion pour que le spectateur revienne la fois suivante. Il faut qu'il ait un sentiment de nouveauté face à ce qui lui est présenté, quelque chose qui le questionne intimement. Et surtout, surtout – Range observa une pause –, je veux qu'Eliza soit montrée en situation... Qu'on sente son réel engagement dans les sujets traités.

— Compris, chef.

Range se leva, s'avança vers Keith et, dans un geste de reconnaissance, lui posa une main sur l'épaule.

— Je te fais confiance, Keith. Tu es l'homme qu'il nous faut à ce poste.

Après le départ de Bullock, Keith songea qu'il aurait aimé partager ce sentiment. Ces derniers temps, il doutait de plus en plus de lui.

23

— Sinisi, j'écoute, répondit le mécanicien dans son bleu de travail.

Le téléphone plaqué contre l'oreille, il chercha un stylo sous l'amoncellement de documents qui recouvraient le bureau puis saisit son agenda.

— C'est d'accord, madame Palumbo, nous réparerons ça demain. Vous pouvez nous amener directement la voiture et un de nos mécanos vous reconduira chez vous. Ou, si vous préférez, nous pouvons venir chercher la voiture à votre domicile. C'est comme vous voulez.

Les yeux fermés, Augie espéra que la cliente opterait pour la seconde solution,

— Très bien ! Augie leva le poing en signe de victoire. Aucun problème, madame. Redonnez-moi votre adresse, nous passerons dans la matinée.

La station-service d'Augie Sinisi accueillait une clientèle haut de gamme. Spécialisé dans les voitures étrangères, il avait depuis quelques années des habitués qui lui confiaient leurs Mercedes, BMW ou Jaguar pour des contrôles techniques et autres réglages. Il avait misé sur l'embauche de mécaniciens performants et un service irréprochable. Délais tenus et disponibilité optimale lui assuraient de bonnes rentrées d'argent et un agenda rempli de précieuses adresses dans les quartiers huppés du secteur.

Augie connaissait parfaitement l'adresse de sa cliente, M. Palumbo avait l'habitude de confier sa limousine au garage. Cependant, il ne lui laissait à chaque fois que le double des clés de la voiture.

Peut-être aurait-il plus de chance avec Mme Palumbo. Peut-être laisserait-elle le trousseau entier.

Tant de gens commettaient cette erreur.

24

Paige reconnut son interlocuteur immédiatement.

— Bonjour, Samuel Morton au bout du fil, le père de Sarah.

— Oui, bonjour, monsieur Morton. Je suis Paige Tintle, l'assistante de Mme Blake, Que puis-je faire pour vous ?

Elle saisit un stylo pour noter le message.

— Eh bien, ma fille et moi avions rendez-vous dans les studios d'enregistrement avec Mme Blake demain.

Une certaine tension transparaissait dans sa voix. Paige pensa que la perspective de rencontrer une présentatrice connue expliquait probablement cette nervosité. Rien de plus humain, après tout.

— Oui, le rendez-vous est prévu à 11 h 30 demain matin, répliqua l'assistante d'une voix chaleureuse, dans l'espoir de mettre son interlocuteur à l'aise. Mme Blake a même prévu de vous emmener déjeuner, si vous êtes libres.

L'homme à l'autre bout du fil éclata en sanglots, Paige nota solennellement son message.

Sarah était décédée la veille à Sloan-Kettering.

25

Larson Richards gara son imposante berline noire devant l'entrée de la maison de son enfance. En sortant, il fut suffoqué par la chaleur accablante de ce mois d'août. Il ôta sa veste beige clair et la suspendit au crochet, à l'arrière de sa voiture.

Remontant ses manches de chemise et desserrant son nœud de cravate, il pesta contre les raisons qui l'avaient amené là. Sa tenue n'était pas appropriée. Mais, comme le lui avait fait remarquer très justement l'agence immobilière cet après-midi, il n'avait plus qu'aujourd'hui s'il voulait examiner la maison une dernière fois.

Il s'épongea le front. Les affaires n'allaient pas fort, dernièrement. Deux ans auparavant, il avait convaincu toute une équipe d'investisseurs de racheter les sociétés indépendantes de transport d'ordures qui sillonnaient le nord du New Jersey depuis des décennies. Autrefois prospères, celles-ci avaient été durement frappées par les mesures gouvernementales concernant l'évacuation des déchets. Richards avait vu là une opportunité. S'il réussissait à fédérer tous ces petits transporteurs en un seul groupe, il pourrait proposer leurs services à une compagnie nationale et en profiter pour se remettre à flot.

Les investisseurs, trouvant l'idée séduisante, s'étaient lancés dans l'aventure. Dans un premier temps, les bénéfices avaient même dépassé leurs espérances. Mais, rapidement, les soubresauts de Wall Street avaient compromis ses plans, et l'inquiétude succédé à l'euphorie. À présent, Richards parvenait difficilement à payer ses salariés. Les voitures qu'il avait louées pour impressionner ses acheteurs potentiels l'avaient mis sur la paille. Et les entreprises de location se fichaient royalement de ses difficultés. Elles exigeaient le remboursement mensuel du prêt. Sans parler des crédits élevés sur les bureaux.

L'investissement était tel qu'il ne pouvait plus reculer. Il avait tout misé sur cette entreprise : maison hypothéquée, portefeuille d'actions revendu, compte d'épargne vidé. Une conviction tenace lui soufflait que, s'il parvenait à tenir encore quelques mois, il s'en sortirait. Ses investisseurs, quant à eux, se montraient plus sceptiques.

Heureusement que la vente se conclut vendredi, pensa-t-il. Ça fera deux millions de dollars en banque la semaine prochaine.

À l'intérieur de la maison, il passa tranquillement d'une pièce à l'autre en s'étonnant de ne ressentir aucune nostalgie. Il avait vécu là une enfance heureuse. Ses parents avaient largement contribué à son bonheur et pourtant, il leur en voulait terriblement de ne pas l'avoir soutenu dans les moments difficiles.

Fatigué, il monta à l'étage en traînant les pieds sur l'escalier en bois, passa devant sa chambre et se dirigea vers celle de ses parents.

La pièce avait été vidée de ses meubles par un antiquaire qui avait tout raflé pour une somme modique. De toute façon, il n'aurait pas pu faire autrement. L'imminence de sa faillite l'avait poussé à vider les lieux et à mettre la maison en vente au plus vite.

Sur les murs et au sol, les traces du mobilier absent étaient visibles. En une fraction de seconde, il se vit enfant, sautant sur le lit de ses parents. Mais Larson n'avait que faire des bons souvenirs. Ils appartenaient au passé. Le présent, dans toute sa cruauté, était bien plus réel.

Il avança vers le placard mural et ouvrit les portes. Vide. Les robes et les costumes, envolés. Pourtant, l'odeur discrète du parfum de sa mère flottait encore. Il respira profondément pour ne pas s'attendrir et retrouva la combinaison du coffre-fort. Un déclic sourd et familier lui indiqua que l'accès était libre. La petite ouverture carrée ne recelait aucun trésor mais ça, Larson le savait. Après le décès de ses parents, il avait en effet vérifié et vidé son contenu, composé pour l'essentiel de bijoux et de documents que ses parents lui avaient fait signer. Aujourd'hui, il venait s'assurer qu'il n'avait rien oublié.

26

Un quart d'heure avant son passage à l'antenne, Eliza affichait une mine défaite.

— Eliza ! s'écria Doris en se précipitant vers sa protégée et en lui passant un bras autour des épaules. Qu'est-ce qui t'arrive ?

— Oh, Doris ! Eliza essaya de ravaler ses larmes. Tu te rappelles la petite Sarah, la petite qui m'écrivait, celle qui avait un cancer... Elle... Elle est morte.

Sincèrement désolée, la maquilleuse s'efforça de consoler la jeune femme. Dans le même temps, en bonne professionnelle, elle jeta un œil à sa montre. Peu de temps pour faire des miracles.

— Viens par là, ma chérie, assieds-toi.

Tout en écoutant Eliza lui raconter l'histoire de Sarah Morton, Doris sortit un pack de glaçons du réfrigérateur. Il fallait impérativement remédier aux yeux rouges et gonflés de la présentatrice. Puis, profitant d'un instant de détente, elle lui mit quelques gouttes de collyre dans les yeux. L'effet fut immédiat. Eliza se détendit tandis que Doris lui massait délicatement le cou et les épaules. La maquilleuse se demandait pourquoi Eliza prenait cette histoire tant à cœur alors qu'elle n'avait jamais rencontré la fillette.

— Tu as connu trop de coups durs ces derniers temps, murmura Doris. Tout va s'arranger, tu verras.

Eliza pressa le bras de Doris, sachant qu'elle disait juste. La mort de Sarah avait touché sa corde sensible. Ramenée à l'horreur de la perte de son mari et à l'angoisse, non moins aiguë, de perdre Janie, elle se sentait plus vulnérable que jamais.

Ce soir, des mesures cosmétiques exceptionnelles s'imposaient. L'efficacité habituelle du brushing ne suffirait pas. Doris revint patiemment sur chaque rougeur, s'efforçant de les gommer avec une crème de soin très claire. Un peu de fond de teint permit ensuite de retrouver un semblant d'harmonie, tandis qu'une touche de gris sur les arcades sourcilières, accompagnée d'un fin trait d'eye-liner sur les paupières, ranima le regard d'Eliza. Un fard couleur prune et une poudre plus foncée suffirent à intensifier le bleu de ses yeux. Enfin, Doris fit une entorse à la règle en lui ajoutant quelques paillettes discrètes sur les tempes pour donner plus d'éclat à son regard. Le contour des lèvres fut l'ultime touche apportée.

— Mon Dieu, Doris ! Tu mérites l'Oscar de la meilleure maquilleuse, s'exclama Eliza avec admiration en se regardant dans le miroir,

Elle se leva avec lassitude, s'étira et envoya un baiser de la main à sa sauveuse.

Dans une demi-heure, elle serait rentrée chez elle et pourrait serrer Janie dans ses bras.

Cette fois, elle l'avait enfin écouté ! Sa robe bleu marine tombait au-dessous du genou. Bien. Très bien.

Seul détail encore gênant : la robe sans manches découvrait entièrement ses bras. Il n'aimait pas ça.

— Hey, Bidoche ! Sers-m'en une autre.

Le barman se détourna du poste à contrecœur et saisit la chope de bière qui traînait sur le zinc étincelant. La main sur le levier de Budweiser, il s'efforça de distinguer la voix d'Eliza du brouhaha ambiant. Bien sûr qu'il était captivé par le score des Giants, mais, de 18 h 30 à 19 heures, il n'avait d'yeux que pour la présentatrice du journal télévisé.

Et voilà qu'un type au comptoir lui demandait pourquoi on l'appelait Bidoche.

— C'est mon surnom depuis le collège, grommela-t-il, agacé.

— À cause de ta corpulence, je parie, lança le nouveau venu en désignant les bras potelés qui sortaient des extrémités du T-shirt du barman.

— Ouais, en partie à cause de ça et aussi parce que mon nom de famille, c'est Bacon.

Cette fois, Cornelius tourna le dos au client et ne quitta plus l'écran des yeux. Il n'allait pas dire à ce bouffon que la trouvaille de ce surnom lui avait enlevé une épine du pied. Primo parce qu'il détestait son vrai prénom, et secundo parce qu'il était fier que Bidoche soit une invention de ses copains de l'équipe de foot. Cornelius, voilà le nom auquel il avait répondu tout au long de l'école primaire. Les sœurs ne voulaient rien savoir. Il avait beau insister pour qu'elles l'appellent Neil, rien à faire, elles s'en tenaient à son prénom officiel. Dans des classes remplies de John, Joseph, Kevin et Tommy, les gamins se moquaient sans cesse de lui. Et ses parents, indécrottables planqués, n'avaient jamais levé le petit doigt pour faire cesser ce manège cruel.

Cornelius lâcha un petit rire. À la mort de son père, il n'avait pas versé une larme. Il n'avait ressenti que du mépris pour cet homme timide qui n'osait pas s'imposer dans le monde extérieur et préférait se retrancher derrière des raisonnements stériles. Son grand argument se résumait à peu de chose : être fonctionnaire de l'État ne ferait pas de lui un millionnaire, mais lui assurerait au moins une couverture sociale et une bonne pension pour ses vieux jours. Résultat : il était mort d'une crise cardiaque deux mois avant de partir à la retraite.

Le côté positif était que sa mère avait été libérée de tout tracas financier. Au bout du compte, c'est elle qui avait profité de la retraite si convoitée de son mari. Elle avait de quoi vivre et pouvait même se distraire en allant jouer au loto organisé par l'église, deux fois par semaine. Elle ne demandait rien de plus.

La vie menée par son fils lui déplaisait en revanche souverainement. Barman n'était pas exactement le métier dont elle avait rêvé pour lui et elle ne manquait jamais de le lui faire sentir au téléphone. Que ne trouvait-il pas un emploi respectable et bien payé !

— Désolé, m'an, très peu pour moi, se contentait-il de répondre d'un ton monocorde.

Cornelius obéissait aux règles que lui seul édictait, un point c'est tout.

Eliza était superbe, comme d'habitude, mais une certaine tristesse voilait son regard. Abigail le remarqua et, malgré elle, éprouva aussitôt le désir de la réconforter.

Elle tenta de se reprendre. Il fallait qu'elle guérisse de son obsession pour la présentatrice. Depuis des mois, en effet, Eliza occupait toutes ses pensées. Abigail avait récemment décidé de ne plus parler de son désir d'entretenir une relation avec elle à son psy, consciente que le Dr Flock ne voyait pas d'un très bon œil cette attitude. Il est vrai qu'Abigail traversait une période de solitude qui ne faisait qu'amplifier sa fascination pour Eliza Blake.

Elle rencontrait pourtant beaucoup de femmes *via* Internet, mais, au bout du compte, elle était toujours déçue.

L'âme sœur ne courait pas les rues.

Elle repensa à son ancienne amie, Cosima. Leur idylle avait duré un an. Elle se rappelait les bons moments passés à la campagne, les après-midi à faire du vélo et du roller à Central Park, et même une semaine à la station de ski de Poconos. Et aussi, les instants de détente à lire ou à cuisiner de délicieux plats grecs. Tous ces petits riens qu'Abigail avait adorés. Puis Cosima avait rencontré quelqu'un d'autre.

La communauté lesbienne était un microcosme fermé où les commérages allaient bon train. C'est ainsi qu'Abigail avait appris de la bouche de son amie Shannon que Cosima venait de passer les deux mois d'été à Sag Harbor avec sa nouvelle conquête. Et, à les voir sans cesse main dans la main, tout le monde s'accordait à dire qu'elles filaient le parfait amour.

Cet aveu n'avait fait qu'intensifier le désarroi intérieur d'Abigail. Shannon s'était alors proposé de l'accompagner au Chubby Hole un vendredi, pour lui changer les idées. Chaque fin de semaine, la boîte accueillait des strip-teaseuses dans une ambiance surchauffée.

Mais Abigail doutait que l'érotisme torride de ce genre de soirée ne dissipe ses idées noires. Une relation affective durable, voilà ce qu'elle voulait.

Avec quelqu'un comme Eliza.

Parce que, chaque fois qu'il leur arrivait de travailler ensemble, Eliza ne la décevait jamais. C'était la femme de ses rêves. Intelligente, perspicace, ravissante et tellement féminine. Abigail qui, dans le couple, préférait endosser le rôle masculin, n'en finissait pas de s'imaginer en train de faire l'amour à Eliza. Il fallait pourtant qu'elle arrête de fantasmer et accepte le fait qu'Eliza Blake n'était pas homosexuelle. Sa relation avec Mack McBride en était la preuve vivante. Elle conservait cependant une lueur d'espoir. Après tout, elle aussi s'était déjà mariée plus jeune. Et beaucoup de lesbiennes avaient eu des relations hétérosexuelles avant de prendre conscience de leur homosexualité.

Peut-être serait-ce un jour le cas d'Eliza.

27

Paige dénicha une excellente agence qui lui adressa plus d'une demi-douzaine de femmes dignes de confiance. Ne restait plus à Eliza qu'à les rencontrer et à faire son choix. Trois d'entre elles semblaient parfaites pour le poste proposé et, en effet, Eliza jeta son dévolu sur l'une d'elles.

Le seul inconvénient était que Carmen Garcia ne pouvait se libérer avant la mi-septembre. Elle devait respecter son préavis, sans compter qu'elle avait promis de rester chez ses employeurs jusqu'à leur départ pour la côte Ouest.

— Pensez-vous être capable de m'aider à m'installer alors que vous sortirez tout juste d'un déménagement ? demanda anxieusement Eliza à la femme guatémaltèque lorsqu'elle la rencontra.

— Ce n'est pas un problème, señora. J'aime être dans les cartons, répliqua Carmen en croisant les mains. Les Howard ont été bons avec moi. Ils m'ont permis d'obtenir ma carte de séjour. À présent, leurs enfants sont grands, ils n'ont plus besoin de moi. Plus de jouets à ranger, juste du linge à laver et à repasser. Ils sortent souvent au restaurant. Mais moi, j'aime cuisiner et avoir à m'occuper d'une petite.

Trop beau pour être vrai, pensa Eliza.

— Est-ce que vous conduisez, madame Garcia ? continua Eliza. Il faudra souvent accompagner ma fille à l'école.

— Oui, je sais conduire. Mais je n'ai pas de voiture, ajouta-t-elle, un peu inquiète.

— Non, non, je n'exige pas que vous ayez votre propre voiture, je vais moi-même en acheter une. Il faudra juste que vous puissiez venir par vos propres moyens le matin et le soir. Quelquefois, je pourrai vous raccompagner, mais ce sera rare vu mon emploi du temps.

— Je comprends, señora. Ne vous inquiétez pas. Pour les trajets, je m'arrangerai avec ma fille ou une amie à moi.

— Bon. Un autre point : il y aura des jours où je rentrerai plus tard, et cela pour raisons professionnelles. J'ai besoin de savoir si je peux compter sur vous certains soirs.

— Sans problème, señora. Je vis avec ma fille et sa famille à West Wood, à dix minutes d'ici. Mes autres enfants sont rentrés au pays et je n'ai plus d'obligations familiales. Si vous ne pouvez pas rentrer tout de suite après votre travail, ce n'est pas grave. Personne ne m'attend à la maison.

La femme portait une robe fleurie, une double rangée de perles autour du cou et des boucles d'oreilles. Bien que bon marché, ses chaussures à talons plats semblaient neuves. Eliza sentait que Mme Garcia avait fait un effort vestimentaire pour faire bonne impression.

— Puis-je vous demander votre âge, madame Garcia ? hasarda Eliza, sachant qu'elle pouvait être poursuivie en justice pour demander ce genre de détail à une employée potentielle.

— Cinquante ans.

— Vous ne les faites pas.

Carmen Garcia était légèrement au-dessus de l'âge idéal. Mais Eliza ne trouvait rien à redire sur tous les autres points. Son naturel et sa retenue lui plaisaient.

Restait à convaincre Janie, qui apprendrait peut-être un peu d'espagnol à son contact.

Lorsque Mme Garcia quitta le bureau, Eliza laissa échapper un profond soupir de soulagement. Elle avait redouté ce moment depuis des mois : dénicher quelqu'un sur qui elle puisse compter, quelqu'un qui lui inspirerait une confiance suffisante pour qu'elle sache Janie en sécurité. Et aujourd'hui, son intuition lui soufflait qu'elle avait découvert la bonne personne.

Un poids en moins.

Maintenant, il fallait se préparer à la séparation avec Mack.

28

— Une fois que j'aurai pris mes marques, je pourrai envisager de revenir pour un week-end. Ce ne sera pas long, tu verras.

Mack s'efforçait d'être optimiste pour leur dernière nuit ensemble. Demain soir, il traverserait l'océan au moment même où Eliza passerait à l'antenne. Celle-ci préférait de loin lui faire ses adieux dans l'intimité plutôt qu'au terminal encombré de l'aéroport Kennedy.

Elle regarda fixement son verre de merlot en faisant tanguer légèrement son contenu. Tous les deux savaient pertinemment que s'accorder ne serait-ce qu'un week-end serait un véritable casse-tête. Il y avait tout juste deux mois qu'Eliza présentait « Key Evening Headlines », sans parler de l'élection présidentielle qui approchait. Non, en l'état actuel des choses, elle ne se sentait pas autorisée à prendre du temps libre. Range n'apprécierait pas.

Quant à Mack, songer à un quelconque congé dès à présent relevait de l'inconscience. En tant que grand reporter, il s'apprêtait à couvrir tous les événements importants en Europe. Ce qui signifiait être disponible vingt-quatre heures sur vingt-quatre.

Une chance s'ils parvenaient à se retrouver pour les fêtes de Noël, se dit Eliza avec tristesse.

Du nerf ! Allait-elle passer ses derniers moments avec Mack à ressasser désespérément leur avenir ? Elle ne voulait pas qu'il parte avec d'elle une image ternie. Qu'il s'envole l'esprit libre en pensant à leurs prochaines retrouvailles, voilà ce qu'elle désirait.

Courage, ma fille.

— Un peu de vin ?

Le ton était un brin trop enthousiaste. Elle vida la bouteille et ils trinquèrent. Une gouttelette perla au coin de sa bouche et Mack la fit disparaître dans un baiser.

Elle lui rendit un baiser volontaire et avide, mêlé de désir et de désespoir. Elle aurait aimé l'enserrer comme une liane et ne jamais le libérer de son étreinte. Elle le voulait constamment et pour toujours. Ils avaient besoin de plus de temps.

Mais pourquoi, à chaque fois, lui enlevait-on les hommes qu'elle aimait ?

29

Avant de préparer la limousine couleur crème pour les réglages, Augie inspecta attentivement le trousseau de clés. Il isola les trois clés qui devaient servir pour le domicile et les glissa dans la poche de sa salopette.

À midi, il prétexta une course à la banque. Il s'y rendit effectivement, non sans être d'abord passé au Home Depot, sur la nationale 17. Là, il fit faire un double des clés. Augie ne s'adressait jamais deux fois au même vendeur pour ne pas éveiller les soupçons.

À 16 heures, comme prévu, la limousine fut ramenée au domicile des propriétaires, Augie sonna à la porte et remit le trousseau à Mme Palumbo.

— Merci mille fois, Augie, de m'avoir dépannée aussi vite. Nous partons demain pour Point Pleasant et je ne voulais pas avoir de mauvaises surprises.

— C'est bien naturel, madame Palumbo. Votre mari pourra me régler la prochaine fois qu'il passera au garage faire un plein.

Lorsqu'il rejoignit le mécanicien qui l'attendait dans la camionnette pour le ramener au garage, Augie était d'humeur joviale.

Les gens étaient décidément stupides. Naïfs et stupides.

30

Ce soir-là, Joe Connelly resta à son poste, dans les sous-sols des studios d'enregistrement, plus longtemps qu'à l'accoutumée. Assis devant son ordinateur, il enregistrait dans son fichier intitulé « Comportements déviants » les derniers cas qui lui donnaient du fil à retordre. En tout, on pouvait dénombrer près de soixante courriers et menaces téléphoniques adressés à Key News.

Certains cas se révélaient simples à traiter, d'autres plus ardus. Eliza Blake était de loin la plus visée, mais elle recevait rarement de menaces sérieuses. Des années d'expérience avaient appris à Joe à séparer le bon grain de l'ivraie.

Les lettres ordinaires qui offraient des commentaires sur certains reportages ou demandaient une photo d'Eliza étaient directement traitées par le service clientèle de Key News. Les lettres plus douteuses atterrissaient à la sécurité. C'est ainsi que celle d'un certain Bidoche lui avait été transmise par Paige.

L'expérience avait montré à Connelly que les présentatrices étaient plus sollicitées que les présentateurs. Il attribuait ce phénomène à leur côté plus accessible. Pour lui, il ne s'agissait pas tant d'une question de séduction que de contact chaleureux.

Eliza Blake n'échappait pas à la règle. Ses qualités séduisaient tous les téléspectateurs, y compris les détraqués.

Joe Connelly devait évaluer si la menace se révélait suffisamment inquiétante pour justifier une intervention. Mais, là aussi, les choses se compliquaient, car une intervention prématurée pouvait envenimer la situation.

Joe lut la lettre encore une fois, à la recherche de points communs avec les précédentes. De toute évidence, « sang » était le mot favori de Bidoche.

Eliza Blake,

Insolente petite arrogante, tu crois tout savoir. Mais tu ne sais rien !

Certes, les chauves-souris appartiennent à la race des vampires. Elles sucent le sang, mais sais-tu qu'elles adoptent aussi des orphelins et risquent leur vie en partageant leur nourriture avec ces rejetons moins fortunés ?

Tu devrais prendre exemple sur elles. Rester chez toi et t'occuper de ta précieuse progéniture. Au lieu de ça, tu préfères t'exhiber aux yeux de tous, chaque soir, dans des tenues indécentes. Mère indigne !

Je te l'ai déjà dit et je perds patience. Habille-toi correctement et ne montre plus ta peau. Sinon, je me ferai un plaisir de goûter au carmin de ton sang, je te le promets.

Bidoche.

Juger une lettre relevait largement de l'expérience et de l'intuition. Cette fois, une inquiétude bien palpable s'empara de Connelly à la lecture comparée des deux lettres. Cet homme était de toute évidence un individu dangereux.

31

Le soutien de KayKay et Poppie était irremplaçable. Ils insistèrent pour qu'Eliza utilise leur voiture en attendant d'en acheter une.

— Cela fait des lustres qu'elle moisit dans le garage ! On ne s'en sert plus que très rarement, insista Katharine.

— Et d'ailleurs, une voiture est faite pour rouler, renchérit Poppie.

La journée s'achevait et Eliza imaginait Mack quelque part entre les États-Unis et l'Europe. Elle n'avait pas la force de protester et, pour dire vrai, la proposition de ses beaux-parents la soulageait grandement.

— Vous me sauvez ! Je n'aurai pas une minute à moi pour louer une voiture avant samedi, je vous promets de faire au plus vite pour vous la rendre.

Un simple coup d'œil suffit à Katharine pour déceler une vague inquiétude dans le regard de sa belle-fille. Elle était au courant de sa liaison avec Mack et pouvait témoigner du changement que son arrivée avait produit sur Eliza. Depuis qu'ils étaient ensemble, elle avait retrouvé son humeur joviale et Janie l'adorait. Après cinq longues années douloureuses, il était grand temps que la jeune femme sorte de sa période de deuil et refasse sa vie.

Mais le départ soudain et prématuré de Mack venait compliquer les choses.

— Garde-la tant que tu voudras, ma chérie, il n'y a aucune urgence, assura la vieille femme en l'embrassant.

Elle appela sa petite-fille pour lui dire au revoir. Les pas précipités de l'enfant ne se firent pas attendre.

— Au revoir, mamie, dit Janie en serrant ses bras menus autour de la taille de Katharine. Tu m'emmèneras encore chez le coiffeur ?

La fillette arborait un sourire radieux, très fière de sa nouvelle coupe et de ses ongles vernis.

— Promis, ma puce. En attendant, tu seras la plus jolie petite écolière, la semaine prochaine.

Le visage de Janie s'assombrit subitement et Eliza s'agenouilla pour la rassurer.

— Janie, je sais que tu es un peu inquiète pour l'école. Tous les enfants sont inquiets, la première fois. Maman aussi a eu très peur pour son premier jour d'école et KayKay aussi, pas vrai ?

La petite regarda sa grand-mère d'un air incrédule. Elle avait la certitude que rien ne pouvait faire peur à sa grand-mère.

— Oui, moi aussi j'étais impressionnée, annonça Katharine d'un air grave, mais après, j'ai adoré ça. Tu verras, toi aussi tu vas t'y plaire.

L'expression de Janie laissa entendre que ce témoignage ne l'avait pas vraiment convaincue. Katharine passa à un autre sujet.

— Et tes nouvelles chaussures ! Va vite les chercher pour les montrer à maman !

Janie se précipita et Katharine se dirigea vers la porte. Sur le seuil, elle se retourna un instant et se confia à Eliza :

— Tu sais, Eliza, c'est tout aussi bien que la nouvelle nourrice ne commence pas immédiatement. Comme ça, les choses se feront en douceur. Avec Poppie, on l'accompagnera pour son premier jour d'école, ça la rassurera.

— Moi aussi, ça me rassurera, répondit Eliza.

32

Le jour de la vente était arrivé. Louise Kendall, Larson Richards ainsi que deux notaires, exerçant respectivement dans le New Jersey et à New York, se présentèrent aux studios d'enregistrement de Key News, vendredi matin, à 9 h 30 précises. La cession de la résidence située sur la route de Saddle Bridge devait avoir lieu dans la matinée.

Eliza s'était levée tôt. Elle avait confié à Louise une tâche que la plupart des futurs propriétaires ne délèguent que rarement, à savoir celle d'inspecter de fond en comble la maison avant de remettre l'état des lieux au propriétaire sortant. Tout semblait en ordre.

Paige escorta le groupe jusqu'au bureau d'Eliza et les pria de patienter un bref instant. À la différence des autres, Larson Richards resta debout et inspecta le bureau, feuilletant les livres et observant l'alignement de petites statuettes, trophées de l'audiovisuel. Il se dirigea ensuite vers le bureau et s'attarda un instant devant le portrait d'une fillette dans un cadre doré. Le papier peint, dans les tons rouge et bleu, conférait à la pièce un chic particulier, et était ponctué ici et là de cadres montrant des récompenses et autres signes distinctifs de la profession. Un sofa en cuir, garni de coussins aux motifs orientaux, trônait magistralement et offrait une vue imprenable sur le plateau en contrebas.

Une vraie ruche. Une douzaine d'employés s'affairaient sans relâche, répondant au téléphone, pianotant sur un clavier d'ordinateur, se précipitant pour accueillir quelqu'un ou lançant des directives inaudibles.

Le plateau de télévision que Richards avait vu maintes fois à travers le petit écran lui faisait face, planté au beau milieu du studio et éclairé de mille feux. D'imposantes caméras étaient braquées sur le siège encore vide de la présentatrice. Une salle aux baies vitrées abritait cinq personnes réunies autour d'une table ovale. Des moniteurs de contrôle étaient placés en face de chacune d'elles et certains murs étaient couverts d'écrans de télévision.

— Qu'est-ce qui se passe là-bas ? demanda Richards.

Paige s'avança vers lui avec une tasse de café.

— On appelle ça le bocal, répondit-elle en plaçant une nappe en papier sur le bureau. C'est le siège des producteurs, le lieu où se prennent toutes les décisions concernant le planning et la coordination du journal du soir.

Richards acquiesça avec nonchalance, bien déterminé à ne rien laisser transparaître de son enthousiasme. Car il était franchement impressionné. Eliza Blake en personne s'apprêtait à acheter la maison de ses parents. Il savait qu'aucun problème financier ne se poserait et que, s'il jouait finement, il pourrait même inciter la présentatrice à investir dans sa société.

Mais l'impatience le gagnait. Il lui tardait que les documents légaux soient signés pour pouvoir déposer son chèque à la banque au plus vite. Avec la fête du Travail qui allongeait le week-end, il ne tenait pas à attendre jusqu'au mardi pour approvisionner son compte...

— Désolée pour le retard, lança soudain Eliza, qui fit son apparition dans un tailleur rose vif. Elle s'empressa de serrer la main des personnes présentes et d'embrasser Louise. Elle savait que le mari de cette dernière avait occupé ce bureau par le passé et pensa qu'il était sans doute pénible pour elle de se retrouver là.

À son tour, Louise s'empressa de faire les présentations.

— Enchantée, monsieur Richards. Vos parents avaient une magnifique propriété et je suis heureuse de pouvoir l'acheter.

— J'espère que cette maison vous conviendra, madame Blake, déclara Larson d'un ton doucereux. Nous y avons passé de très bons moments.

Il est mielleux, pensa Eliza. Trop mielleux.

— Allons-y, si vous le voulez bien, enchaîna l'avocat d'Eliza. Mme Blake est très sollicitée.

Les papiers furent signés un par un. Au moment où Louise reçut le chèque couvrant sa commission, Eliza surprit une grimace écœurée sur le visage de Richards.

Enfin, le titre fut transféré et Richards eut son argent. Il se leva aussitôt et salua Eliza.

— Eh bien, bonne chance, Eliza, si je peux me permettre de vous appeler par votre prénom. Je pense que nous aurons l'occasion de nous revoir.

Elle n'y tenait pas vraiment.

Alors que Richards se dirigeait vers la sortie, Louise l'interpella :

— Ah ! au fait, monsieur Richards, vous n'oublierez pas de nous transmettre la combinaison du coffre-fort de la chambre à l'étage ! Eliza voudra certainement en changer pour pouvoir l'utiliser au plus vite. Vous savez ce que sont les tracas d'un déménagement.

Larson eut un geste agacé.

Monsieur a l'air embêté, pesta Louise intérieurement. Un chèque de deux millions de dollars en poche et il n'est même pas fichu d'être réglo. Il a intérêt à cracher le code, et vite.

Avant de quitter les studios, Louise fit un détour par le bocal. Sachant qu'elle serait dans les parages ce jour-là, Range avait tenu à la voir.

Range et elle s'étaient connus par l'intermédiaire du mari de Louise. Mais ce n'est qu'après le décès de son époux, au printemps passé, qu'ils étaient devenus plus proches. Très proches même.

Depuis le suicide de son mari, Louise oscillait entre le désespoir et la rancœur. Bill l'avait tout bonnement plantée là, avec leur fils handicapé. Certes, l'annonce de la maladie incurable de William, leur fils unique, les avait ébranlés tous les deux mais, malgré les moments de détresse qu'elle aussi avait traversés, elle avait résolument écarté l'idée du suicide. William avait besoin d'elle. Il avait besoin de ses deux parents.

Pendant dix-neuf ans, Bill avait été un père aimant et William l'adorait. D'ailleurs, il n'acceptait toujours pas la mort de son père. Dès que Louise passait le prendre à la sortie du centre où il recevait des soins, il contemplait fixement le siège passager, vide, puis se tournait vers sa mère, avec la même question muette dans le regard. Louise endurait une véritable torture, chaque jour, à devoir lui expliquer que son père était parti et qu'il ne reviendrait pas.

— Papa est au paradis, c'est ça, maman ?

— Oui, mon cœur, papa est au paradis, là-haut, et il te voit, il t'aime et il pense à toi tous les jours.

Maudit Bill ! pensait Louise.

Tenant un téléphone d'une main et tapant de l'autre sur un clavier d'ordinateur, Range sentit une présence derrière lui. Se retournant, il croisa le regard de Louise et lui tendit les bras.

Fait inhabituel, le bocal était presque vide. L'horloge affichait 11 h 06. Dans neuf petites minutes, Range présiderait la réunion matinale des producteurs, puis ce serait au tour des rédacteurs de prendre la parole sur les sujets à traiter. Au final, seuls sept ou huit seraient retenus pour le journal télévisé.

— D'accord, on en reparlera plus tard. Tiens-moi juste au courant de ce qu'ils en disent au service météo.

Agacé, Range raccrocha.

— Chaque année, c'est le même cirque. D'août à octobre, il faut qu'on se rencarde sur d'hypothétiques avis de tempête. On attend toujours le truc dévastateur, le méga-ouragan de derrière les fagots et, résultat des courses, on se retrouve avec un banal orage de saison. Rien de plus.

— Je me rappelle le temps où Bill allait parfois couvrir ce genre d'événements. J'étais morte de peur.

Louise s'avança vers Range et lui massa doucement la nuque.

— Un peu tendu aujourd'hui, monsieur le producteur.

— C'est vrai, j'ai pas envie qu'un foutu ouragan fiche nos plans à l'eau. Un week-end de trois jours, tu t'imagines !

Cela faisait vingt ans que Louise côtoyait des hommes issus du milieu du journalisme, et elle ne s'était jamais habituée au fait que des événements étrangers à sa vie personnelle puissent influer sur sa vie intime. Au point de lui faire annuler des plans prévus de longue date. Heureusement, avec le temps, elle avait appris à être philosophe. Elle ne pourrait en rien modifier cet état de fait tant qu'elle se lierait à des hommes de ce milieu.

— Écoute, si on ne peut pas se rendre à Cape, ce n'est pas la fin du monde. En plus, je n'ose pas imaginer la circulation. On pourra toujours passer le week-end chez moi, tranquilles, à nager et à se faire des grillades. Comme ça, tu seras libre de revenir au studio si nécessaire.

Range lui baisa le creux de la main.

— Voilà la femme la plus compréhensive que j'aie jamais rencontrée.

Un frisson de plaisir parcourut Louise lorsqu'il l'embrassa.

33

Bien qu'elle dût présenter le journal le jour de la fête du Travail, Eliza avait insisté pour que Paige prenne un week-end prolongé. Elle avait précisé que la journée s'annonçait calme et qu'elle-même n'arriverait que tard dans la matinée.

— Non, vraiment Paige, rien ne t'oblige à venir lundi. Nous réglerons les affaires courantes mardi. En attendant, passe un bon week-end.

Les soldes avaient commencé et Paige était impatiente de profiter de ce jour de congé pour écumer ses magasins préférés. Elle avait déjà repéré un superbe caban beige chez Calvin Klein et entendait profiter de l'occasion pour se l'offrir.

Le vendredi soir, Eliza quitta le bureau après la diffusion du JT. Paige, qui avait prévu de partir tôt elle aussi, mit rapidement de l'ordre dans ses papiers et alla jeter un dernier coup d'œil dans le bureau d'Eliza. Elle ramassa une tasse oubliée et la déposa dans la petite pièce qui leur servait de cuisinette. Elle remplit le frigo de thé glacé – Eliza en consommait régulièrement –, puis éteignit la lumière. Elle revint ensuite vers son bureau récupérer ses effets personnels et, machinalement, vérifia son répondeur. Un nouveau message venait juste d'être déposé, probablement pendant qu'elle s'affairait dans la cuisine.

La voix lui était familière. C'était celle de cet amoureux transi qui, depuis deux mois, appelait Eliza pour lui témoigner toute son admiration. Jusque-là, Paige n'avait pas accordé beaucoup d'importance à ses appels. Ils lui semblaient si inoffensifs qu'elle les avait tous effacés.

Ce soir, néanmoins, quelque chose avait changé. Parce qu'il avait appelé plus tôt que d'ordinaire, Paige eut le sentiment que l'homme cherchait désormais à tomber directement sur Eliza. De plus, sa voix n'était plus la même. Jusqu'alors romantique, le message devenait plus pressant.

— Eliza, je vous aime. Je ne peux plus me passer de vous.

SEPTEMBRE

34

Eliza savait exactement comment Paige avait réussi à convaincre les déménageurs de travailler un jour férié. Le chèque rondelet qu'elle avait signé constituait, à lui seul, une preuve suffisante.

La journée ne s'annonçait pas trop chaude et, depuis un moment déjà, des hommes de forte carrure allaient et venaient entre le camion et la maison.

Postée dans le couloir, Eliza accueillait les déménageurs et leur indiquait où déposer les cartons et le mobilier. Sa table en acajou et ses chaises de style XVIIIe, qui occupaient si bien l'espace de son salon new-yorkais, semblaient avoir subitement rapetissé dans l'immense séjour. Un séjour qui pouvait contenir deux grands sofas et un mobilier important. Quant aux murs interminables, comment allait-elle pouvoir les habiller ?

Elle chassa ses interrogations d'un haussement d'épaules. Après tout, elle avait tout son temps pour penser à la décoration. Pourvu que la chambre de Janie soit en ordre, que la chambre d'amis puisse accueillir ses beaux-parents et que la cuisine soit rangée, le reste pouvait bien attendre.

Il serait amusant, même si Janie rouspétait, de chiner à droite et à gauche pendant les week-ends. Faire les puces l'aiderait à surmonter l'absence de Mack.

Eliza errait à présent dans la cuisine. Jetant un œil par la fenêtre en direction de la piscine, elle aperçut Katharine et Paul, assis au bord de l'eau, qui encourageaient Janie. Celle-ci les éclaboussait allégrement en nageant la brasse tant bien que mal. Eliza apporta des chaises en plastique à ses beaux-parents.

— Comment ça se passe ? s'enquit Paul, ses cheveux argentés agités par la petite brise qui soufflait.

— Bientôt terminé... Encore quelques cartons et ce sera bon pour aujourd'hui, répondit Eliza en s'allongeant, exténuée, sur le rebord de la piscine.

Elle s'étira longuement sur les dalles chaudes.

— Des suggestions pour le dîner de ce soir ? On pourrait aller quelque part ou se faire livrer quelque chose ? proposa-t-elle.

— Je veux manger chinois ! s'exclama Janie dans la piscine. Je veux de la soupe aux champignons et du poulet au sésame.

Eliza se sentit un peu coupable de toujours proposer des plats prêts à emporter. Combien de fois n'avait-elle pas eu recours à cette solution, après une semaine trépidante, pour compenser ses absences auprès de sa fille ? Une habitude alimentaire qui contrastait étrangement avec les repas dominicaux que sa mère ne manquait jamais de préparer quand elle était enfant. Elle se rappelait l'incomparable gigot accompagné de pommes de terre sautées et de petits pois. Janie n'aurait pas ce genre de souvenirs culinaires. Mais Eliza eut tôt fait de se consoler. Au cours de ses cinq années d'existence, sa fille avait fait plus de sorties et avait vu plus de choses qu'elle-même pendant les vingt premières années de sa vie.

Ici, la vie promettait d'être plus calme, songea Eliza en regardant le soleil se coucher à l'horizon. Elle demanderait à Mme Garcia d'approvisionner régulièrement le réfrigérateur pour lui permettre de cuisiner si l'envie lui prenait un de ces dimanches.

Cependant, la perspective de préparer un bon repas seulement pour Janie n'était pas très encourageante. Elle se mordit la lèvre en pensant à Mack, puis essaya d'évaluer le décalage horaire. Selon ses calculs, il allait bientôt se mettre au lit.

— Bonjour !

Quatre têtes pivotèrent en même temps. Une jolie femme brune porteuse d'un plateau s'approcha d'eux, suivie d'un garçonnet, brun lui aussi, encombré d'un gros bouquet de fleurs.

— Bonjour, je suis Susan Feeney, votre voisine, et voici mon fils James. Nous habitons de l'autre côté de la rue et nous sommes venus vous souhaiter la bienvenue.

Susan saisit le plateau d'une main tandis qu'elle tendait l'autre en direction d'Eliza.

— Oh ! c'est tellement gentil de votre part ! s'exclama Eliza, en acceptant la poignée de main chaleureuse et vigoureuse de sa nouvelle voisine. Combien de femmes se contentaient de tendre une main molle et sans conviction. Par ce simple geste, Susan lui plut d'emblée.

Suivirent les présentations avec Katharine et Paul, et enfin avec Janie qui, infatigable, barbotait encore dans la piscine.

— Et là-bas, c'est Janie, ma fille de cinq ans.

Les yeux de James s'agrandirent à l'annonce de ce chiffre magique.

— Moi aussi, j'ai cinq ans ! s'empressa-t-il de préciser.

— Alors, toi aussi tu vas rentrer à l'école la semaine prochaine ? demanda Eliza, déjà sûre de la réponse.

James hocha la tête fièrement.

— À l'école maternelle de HoHoKus ?

— Ouais.

— Waou ! Ça c'est une nouvelle ! Janie ira à la même école que toi. Vous serez dans la même classe.

James se débarrassa de son bouquet dans les bras d'Eliza et se dirigea vers la piscine. Elle proposa alors qu'il reste se baigner un moment avec Janie.

— Oh ! Mille mercis, mais mon mari est seul à la maison avec les deux petites de deux et trois ans. Je voulais juste me présenter et vous amener quelques gâteaux faits maison.

Eliza posa le bouquet sur la pelouse et prit les biscuits que Susan lui tendait.

— J'espère que vous n'avez rien contre l'ananas.

— Au contraire, ça a l'air délicieux ! Merci encore.

— C'est bien naturel, entre voisins. Je pourrais vous faire faire une petite promenade dans le coin un de ces jours, et si vous voulez profiter de la voiture, vous êtes la bienvenue. J'emmènerai James à l'école tous les jours et je pourrai prendre Janie sans problème.

Dieu existe, pensa Eliza. Elle était rassurée de savoir que, en cas d'empêchement, elle pourrait toujours compter sur quelqu'un pour ramener Janie de l'école. Elle prévoyait toutefois de déposer elle-même Janie tous les matins avant de partir pour Manhattan. La proposition de Mme Feeney était intéressante et elles pourraient sans doute par la suite se relayer mais, pour l'heure, elle voulait que les choses se passent en douceur.

Au bord de la piscine, James avait déjà ôté son T-shirt à rayures vert et blanc et était sur le point de sauter à l'eau.

— Si vous devez absolument rentrer, laissez-le s'amuser dans la piscine, insista Eliza. Je serais ravie que Janie se fasse un nouveau petit camarade.

— Eh bien, c'est-à-dire que, avec le déménagement, vous devez être débordés. Vous n'avez pas besoin d'un autre enfant dans les jambes.

Eliza regarda ses beaux-parents.

— Ce n'est pas un problème, assura Paul.

— Alors d'accord. James peut nager avec son short. Je viendrai le chercher dans une demi-heure.

Eliza raccompagna sa visiteuse jusqu'à l'entrée de la propriété.

— La prochaine fois, je vous ferai visiter la maison, mais pour l'instant tout est en chantier.

Le sourire de Susan Feeney s'estompa.

— Vous savez, je connais bien la maison, soupira-t-elle. Nous avons emménagé il y a seulement trois ans et les Richards étaient des voisins adorables. Ils me manquent tellement ! Je me rappelle en particulier ce jour de Pâques où nous sommes arrivés. J'étais alors enceinte de Kimberly et la maison était remplie de cartons. J'avais promis à James de faire des œufs durs que nous aurions ensuite décorés, mais le gaz n'était pas installé et je n'ai pas pu faire bouillir d'eau. James a pleuré toute la journée.

Les deux femmes s'immobilisèrent dans le chemin un instant.

— Eh bien, vous ne devinerez jamais. Le lendemain matin, Mme Richards venait à ma porte pour me souhaiter la bienvenue. Elle portait un panier rempli d'œufs qu'elle avait peints elle-même. Ce fut une heureuse coïncidence que j'ai toujours gardée présente à l'esprit. Comme si le hasard nous souriait.

Eliza approuva d'un signe de tête.

— Votre visite d'aujourd'hui m'a fait le même effet et je vous en remercie.

Retrouvant son sourire, Susan s'éloigna. Le moment était mal choisi pour la questionner sur ce qui était arrivé aux Richards, songea Eliza.

35

Après le repas, Eliza et Katharine firent les lits, déplièrent les serviettes de bain et rangèrent leurs affaires de toilette. Pendant ce temps, Poppie brancha le magnétoscope et y inséra l'une des cassettes de Janie. À 21 heures, lorsque Eliza descendit au salon pour mettre l'enfant au lit, elle la trouva sur les genoux de son grand-père. Tous les deux dormaient paisiblement devant *Sauver Willy*.

Paul, la bouche légèrement entrouverte, ronflait un peu et ne se réveilla pas quand Eliza le libéra de Janie. Dans l'escalier, les deux femmes échangèrent un sourire complice tandis qu'une main ridée s'attardait sur la joue de la fillette.

Pour ne pas la réveiller, Eliza choisit de simplement tirer sur sa fille une couverture à l'effigie des 101 dalmatiens. C'était l'un de ses moments favoris, regarder sa petite Janie si parfaite, confortablement installée dans son lit. Rien ne la remplissait d'autant d'amour et de satisfaction, Du moment que sa fille était heureuse, le reste importait peu.

Un problème demeurait. Où était Zippy ? Eliza regarda rapidement autour d'elle. Rien. Si Janie se réveillait et ne trouvait pas son singe fétiche, elle paniquerait. Voyons, où l'avait-elle vu pour la dernière fois ?

À côté du bassin, dans l'après-midi.

Elle baissa les stores et sortit de la chambre sur la pointe des pieds. Paul et Katharine discutaient à voix basse dans la chambre d'amis. Eliza les rejoignit pour leur souhaiter bonne nuit et les serra tendrement dans ses bras.

— Je ne sais pas comment vous remercier.

— Nous remercier de quoi, ma douce ? demanda Paul. Nous tenons à être ici à tes côtés avec Janie. Vous êtes tout ce qu'il nous reste.

— Bien sûr, mais vous êtes tout de même des grands-parents extraordinaires. Je veux que vous sachiez combien je vous suis reconnaissante pour tout ce que vous faites.

La voix chevrotante d'Eliza trahissait son émotion. Elle s'efforça de ne pas pleurer,

— Le plus dur est passé, maintenant, ma chérie, dit Katharine, d'une voix consolatrice. Te voilà avec Janie dans ta nouvelle maison. Demain, nous commencerons le rangement et tu te sentiras vite chez toi ici.

Eliza acquiesça silencieusement et les quitta. Ils allaient se coucher côte à côte et elle les enviait. Elle rêvait de quelqu'un avec qui partager son lit. Quelqu'un comme Mack, bien entendu. Elle pensa lui passer un petit coup de fil, mais renonça rapidement. La nuit était certainement déjà bien avancée à Londres. Pourquoi, sachant que le déménagement avait lieu aujourd'hui, n'avait-il pas donné signe de vie ?

Calme-toi, se raisonna-t-elle. En entrant dans sa chambre, elle se débarrassa de ses vêtements et se prépara à prendre sa douche. Un reportage inattendu avait sans doute accaparé Mack.

Zippy lui revint brusquement à l'esprit. Elle remit son T-shirt, courut jusqu'à la cuisine, se glissa dehors et, tâtonnant dans le noir, retrouva le chimpanzé en peluche.

Pendant ce bref intervalle, la porte de la cuisine resta ouverte.

36

Oh non ! pas ça !

Mack écoutait la respiration régulière de la blonde allongée à ses côtés, dans la chambre 509 de l'hôtel Mandarin Oriental. C'est là qu'il avait atterri à son arrivée à Londres, en attendant que l'appartement mis à sa disposition par Key News soit prêt à l'accueillir.

Il se détestait.

Aucune excuse valable ne plaidait en sa faveur. Ni le déchirement de la séparation avec Eliza, ni sa solitude pesante, et encore moins un dîner trop arrosé avec Marcy McGinnis et sa séduisante assistante. Une assistante qu'il allait devoir côtoyer tous les jours au boulot. Avec ce qui venait de se passer ! Le corps allongé contre le sien bougea pour rabattre les couvertures.

Quelle calamité !

Mack se rappela l'expression gênée du visage de McGinnis lorsqu'elle les avait laissés la veille à une des tables du Harvey Nick. Ce n'était sûrement pas la première fois qu'un dîner dans ce restaurant très couru de la capitale se muait en rencontre coquine.

Son crâne allait exploser. Lui qui partait du principe qu'il ne fallait en aucun cas mélanger le sexe et le travail se retrouvait à présent dans de beaux draps. Eliza avait jusqu'alors été l'exception. Et quelle exception !

Il ne connaissait pas cette jeune femme qui dormait dans son lit. Pouvait-il compter sur sa discrétion ou allait-elle mettre tout Londres au courant ? Et si la nouvelle traversait l'océan et parvenait aux oreilles d'Eliza ? Mack se laissa tomber du lit et marcha à tâtons jusqu'à la salle d'eau. Il ferma la porte à clé et s'aspergea le visage d'eau froide. Dans le miroir, ses yeux rouges lui montrèrent l'étendue des dégâts. Il se vomissait.

Comment avait-il pu tromper Eliza aussi facilement ?

37

Eliza se réveilla et ouvrit les yeux dans la semi-obscurité de sa chambre. Elle avait laissé sa porte entrouverte pour pouvoir entendre Janie si nécessaire.

— Janie ?

Pas de réponse.

À la place, un claquement répété lui parvint, accompagné d'un bruissement étrange. La peur accéléra son rythme cardiaque. Elle sentit une présence dans la chambre.

Le bruit sourd continua. Il semblait venir du côté gauche de la pièce.

Elle décida de ne pas bouger. Elle avait besoin de réfléchir à diverses possibilités. Décamper en direction de la chambre de ses beaux-parents pour réveiller Paul ? Non, elle résolut de faire face seule. La pensée de Janie profondément endormie la conforta dans sa décision. Elle saisit l'interrupteur de sa lampe de chevet et alluma. Ses yeux s'habituèrent rapidement à la lumière, mais elle n'aperçut rien ni personne. Pourtant, le bruit persistait. Son attention se porta vers la fenêtre : une ombre se projetait contre le voile des rideaux.

Rassemblant son courage, elle se leva et s'en approcha. Elle retint son souffle et souleva brusquement le rideau. Un bref instant, elle douta de ses sens. Une créature affolée la fixait de ses grands yeux noirs. De petites oreilles en pointe et un museau semblable à celui d'un renard.

Eliza fit volte-face et courut hors de sa chambre, s'assurant de bien fermer la porte derrière elle.

Une chauve-souris.

Drôle d'accueil pour sa première nuit à HoHoKus.

38

Keith se réveilla tôt, soulagé d'avoir une excuse valable pour quitter le domicile conjugal un dimanche matin. Cindy l'avait une fois de plus accablé de sa mauvaise humeur lorsqu'il lui avait dit qu'il devait retourner aux studios d'enregistrement régler les derniers arrangements.

— Écoute, chérie, ça ne va pas durer toute la journée, promit-il. Range n'a pas jugé le dernier reportage satisfaisant, Les critiques concernent seulement le texte. Je vais le retravailler pour qu'Eliza puisse le réenregistrer dès demain.

— Eliza, Eliza, Eliza ! Tu n'as que ce nom à la bouche, explosa Cindy. Et moi, alors ?

Tu me rends la vie impossible et il faut que je parte d'ici. Telle était la vraie raison du départ matinal de Keith, mais il eut la délicatesse de ne rien dire. Il s'approcha d'elle, embrassa ses joues humides et lui proposa d'aller voir ce film dont elle lui avait parlé la veille. Cela l'apaisa momentanément. Du moins jusqu'à la prochaine crise.

Il pria pour que leurs relations s'améliorent avec l'arrivée du bébé. Et qu'il cesse de rêver à Eliza Blake. Son dernier rêve était tellement explicite qu'il s'était réveillé en nage. Les scènes érotiques qu'il vivait dans son sommeil avec la présentatrice dépassaient tout ce qu'il pouvait espérer faire, un jour, avec sa propre femme.

39

— Pourquoi tu dors sur le canapé, maman ?

Eliza ouvrit les yeux et vit le visage penché de sa fille la regarder fixement. Elle se leva en sursaut à l'idée de la chauves-souris, là-haut, dans sa chambre.

— Tu es allée dans la chambre de maman avant de venir ici, ma chérie ? demanda-t-elle anxieusement.

— Oui, mais je ne t'ai pas trouvée.

— Reste là, Janie, enchaîna Eliza d'un ton ferme avant de bondir à l'étage refermer la porte que la petite avait laissée ouverte.

Au même moment, Katharine sortit de la chambre d'amis, en nouant sa robe de chambre autour de sa taille.

— Mais qu'est-ce qui se passe ici ?

— Rien moins qu'une chauve-souris dans ma chambre hier soir.

— Quelle horreur ! J'espère qu'elle ne s'est pas échappée dans une autre pièce.

— Moi aussi. J'ai appelé la police en pleine nuit et ils m'ont mise en relation avec une responsable du service de protection des animaux. Elle m'a dit qu'elle pouvait venir illico si j'y tenais, mais qu'elle préférait régler cette affaire dans la matinée. C'est pourquoi j'ai dormi sur le sofa. Elle ne devrait pas tarder maintenant.

— Maman ! appela Janie du rez-de-chaussée. Y a une dame qui arrive.

— On est sauvée ! murmura Eliza en se précipitant pour l'accueillir.

Une femme d'âge moyen, vêtue d'une salopette, se présenta avec des gants en cuir et un seau en plastique rempli de tout un tas d'accessoires.

— Faut pas vous inquiéter, madame, fit-elle d'une voix grave en suivant Eliza à l'étage. Les chauves-souris sont de précieuses alliées. Une seule d'entre d'elles peut ingurgiter des centaines de cafards chaque nuit, sans compter ces vermines de moustiques qui nous pourrissent la vie.

— Et la rage ? répliqua Eliza, peu convaincue par l'argument.

— Balivernes. Vous avez plus de chances de vous faire mordre par un chien enragé que par une chauve-souris, non ?

Munie de ses gants, la femme entra dans la chambre.

— Maintenant, vous m'attendez là pendant que je visite les lieux.

Eliza se posta dans le couloir, aux aguets. Elle perçut un bruit de store.

— Aucune trace, lança la femme à travers la porte.

Oh ! mon Dieu ! Le sang d'Eliza ne fit qu'un tour.

Quelques minutes plus tard cependant, la spécialiste réapparut à la porte avec un large sourire de satisfaction.

— Vous l'avez eue ?

— Oui, m'dame !

— Où se cachait-elle ?

— Au fin fond de la poubelle de la salle de bains. Dès qu'il fait jour, elles se réfugient dans les coins les plus sombres.

— Alors, elle est dans votre seau ? demanda Eliza incrédule.

— Exactement.

— Qu'est-ce que vous allez en faire ?

La femme jeta un œil par-dessus l'épaule d'Eliza en direction de Janie qui n'avait pas perdu une miette de la conversation.

— Je vais l'emmener faire un long voyage.

Eliza la raccompagna jusqu'à son camion.

— À votre avis, comment a-t-elle pu se faufiler à l'intérieur ? Je ne tiens pas à ce que cela se reproduise.

— Dans ce cas, je vous conseille de faire inspecter le grenier pour voir si vous n'abritez pas une petite colonie.

— Je viens juste d'acheter cette maison et elle a été inspectée de fond en comble il y a un peu moins d'une semaine.

Son interlocutrice haussa les épaules.

— Elle a pu profiter d'une porte entrouverte.

Quand je suis sortie chercher Zippy, pensa Eliza avec un frisson de dégoût.

40

Abigail s'était rendue suffisamment tôt à son club de gym pour pouvoir utiliser le matériel sans attendre. Satisfaite de sa séance, elle s'était déjà douchée et commençait à se rhabiller lorsque quelqu'un l'interpella.

— Abigail, c'est toi ?

Elle se retourna et vit une jeune femme d'une trentaine d'années venir à sa rencontre.

— C'est moi, Monica. Monica Anderson.

Abigail tenta de masquer sa confusion.

— Bien sûr, Monica ! Je suis tellement contente de te revoir. Qu'est-ce que tu deviens ?

— Eh bien, j'ai fini par emménager dans le centre-ville. Je voulais le faire depuis longtemps mais, avec ce qui est arrivé, j'ai dû rester chez mes parents un moment.

— Et comment vont-ils, maintenant ?

Le visage de la jeune femme s'assombrit.

— Mon père est mort au printemps. Il n'a plus jamais été le même après ce qui s'est passé. Selon les médecins, il est mort des suites d'une crise cardiaque, mais son cœur s'est réellement brisé il y a cinq ans.

— Mes condoléances, Monica. Si j'avais été informée, je serais venue à l'enterrement.

Un silence gêné s'installa entre elles et Abigail en profita pour faire disparaître ses affaires de gym au fond d'un sac en plastique. Elle se sentait obligée d'évoquer le souvenir de Linda.

— Tu sais, Monica, je suis désolée de ne pas avoir pris de vos nouvelles, mais après la disparition de Linda, je me suis sentie de trop. Je ne pouvais plus travailler pour GSN sans penser constamment à elle.

— Ne t'en fais pas pour ça, Abigail, je crois que tout le monde l'a compris. J'étais étudiante à l'époque et je me rappelle quand tu es venue à Pâques, la dernière année. Vous étiez toutes les deux enthousiastes d'avoir commencé à travailler pour GSN au même moment. Elle t'adorait, tu sais.

— Moi aussi, avoua Abigail. Pendant les deux premières années, j'ai appelé le directeur régulièrement pour savoir où en était l'enquête. Puis j'ai laissé tomber.

— Il valait mieux, Abigail. À mon avis, ils n'élucideront jamais le mystère de sa disparition. J'en suis convaincue. Il faut juste l'accepter, c'est tout. Seule ma mère continue à appeler la police. Elle n'arrive pas à se faire une raison.

41

Aux alentours de 16 heures, Eliza prit Janie par la main et la conduisit chez les Feeney qui les avaient invitées à un barbecue. Fatigués par une dure journée de rangement,

Katharine et Paul avaient renoncé à s'y rendre, préférant faire un petit somme et se relaxer.

Dès qu'elle les vit passer le portail, Susan vint à leur rencontre, ses deux fillettes sur les talons.

— Comme c'est gentil d'être venues ! Venez, je vais faire les présentations.

Eliza fit ainsi la connaissance d'une vingtaine de personnes dont elle essaya de garder les noms en mémoire, tandis que Janie rejoignait James qui gambadait avec son épagneul noir et blanc.

Poulet, côtelettes et pain à l'ail dégageaient une odeur alléchante. Un long buffet avait été dressé, orné d'un énorme bouquet de fleurs du jardin.

— Qu'est-ce que vous prendrez ? demanda son hôte.

— Vous avez du thé glacé ?

— Avec un peu de vodka ?

— Parfait, remercia Eliza.

Elle s'assit et observa l'assemblée, qui se composait d'un nombre égal d'hommes et de femmes. Elle devait être la seule femme non accompagnée,

— Madame Blake, si je puis me permettre, dit une femme dont elle ne se rappelait plus le nom, votre installation ici, à HoHoKus, a constitué un véritable petit événement.

— Vous m'en voyez flattée et, je vous en prie, appelez-moi Eliza. Ma fille et moi sommes très heureuses d'avoir quitté le centre-ville pour une agglomération plus tranquille.

— Oui, j'ai lu dans les journaux les épreuves que vous avez traversées. J'espère sincèrement que vous trouverez plus de sérénité ici.

— Je ne voudrais pas jouer les trouble-fête, intervint l'un des invités, mais la vie n'est pas de tout repos dans la banlieue non plus. On a signalé un autre cambriolage dans le coin. En revenant de vacances, les Palumbo ont trouvé leur villa sens dessus dessous.

— Combien de cambriolages cela fait-il, en tout ? demanda une autre femme.

— Eh bien, six, à ma connaissance, depuis le début de l'été. Et pas la moindre trace d'effraction. Je ne vois que deux explications possibles : soit les gens, plus décontractés pendant la période estivale, oublient de fermer leur maison à clé, soit une personne de leur entourage s'est procuré un double.

— Et les systèmes de sécurité ?

— Vous savez ce que c'est, par ici. Les gens sont venus dans la région il y a près de trente ans et, à cette époque, personne ne pensait à faire installer une alarme chez soi. Le coin était désert.

En effet, Eliza avait été surprise d'apprendre que les Richards n'en possédaient pas. Louise avait prévu de remédier à cette situation, mais les sociétés spécialisées dans l'installation de systèmes de sécurité, débordées, ne pourraient intervenir avant une quinzaine de jours.

— À table, tout le monde ! interrompit Susan en apportant un énorme saladier.

Tout était prêt, les grillades, la charcuterie, les petits-fours. Mais, tandis que les invités s'avançaient vers le buffet, le visage de Susan s'emplit d'une colère soudaine. Elle venait tout juste d'apercevoir Larson Richards qui franchissait le portail d'entrée. Elle alla à sa rencontre et le salua froidement.

— Larson. Quel bon vent vous amène ?

— Ah ! Susan, je ne veux pas troubler votre petite réception mais je suis passé voir Eliza et on m'a dit qu'elle était ici.

Il ne manque pas d'air, fulmina celle-ci. Débarquer ainsi chez les gens sans même avoir été convié. Son intrusion ne fit qu'augmenter l'hostilité qu'elle lui vouait depuis leur entrevue dans les locaux de Key News.

42

Eliza paressa un moment dans son lit. Ce jour-là était férié et il n'y avait pas un bruit. Que n'aurait-elle pas donné pour ne pas avoir à aller travailler ce matin ! En échange, elle demanderait à Range de lui accorder un congé pour les fêtes de Noël. La chaleur et la douceur des draps ravivèrent le souvenir de Mack. Une petite escapade londonienne lui ferait le plus grand bien. Et ce Larson qui, la veille, ne l'avait pas quittée d'une semelle durant toute la soirée ! Elle en avait regretté l'absence de Mack d'autant plus amèrement.

Machinalement, elle interrogea l'horloge et calcula qu'il devait être midi en Angleterre. Elle faillit donner un coup de fil mais se retint de le faire. Mack ne serait pas à son aise au bureau pour lui parler. Elle attendrait d'être à Key News pour le surprendre un peu plus tard. Elle aurait alors une chance de le trouver à son hôtel.

Et puis, lui aussi pouvait bien appeler ! Au fond, c'était ce qu'elle attendait.

Son regard se posa sur la trace rectangulaire laissée au mur par l'armoire des Richards. Au-dessous, elle avait installé sa petite commode. Décidément, il fallait rendre ce lieu un peu plus habitable. Et cela allait prendre plus de temps que prévu.

Des bribes de conversation s'élevèrent de la cuisine, décidant Eliza à quitter son lit pour aller préparer le petit-déjeuner. Mais l'arôme du café et des œufs au bacon l'informa que Katharine avait déjà la situation bien en main. Elle espérait secrètement que Carmen Garcia serait aussi efficace et attentionnée.

En enfilant sa robe, elle se rappela soudain qu'elle devait réenregistrer le texte du reportage sur les gardes d'enfants.

Il fallait qu'elle donne le meilleur d'elle-même. L'enjeu était énorme.

43

Larson écoutait le claquement régulier de ses chaussures de golf sur la langue de bitume qui le menait à son premier tee. Son costume impeccable lui donnait l'apparence d'un membre distingué du club de golf. Si les trois types qui se préparaient à partager son parcours avaient eu vent de sa déroute financière...

Rien de tel que jouer au golf pour conclure des affaires. Au fur et à mesure qu'ils avançaient, une franche camaraderie s'installa entre les quatre hommes.

Larson avait prévu de perdre et d'aller jusqu'à payer un verre à ses partenaires.

Après le dix-huitième trou, lorsqu'ils se dirigeraient vers le bar réservé aux membres du club, il devrait se surpasser. Le cancérologue, l'obstétricien et l'avocat divorcé avaient des comptes en banque bien garnis et, à n'en pas douter, ils ne demandaient qu'à devenir plus riches encore. Il s'agissait de les amener, avec tout le tact possible, à investir dans sa société.

Sans préciser toutefois qu'elle allait à vau-l'eau.

Il installa la balle sur le tee en bois et se positionna pour son premier coup. Il sut tout de suite que le tir était bon. En effet, la balle atterrit à seulement quelques mètres du fairway. Il en conclut que les choses s'annonçaient plutôt bien.

Il patientait à présent à côté de ses adversaires et se laissait aller à rêver,

Eliza Blake. Quelle femme ! Et quel compte en banque ! Le *Wall Street Journal* faisait mention du contrat signé avec la chaîne. Quelle somme !

Certes, elle ne lui avait pas témoigné l'intérêt qu'il escomptait lors du barbecue chez les Feeney. Mais Larson était confiant. Il avait plus d'un tour dans son sac et arrivait toujours à ses fins.

Il tendit son club au caddy et se hissa dans la voiturette.

Comment approcher Eliza ?

La réponse lui vint tandis qu'il appuyait sur l'accélérateur.

La gamine.

44

Samuel Morton avait du mal à trouver ses mots. Assis face à sa feuille blanche bordée d'un fin liseré noir, il peinait. Une personne de cette envergure devait recevoir des remerciements à la hauteur de son dévouement.

Il prit un carnet et décida de rédiger d'abord un brouillon.

Chère Madame Blake,

Je tenais en premier lieu à vous remercier du fond du cœur pour votre gentillesse. Chaque fois que ma petite Sarah recevait une lettre de vous, son visage s'éclairait. Rien, durant ces durs jours de traitement, ne la consolait plus que la lecture de vos lettres. Et le souvenir de sa joie intense m'emplit de reconnaissance à votre égard.

Vous avez été une source de bonheur et de soulagement pour elle. Vous l'avez aidée à traverser les moments les plus difficiles.

L'idée que Sarah repose en paix à présent, et qu'elle ne souffre plus, m'offre une bien maigre consolation.

Mon égoïsme est tel que j'aimerais l'avoir encore à mes côtés, malade ou bien portante. Je ne parviens toujours pas à imaginer ma vie sans elle ici-bas. C'est impensable.

Les fleurs que vous avez envoyées sont magnifiques, je les garde soigneusement avec vos lettres.

Je crains de vous paraître un peu ridicule. Mais c'est tout ce qui me reste.

Il relut ce qu'il venait d'écrire et estima que cela suffisait, Eliza allait finir par le prendre pour un fou s'il continuait à lui détailler ses états d'âme.

Samuel recopia donc avec application les phrases qu'il venait de rédiger.

45

À peine eut-elle dépassé le pont George Washington que la petite lumière orangée de la jauge d'essence se mit à clignoter. À son arrivée dans le parking Henry Hudson, dans la 72e Rue, un bruit sourd se fit entendre sous le capot.

Oh ! oh ! Il va falloir que je fasse réparer ça. Mais faites qu'elle tienne jusqu'à ce soir ! pria Eliza.

Les couloirs des studios d'enregistrement étaient déserts, comme toujours pendant les jours fériés. Seuls quelques irréductibles n'avaient pas quitté le navire et s'affairaient dans les bureaux. Eliza se dirigea vers le bocal pour saluer quelques collègues avant de monter dans son bureau. Elle tomba sur David Carter, l'un des producteurs, qui remplaçait Range pour la journée.

— Rien à signaler pour le moment. L'ouragan a été clément, il nous a épargnés.

— Qu'est-ce qu'on a au menu aujourd'hui ? demanda Eliza, égrenant à voix haute les titres affichés à l'écran de l'ordinateur.

— Embouteillages habituels et retards dans les aéroports, résuma-t-il.

— Tu vois un peu à quoi on a échappé. Allez, je me sauve, je serai à l'étage si tu as besoin de moi.

La sonnerie du téléphone lui fit accélérer le pas, mais elle arriva trop tard et eut tout juste le temps d'entendre l'interlocuteur raccrocher. Mack, pensa-t-elle sans hésiter.

Il devait être de retour à son hôtel à cette heure. Elle composa aussitôt son numéro et demanda à lui parler. Une douzaine de sonneries plus tard, la petite voix désolée de la réceptionniste l'informa que sa requête était vaine pour le moment. Souhaitait-elle laisser un message ? Non.

Elle appela ensuite son beau-père.

— Allô, Paul ? Tout se passe bien, là-bas ?

— Très bien, Eliza. Janie est actuellement dans la piscine avec son nouveau petit copain.

— Qui ça ? James ?

— Oui, le petit voisin. Tu sais, ils s'entendent à merveille. Il a l'air vraiment gentil, ce gamin.

— Bon, très bien. Mais si vous vous sentez fatigués, dites à Janie que c'est fini pour aujourd'hui...

— Ne t'inquiète pas, Eliza, Mme Feeney n'a laissé son garçon que pour une heure. D'ailleurs, elle ne va pas tarder à revenir.

— Bon, à plus tard alors. Eliza se rappela alors la petite lampe orangée dans sa voiture et le bruit sourd sous le capot. Ah ! Paul, j'allais oublier. Quand vous la verrez, demandez à Mme Feeney de me laisser les coordonnées de son garagiste.

— Pourquoi, tu as un ennui avec la voiture ? s'inquiéta Paul.

— Non, mentit-elle. Elle ne voulait pas le tourmenter inutilement. Je veux juste commencer à me renseigner sur les modèles qui m'intéressent.

Elle leva les yeux et aperçut Keith Chapel dans l'embrasure de la porte.

— Bon, je dois y aller, Paul. Je rentrerai juste après le journal.

46

Des chauves-souris.

Elle voulait maintenant qu'il se penche sur les chauves-souris.

Keith soupira profondément. Il avait rejoint Joe Leiding derrière la table de montage.

— Quel est le problème ? Le montage ? demanda Joe. Je peux le changer.

— Non, non, Joe, il n'y a aucun problème, répondit Keith, le regard braqué sur le moniteur. Excuse-moi, je pensais à autre chose.

Leiding lui lança un regard soupçonneux. Maintenant qu'ils faisaient équipe pour la nouvelle série de reportages, ils allaient devoir discuter et travailler ensemble durant de longs mois sur le montage des émissions. Alors pas question de se laisser envahir par les problèmes personnels du coéquipier.

Bien entendu, Leiding n'ignorait pas que Keith traversait une période délicate avec l'arrivée du bébé. Mais il avait intérêt à rester concentré sur son travail.

Joe inséra les répliques qu'Eliza venait juste de réenregistrer. Le résultat était plutôt heureux et il en éprouva une certaine satisfaction. Si seulement Keith montrait un peu plus d'entrain !

Au lieu de ça, il était occupé à griffonner.

— Prochain sujet : les chauves-souris, laissa tomber Keith sans relever la tête.

Joe haussa les épaules. Depuis vingt ans qu'il faisait ce boulot, il ne s'étonnait plus de rien. Quant au choix des sujets traités, mystère. Il n'était sûr que d'une chose : une fois un thème fixé par le présentateur de l'émission, rien ne pouvait entraver sa réalisation.

— Elle est tombée nez à nez avec une chauve-souris dans sa chambre à coucher l'autre nuit, poursuivit Keith.

— Joli cadeau de bienvenue.

— Tu l'as dit. Elle a fait venir une spécialiste qui lui a assuré que ces créatures étaient très utiles. Eliza a pensé que les téléspectateurs seraient étonnés d'apprendre que ces bestioles que tout le monde déteste sont, en réalité, des trésors inestimables pour l'environnement.

— Comment tu vas t'y prendre ?

— Pas la moindre idée. Je vais m'en remettre à l'expert du zoo du Bronx. Il doit en connaître un rayon là-dessus.

Keith s'étira sur sa chaise, bâilla un bon coup et ferma les yeux. Il essaya de s'imaginer Eliza, en déshabillé, découvrant avec horreur les yeux exorbités et aveugles d'une chauve-souris.

47

Le message téléphonique du vendredi soir l'avait rongée tout le week-end, Elle appela la sécurité dès le mardi matin.

— Basculez le message sur mon poste, Paige, précisa Connelly. Je vais l'étudier.

— Je suis désolée d'avoir effacé les précédents, monsieur Connelly, s'excusa Paige. Mais je ne les jugeais pas vraiment menaçants.

— Rassurez-vous, si ce type est réellement dangereux, il rappellera. Cette fois-ci, vous n'aurez qu'à suivre les mêmes consignes : transférez les messages et notez avec précision l'heure de l'appel. C'est l'indice le plus important pour mener l'enquête de façon efficace.

Au fil des années, Connelly avait archivé des centaines d'appels, mais les recherches à entreprendre pour découvrir l'auteur du dernier message ne le réjouissaient guère. Réussir une traque téléphonique n'était pas aussi simple que les feuilletons télévisés le laissaient croire.

Mener à bien l'opération relevait d'un véritable tour de force, tant les moyens étaient nombreux de déjouer les mises sur écoute.

Le chef de la sécurité attendit que l'assistante d'Eliza lui transmette l'appel douteux et, dès sa réception, l'écouta attentivement.

— Eliza, je vous aime. Je ne peux plus me passer de vous.

S'il s'était agi d'un premier appel, Connelly aurait certainement temporisé pour voir quel tour prenait l'affaire. Mais Paige avait bien spécifié que l'homme appelait chaque soir, sans relâche, depuis deux semaines.

Tout comportement déviant ne fait qu'empirer, Connelly ne le savait que trop bien.

Il contacta la police et déposa une plainte au nom d'Eliza Blake.

La machine était lancée. Le bureau des appels anonymes de Boston attribua un numéro de dossier à Eliza et un inspecteur fut désigné pour s'occuper de l'affaire. Sa ligne serait mise sur écoute. Cela supposait un appareillage sophistiqué, régi par un programme informatique chargé d'intercepter et de retranscrire toutes les données concernant ladite ligne. Chez un particulier, l'installation aurait été relativement simple mais, à Key News, le dispositif prenait des airs de film de science-fiction. En effet, chaque appel se trouvait en quelque sorte suspendu un instant avant d'être transféré vers son destinataire. Les standardistes, six au total, s'occupaient chacune d'un réseau de trente-six extensions. Une fois l'appel transmis, retrouver sa trace relevait de l'exploit.

Connelly s'attela à la création d'un nouveau dossier. En entrant les maigres données que Paige avait conservées, il regretta sa négligence. En effet, les appels nocturnes n'étaient pas si fréquents, ce qui rendait leur localisation relativement aisée.

Si ce type commençait à appeler durant la journée, mettre la main dessus prendrait des mois.

48

Pas le temps de se maquiller ce matin.

Eliza serra Janie dans ses bras et rejoignit en toute hâte le taxi qui l'attendait depuis déjà vingt minutes.

Au moment de s'y engouffrer, elle fut abordée par un homme imposant, au teint rougeaud, qui se trouvait au volant une dépanneuse rouge.

— Madame Blake ? Augie Sinisi.

— Oh ! monsieur Sinisi, je ne vous attendais pas si tôt, j'ai laissé un message sur votre répondeur hier soir !

Eliza lui tendit la main, mais l'homme eut un geste de recul.

— Excusez-moi, madame, j'ai les mains pleines de cambouis et d'huile de vidange. Qu'est-ce qui vous tracasse avec la voiture ?

— Eh bien, pour tout vous dire, je ne suis pas sûre à cent pour cent, mais j'ai cru entendre un bruit sous le capot.

Augie examina la Mercedes bleue garée à quelques mètres du garage. Il était prêt à parier qu'elle ne datait pas d'hier. Huit ou neuf ans, peut-être. Mais, avec les Mercedes, il fallait vraiment se pencher sous le capot pour se prononcer.

— Pas de souci, madame Blake, on va la remorquer et la réviser. Avec un peu de chance, on vous la ramènera dès ce soir.

— Vraiment ? s'étonna Eliza, soulagée et surprise d'être dépannée aussi rapidement. Quelle chance ! Attendez-moi une minute, Augie, je cours chercher les clés.

Parce qu'elle était en retard et qu'elle n'avait pas envie de se lancer dans des explications avec ses beaux-parents, elle tendit au mécanicien la totalité du trousseau de clés.

49

Ça sentait le roussi.

Rendez-vous à 10 h 45 précises, spécifiait le message matinal de Yelena Gregory. Eliza, Range et Joe Connelly se retrouvèrent dans le bureau de la présidente de la chaîne. Ce fut Connelly qui, en bras de chemise, mit les choses à plat.

— En fait, nous sommes confrontés à deux problèmes.

Tous l'écoutèrent avec attention évoquer la série de lettres et d'appels anonymes.

— Est-ce qu'il peut s'agir de la même personne ? demanda Range.

— C'est une possibilité que j'ai écartée. Les lettres sont vicieuses et les appels sont... Disons... Nous avons besoin d'un peu plus de temps pour déterminer la nature réelle des appels. Pour l'instant, je suis en possession de seulement l'un d'entre eux, mais si je m'en tiens à ce que l'assistante d'Eliza m'a rapporté, l'homme du téléphone s'est montré plutôt respectueux jusqu'à présent. Seul son dernier appel est devenu plus pressant. C'est pourquoi je pense que nous sommes en présence de deux individus distincts.

— Quelles mesures avez-vous prises ? le coupa brutalement Yelena.

— Une écoute téléphonique est en voie d'installation.

— Combien de temps pour localiser l'appel ?

— Difficile à dire. Plus l'individu se manifestera, plus nos chances de l'isoler seront élevées.

Connelly observa une pause et regarda Eliza.

— Évidemment, nous préférerions qu'il ne vous harcèle plus !

— Et les lettres ? reprit Yelena,

— Je les ai transmises au FBI, au département de Quantico. Mais cela prendra du temps. Il y a déjà six semaines que je leur ai envoyé des documents pour une autre affaire, et toujours rien.

— Ils cherchent des empreintes digitales, je présume ? s'informa Range.

Connelly acquiesça,

— Il ne faut pas s'attendre à grand-chose de ce côté-là. L'individu a pu mettre des gants pour écrire. Quant aux enveloppes, elles passent entre les mains d'une foule de personnes avant d'atteindre leur destinataire.

La réplique de Connelly jeta un froid dans l'assemblée. Le journalisme était une profession qui rassemblait des gens actifs, habitués à couvrir les faits marquants de l'actualité, et régulièrement en contact avec la Maison-Blanche. Se retrouver dans une situation d'impuissance, où ils devaient s'en remettre à d'autres qu'eux-mêmes, ne leur plaisait guère.

— Et que suis-je censée faire ? demanda posément Eliza, en s'efforçant de garder son sang-froid.

Elle ne céderait ni aux pleurs ni aux cris. Les présentateurs n'avaient pas le droit de se montrer vulnérables. Respire profondément et ne panique pas, se dit-elle. Elle pouvait compter sur Connelly et son efficacité.

Eliza avait déjà traité de sujets qui s'apparentaient à ce qu'elle était en train de vivre. Des fans, hommes ou femmes, devenaient parfois obsédés par certaines célébrités. Ses observations avaient montré que mener une vie publique équivalait à s'exposer aux regards prédateurs des spectateurs. Invariablement, les fans croyaient que l'amour qu'ils portaient à telle ou telle personne était réciproque. Les cas les plus extrêmes pouvaient se solder par une arrestation, une condamnation et une incarcération. Certains admirateurs finissaient même à l'hôpital psychiatrique. Mais Eliza résolut de chasser définitivement de son esprit les issues les plus tragiques.

— Eliza, l'important est de garder la tête froide, lui conseilla Joe. Les cas qui nous intéressent présentent un trait commun : le manque d'estime de soi. Ces hommes ne parviennent pas à contrôler leur vie, alors ils essaient de vous contrôler, vous. Ils cherchent à vous déboussoler.

— Et ils sont plutôt bons à ce petit jeu, lâcha Eliza avec un sourire figé.

— Écoutez, je ne veux pas vous affoler, mais je ne veux pas non plus minimiser l'importance de ces appels et de ces lettres, déclara Connelly. Fiez-vous à votre instinct. Si vous sentez que quelque chose ne tourne pas rond, c'est que, en effet, quelque chose ne tourne pas rond. Soyez attentive à tout ce qui se passe autour de vous.

50

Abigail venait de visionner la version définitive du reportage sur les gardes d'enfants que Keith lui avait transmise. Assise à son bureau, elle entreprit de trouver une formule suffisamment accrocheuse qui inciterait les spectateurs à être au rendez-vous le lendemain, à la même heure.

> Vous êtes des millions d'Américains à faire appel à des nourrices pour garder vos enfants. Mais sur quels critères choisissez-vous les personnes à qui vous confiez les êtres auxquels vous tenez le plus ? Êtes-vous sûrs que votre enfant est entre de bonnes mains ? Dans le cadre de notre nouvelle série d'enquêtes intitulée « Un nouveau regard », Eliza Blake vous proposera de partager son expérience sur le sujet, demain soir, à la fin du journal télévisé.

Abigail relut ses notes. Tout le monde savait ce qu'Eliza avait enduré l'été passé, la presse ayant amplement relaté le sujet. La curiosité des téléspectateurs serait forcément éveillée. Mais Abigail se demanda si Eliza apprécierait que l'on se serve ainsi de sa vie privée pour faire grimper l'Audimat.

51

— Oh ! oh ! ça ne tourne pas rond !

Doris s'adossa au mur tandis qu'Eliza prenait place dans son fauteuil.

Elle la regarda déchirer l'emballage d'une énorme barre chocolatée.

— Ça ne tourne pas du tout, tu veux dire. Deux obsédés me harcèlent et la seule personne que j'aimerais bien
obséder est à l'autre bout du monde et ne donne aucun
signe de vie. Je suis la femme la plus comblée qui soit !
grommela-t-elle, Et, pour couronner le tout, je me gave
de chocolat.

— Eh bien, ma fille ! Allez, détends-toi un instant.
C'est quoi cette histoire d'obsédés ?

Eliza lui résuma l'entretien qui avait eu lieu dans le
bureau de Yelena. Doris alluma nerveusement une
cigarette.

— Tu n'es pas censée fumer ici, lui rappela Eliza, bien
que cela lui fût égal.

Le fait est qu'elle-même aurait bien fumé aussi.

Doris ignora sa remarque.

— Et qu'est-ce que tu vas faire ?

— Attention.

— Et c'est tout ?

— Mm-hmm. Faire attention et me fier à mes instincts.
Si je sens que quelque chose ne tourne pas rond, c'est à
prendre au sérieux.

— Oh ! ma pauvre ! Doris entoura son amie de ses
bras. Et toujours sans nouvelles de Mack, je n'arrive pas à
y croire. Il est peut-être parti en reportage.

— Non. J'ai vérifié. Il est censé être au bureau
aujourd'hui.

Le salaud ! Le mot s'imposa d'emblée à Doris, mais
elle se retint de le prononcer. Elle résolut également de
taire la visite d'Abigail le matin même. Cette peste était
à l'affût de ragots concernant la vie privée d'Eliza. Tout y
était passé : sa nouvelle adresse, où en était sa liaison avec
McBride, et, au grand étonnement de Doris, la marque

de l'eye-liner dont elle se servait pour mettre en valeur le regard d'Eliza. Cette dernière question l'avait surprise car Abigail ne portait jamais de maquillage.

Elle connaissait toutefois l'homosexualité de la jeune femme. Et son instinct lui soufflait qu'Abigail en pinçait pour la présentatrice du JT.

Mais c'était bien la dernière chose à dire à Eliza.

52

Il faisait trop chaud. Dans l'obscurité, Mack rejeta les couvertures et resta étendu sur le lit, les yeux grands ouverts.

À minuit passé, il se préparait à traverser une nouvelle nuit sans sommeil. Depuis sa mémorable nuit d'ivresse, sa conscience le torturait.

La diffusion de « Key Evening Headlines » venait d'avoir lieu à New York, mais il ne pouvait se résoudre à appeler.

Eliza. Il savait pourtant que son silence devait lui peser terriblement et il en éprouvait un sentiment de culpabilité accru. Elle ne méritait pas ça.

Mack se tourna sur le côté et enfouit sa tête dans l'oreiller. Il ne se pensait pas capable d'un tel acte. Comment avait-il pu tromper aussi vite cette femme qu'il disait aimer éperdument ?

Il l'aimait, pourtant, et la perspective de leur vie commune l'emplissait d'espoir. La situation actuelle ne s'éterniserait pas et d'ailleurs, de nombreux couples avant eux avaient vécu une pareille séparation.

À condition que chacun reste fidèle à l'autre.

Il fallait à présent qu'il se décide : allait-il oui ou non lui parler de son incartade ?

Il se rejeta contre l'oreiller dans un grognement de rage. Puis il bondit hors de son lit et tira violemment les rideaux. Hyde Park se déroulait à ses pieds, baigné d'une douce lumière. Les amoureux y musardaient à leur guise l'après-midi. Eliza aurait adoré cet endroit.

Quel imbécile !

Maintenant que le mal était fait, il devait trouver le remède adéquat.

Et si je lui avouais tout ? pensa-t-il en retournant se coucher. Son honnêteté, si louable fût-elle, lui ravirait toutefois l'amour d'Eliza. Et puis, de toute façon, lui seul serait soulagé par cet aveu. Eliza, elle, en sortirait anéantie.

Bien sûr, il était fort probable qu'elle l'apprenne indirectement. Dans ce milieu, tout se savait tôt ou tard. Cette idée l'insupportait davantage encore, Mais pas assez pour lui donner le courage de l'appeler. Il pourrait lui dire qu'il avait bu, que la perspective de vivre sans elle pendant deux ou trois ans allait entamer durement leur relation. Mais il voulait le lui dire de vive voix.

La sonnerie stridente du téléphone interrompit le cours de ses pensées.

Pour la première fois de sa carrière, il souhaita qu'on l'appelle pour une mission à l'autre bout du monde. Il ne réfléchirait pas, sauterait dans un taxi, foncerait à l'aéroport et partirait pour l'inconnu. Se lancer corps et âme dans un reportage constituerait un bon remède à ses tourments.

— Allô ?

— Salut.

— Eliza ! Comment ça va, mon amour ? Justement, je pensais à toi.

— Quelle coïncidence !

La voix au bout du fil était amère.

— Et Janie ?

— Ça va, elle rentre à l'école demain et s'est déjà fait un petit camarade qui habite de l'autre côté de la rue.

— Elle me manque tellement... Et sa maman aussi.

— Ah oui ? Il ne me semble pas avoir entendu sonner le téléphone depuis ton départ. Je me trompe ?

— Allons, Eliza. Tu sais comment les choses se passent. Je n'ai pas eu une minute, entre mon boulot et le reste...

— Oui, je sais tout ça, Mack. Et, bêtement, je pensais que cela te donnerait envie d'entendre tes proches, histoire de te remonter le moral. Du moins, c'est ce que moi j'aurais fait.

Mack résista à l'envie de lui dire qu'il s'était retenu de l'appeler une centaine de fois. Mais il ne voulait pas faire comme si de rien n'était.

— Je suis désolé, Eliza.

Silence au bout de la ligne.

— Eliza ? Allô, Eliza ? Ça va, mon amour ?

— Non, ça ne va pas. Sa voix se fissura. Je ne comprends pas ce qui nous arrive et en plus, la sécurité recherche deux malades qui s'amusent à me terroriser. Tu comprends, depuis l'épisode de Mme Towmey, j'ai peur que quelqu'un s'en prenne à Janie.

— Qu'est-ce que tu entends par « deux malades » ?

Pour la seconde fois, elle narra l'épisode de la matinée dans le bureau de la présidente de la chaîne.

Mack fit preuve de sang-froid.

— Ne t'en fais pas trop, chérie. Connelly a une solide réputation. Il est habitué à traiter ce genre d'affaire.

Eliza avait espéré une réaction différente. Par exemple, que cet homme qu'elle aimait tant lui assure qu'il allait prendre le premier vol pour New York. Elle aurait refusé, bien sûr – après tout, il ne lui était rien arrivé de grave. Simplement, elle aurait aimé entendre Mack lui proposer de la rejoindre sur-le-champ.

Il fallait bien se rendre à l'évidence : il n'avait rien d'un preux chevalier.

53

Comme d'habitude, après avoir appuyé sur la touche arrêt de la télécommande, il saisit le téléphone sur sa table de nuit pour composer le numéro qu'il connaissait maintenant par cœur.

— Studios de Key News, bonsoir.

— Le bureau d'Eliza Blake, s'il vous plaît.

— Il n'y a plus personne, monsieur. Souhaitez-vous laisser un message ?

— Oui, merci.

Ce soir, il avait passé la séance de massage à anticiper cet appel. À cette heure tardive, il savait qu'Eliza aurait quitté les studios. En réalité, il préférait ne pas lui parler directement. Cette simple idée le rendait nerveux. Quelle idée saugrenue de l'avoir appelée si tôt vendredi soir ! À quoi s'attendait-il au juste ?

Le message d'Eliza défila tandis qu'il caressait Drake, son berger allemand qui, docilement, posa la tête sur le lit de son maître. Les oreilles de la bête se dressèrent au son de la voix de Jerry.

— Je vais venir à New York dès que possible, Eliza, annonça-t-il de sa voix la plus rauque. Je t'aime, et je sais que toi aussi tu m'aimeras. Le rêve a assez duré, il est temps maintenant qu'il se concrétise. Je te promets, mon amour, que bientôt nous ne nous quitterons plus. Je ne laisserai personne d'autre que moi partager ta vie.

Dès que Jerry eut raccroché, Drake aboya et se lécha les babines.

54

Le premier jour d'école de Janie s'annonçait clair et ensoleillé. Dans la maison en bordure de Saddle Bridge Road, les adultes s'étaient levés plus tôt que la future petite écolière. KayKay s'agitait dans la cuisine, préparant le panier-repas de la mi-journée. Eliza venait de passer sous la douche et s'habillait rapidement. Pour marquer l'événement, elle projetait de filmer la rentrée des classes avec son caméscope. Poppie, parti chercher des beignets, revint triomphant et déclara que la voiture n'avait jamais été aussi rutilante.

Eliza alla réveiller Janie en lui baisant le front. La fillette ouvrit progressivement ses grands yeux bleus et regarda sa mère penchée au-dessus d'elle.

— C'est l'heure, ma chérie. Il faut se préparer pour l'école.

Janie resta muette, mais se leva d'un bond et serra sa maman très fort.

— Qu'est-ce qui se passe, mon ange ?

— J'ai peur.

— C'est normal d'avoir un peu peur, Janie, dit doucement Eliza, en caressant les cheveux de sa fille. Commencer quelque chose de nouveau est à la fois excitant et un peu effrayant, mais je suis sûre que tu vas adorer l'école. Tu verras, la maîtresse sera gentille et, en plus, tu as déjà un petit camarade.

— Comment tu peux savoir qu'elle sera gentille ?

— Parce que toutes les institutrices sont gentilles. C'est leur métier. Et si elles font mal leur travail, elles sont remerciées.

— Pourquoi on leur dit merci si elles n'ont pas été gentilles ?

— C'est une expression, ma chérie. Ça veut dire qu'elles n'ont plus le droit de travailler au même endroit. Allez, debout, KayKay a préparé un super petit-déjeuner.

L'appétit n'était toutefois pas au rendez-vous. Janie ne toucha pratiquement pas aux œufs brouillés et n'avala qu'une petite bouchée de beignet. KayKay lui en ajouta un dans son panier-repas tandis qu'Eliza habillait Janie à l'étage.

Un quart d'heure plus tard, la fillette était prête. Lavée, coiffée, ses nouvelles chaussures aux pieds, elle prit patiemment la pose tandis que, à tour de rôle, sa mère et ses grands-parents la prenaient en photo.

Avec un pincement au cœur, Eliza pensa furtivement à John. Elle l'imagina un bras passé autour de sa fille, posant à son tour pour le grand jour. Comme il aurait été fier de sa fille ! Et Janie, qui avait le même sourire que son père, ne connaîtrait jamais l'amour de ce dernier.

Cinq ans déjà. Eliza se félicitait d'avoir survécu à ce deuil et d'avoir réussi à élever leur enfant sans lui. L'angoisse qui l'avait tenaillée au début s'était peu à peu apaisée, même s'il suffisait parfois d'un événement anodin comme cette rentrée des classes pour qu'elle resurgisse.

Petit à petit, Eliza s'était autorisée à croire de nouveau en l'amour, grâce à sa rencontre avec Mack. Mais leurs derniers échanges lui avaient laissé un goût amer. Sans aller jusqu'à parler de gâchis, un changement radical s'amorçait.

— Maman ?

Le petit visage inquiet de Janie imitait en tous points celui de sa mère.

Du nerf !

— Allez, mon petit diable, en route ! claironna Eliza. Janie va à l'école et maman va au travail !

En route vers le centre-ville, Eliza passa un coup de fil à Rhode Island.

— Allô, maman ? C'est moi.

— Bonjour, ma chérie, comment ça va.

— Ça y est, Janie vient d'entrer à l'école.

— Comment était-elle ?

— Terrorisée, mais courageuse.

— Je n'en reviens pas qu'elle aille déjà à l'école. Je me rappelle sa naissance comme si c'était hier.

— Moi aussi.

— Et la maison ?

— On s'installe petit à petit. Ça va prendre un peu de temps. Et le travail ?

— Ça roule.

Elle hésita à mentionner les récents événements. Finalement, elle décida de n'en rien dire. Quitte ce boulot, lui conseillerait sa mère, et Eliza refusait d'entendre ce genre de commentaires. Elle énumérerait les horaires impossibles, les reportages risqués et lui ferait la leçon, même si, en parallèle, elle se flattait d'avoir une fille présentatrice à la télévision. Si jamais elle apprenait qu'Eliza faisait l'objet de menaces directes, elle frôlerait la crise d'apoplexie.

— Et Mack, tu as des nouvelles ?

— Tout se passe bien pour lui, maman.

— J'ai beaucoup apprécié que vous veniez ici ensemble, l'été dernier. Quel gentil garçon !

— Maman, ce n'est plus un garçon, insista Eliza.

Elle en avait assez entendu pour aujourd'hui.

— Écoute, maman, je t'enverrai les photos de Janie dès qu'elles seront développées.

— Oh ! merci, ma chérie !

— Papa est là ?

— Non, il est parti au golf. Il a adoré les clubs que tu lui as envoyés.

— Tant mieux. Embrasse-le pour moi.

— Promis, je le ferai.

— À bientôt, maman.

Après avoir raccroché, Eliza se rendit compte qu'elle avait sollicité une nouvelle fois en vain un peu de réconfort maternel. Depuis le temps, elle aurait dû savoir qu'elle ne pouvait compter que sur elle-même.

Ses relations avec ses parents n'étaient pas simples et Eliza avait passé de nombreuses heures à essayer d'en dénouer les fils avec son psychanalyste. Elle était parvenue à la conclusion que ses parents avaient fait de leur mieux tout en se débattant avec leurs propres problèmes.

La distance lui avait permis de constater que le chaos de son enfance l'avait poussée à se surpasser. Les crises d'hystérie de sa mère et la rage de son père, incapable d'y faire face, l'avaient conduite à se concentrer sur ses études. Elle avait mis un point d'honneur à ne pas être un fardeau pour ses parents et n'avait jamais dérogé à cette règle.

Elle avait réussi, Elle était devenue la présentatrice attitrée du journal télévisé. Un journal regardé par des millions de personnes.

55

Dans les studios londoniens de Knightsbridge, la matinée s'écoulait lentement. Mack attendait avec impatience le début de l'après-midi pour appeler Joe Connelly à New York. Il voulait connaître les mesures de protection prises en faveur d'Eliza.

Enfin midi. Il s'apprêtait à aller déjeuner lorsque Marcy McGinnis le convoqua dans son bureau.

— Mack, la situation se complique au Moyen-Orient. Il faut que tu partes à Tel-Aviv.

— Quand ?

— Tout de suite. Juste le temps de rassembler tes affaires.

Impossible bien sûr de prévoir combien de temps il resterait là-bas. Peut-être deux, trois jours, si le calme revenait et que les journalistes en poste dans le secteur parviennent à couvrir les événements. Mais si la situation s'aggravait, il pouvait aussi bien se retrouver bloqué sur place durant des semaines, voire des mois.

En quittant le bureau de McGinnis, Mack se demanda ce qu'elle pensait de sa brève aventure avec son assistante. Elle n'avait certainement pas apprécié mais, depuis le temps qu'elle travaillait pour Key News, elle avait dû en voir d'autres. De toute façon, l'actualité lui donnait des sujets de préoccupation bien plus importants. McGinnis mettait toute son énergie à battre le rappel de ses troupes pour les envoyer dans l'un des coins les plus cauchemardesques de la planète. Mack songea un court instant qu'il risquait de se trouver pris dans des échauffourées entre Palestiniens et Israéliens. Vu l'état actuel de ses nerfs, il ne pouvait souhaiter mieux.

Il regagna sa chambre du Mandarin Oriental, refit sa valise sans oublier d'y glisser le gilet pare-balles qu'il avait récupéré au bureau. Enfin, il prit son téléphone et passa un dernier coup de fil avant de partir pour l'aéroport.

56

Un autre appel, la nuit passée.

Connelly écouta une fois de plus le dernier message que Paige lui avait transmis.

— Je te promets, mon amour, que bientôt nous ne nous quitterons plus.

Une fois l'appel archivé, il consigna les faits dans son fichier informatique.

Qui était ce type et où se trouvait-il ? Telles avaient été les questions de McBride. Les mêmes qui hantaient Connelly.

Le chef de la sécurité essaya d'imaginer ce que l'inconnu allait faire par la suite, espérant secrètement qu'il se contenterait de rappeler. La pensée qu'il puisse débarquer dans les studios sans crier gare lui donna des frissons dans le dos.

Les cartes d'identité électroniques nécessaires pour avoir accès aux studios et les vigiles postés à l'entrée n'assuraient qu'une sécurité relative. Un individu suffisamment déterminé pouvait aisément se frayer un passage par un simple subterfuge. Les livreurs de pizzas et les ouvriers se voyaient en effet délivrer des badges temporaires et il était aussi possible de passer inaperçu en se mêlant à un groupe de visiteurs.

L'évocation de ces possibilités avait le don de mettre Connelly hors de lui. Car, une fois à l'intérieur du navire, n'importe quel détraqué porteur d'arme à feu pouvait agir à sa guise.

57

Elle ne voulait pas en informer Eliza avant la diffusion du journal. En fait, elle ne voulait pas l'en informer du tout.

Tout en appliquant l'eye-liner et le mascara sur les yeux d'Eliza, Doris écoutait celle-ci lui raconter la rentrée de Janie.

Doris adorait la fillette et n'avait aucune difficulté à s'imaginer la scène.

— Tu l'as appelée, après l'école ?

Fermant les yeux, Eliza poursuivit, souriante :

— Mmm. On n'aurait jamais dit qu'il s'agissait de la même fillette qui refusait de me laisser partir quelques heures plus tôt. Elle était tout excitée et disait que Mme Prescott était très gentille.

— Ouf !

— Tu l'as dit. Ça m'a tellement soulagée ! Un poids en moins sur les épaules.

Un en moins et un autre à venir, pensa Doris. Elle ne trouvait pas le courage de lui répéter ce qu'un correspondant de passage à Key News avait rapporté. Les commérages se répandaient insidieusement, comme un virus.

Eliza était radieuse ce soir. Elles se dirigèrent toutes deux vers le studio. Doris se mit à sa place habituelle, prête à bondir si nécessaire pendant la diffusion des spots publicitaires pour effacer toute trace de brillance sur le visage de la présentatrice.

Tout se passa au mieux. Eliza commenta les tensions au Moyen-Orient, avant d'enchaîner sur la présidentielle. Enfin, pour clore le journal, elle présenta le reportage sur les gardes d'enfants. En l'écoutant, Doris se félicita de ne pas être mère de famille. L'anxiété maladive dont elle ferait preuve serait invivable.

À la fin du journal, Doris attendit à l'extérieur du bocal. Au vu des visages souriants, il paraissait évident que toute l'équipe était satisfaite du travail de ce soir. Ce qu'elle allait annoncer à Eliza allait lui faire l'effet d'une douche froide. Mais, tout bien considéré, elle préférait qu'Eliza apprenne la nouvelle concernant Mack de la bouche d'une amie plutôt que d'une connaissance quelconque qui se ferait un plaisir de lui asséner un coup bas.

Dix minutes plus tard, dans l'intimité du bureau de la présentatrice, Doris en vint au fait et démaquilla doucement une Eliza terrassée de douleur.

58

Après une dure journée de travail, Abigail fit un saut dans une boutique de lingerie et s'engouffra directement dans le fond du magasin. Elle savait ce qu'elle voulait et trouva tout de suite les culottes noires qu'elle achetait toujours là.

Elle s'accorda ensuite quelques instants pour rêver.

Elle musarda un moment, caressant le décolleté suggestif d'une nuisette en dentelle violette, puis effleurant avec délices le satin d'un pyjama à rayures. Elle s'attarda devant une combinaison très sexy, savamment découpée, qui ne présentait dans le dos que quelques fines bretelles entrecroisées. Elle imagina Eliza dans cette tenue.

Après tout, elle avait bien le droit de fantasmer.

Mais passer du rêve à la réalité...

Sur un coup de tête, Abigail acheta la combinaison en satin. La vendeuse mit les culottes dans un sac rose et s'apprêtait à y glisser aussi le dernier article lorsque Abigail l'interrompit :

— Pouvez-vous l'emballer, s'il vous plaît ? C'est pour offrir. Une fois chez elle, elle sortit la combinaison de sa boîte et l'étendit sur son lit. Eliza portait de la lingerie fine, Abigail en était à présent persuadée. Elle se rappela ses descentes dans les magasins avec Linda Anderson. Celle-ci adorait les dessous très féminins alors qu'elle-même préférait des sous-vêtements plus simples et les pyjamas en coton.

Eliza lui rappelait tellement Linda Anderson.

59

La lettre de Samuel Morton émut profondément Paige. Elle hésita cependant à la transmettre à sa supérieure. Eliza était arrivée ce matin les yeux rougis et s'était enfermée dans son bureau sans rien dire.

Sans doute de mauvaises nouvelles, pensa Paige.

Elle frappa doucement à la porte.

— Entre, Paige.

Assise à son bureau, Eliza observait d'un œil morne les allées et venues sur le plateau d'enregistrement.

— J'ai pensé que vous aimeriez lire la lettre du père de Sarah, hasarda Paige en lui tendant l'enveloppe.

— Sarah ? s'étonna Eliza en faisant pivoter son fauteuil.

— Sarah Morton.

— Ah oui ! bien sûr. J'ai la tête ailleurs, aujourd'hui.

Elle parcourut la lettre avec attention tandis que Paige regagnait son bureau. Elle venait de tomber sur un homme aussi déprimé qu'elle. Et même davantage.

Samuel Morton avait perdu son enfant.

Comment allait-il survivre à cette perte ?

Sa situation à elle n'était pas très satisfaisante, mais du moins avait-elle Janie. Elle seule lui permettait d'aller de l'avant.

60

— Madame Blake, je vous assure que nous faisons tout notre possible. Mais nous ne pourrons pas venir avant dix jours.

Impatiente de faire installer un système de sécurité chez elle, Eliza essayait par tous les moyens d'avancer le rendez-vous. En vain, Les demandes affluaient et elle devait attendre son tour.

Lorsqu'elle avait acheté la maison, elle ne s'était pas inquiétée outre mesure de l'absence de système d'alarme. Cela faisait partie des nombreux détails qu'elle envisageait de régler plus tard. Comme de faire changer les serrures des portes.

Cependant, les menaces de ses admirateurs anonymes et la trahison de Mack avaient miné sa confiance. Et la douleur de Samuel Morton lui avait rappelé qu'elle ne supporterait pas de perdre sa fille. Elle ne pouvait risquer de mettre la vie de Janie en danger,

— Très bien. Dans dix jours, alors, accepta-t-elle à contrecœur, en notant le jour et l'heure dans son agenda.

61

Eliza fut soulagée de voir arriver le week-end. Le samedi matin, elle s'offrit une grasse matinée jusqu'à ce que Janie la réveille d'un tendre baiser sur la joue.

— Bonjour, mon ange, dit-elle en ouvrant les couvertures pour inviter sa fille à la rejoindre sous les draps.

Janie ne se fit pas prier.

— Qu'est-ce qu'on va faire aujourd'hui, maman ?

— Eh bien, j'ai pensé qu'on pourrait aller acheter une nouvelle voiture. KayKay et Poppie vont rentrer chez eux et il va nous en falloir une. Mme Garcia aussi s'en servira.

Janie joua avec une mèche de cheveux de sa mère, la faisant glisser entre ses doigts.

— Je veux pas de Mme Garcia, je veux KayKay et Poppie.

— Tu continueras à voir KayKay et Poppie, mais pas tous les jours. Mme Garcia va s'occuper de toi. Elle est très gentille et je suis sûre que tu l'aimeras beaucoup.

— Mme Towmey, je l'aimais beaucoup.

Eliza redoubla d'efforts pour ne rien laisser paraître de son émotion.

— Moi aussi, Janie, j'aimais beaucoup Mme Towmey. Mais maintenant elle est malade et elle ne peut plus s'occuper de toi.

— Mme Towmey m'aimait très fort ?

— Oui, ma chérie.

— Alors pourquoi elle ne m'écrit pas et ne m'appelle jamais ?

Le désarroi se lisait sur le visage de la fillette.

Eliza lui caressa le front.

— Elle ne peut pas, Janie. Mme Towmey a de gros problèmes et elle passe toute son énergie à les régler.

— Est-ce que je pourrai la revoir un jour ?

— Je ne sais pas, Janie.

Eliza pria pour que les retrouvailles n'aient jamais lieu.

— Allons, debout ! On s'habille et on va prendre le petit-déjeuner dehors !

— Il y aura des crêpes ? interrogea la fillette, les yeux brillants de gourmandise.

— Très bonne idée ! Va voir si KayKay et Poppie veulent venir avec nous.

Janie sauta hors du lit et se précipita dans l'escalier. Eliza en profita pour bondir sous la douche. Vingt minutes plus tard, habillée d'un jean et d'un T-shirt rouge, elle était fin prête. La sonnette retentit.

Larson Richards se tenait sur le pas de la porte, un chiot roux blotti dans les bras. Dès qu'elle le vit, Eliza sentit une bouffée de colère l'envahir. Comment osait-il !

Et comment dire non à Janie qui poussait déjà des cris de joie devant la petite boule de poils ?

62

Le lendemain matin, une VoIvo blanche flambant neuve s'avança dans l'entrée et Janie sortit en trombe de la maison, suivie de sa nouvelle compagne, prénommée Daisy. Eliza s'était levée à trois reprises au cours de la nuit pour rassurer l'animal. Janie, réveillée dès 6 heures, avait rejoint sa chienne et commencé à jouer avec elle. Elle avait ensuite voulu traverser la route pour aller la montrer à James. Eliza avait dû la retenir et lui expliquer qu'il était encore trop tôt.

Aux alentours de 10 heures, James apparut avec sa mère.

— Entrez ! Je vous attendais avec impatience. Janie ne m'a pas laissé une minute de repos.

— Vous en avez du courage ! remarqua Susan à voix basse en montrant la nouvelle venue.

— Je maudis Larson Richards, vous savez, soupira Eliza. Figurez-vous qu'il est venu en personne hier matin avec ce cadeau dans les bras pour Janie.

— Vous voulez rire ?

— Malheureusement non. Et la nouvelle nourrice de Janie commence demain. Je suis sûre qu'elle va trouver l'idée très excitante ! Maintenant, elle pourra ajouter le dressage d'une jeune chienne à la liste de ses compétences ménagères.

Susan n'en croyait pas ses oreilles.

— Ce type est culotté ! Offrir un chiot à Janie sans prendre la peine de vous consulter.

Ne connaissant pas les sentiments de Susan à l'égard de Larson, Eliza hésita à lui avouer ses impressions sur le personnage.

— Je crois qu'il voulait juste se montrer attentionné.

Susan secoua la tête.

— Larson fait rarement quelque chose par gentillesse. Et quand il le fait, c'est qu'il a une idée derrière la tête. Je parie qu'il veut vous compter parmi ses proches.

— Eh bien c'est raté.

— Maman, on va faire visiter la cabane à Daisy ! cria à cet instant Janie, qui se dirigeait vers le jardin derrière la maison, la chienne dans les bras.

— D'accord, mais fais bien attention. Ne la laisse pas tomber de l'arbre, compris ?

Eliza revint à sa conversation avec Susan.

— À votre avis, qu'est-ce qui pourrait motiver Larson ?

La question mit Susan mal à l'aise, mais elle en avait déjà trop dit pour se taire.

— Je dois vous avouer quelque chose, Eliza. Lorsque nous avons emménagé, nous nous entendions tellement bien avec les parents de Larson qu'il a essayé, un jour de convaincre mon mari d'investir dans l'un de ses projets. Il s'agissait d'une opportunité exceptionnelle, selon lui. À l'époque, il voulait réunir sous une même bannière plusieurs sociétés indépendantes de ramassage d'ordures ménagères et vendre leurs services à une compagnie nationale. Il nous a promis monts et merveilles, prétendant que les investisseurs doubleraient leur mise dès la première année. Au début, il nous a bien eus, mais nous avons rapidement décidé que l'amitié que nous portions aux Richards ne s'étendait pas à leur fils.

— Je me demande s'il aura l'audace de me demander de l'argent, enchaîna Eliza.

— Il essaiera certainement... Mais, surtout, Eliza, ne l'écoutez pas. À la fin, même ses propres parents ne lui donnaient plus rien.

63

Eliza s'était installée à la table du salon pour mettre sous cadre des photos de famille. Le téléphone la fit sursauter. C'était Mack.

— Comment ça va ? demanda-t-elle, glaciale.

— C'est le calme plat. Mais j'ai la sensation que tout peut exploser d'une minute à l'autre.

— Fais attention à toi.

Mack sentit le désintérêt dans la voix d'Eliza. Elle se contenait. Elle devait savoir...

— Du nouveau, côté Connelly ?

— Il a la situation bien en main.

— Je ne voudrais pas qu'il t'arrive quelque chose, Eliza. Tu comptes beaucoup pour moi.

— Bien sûr, Mack, je compte beaucoup pour toi. Épargne-moi la chanson, s'il te plaît. Je suis au courant de ta petite escapade amoureuse.

Que pouvait-il dire, maintenant ? Il avait redouté cette conversation. Il rassembla ses forces et se jeta à l'eau.

— Je voulais t'en parler, Eliza, je voulais que tu l'apprennes par moi et personne d'autre.

— C'est pourtant ce qui est arrivé et je dois dire que j'ai beaucoup ri. J'ai particulièrement apprécié le fait que tant de personnes soient au courant. Merci beaucoup, Mack.

— Je suis désolé, Eliza. Je ne voulais pas te blesser.

— C'est gentil, je me sens déjà mieux.

Un long silence s'installa.

— Dire que cette fille ne comptait pas pour moi peut te paraître minable de ma part, mais j'étais soûl et déprimé.

— Épargne-moi les détails sordides, Mack.

— Écoute, chérie, on ne va pas régler ça au téléphone. Je veux te voir pour en parler. Et puis on ne va pas tout remettre en question à cause d'une passade.

— Primo, ne m'appelle plus « chérie ». Deuzio, ce qui s'est passé était un peu plus qu'une simple « passade ». Tertio, je n'ai pas l'intention de parler de cette affaire en tête à tête et, pour tout te dire, je m'en porte plutôt bien.

Elle raccrocha brutalement et se retint d'éclater en sanglots.

64

Augie arriva à la station à 6 heures du matin. Il s'était levé à l'aube, bien avant Hélène, ce qui n'avait en soi rien d'exceptionnel. Sa femme dormait toujours jusqu'à une heure avancée de la matinée, puis se rendait à son club de gym, déjeunait avec ses copines, faisait les magasins et passait chez la manucure. Quand il rentrerait du boulot, ce soir, elle se plaindrait de sa fatigue, prétexte habituel pour éviter de cuisiner.

Pourquoi s'était-il entiché de cette femme ? La réponse tenait probablement à son abondante chevelure blonde, à ses vêtements moulants, ses décolletés ravageurs et ses jeans qui épousaient parfaitement la forme de ses fesses. Il s'était marié avec elle pour le sexe, purement et simplement.

Un coup de Klaxon le rappela à la réalité. Une voiture patientait devant la pompe à essence. Augie remonta le col de sa salopette avant d'affronter la fraîcheur matinale de ce mois de septembre. En remplissant le réservoir de la voiture, il songea qu'Hélène aussi s'était mariée avec lui pour une raison bien précise.

L'argent.

Il n'était pas beau gosse, loin de là. Et bedonnant, par-dessus le marché. Son travail n'avait rien de bien excitant et il ne brillait pas par ses qualités intellectuelles. De ce côté-là, toutefois, il ne faisait aucun complexe, Hélène n'ayant pas inventé le fil à couper le beurre.

Augie restitua la carte de crédit à son client.

Bon, après tout, ils avaient conclu un marché, comme beaucoup d'autres couples d'ailleurs. Il remplissait sa part du contrat : une maison pleine de babioles que sa femme entassait sans distinction un peu partout. Ses premiers cambriolages lui avaient ouvert les yeux sur la vanité des achats de sa femme. Bizarrement, ils l'avaient en quelque sorte éduqué. Il avait appris à distinguer et à apprécier les antiquités, le superbe mobilier et les peintures de valeur qui ornaient les salons des riches clients qu'il dévalisait.

Augie accepterait les frivolités de sa femme aussi long-temps qu'elle remplirait sa part du contrat. Pas question donc qu'elle se refuse à lui. Sauf que c'était le cas depuis plusieurs mois.

Elle trouvait toujours une excuse. Maux de tête ou fatigue. Il n'était jamais là, se plaignait-elle, et elle se sentait seule et abandonnée. Sa cupidité était sans fond. De la simple paire de boucles d'oreilles à la nouvelle veste en cuir, en passant par les séjours dans des stations balnéaires avec ses copines, elle en demandait toujours plus. Lorsque Augie lui passait ses caprices, elle s'offrait sans hésiter.

Mais la situation était devenue plus précaire ces derniers temps. Impossible de céder à tous les caprices de sa femme. Impossible aussi de la gratifier des bijoux qu'il dérobait car n'importe qui pouvait les reconnaître. Et le butin de ses cambriolages finissait toujours dans les bennes à ordures de ce satané Larson Richards. Augie avait investi tellement d'argent dans sa société que, à chaque fois que Larson montait au créneau avec ses « bientôt » ou ses « encore un peu », Augie n'avait pas d'autre choix que de payer encore et encore. Car si l'entreprise coulait, il était fini.

Mais pourquoi s'était-il laissé berner par ce type ?

Encore une fois, Augie connaissait la réponse. Sa propre avidité l'avait perdu. Quand Larson avait débarqué, à la station dans sa grosse Mercedes noire, avec son costume impeccable et ses chaussures italiennes, Augie s'était senti flatté qu'un homme de cette classe lui demande de s'associer à lui. D'ordinaire, personne ne s'intéressait à un mécanicien crasseux aux ongles noirs.

Larson l'avait traité d'égal à égal. Et Augie était tombé dans le panneau.

65

Si Mme Garcia fut désagréablement surprise par la présence d'une chienne et par le papier journal qui jonchait le sol de la cuisine lorsqu'elle se présenta pour son premier jour de travail, elle eut la délicatesse de n'en rien montrer. Elle s'accroupit pour caresser Daisy tandis que Janie, encore en pyjama, restait en retrait. KayKay et Paul étaient rentrés à Manhattan la veille au soir et leur départ avait été déchirant.

— Je suis désolée, madame Garcia, mais Daisy n'était pas prévue au programme, s'excusa Eliza.

— Oh ! ne vous inquiétez pas, señora ! J'aime bien les animaux et celui-là est adorable.

Elle présenta sa main à la chienne qui s'empressa de la lécher de sa petite langue rose.

— Merci de le prendre aussi bien. J'espère qu'elle sera vite dressée.

— Oui, je pense que la petite Daisy comprendra très vite. Qu'est-ce que tu en dis, toi, Janie *preciosa* ?

En guise de réponse, l'enfant serra son singe un peu plus fort contre sa poitrine.

Les deux adultes ne s'en formalisèrent pas. Eliza montra à Mme Garcia les clés de la voiture suspendues à un crochet dans la cuisine, au-dessus d'une petite étagère.

— Un chauffeur m'emmène et me ramène matin et soir. Vous pouvez utiliser la voiture pour aller chercher Janie ou aller faire des courses.

Elle ouvrit la porte du garage pour que Mme Garcia puisse voir la voiture.

— Elle a l'air neuve.

— Oui, je l'ai achetée ce week-end.

Devant le visage étonné de l'employée de maison, Eliza se montra rassurante.

— Ne vous en faites pas. Je vous fais entièrement confiance. La seule chose qui m'importe est votre sécurité et celle de ma fille.

— Bien sûr, señora, continua Mme Garcia, encore un peu surprise.

Eliza se retourna vers Janie qui avait accompagné silencieusement les deux femmes.

— Que dirais-tu de montrer ta chambre à Mme Garcia ? suggéra-t-elle, pleine d'entrain.

L'enthousiasme de Janie n'était pas à son comble, mais elle hocha la tête et se dirigea vers l'escalier. Eliza laissa passer Mme Garcia et résolut de ne pas les suivre. Il fallait bien qu'elles s'apprivoisent.

Au cours d'une réunion avec Keith sur les divers sujets envisageables pour la série « Un nouveau regard », Eliza avait exprimé sa volonté de traiter des conjoints vivant éloignés l'un de l'autre. Les statistiques recensaient chaque année un nombre croissant de couples qui acceptaient de vivre séparées quand leur carrière l'exigeait.

Elle avait donc suggéré à Keith d'entrer en contact avec un couple pris entre les États-Unis et la Grande-Bretagne. Elle espérait être ainsi amenée à se déplacer à Londres et voir Mack, sans imaginer que son amour pour celui-ci déclinerait aussi rapidement. Entre-temps, malheureusement, Keith avait suivi son idée.

Enthousiaste, il présenta à Eliza les notes et les éléments biographiques qu'il avait rassemblés sur la question. Son dossier était solide et le travail d'enquête irréprochable.

— Elle venait tout juste d'obtenir un poste important dans une boîte de pub new-yorkaise quand son mari, qui travaillait dans une banque, s'est vu offrir un poste de directeur à Londres. Ils font donc régulièrement l'aller et retour entre les deux continents. Ils sont d'accord pour une interview. Nous pouvons même filmer la femme dans l'avion pour Londres.

Keith s'attendait à ce qu'Eliza le félicite chaudement. Il avait trouvé le couple parfait pour l'émission.

L'expression du visage de la présentatrice l'inquiéta.

— Qu'est-ce qui cloche ?

Eliza se sentit mal à l'aise.

— Écoute Keith, je ne veux plus traiter ce sujet. En tout cas pas une histoire entre Londres et New York.

Il aurait aimé des explications, mais n'osa pas lui en demander. Les décisions de la présentatrice de « Key Evening Headlines » ne pouvaient être contestées. C'était la règle.

— Je vois, dit-il. Alors je cherche un autre couple ?

Eliza haussa les épaules.

— Oui, je suppose. Cette fois-ci, un couple qui fait des aller et retour entre deux États. Je ne peux pas m'éloigner de New York en ce moment. Vois si tu peux trouver quelque chose dans les parages.

Keith prit des notes en hochant la tête.

— Tout est prêt pour le prochain sujet ? demanda Eliza.

Il lui tendit un papier.

— Voici le texte, Range l'a déjà parcouru et ça lui plaît. Dis-moi s'il te convient. Dans ce cas, nous pourrons passer tout de suite à l'enregistrement et faire le montage juste après.

Keith se leva et avança vers la porte. Eliza l'interpella.

— Merci, Keith. Tu as fait du bon boulot et je suis désolée de t'avoir fait perdre ton temps.

— Ne t'en fais pas, Eliza. Ce n'est rien.

Ce n'est qu'un peu plus tard, alors qu'il déjeunait avec deux autres producteurs, qu'il comprit les raisons de son refus. Les commérages allaient bon train.

Mack McBride ne devait pas avoir toute sa tête.

Le reportage de la semaine avait pour thème un sujet très approprié, la dépression. Eliza lut très attentivement le texte que Keith venait de lui transmettre. Le travail était précis et ne nécessitait aucune réécriture. Eliza ajouta seulement çà et là quelques mots qui reflétaient davantage son style oral.

Elle s'abandonna sur son fauteuil et joua avec son bracelet en or. Elle pensa se mettre en quête d'un autre psychanalyste. Le Dr Karas, à présent décédé, lui manquait beaucoup. Elle l'avait rencontré suite à la dépression qui l'avait terrassée après la mort de John. Karas l'avait accompagnée et soutenue tout au long de cette épreuve. Son état dépressif lui avait beaucoup appris sur elle-même et elle savait que, si elle éprouvait de nouveau un besoin d'aide, elle se tournerait une fois encore vers un spécialiste. Cependant, chercher une personne en qui elle aurait confiance et qui saurait la mettre à l'aise nécessitait un réel investissement.

Quoi de plus normal que de souffrir de la fin d'une relation amoureuse ? Elle devait d'abord essayer de surmonter seule sa douleur. Elle ne se laisserait pas aller au désespoir. Son travail et Janie l'aideraient à se sortir de cette passe délicate.

L'interphone émit un son strident.

— Oui, Paige ?

— Joe Connelly sur la deux.

— Très bien, je le prends, merci.

Elle inspira profondément.

— Salut, Joe. Quelque chose me dit que vous ne m'apportez pas de bonnes nouvelles.

— J'aurais préféré, Eliza.

— De quoi s'agit-il, cette fois ?

— Une autre lettre.

Eliza eut un haut-le-corps.

— Du même type ?

— Oui, de notre cher Bidoche.

— Super. Et qu'est-ce qu'il y a au menu du jour ?

— Vous tenez à ce que je vous la lise ?

Protège-toi, lui souffla une petite voix.

— Non, merci, Joe. Faites-moi un résumé.

— Il veut se faire embaucher par la chaîne pour vous donner quelques petits conseils vestimentaires et comportementaux.

Eliza laissa échapper un petit rire.

— Il a joint son curriculum vitae ?

Connelly ne répondit pas.

— Joe, je sais que je ne devrais pas rire. L'heure est grave et j'en suis consciente, se reprit-elle.

— Eliza, ce qui m'inquiète le plus, c'est qu'il ait mentionné sa venue à Key News. Je n'aime pas ça du tout.

Lorsque le chauffeur la déposa chez elle, ce soir-là, Eliza prit son courage à deux mains pour affronter la réaction de sa fille. Elle s'attendait à ce que Janie se jette à son cou en criant qu'elle n'aimait pas Mme Garcia.

Eliza ouvrit la porte aussi discrètement que possible. Une odeur alléchante de poulet rôti lui donna l'eau à la bouche. À l'étage, des voix joyeuses se firent entendre.

Quel soulagement !

Elle déposa son sac à main sur la table du salon, ôta ses chaussures et grimpa les marches de l'escalier sur la pointe des pieds. Elle entendit la baignoire se vider et le refrain d'une chanson espagnole s'élever de la chambre de Janie.

— Maman ! s'écria l'enfant joyeusement en l'apercevant.

Vêtue de sa chemise de nuit rose, Janie se jeta dans ses bras et la serra très fort. Elle sentait bon le savon.

— Alors, ma barbe à papa toute rose, on dirait que tu as passé une sacrée bonne journée !

Janie hocha la tête avec énergie.

— Oh ! oui alors ! Mme Garcia m'apprend à parler espagnol.

— Oui, je t'ai entendue.

— Et on a promené Daisy autour du lac et on a fait des cookies au chocolat ensemble.

— J'espère que tu m'en as gardé quelques-uns.

— Oui, il y en a plein, plein.

— Et l'école ?

— Bien. James est venu jouer ici après.

Eliza regarda par-dessus l'épaule de sa fille. Mme Garcia rassemblait les affaires de Janie pour les mettre à laver.

— Janie, prends tes vêtements et va les mettre dans la corbeille de la salle de bains.

Janie obéit et Eliza vint s'asseoir un instant sur le bord du lit de sa fille. Manifestement, la journée s'était bien déroulée.

— J'ai l'impression que tout s'est très bien passé, dit-elle, souriante.

— Janie est adorable. Nous nous entendrons bien.

— J'en suis ravie, madame Garcia.

L'employée de maison s'apprêta à quitter la pièce pour aller préparer le dîner avant de partir.

— Il y a une seule chose qui ne m'a pas plu, señora Blake.

— Quoi donc ? s'inquiéta aussitôt Eliza.

— Un homme est venu ici aujourd'hui en disant que c'était lui qui avait donné le chiot à Janie et qu'il venait voir si elle aimait bien son nouveau petit compagnon. Il ne m'a pas inspiré confiance. Je lui ai dit de ne pas venir en votre absence et j'espère qu'il m'écoutera.

— Vous avez bien fait, madame Garcia, Moi non plus, je ne l'apprécie pas.

66

Larson ne s'était pas manifesté et Augie n'aimait pas cela. Il en avait assez des promesses de remboursement sans cesse différées. Il perdait patience et voulait son argent maintenant.

La fin de la période estivale avait sonné le glas des vacances. Cela signifiait moins d'opportunités de cambriolages pour Augie. L'argent liquide qu'il avait amassé depuis trois mois fondait comme neige au soleil et il devrait attendre les fêtes de fin d'année pour renflouer ses caisses.

Il avait des frais considérables que les seuls revenus du garage ne suffisaient pas à couvrir.

Il composa le numéro de Richards.

— M. Richards est en réunion actuellement, monsieur Sinisi. Je lui dirai que vous avez appelé.

— Il est toujours en réunion et ne me rappelle jamais, rétorqua Augie, à bout de nerfs.

— Je suis désolée, monsieur Sinisi. Je lui dirai que vous avez de nouveau tenté de le contacter, répéta la secrétaire.

— Dites à votre employeur que, s'il ne me répond pas rapidement, je viendrai le trouver en personne.

Larson avait demandé à son assistante de filtrer les appels. À vrai dire, il ne parlait pratiquement à plus personne ces temps-ci. La quasi-totalité de ses investisseurs le harcelaient et l'accablaient de reproches et de menaces. Mais lorsque la secrétaire lui annonça qu'Eliza Blake était en ligne, il s'empressa de prendre l'appel.

— Eliza ! Quelle joie de vous entendre ! Est-ce que Janie aime son chien ?

— Elle l'adore, Larson.

— Fantastique, j'étais sûr que ça l'emballerait.

— J'aurais cependant préféré que vous m'en parliez avant.

— Oh ! bien sûr, c'est ce que j'aurais dû faire ! Mais je pensais vraiment que vous l'aimeriez.

— Larson, vous me connaissez à peine. Vous supposez des choses que vous ignorez totalement.

Salope ! pensa Larson. Deux cents dollars pour ce foutu chien. Mais tout doux, mon ami... N'oublie pas, tu ne peux pas te permettre de te brouiller avec Eliza Blake.

— Je suis désolé, Eliza. J'ai cru bien faire. Pardonnez-moi.

Elle ne prêta aucune attention à ses excuses.

— En fait, Larson, je vous appelle car Mme Garcia m'a rapporté votre visite impromptue d'hier.

— Oui, je venais juste prendre des nouvelles. Ça pose problème ?

— Pour vous dire la vérité, Larson, je préférerais que cela ne se reproduise pas. Mme Garcia vient juste d'arriver et je veux que les choses se déroulent au mieux.

— Eliza, il n'y a vraiment pas de quoi en faire un drame, protesta-t-il. Et si vous voulez mon avis, je trouve plutôt rassurant de savoir que quelqu'un passe de temps en temps pour vérifier que tout va bien pendant que vous travaillez. La communauté guatémaltèque est très présente par ici et je ne suis pas le seul à la trouver louche. On les voit toujours attendre au coin des rues et beaucoup traînent dans des endroits crasseux. Vous appréciez peut-être Mme Garcia, mais vous ne savez pas qui elle fréquente. Est-ce que ça vous plairait que l'un de ses amis vienne faire un petit coucou en votre absence ?

Du mépris. Voilà tout ce qu'Eliza ressentait pour cet homme à l'autre bout du fil.

— Larson, j'apprécie la communauté guatémaltèque. Leur culture, certainement parce qu'elle est confrontée à la précarité, valorise la propreté, la dignité et la politesse. Nous avons tous beaucoup à apprendre de ces gens.

— Vous insinuez que j'ai des leçons à recevoir de ces gens ?

— Exactement. Et à l'avenir, ne vous arrêtez pas chez moi sans y être invité.

Révulsée, elle raccrocha, en se rappelant trop tard l'existence du coffre. Larson ne lui en avait toujours pas donné la combinaison.

Qu'il aille au diable ! Elle ne rappellerait pas ce type de sitôt.

67

Le regard de Cornelius glissa sur les carreaux noirs de suie qui tapissaient l'intérieur du tunnel Lincoln. L'autobus qu'il avait pris le conduirait jusqu'à Port Authority. De là, il emprunterait le métro qui le laisserait devant l'entrée des studios d'enregistrement de Key News. Il avait tout le temps de mener son plan à bien et serait de retour à l'heure pour travailler au bar.

Il ne supportait plus de la voir au journal télévisé. Cela ne lui suffisait plus, il voulait la voir en chair et en os. Il était prêt à venir aux studios tous les jours s'il le fallait.

Il devait d'abord se faire une idée de son emploi du temps. L'heure de son arrivée le matin et celle de sa pause de midi. L'intercepter après la diffusion du journal restait la meilleure solution envisageable. Mais, à cette heure-là, Cornelius était attendu au bar et pas question pour lui de perdre sa place. Du moins pas pour le moment.

Habillé d'un simple jean et d'un immense T-shirt à l'effigie des Giants, l'équipe de basket de New York, il attendit le métro en jetant des regards dédaigneux aux autres passagers. Les femmes en jupes courtes le dégoûtaient particulièrement.

Il les considérait comme des traînées.

Le train stoppa à la station Columbus Circle et il put enfin gagner la sortie. La journée était ensoleillée. Il acheta un beignet tout chaud et une cannette de Coca Cola à un vendeur ambulant, et engloutit le tout en se dirigeant vers le point de chute qu'il s'était fixé. Onze heures passées, l'informa sa montre. Un peu plus tard que prévu. Eliza devait déjà être arrivée aux studios.

Il ne désespérait toutefois pas de la voir surgir à l'heure du déjeuner. Il traversa la rue et vint se poster en face du bâtiment. En l'espace d'une demi-heure, une dizaine de personnes entrèrent et sortirent par la porte à tambour. La faim le fit quitter provisoirement son poste d'observation. Il s'accorda une courte pause pour aller acheter une pizza aux poivrons et, une fois servi, retourna aussitôt surveiller l'entrée des studios qu'il percevait obliquement depuis son poste.

Les employés commençaient à quitter les locaux.

— Quelle efficacité ! je n'en crois pas mes yeux ! Tu as organisé tout ça en un temps record.

Keith était flatté et avait du mal à cacher sa satisfaction.

— À vrai dire, tout le mérite ne me revient pas. J'ai parlé du sujet à ma femme et il se trouve qu'elle connaît un couple dans cette situation. La femme est agent littéraire et veut rester à New York, et son mari vient de décrocher un poste important à Dallas. Il est parti là-bas il y a six mois. Cela a chamboulé leur vie, mais ils sont déterminés à sauver leur couple.

— Tu leur as parlé ?

— Oui, ils veulent bien que nous parlions de leur histoire. En fait, la fille s'envole pour Dallas ce week-end. J'ai pensé que tu pourrais l'interviewer à bord de l'avion, vendredi soir, pour recueillir ses impressions avant les retrouvailles, puis reprendre l'avion du retour avec elle à la fin du week-end.

Eliza savait que Keith avait raison. Quelle meilleure façon de traiter le sujet auraient-ils pu trouver ? Certes, s'absenter tout un week-end la chagrinait, mais elle n'allait tout de même pas refuser encore une fois. Il risquait de lui en vouloir, et à juste titre.

Elle jeta un coup d'œil à sa montre.

— Que dirais-tu d'aller en parler devant un bon repas ?

L'attente ne lui faisait pas peur.

Il avait toujours été récompensé de sa patience. Avant, il guettait l'envol de ses chauves-souris. Aujourd'hui, il attendait Eliza.

Et la voilà qui apparaissait !

Un homme la suivait. Ensemble, ils s'avancèrent sur le trottoir. Il leur fallut un moment avant de trouver un taxi libre.

Cornelius fulminait. Une fois de plus, elle ne l'avait pas écouté.

Ses cheveux bruns brillaient dans la lumière de cette mi-journée. Son tailleur bleu marine découvrait un peu trop ses cuisses.

Le type qui accompagnait Eliza lui glissa quelques mots à l'oreille, et il la vit rire.

— Pute ! siffla-t-il entre ses dents.

68

À son retour à la maison ce soir-là, Eliza annonça qu'elle devait s'absenter pour le week-end. Janie accepta très bien la nouvelle, surtout lorsqu'elle apprit qu'elle passerait ces deux jours en compagnie de KayKay et Poppie.

Cela signifiait une visite au zoo de Central Park. Là-bas, ils verraient les singes, peut-être même auraient-ils le temps d'aller au cinéma et aussi, si elle était sage, chez Schwarz, le célèbre magasin de jouets.

— Vous pensez pouvoir conduire Janie chez ses grands-parents à New York, vendredi soir ? demanda Eliza à Mme Garcia. Ils habitent tout près de la sortie Harlem River.

— Si cela peut vous rendre service, señora. Je connais la route pour aller là-bas. J'ai de la famille près de Washington et quand je vais leur rendre visite, je passe toujours devant les panneaux qui signalent Harlem River. Je trouverai sans problème.

— Alors parfait, on s'arrange comme ça. Vendredi, après le journal, je m'envole pour le Texas. Je serai de retour dimanche soir. Les grands-parents de Janie la déposeront ici à la fin du week-end.

Confier sa fille à ses beaux-parents sécurisait Eliza. Pas une minute elle n'aurait songé laisser Janie à Mme Garcia. Elles s'entendaient à merveille mais Eliza ne voulait pas abuser. Et puis, avec les menaces qui continuaient de lui parvenir à Key News, l'idée de laisser sa fille et sa nourrice seules à HoHoKus durant un week-end entier ne lui plaisait guère.

69

Carmen Garcia récupéra Janie à la sortie de l'école, l'emmena manger au McDonald's et prit la direction du pont George Washington. Elle suivit les panneaux de signalisation annonçant Harlem River. À 13 h 30 précises, elle déposa Janie chez ses grands-parents et calcula que, si tout se déroulait bien, elle serait de retour à HoHoKus une heure plus tard.

Elle contrôla la jauge du réservoir. Elle aurait pu s'abstenir de passer à la pompe et, une fois la voiture dans le garage, appeler sa fille pour qu'elle vienne la chercher.

Mais sa droiture lui dicta de ne pas partir sans avoir terminé sa journée de travail. Une fois chez Mme Blake, elle changerait les draps et ferait un peu de repassage.

Elle fit une halte à la station-service. L'homme qui vint à sa rencontre la dévisagea d'un air sceptique. Il ne peut

pas croire qu'une femme comme moi possède un véhicule neuf, comprit Carmen.

— Le plein, s'il vous plaît.

— Qu'est-ce qu'on met ? demanda l'homme d'un ton
bourru.

Carmen le regarda d'un air stupéfait.

— Essence normale ou sans plomb ?

Elle fut prise au dépourvu. Il lui était arrivé d'emprunter la voiture de sa fille, mais jamais on ne lui avait posé
cette question.

— Sans plomb, bredouilla-t-elle, hésitante.

La tête droite et le regard fixé au loin, elle attendit que
le plein soit fait.

— Douze dollars.

Carmen tendit la carte de crédit au nom d'Eliza.
L'homme demeurait soupçonneux.

— Vous n'êtes pas Eliza Blake.

— Exact, monsieur. Je travaille pour cette dame et elle
m'a confié sa carte.

— Comment je peux être sûr que vous me dites la
vérité ? Vous l'avez peut-être volée, cette carte ! Et cette
voiture aussi !

Carmen resta interdite, incapable d'articuler un mot.

— Je connais bien Mme Blake, continua l'employé. Je
vais l'appeler pour voir si les informations concordent.

— Vous ne pourrez pas la contacter, elle est au bureau,
s'affola Carmen.

— Bon, ça va pour cette fois. Mais je vous promets que
je l'appellerai dès ce soir.

— Vous ne pourrez pas la contacter ce soir non plus.
Elle est en déplacement pour le week-end.

Bingo ! songea l'homme à la salopette.

70

Eliza, Keith et B. J. D'Elia, le cameraman, progressaient lentement dans le couloir d'embarquement. Les réservations étaient complètes et les passagers nombreux.

Les deux hommes prirent place l'un à côté de l'autre. Derrière eux se tenaient Eliza et Lauren Houghton, prêtes pour l'interview. La compagnie aérienne n'avait soulevé aucune objection du moment que le sujet ne portait pas sur les conditions de sécurité à bord. Keith savait que les transporteurs aériens tenaient à soigner leur image de marque. Une interview qui mettait en exergue leur capacité à jouer un rôle positif dans une relation amoureuse était tout à leur avantage. C'est pourquoi ils avaient obtenu un accueil à bord irréprochable.

Keith se félicitait de pouvoir mener à bien ce reportage aussi rapidement. La grossesse de Cindy arrivait à son terme et il lui serait bientôt impossible de prolonger ou de multiplier ses absences. Il appréciait cependant de passer le week-end loin de toute tension conjugale.

Le matin même, il avait fait la sourde oreille aux reproches d'une Cindy excédée de devoir rester seule une fois de plus. Keith avait développé une technique imparable dans ces cas-là. Il s'efforçait de se montrer compatissant, sans se laisser affecter par les crises d'hystérie de sa femme. Il était las de ses plaintes incessantes. Si leurs rapports ne s'amélioraient pas à la naissance du bébé, il n'était pas sûr de tenir longtemps encore.

En comparaison, ce week-end constituait une sorte de trêve. Au travail, au moins, les choses étaient plus simples : il savait exactement comment accomplir sa tâche. Personne ne mettait en question ses motivations et ses compétences. Il n'avait à faire le bonheur de personne.

Bien sûr, il devait obéir à Eliza Blake. Mais elle se montrait respectueuse d'autrui, contrairement à beaucoup de vedettes du milieu. Elle agissait en professionnelle, laissant au chef opérateur le soin de coordonner le reportage. Elle ne comptait pas sur Keith pour lui dénicher les meilleurs restaurants du coin ou lui prendre un rendez-vous chez une esthéticienne. Avant tout, Eliza voulait que le travail soit fait, et bien fait. À la fin de la journée, elle prenait son repas à l'hôtel, avec les techniciens. Sa vie privée, elle en assumait l'entière responsabilité.

Keith boucla sa ceinture et ferma les yeux le temps du décollage. Il pensa que, au vu de la situation – la trahison de McBride aidant –, Eliza devait être particulièrement vulnérable. L'occasion idéale pour tenter sa chance auprès d'elle.

Eliza connaissait sa situation maritale et savait que Cindy attendait un bébé. Elle n'était pas de ces femmes à entamer une relation amoureuse avec un homme marié. De plus, elle n'avait jamais trahi une quelconque attirance pour lui. Pourtant, Keith nourrissait un espoir secret. Les déplacements favorisent les rapprochements, pensait-il. Loin du ronron habituel, les inhibitions disparaissent naturellement et beaucoup de liaisons extra-conjugales ont lieu dans ce contexte.

71

Un éclairage diffus auréolait de teintes rose pastel les façades des résidences qui entouraient la baie de Sarasota. À cette heure du jour, et alors qu'il regagnait le boulevard Ringling, Samuel Morton était particulièrement sensible à ce jeu de lumière. La côte sud-ouest de la Floride semblait de fait bénie des dieux. Elle jouissait de plages de sable blanc paradisiaques et de couchers de soleil grandioses. Pas une minute Samuel n'avait regretté d'avoir quitté le nord de l'État. Sur le plan culturel, Sarasota était une ville très active. Les théâtres proposaient des pièces très appréciées et l'Opéra invitait régulièrement de grands interprètes.

La ville abritait des artistes, des acteurs, des danseurs, des musiciens, des écrivains et des gens comme Samuel qui fuyaient les hivers nordiques. Conquis par la douceur du climat, la splendeur des plages, les bains de mer revigorants et les bons restaurants, il avait opté pour un long séjour à Sarasota. Là, les étés semblaient s'étirer indéfiniment, ponctués de temps à autre par de courts orages. Tout bien pesé, Samuel préférait l'excès de chaleur au froid glacial des hivers qu'il avait affrontés dans le nord.

Du moins jusqu'à présent.

La pleine saison débuterait pour lui dans un mois, au retour des vacanciers. Il croulerait de nouveau sous les invitations. Les occasions de sortir ne manqueraient pas. Mais, cette année, il n'avait pas le cœur aux réjouissances.

Il atteignit le pont mobile qui barrait la route de Siesta Key. Il s'immobilisa et patienta dans la file d'automobilistes qui s'apprêtaient, comme lui, à rejoindre l'autre rive. Une goélette était engagée dans le passage, fendant tranquillement les eaux. Un couple se trouvait à bord. Une brise légère faisait onduler la chevelure de la femme tandis que l'homme tenait un verre à la main. Un sentiment de bien-être émanait de la scène.

Mais Samuel ne se laissait pas duper par les apparences. Il s'attarda un instant sur l'image de ce couple séduisant. La sérénité affichée par cet homme et cette femme pouvait n'être qu'un simulacre. Il songea à la manière que lui-même avait choisie pour masquer sa détresse. À le voir toujours sur son trente et un, le teint hâlé, au volant d'une superbe décapotable, les gens pensaient que la vie lui souriait. Alors qu'il était un homme brisé.

Le temps pressait. Il devait prendre le large.

Ses parents avaient gardé un pied-à-terre à New York. Il pouvait toujours s'exiler là-bas, lui qui aimait tant cette ville. Le cabinet juridique pouvait très bien se passer de lui. Depuis quelque temps déjà, le travail lui pesait et il laissait Léo, son frère et associé, assurer la plus grosse partie du travail. Léo s'inquiétait de son état dépressif. Il accueillerait certainement avec indulgence sa volonté de prendre du recul. Cela leur ferait du bien à tous les deux.

Le pont s'abaissa et la file des voitures s'ébranla. La vision de l'étendue maritime l'apaisa considérablement. Sa décision était prise.

72

Les Houghton avaient accepté la proposition de Key News : l'équipe passerait une journée avec eux et filmerait quelques instants la vie ordinaire d'un couple qui se retrouve le week-end. L'équipe de Key News viendrait à l'appartement le samedi matin vers 11 heures, ce qui permettrait tout de même aux jeunes époux de faire la grasse matinée.

Keith avait dormi comme un loir sans sa femme à ses côtés. Cindy se levait plusieurs fois dans la nuit et ne retrouvait le sommeil qu'après d'incessants déplacements. Elle soupirait, se retournait, se relevait, et cela jusqu'à ce qu'elle tombe d'épuisement. Keith, pendant ce temps, faisait en général semblant de dormir pour ne pas avoir à engager une conversation qui ne les mènerait nulle part.

Ce matin-là, il profita de son lit moelleux, s'étira longuement et, regardant l'heure, décida qu'il était temps de descendre à la salle de gym de l'hôtel avant le petit-déjeuner. Quelle joie de reprendre une activité physique ! Depuis quelques mois, il avait arrêté de pratiquer le moindre sport pour ne plus s'attirer les regards désapprobateurs de sa femme dès qu'il s'absentait. Un bon jogging sur le tapis roulant lui ferait le plus grand bien et l'aiderait peut-être même à s'affranchir des pensées obsédantes qu'il nourrissait à l'égard d'Eliza.

Son regard s'arrêta sur elle lorsqu'il entra dans la salle de gym. Elle courait déjà, habillée d'un cycliste noir et d'un justaucorps. Trop tard pour rebrousser chemin ; elle l'avait vu et lui faisait signe de la main.

Même sans maquillage, elle était délicieuse.

Il prit place sur un second tapis roulant et ils coururent un moment au même rythme.

— Je crois que la prise d'hier pendant le vol était plutôt bonne. Qu'est-ce que tu en dis ? s'aventura Eliza.

— Entièrement d'accord. Je pense qu'on va poursuivre sur cette lancée aujourd'hui.

— Qu'as-tu prévu ?

— Tourner quelques séquences dans la maison et les suivre au supermarché. Je leur ai bien spécifié de rester naturels et de ne rien changer à leurs habitudes. Ils m'ont dit qu'ils se feraient un petit resto ce soir et un cinéma.

— Quelle chance !

— Comment ?

— Non, je disais qu'ils avaient de la chance de partager ces moments... Une belle journée en perspective...

Keith était confus, il ne savait pas vraiment comment interpréter cette dernière remarque. Fallait-il y voir un sous-entendu ? Essayait-elle de lui faire comprendre, à mots couverts, qu'elle désirait mener une vie plus ordinaire avec un homme simple ? Cet homme pouvait-il être lui ?

Sans réfléchir, il tourna l'interrupteur et le tapis s'immobilisa. Il fondit sur Eliza, l'étreignit brusquement et lui arracha un baiser. Elle le repoussa violemment. Keith avait la réponse à ses questions.

73

Après une violente dispute avec sa femme, Augie sortit de chez lui dans un état d'énervement rare. Une fois de plus, Hélène lui avait fait le coup de la migraine.

Il monta dans son van et déambula dans les rues de HoHoKus. Vers minuit il arriva aux abords de la maison d'Eliza Blake et attendit la disparition progressive des lumières dans les résidences alentour. Plusieurs pièces étaient allumées chez la présentatrice, mais aucun va-et-vient n'était visible. Il resta là jusqu'à ce qu'elles s'éteignent automatiquement et que ne demeure, dans l'entrée, que le pâle reflet d'une veilleuse. De toute évidence, la maison était vide.

Il tenta le tout pour le tout et entra dans la propriété, feux éteints. Il se gara à l'abri des regards et laissa le moteur en marche, Si la maison était dotée d'un système d'alarme, il lui faudrait filer comme l'éclair avant que la police, alertée, ne débarque.

Les gants en latex ne glissèrent pas aisément sur ses paumes moites. Il se saisit du double des clés et d'une lampe de poche. Il tenta d'insérer la clé dans la serrure de la porte, côté cuisine.

Peine perdue. Il détenait probablement un double de la porte qui donnait droit sur la rue principale.

Il risquait gros. Comment braver la lumière, même pâlotte, de la veilleuse ?

Il longea le mur et, parvenu à l'angle, s'arrêta un instant, le souffle court. Un massif d'arbustes le cachait de la route. Il patienta dix minutes, sans qu'aucune voiture vienne troubler le calme des environs. Rien à signaler du côté des Feeney. Normal. Avec trois enfants en bas âge, tout le monde devait être épuisé et dormir à poings fermés.

Il se décida.

Courbé en deux, il quitta sa planque et courut vers la porte d'entrée. Ce n'était pas le moment d'avoir la tremblote. Clé bien en main, il ouvrit la porte sans difficulté. Il se coula à l'intérieur, referma soigneusement derrière lui et balaya les murs de sa lampe de poche. Rien. Il devait agir vite.

À l'étage, il tomba sur la chambre principale et fondit sur la coiffeuse. Il saisit une boîte à bijoux bien garnie qu'il fourra aussitôt dans une taie d'oreiller arrachée au lit. Mais pas de poste de télévision ni de magnétoscope.

Lorsqu'il ouvrit le placard mural, une lampe le surprit. Elle était reliée à l'ouverture de la porte. Il plongea sans hésiter dans l'amas de vêtements suspendus. Des habits de marque, à n'en pas douter, mais sans intérêt pour lui. Trop compromettants.

Il passait sa main sur les murs lorsque sa paume décela le contour d'un coffre. Sans trop y croire, il actionna la poignée... et la tira à lui sans problème. Le cœur battant, il n'osa imaginer ce qu'il pouvait receler.

Fausse joie, le coffre était vide.

Augie retourna dans le séjour. Sur une table ronde était disposé un service de couverts en argent. Il s'empressa de tout mettre dans son sac de fortune. Un vase subit le même sort. Puis un reflet l'attira vers une série de photos encadrées. Il les fit disparaître, se promettant de faire estimer les cadres.

La taie était pleine à présent. Dans la cuisine, il ouvrit la porte qui lui avait résisté quelques instants plus tôt et posa son sac plein à côté. Il alla ensuite jeter un œil dans le congélateur, ses précédents pillages lui ayant appris que la glace pouvait cacher des trésors. Toujours rien.

Enfin, il trouva le poste de télévision, le lecteur DVD, le magnétoscope et la caméra vidéo qu'il convoitait.

Il fit quatre aller et retour entre la maison et le van pour charger l'intégralité de son butin. Puis il regarda sa montre. Belle opération ! Trente-cinq minutes pour rafler le tout.

Plus tard, il se débarrassa des photographies en se félicitant de les avoir emportées. Les cadres en argent massif lui rapporteraient gros.

74

Bon an, mal an, ils avaient mené à bien le reportage. La décision de la poursuite ou de l'interruption de leur collaboration ne dépendait que d'Eliza.

Il avait dépassé les bornes et s'en voulait terriblement.

L'expression de désarroi sur le visage de la jeune femme l'avait tout de suite poussé à s'excuser. Puis il avait craqué. Les yeux noyés de larmes, il avait bredouillé les détails de sa vie intime. La pression incroyable due à la venue du bébé. Il en appelait à l'indulgence d'Eliza, il ne pouvait pas se permettre de perdre sa place maintenant.

Compréhensive, Eliza lui avait conseillé d'oublier cet incident. Par la suite, ils n'avaient plus abordé le sujet, mais elle fut soulagée, au retour, de voyager seule en première classe. Le reste de l'équipe s'était contenté d'une deuxième classe.

À New York, elle ne proposa pas au cameraman et au chef opérateur de partager un taxi. Elle rentra directement chez elle, prétextant qu'elle était pressée. En un sens, elle disait vrai. Elle souhaitait être présente pour accueillir ses beaux-parents après leur week-end mouvementé avec un petit boute-en-train de cinq ans.

Elle recouvra un peu de sa sérénité en traversant le paysage familier qui la ramenait à Saddle River. Elle parvint alors à rassembler ses esprits et à réfléchir au cas Keith Chapel. Sa réaction était partagée. D'un côté, elle compatissait à sa situation et ne voulait pas sanctionner trop sévèrement son moment d'égarement. De l'autre, son statut de présentatrice lui interdisait une trop grande indulgence. Si l'incident venait à s'ébruiter, sa propre réputation en pâtirait. Le milieu de la télévision ne pardonnait pas le moindre faux pas.

Cependant, elle était convaincue que Keith se garderait bien de se vanter de son exploit. Ils évoqueraient à nouveau les faits le lendemain et trouveraient un arrangement. Elle passerait l'éponge à condition que cela ne se reproduise jamais.

La limousine s'immobilisa en douceur devant la maison et le chauffeur déposa les bagages dans l'entrée avant de partir.

La nuit n'était pas encore tombée et Eliza se glissa dans le couloir sans éclairer la pièce. Elle libéra ses pieds de ses chaussures et saisit le courrier que Mme Garcia avait laissé en évidence sur la petite table de l'entrée. En se dirigeant vers le salon, elle prit rapidement connaissance des différents plis et s'installa dans un fauteuil. L'écriture sur l'une des enveloppes parlait d'elle-même. Mack. Elle tendit alors la main vers une petite lampe qu'elle alluma machinalement pour mieux la déchiffrer.

Lorsqu'elle releva la tête, elle constata la disparition de ses précieuses photos.

75

Avec un jour de retard, les techniciens responsables de l'installation du système de sécurité débarquèrent à HoHoKus pour changer les serrures et sécuriser les lieux.

Eliza avait promis à Janie de remplacer la télévision et le magnétoscope au plus vite. Mme Garcia se chargerait d'acheter un nouveau téléviseur tandis qu'elle serait à l'école le lendemain matin. Après le départ de ses beaux-parents et une fois Janie au lit, elle répertoria l'ensemble des objets manquants.

Elle s'effondra.

L'argenterie qu'elle avait reçue en cadeau à son mariage avait disparu, ainsi que ses bijoux, dont la magnifique alliance en or que John lui avait passée au doigt en promettant de lui être fidèle jusqu'à sa mort, un collier incrusté de diamants, premier cadeau d'anniversaire de son mari, un bracelet d'émeraudes transmis de génération en génération chez les Blake et que Katharine et Paul lui avaient remis à la naissance de Janie, et enfin la montre que ses parents lui avaient offerte pour fêter sa brillante réussite à ses examens. Tous ces témoins de son parcours lui avaient été dérobés.

Plus que tout, elle regrettait la disparition d'une précieuse broche sertie de diamants et de saphirs, ultime présent de John avant sa mort. Respectant les dernières volontés de son mari, elle n'avait pas ouvert ce cadeau avant la naissance de leur fille. Il savait qu'il n'aurait pas le plaisir de lire l'expression d'émerveillement sur le visage de sa femme lorsqu'elle découvrirait le joyau exceptionnel qui étincelait au fond de la boîte tapissée de velours sombre. Cette broche les liait par-delà la mort.

Pour Eliza, la valeur sentimentale de ces objets excédait de loin leur valeur marchande. Elle était prête à racheter ces fragments de vie irremplaçables au prix imposé par le malfrat.

Elle se sentait violée dans son intimité. Le cambrioleur n'allait pas s'en tirer comme ça. La police avait enregistré sa plainte et fait allusion à des cas similaires dans le quartier. À chaque fois, il n'y avait aucun signe d'effraction. Quelqu'un devait posséder un double des clés et s'en servir le plus naturellement du monde.

Eliza ne voulait pas suspecter Mme Garcia, mais l'avertissement virulent de Larson résonnait dans sa tête. Elle chassa vigoureusement cette idée malsaine de son esprit. Après tout, Carmen Garcia avait travaillé durant des années pour une famille qui lui avait transmis une lettre de références des plus élogieuses. S'ils avaient eu le moindre reproche à son encontre, ils l'en auraient avertie.

Après un moment de réflexion, ses soupçons se dirigèrent sur Larson lui-même. Il pouvait parfaitement avoir conservé une clé de la maison de son enfance. De plus, il ne lui avait pas transmis la combinaison du coffre-fort, l'empêchant ainsi de mettre ses bijoux en sécurité.

76

Une fois aux studios, le lundi matin, Eliza chassa ses idées noires. Son travail représentait le meilleur rempart contre le désespoir. Au programme de la journée figurait une interview du prix Nobel de l'université de Columbia qui effectuait des recherches sur le syndrome de l'X fragile. Keith passa lui demander si Farrell Slater, un autre chef opérateur, pouvait l'accompagner à sa place. Il avait des ordres émanant du bocal. Le reportage sur les couples éloignés devait être monté au plus vite.

— Pas de problème, Keith. Ça me va.

Mal à l'aise, Keith se rongea les ongles en s'attardant sur le seuil de son bureau. Parce qu'elle ne voulait pas le laisser ainsi dans l'embarras, Eliza décida de régler le problème une fois pour toutes.

— Entre un instant et ferme la porte, s'il te plaît.

Il s'exécuta docilement et prit le siège qu'elle lui désigna.

— Il faut qu'on clarifie un peu la situation, Keith.

Il hocha la tête tout en détournant le regard. Ses mains rivées sur les bras du fauteuil montraient des ongles bien abîmés. Pauvre diable ! pensa Eliza.

— Bien. Ce qui s'est passé est malencontreux et nous le savons tous les deux. Cela dit, tu es quelqu'un de très compétent et je sais que tu travailles dur pour que nos reportages tiennent la route, Mais nos relations sont professionnelles et je veux qu'elles le restent.

Keith leva les yeux vers elle d'un air pitoyable.

— Eliza, tu ne peux pas savoir comme je m'en veux de m'être comporté ainsi. Je n'ai pas fermé l'œil de la nuit. Je te promets que cela ne se reproduira plus jamais. Je le jure.

La solennité du ton ne laissait pas douter de sa sincérité. Ils échangèrent un regard de compréhension mutuelle.

— Très bien, Keith. L'incident est clos.

77

Abigail avait tourné et retourné maintes fois le sujet dans sa tête avant de prendre sa décision. Elle offrirait la combinaison en soie à Eliza. Elle n'avait toutefois pas le courage de la lui remettre en personne. Le petit emballage rose resterait donc caché dans son bureau jusqu'à la fin du journal télévisé.

Elle attendit que les locaux soient presque déserts pour monter au deuxième étage. Le bureau de la présentatrice était fermé. Elle entortilla le sac rose criard autour de la poignée en espérant que personne d'autre qu'Eliza ne tomberait dessus.

Elle se faufila le long du couloir, le visage brûlant et le cœur battant. Pas un instant elle ne songea aux caméras de sécurité qui enregistrèrent toute la scène.

78

La fraîcheur de la matinée annonçait la venue de l'automne. Paige en profita pour étrenner la jupe en cuir rouge et le pull à col roulé noir qu'elle avait achetés la veille en solde. Elle s'arrêta un instant dans le hall d'entrée avant de prendre l'ascenseur. Le miroir lui renvoya une masse indistincte de cheveux bouclés qu'elle entreprit de ramener en chignon sur sa nuque.

Ce travail me plaît, pensa-t-elle avec satisfaction en gagnant son bureau. Elle précédait toujours la horde des employés d'une bonne heure. Cela lui permettait de mettre de l'ordre dans le courrier d'Eliza et de prendre connaissance de ses messages. Elle mettait également un point d'honneur à accueillir sa supérieure chaque matin avec un bon café chaud.

Son regard fut alors attiré par le paquet rose fuchsia, dont elle reconnut tout de suite la provenance. Elle le libéra de la poignée et, apercevant le nom d'Eliza sur le paquet, alla le poser sur le bureau de celle-ci.

Le café commençait à libérer son arôme lorsqu'elle interrogea son répondeur.

— Bonjour, ici Samuel Morton, le père de Sarah. Je serai de passage à New York la semaine prochaine et j'aimerais vous présenter mes remerciements en personne. J'ai également un cadeau que Sarah tenait à vous faire.

Eliza pâlit à la lecture des quelques mots inscrits en lettres capitales sur un carré de papier rose.

Vous êtes belle et intelligente et je souhaite que nous
ayons l'occasion de nous connaître plus intimement.
J'espère que vous saurez m'entendre.

La lettre n'était pas signée.

Eliza souleva le couvercle de la boîte et découvrit la combinaison en soie. Un cadeau si inconvenant de la part d'un inconnu.

À moins que...

Elle appela Paige et lui demanda de la mettre en ligne avec Keith Chapel.

— Keith, quelque chose m'attendait ce matin à mon arrivée dans les studios.

— Ah bon ?

— Tu sais ce que c'est ?

— Non, pourquoi ?

— Pour rien. Tu es sûr de ne pas m'avoir laissé de cadeau ?

— Oui, Eliza, j'en suis absolument certain, répliqua-t-il fermement.

Mais si ce n'était pas lui, alors qui ? Quelqu'un qui la connaissait. Certainement un employé des studios.

Comme d'habitude lorsqu'elle était désorientée, Eliza joua avec son bracelet. Et si quelqu'un d'extérieur à Key News s'était introduit dans les locaux ?

— Bonjour, Eliza. Du neuf ?

— Joe, je me sens un peu ridicule, mais avec tout ce qui se passe, j'ai jugé bon vous tenir au courant.

— De quoi s'agit-il ?

— Quelqu'un a laissé un cadeau accroché à la porte de mon bureau hier soir.

— Quel genre de cadeau ?

— Une combinaison en soie.

— Génial, fit-il avec sarcasme. Y avait-il un mot ?

— Oui, mais anonyme.

— Très bien. Demandez à Paige de me transmettre le tout et, s'il vous plaît, Eliza, essayez de garder votre sang-froid. Nous devrions retrouver le responsable assez rapidement grâce aux enregistrements des caméras de sécurité.

79

Après le repas, Susan Feeney alla relever le courrier et reconnut le numéro d'octobre de *Martha Stewart Living* sous son mince emballage en plastique. Les fêtes de Noël et celles d'Halloween la ravissaient, et le magazine qu'elle venait de recevoir lui soufflerait certainement quelques idées de déguisement qu'elle s'empresserait de tester, comme chaque année.

La couture la passionnait et, au fil des ans, son grenier avait peu à peu pris des allures de caverne d'Ali Baba où elle conservait amoureusement les tenues qu'elle confectionnait pour toute la famille. Son engouement n'était pas nouveau. Bien avant son mariage, elle excellait dans l'invention de costumes qu'elle portait à l'occasion de bals masqués et qu'elle conservait toujours : un moine et sa nonne, un pirate flanqué d'une danseuse du ventre, les inévitables Dracula et Zorro, une soubrette accompagnée de l'Oncle Sam et l'incontournable statue de la Liberté.

Sa passion était telle que, chaque année, Susan offrait ses talents à tous les enfants du voisinage.

Elle s'efforçait sans cesse de trouver de nouvelles idées. Cette année, Kelly se transformerait en abeille et sa sœur Kimberly en coccinelle. Elle voulait constituer un petit bestiaire et pensait déguiser James en araignée. Mais son aîné, têtu, refusait systématiquement toutes ses propositions et elle commençait à s'impatienter. S'il ne se décidait pas bientôt, elle lui imposerait son choix. Elle n'allait pas tolérer de tels caprices.

À quelques pas de la boîte aux lettres, Susan entendit une voix fluette l'interpeller.

— Madame Feeney, James peut venir jouer avec moi ?

Janie Blake attendait de l'autre côté de la rue avec sa petite chienne qu'elle tenait en laisse. Mme Garcia l'accompagnait.

— James regarde une cassette, Janie. Si Mme Garcia est d'accord, tu peux te joindre à lui.

Janie tendit la laisse à sa nourrice. Pour elle, l'affaire était entendue, même si elle se tourna vers cette dernière pour lui demander son autorisation.

— Je peux y aller, madame Garcia, n'est-ce pas ?

— Oui, Janie, c'est entendu, je viendrai te chercher dans un petit moment.

Elle prit l'enfant par la main et lui fit traverser la rue.

James regardait les aventures de Popeye lorsque Janie arriva. La fillette prit place à côté de lui, dans la salle de jeux. Ses deux filles dormaient à l'étage, aussi Susan décida-t-elle de faire une pause et de se relaxer. Elle feuilleta sa revue distraitement, relevant çà et là des recettes tentantes ou des idées de décoration.

Elle releva la tête en entendant les enfants s'esclaffer devant les singeries et les grimaces de Robin Williams dans le rôle de Popeye. Les gamins adoraient ce film.

— James ! Que dirais-tu de te déguiser en Popeye pour Halloween ?

Le garçonnet sauta du sofa.

— Ouais !

— Et toi, Janie, comment tu vas te déguiser pour Halloween ?

La petite resta silencieuse.

— Pourquoi ne pas t'habiller en Olive Oyl ? Tu demanderas à ta maman. Si elle est d'accord, je te confectionnerai les habits, comme ça tu pourras faire le tour du quartier avec James pour demander des friandises le jour d'Halloween.

Susan avait visé juste. Janie sauta de joie, ne doutant pas que sa mère serait d'accord. De toute façon, elle ne savait pas coudre et elle était toujours au travail.

80

Avec ses dix années d'expérience en tant que chef de la sécurité, Joe Connelly ne s'étonnait presque plus de rien. Il ne s'attendait cependant pas, en visionnant les bandes des caméras de surveillance, à découvrir cette femme aux cheveux clairs, habillée d'un pantalon noir et d'un pull à col roulé, qui se glissait devant le bureau d'Eliza et entortillait le sac autour de la poignée. Il se tourna vers Eliza.

Celle-ci se concentra sur l'image isolée par Connelly.

— On dirait Abigail Snow. Elle s'occupe de la création et de la diffusion des spots publicitaires.

— Vous a-t-elle déjà menacée ?

— Non, jamais.

Joe éteignit l'écran.

— Je vais la convoquer.

Eliza ne put masquer son embarras.

— Écoutez, Joe, je ne voudrais pas faire un scandale, je la connais à peine, mais je ne la crois pas dangereuse.

— Bon, comment voulez-vous vous y prendre, alors ? Je ne fermerais pas les yeux, à votre place. Il faut lui faire comprendre que vous n'êtes pas intéressée. Vous ne voudriez tout de même pas que les gens s'imaginent que vous entretenez une relation toutes les deux ?

Eliza réfléchit un instant.

— Je lui parlerai moi-même, Joe.

— Vous êtes sûre ? Je peux le faire pour vous.

— Non, coupa-t-elle. Je vais m'en charger.

Eliza descendit plus tôt qu'à l'accoutumée pour sa séance de maquillage. En route, elle s'arrêta au service communication. Abigail conversait avec un collègue.

— Je peux vous parler une minute, Abigail ?

— Bien sûr, Eliza. Entrez, répondit Abigail avec enthousiasme, tandis que son collègue s'éclipsait. Vous voulez voir les messages publicitaires annonçant votre reportage sur les couples séparés ?

— C'est que... Je n'ai pas le temps, Abigail. Mais je ne doute pas qu'ils soient réussis. Vos accroches sont toujours remarquables. Eliza croisa les jambes et s'appuya contre le dossier de la chaise. Le cœur d'Abigail battait la chamade.

— Vous vouliez me parler d'autre chose ?

— En effet, Abigail. Quelqu'un m'a laissé un cadeau hier soir au bureau et j'ai pensé que c'était vous... Je me trompe ?

— Non, avoua Abigail, les joues en feu.

Eliza eut envie de prendre ses jambes à son cou lorsqu'elle vit l'expression pleine d'espoir de la jeune femme. La situation était délicate. Elle ne voulait pas blesser Abigail, mais elle ne pouvait non plus la laisser se bercer d'illusions.

— Je ne suis pas intéressée, Abigail, désolée.

Celle-ci eut une réaction inattendue.

— Qu'en savez-vous ? demanda-t-elle, impassible.

— Pardon ?

— Vous est-il déjà arrivé d'y penser ?

— Cela ne vous regarde pas, Abigail. La réponse est non.

— Peut-être que ça vous plairait.

— Je ne pense pas.

— Il faut avoir essayé avant de l'affirmer.

— Écoutez, l'interrompit Eliza, je ne suis pas venue pour parler de ma sexualité. Je voulais juste vous dire que cela ne doit plus se reproduire.

Elle se leva pour quitter la pièce.

— Réfléchissez-y, Eliza. Beaucoup de femmes se marient et ont des enfants, et puis un jour elles finissent par découvrir leurs vrais penchants. Demandez-vous au moins pourquoi ma proposition vous met dans l'embarras.

— Votre proposition ne me met pas dans l'embarras, Abigail. Je m'efforce d'être compréhensive et tolérante, mais je me connais suffisamment bien. Et je vous assure que je ne suis pas attirée par les femmes.

Eliza s'affala dans son fauteuil habituel, poussa un long soupir et raconta à Doris son entretien avec Abigail.

— Je savais qu'elle en pinçait pour toi, ma belle, avoua Doris en préparant ses produits de maquillage.

— Pourquoi ne m'as-tu rien dit ?

— Comme si tu avais besoin de ça ! Voyons voir, tu reçois des coups de fil douteux, un détraqué t'envoie des lettres de menace, ton petit ami t'a trompée et un type met à sac ta maison.

Eliza éclata de rire.

— Ah ! et tu peux ajouter Keith Chapel à la liste.

— Quoi !

— Il a essayé de m'embrasser à Dallas, le week-end passé.

— Sans blague ! Lui qui a toujours eu l'air d'un garçon sérieux et droit. Qui aurait pu penser qu'il convoitait la présentatrice-vedette de Key News ? Ça alors, c'est drôlement culotté de sa part !

Eliza haussa les épaules, tandis que Doris apportait la dernière touche à son maquillage.

— Culotté, idiot ou simplement désespéré. Va savoir. Mais c'est sur cette note guillerette que je m'apprête à présenter les informations devant huit millions de personnes qui n'ont pas la moindre idée du chaos de ma vie privée.

81

Si proche, et pourtant si lointaine.

Aussi proche que l'écran de télévision.

Aussi proche que son visage dans les magazines et les journaux.

Le jour, elle occupait toutes ses pensées et, la nuit, elle hantait ses rêves les plus crus.

Sans cesse présente, mais insaisissable.

La posséder. Il ne pensait qu'à cela en regardant les images de son interview dans l'avion. Oh ! être aussi près d'elle, sentir la chaleur de sa peau dans cet espace exigu. S'envoler avec elle vers des contrées exotiques.

Eliza... Laisse-moi m'approcher de toi. Là, tout près de toi.

82

Eliza quitta les studios tout de suite après la diffusion du journal télévisé de ce jeudi soir. Une soirée portes ouvertes avait lieu à l'école et elle était déjà en retard. Elle demanda au chauffeur de la conduire directement à l'école primaire de HoHoKus.

Comme tous les soirs, la circulation était dense, au point que Mme Prescott, l'institutrice, avait déjà terminé les présentations lorsque Eliza arriva. Les parents visitaient la petite classe à la recherche des travaux de leurs enfants accrochés aux murs.

— Madame Prescott, bonsoir, je suis Eliza Blake, la maman de Janie.

— Oui, enchantée, madame Blake, lui répondit une petite femme fluette d'une cinquantaine d'années, à peine plus grande que les écoliers, en lui tendant la main. Quel plaisir de vous rencontrer ! Je vous regarde tous les soirs à la télévision.

— Merci beaucoup, confia Eliza, un peu embarrassée.

Elle ne voulait pas attirer l'attention sur elle. Après tout, elle était venue parler de Janie.

— Comment se comporte Janie ?

— Très bien, très bien, l'assura Mme Prescott. Elle s'adapte merveilleusement bien. J'ai cru comprendre que vous aviez emménagé seulement quelques jours avant la rentrée ?

— C'est exact. Tout a été si vite.

— Et vous avez une nouvelle employée de maison ?

— Oui, confirma Eliza, Mme Garcia. Toutes les deux s'entendent à merveille.

— C'est vrai, Janie est toujours ravie de la retrouver.

— Tant mieux.

— Elle m'a aussi parlé du cambriolage.

Eliza commençait à se sentir mal à l'aise. Cette énumération par l'institutrice de tous les bouleversements survenus dans la vie de Janie ces derniers temps lui procurait un sentiment de culpabilité.

— Oui, cela a été un choc pour nous, avoua-t-elle.

— Janie m'a dit qu'elle était triste parce que certaines photos avaient disparu.

Janie n'en avait jamais parlé à Eliza. Mon Dieu ! s'affola-t-elle.

— Oui, des photos de famille que j'avais mises sous cadre.

— Dont certaines de son père ?

Eliza hocha la tête. Cet interrogatoire allait-il durer encore longtemps ?

Mme Prescott se pinça les lèvres. Quelque chose suscitait visiblement sa désapprobation.

— Où voulez-vous en venir, madame Prescott ?

— J'ai suivi dans les journaux tout ce qui vous était arrivé et je m'inquiète pour Janie. Avoir eu tant de malheurs, à son âge...

D'autres personnes observaient maintenant les deux femmes. En de tels moments, Eliza regrettait sa popularité. Elle fut soulagée de céder sa place à un couple venu s'entretenir avec l'institutrice.

Un tableau d'affichage regroupait des dessins sous différentes rubriques. La première s'intitulait : « Ce que j'ai fait cet été. » Eliza fut soulagée de voir que Janie s'était inspirée de la plage de Newport où elles avaient passé leurs vacances, et non de Mme Towmey armée de son revolver.

Son cœur se serra en revanche à la vue des dessins consacrés à la famille. Presque tous les écoliers avaient dessiné deux parents entourés de leurs enfants. Le modèle familial américain le plus répandu. Janie, elle, avait représenté sa mère en grand, à côté d'une petite fille tenant en laisse une forme jaune. Certainement Daisy. Dans un coin de la feuille apparaissait aussi un couple aux cheveux grisonnants, version miniature de KayKay et Poppie. Le dessin dégageait une impression de déséquilibre et les silhouettes n'étaient pas reliées entre elles.

Pour la première fois, Eliza fut heureuse que Larson ait offert une petite chienne à sa fille.

Quelqu'un lui tapota l'épaule. Susan Feeney se tenait derrière elle, souriante. Eliza s'anima en la voyant.

— Bonjour, Susan, comment allez-vous ?

— Très bien, merci. Et vous ? Vous en faites une tête !

Eliza lui montra les dessins.

— Eh bien ?

— Comparez-les à ceux de Janie.

— Ah ! c'est la présence de tous ces couples qui vous gêne, remarqua-t-elle après un rapide examen. Croyez-moi, Eliza, dans quelques années, la plupart auront divorcé.

Eliza se retint d'éclater de rire.

— Ce n'est pas exactement ce à quoi je pensais.

— Je sais bien. Mais ne vous fiez pas trop aux apparences, Eliza. Toutes les familles ont leurs petits drames. Vous aimez Janie et elle le sait. C'est ce qui compte le plus.

— J'espère que vous dites vrai, confia Eliza, qui appréciait de plus en plus la compagnie de cette femme.

Susan lui proposa de participer aux activités de l'école et lui tendit la fiche d'inscription mise à la disposition des parents. Eliza la parcourut et déclina l'offre. Sa vie professionnelle ne lui laissait décidément pas le temps de cuisiner des cookies ou de vendre des livres durant la semaine. La parade d'Halloween, à la rigueur...

— En quoi consiste le défilé d'Halloween ?

— À apporter des beignets et du jus de pomme et à être présent le samedi matin avant le défilé. Ensuite, les enfants vont faire admirer leurs déguisements dans le voisinage une partie de l'après-midi.

— Ça, c'est dans mes cordes.

Eliza inscrivit son nom sur la fiche et la rendit à sa voisine.

— Et encore merci, Susan, pour le costume de Janie. C'est très gentil de votre part.

83

Pourquoi donc avait-elle accepté cette interview ?

Eliza en avait assez de voir son nom apparaître dans la presse et seul son sentiment de devoir en quelque sorte justifier son salaire exorbitant l'avait poussée à répondre par l'affirmative à la demande d'un journal local. Les producteurs de Key News seraient ravis de cette publicité gratuite, d'autant plus que le *Record* était lu par un grand nombre de gens dans le nord du New Jersey. Louise Kendall et Range en prendraient certainement connaissance.

En ce vendredi matin, un journaliste, carnet de notes en main, se tenait donc dans le bureau d'Eliza.

— Pourquoi avoir choisi de vous établir dans le comté de Bergen ?

— J'ai pensé que cet endroit constituerait un cadre de vie idéal pour élever ma fille. Nous adorons New York, mais j'avais envie de lui offrir un peu plus d'espace. Je tenais aussi à l'inscrire dans une école publique et celles de Bergen sont réputées.

— Vos déboires tragiques avec la nourrice de votre fille ont été relatés en détail par la presse. Cet événement a-t-il influencé votre décision de quitter New York ?

— Oui, bien sûr, mais je vous saurai gré de ne pas mentionner ce fait dans votre article, je m'efforce d'oublier ce malheureux incident.

Le journaliste se contenta d'opiner sans rien dire.

— Que pensez-vous de HoHoKus ?

— C'est une charmante petite ville, facile d'accès.

— Avez-vous déjà lié amitié avec des voisins ?

— Je viens juste de m'installer, mais les personnes avec qui j'ai pu parler m'ont paru très sympathiques.

— Participez-vous à la vie sociale du quartier ?

Eliza esquissa un sourire.

— Il est amusant que vous me posiez cette question. Je viens juste d'accepter de participer aux préparatifs du défilé des enfants de HoHoKus qui aura lieu juste avant les fêtes d'Halloween. Je suis également engagée, aux côtés de Louise Kendall, dans la collecte de dons en faveur de la recherche sur le syndrome de l'X fragile. À cette occasion, j'ai eu l'honneur de parrainer une soirée de bienfaisance au Park Ridge Marriott. L'année prochaine, Louise organisera une autre collecte et je tiens, d'ores et déjà, à lui apporter mon soutien.

— Quelle est votre adresse précise à HoHoKus ? poursuivit le reporter.

La question embarrassa Eliza.

— Écoutez, je ne voudrais pas censurer votre article mais, pour des raisons de sécurité, j'aimerais aussi que vous ne mentionniez pas mes coordonnées.

Il y avait trop de détraqués en liberté.

84

Janie était ravie. Pour la première fois, elle allait dîner et dormir chez James. Eliza, invitée à un dîner, se sentit soulagée de ne pas avoir à laisser sa fille seule un samedi soir.

Louise avait précisé qu'il s'agissait d'une soirée décontractée, entre amis. Eliza s'habilla donc simplement et sortit après avoir laissé quelques pièces allumées et mis en marche le système d'alarme. Le trajet fut bref, Louise habitant un quartier résidentiel luxueux situé à une dizaine de kilomètres de HoHoKus. Un vigile contrôlait les entrées et sorties des véhicules à l'abord des résidences.

— Je vais chez Mme Kendall.

— Votre nom, s'il vous plaît ?

— Eliza Blake.

L'homme ne parut pas la reconnaître. Eliza apprécia sa discrétion.

— Entrez, madame.

Eliza se demanda si, tout compte fait, elle n'aurait pas mieux fait d'emménager dans un endroit similaire.

Range vint lui ouvrir à son arrivée.

— Voilà la plus belle ! s'exclama-t-il avec un large sourire. Entre vite. Louise prépare les cocktails. Comme le temps le permet, on prend l'apéritif dehors.

La nuit venait juste de tomber et de petites bougies avaient été disposées de-ci, de-là. Les invités sirotaient leur boisson dans le jardin en évoquant l'ambiance tendue des présidentielles lorsque Louise laissa échapper un cri.

— Que se passe-t-il ? s'enquit Range, alarmé.

— Je viens d'apercevoir des chauves-souris, là, tout près ! Range soupira et se détendit de nouveau. Il reprit tranquillement son verre.

— Ne t'en fais pas, dit-il en regardant Eliza d'un air entendu. Notre présentatrice va pouvoir te dire bien des choses sur ces créatures nocturnes. Pas vrai, Eliza ?

— Eh bien, elle m'en parlera une fois à l'intérieur, si vous n'y voyez pas d'inconvénient.

Louise prit son whisky-soda et se réfugia dans le séjour, suivie de Range et Eliza. Celle-ci lui parla de son reportage sur les chauves-souris en essayant de lui vanter les bienfaits de ces mammifères dans la région. Elle ne parvint toutefois pas à la convaincre,

— C'est bien joli, tout ça, mais rien ne me dégoûte autant que ces bestioles. Changeons de sujet, ça ira mieux.

— D'accord, enchaîna Eliza. J'ai du nouveau pour la fondation.

— Comment ça ?

— J'ai accordé une interview à *Record*, un journal local, et j'en ai profité pour parler de notre action commune en faveur de la recherche sur le syndrome de l'X fragile.

— Oh ! merci, Eliza ! Chaque initiative est la bienvenue. Et Range m'a appris que le reportage de cette semaine serait consacré à ce sujet. Je suis ravie que ce soit toi qui t'en occupes.

L'odeur du rôti la rappela à ses devoirs de maîtresse de maison, Range en profita pour interroger Eliza sur son interview avec le journal *Record*.

— Tu crois que c'est le moment opportun pour informer le public de ton déménagement ? lui demanda-t-il. Avec la tension qui règne à Key News depuis ces lettres et ces coups de fil malsains... Pourquoi crier sur les toits que tu habites à HoHoKus ?

Eliza n'en croyait pas ses oreilles.

— Range Bullock ! Toi qui ne perds jamais une occasion de faire de la publicité pour la chaîne ! Je pensais vraiment que tu te réjouirais

— Je pense à ta sécurité, Eliza. Cette publicité ne servira à rien si tu n'es pas là pour assurer la présentation du journal télévisé.

Eliza pâlit.

— Excuse-moi, se reprit-il aussitôt. Mes paroles ont dépassé ma pensée.

— Qu'est-ce qui se passe, tous les deux ? les interrompit Louise, de retour de la cuisine.

— Range s'inquiète à propos des menaces que j'ai reçues ces derniers temps.

Louise s'approcha d'Eliza et s'installa dans un fauteuil à ses côtés.

— Oui, il m'a raconté. Je me rappelle que Bill aussi avait subi ce genre de harcèlement. Bien sûr, il évitait de m'en parler. Mais certaines lettres l'inquiétaient vraiment, elles étaient tout simplement terrifiantes.

— C'est l'inconvénient majeur de ce boulot, fit remarquer Eliza qui jouait avec son bracelet. Tu réalises des reportages avec sérieux et professionnalisme mais, au fond, tu ne sais pas à qui tu t'adresses. Tu n'as aucun moyen de savoir comment les gens vont réagir,

— On pourrait peut-être en faire le sujet d'un de nos reportages, poursuivit Range.

Pour la deuxième fois de la soirée, Eliza resta sans voix face à la proposition de Range,

— Sérieusement, Eliza, je pense que le thème intéresserait beaucoup de gens,

— C'est hors de question ! répliqua-t-elle. Je ne vais pas répandre partout le bruit que des obsédés m'envoient des courriers du cœur d'un goût plus que douteux.

Un silence s'installa. Louise offrit un autre verre à Eliza.

— L'affaire Linda Anderson a-t-elle finalement été élucidée ? demanda-t-elle à Range tandis qu'elle s'affairait au bar.

— Je n'en ai pas la moindre idée.

— Qui est Linda Anderson ? s'enquit Eliza,

— Une ancienne présentatrice de GSN, répondit Range. Une fille très compétente qui passait très bien à l'antenne. Nous envisagions de l'embaucher lorsqu'elle a mystérieusement disparu, il y a de ça bientôt cinq ans. Pourquoi tu repenses à cet épisode, chérie ?

Louise tendit un verre à Eliza et vint se rasseoir à côté d'elle.

— Ma foi, je trouve qu'Eliza lui ressemble. Pas toi, Range ?

Surpris, Range observa avec attention le visage de sa collègue, comparant intérieurement les visages des deux femmes. Après un moment de réflexion, il se rendit compte de la justesse de l'observation de Louise.

— Oui, maintenant que tu le dis.

85

Voilà ce qu'elle espérait en quittant New York. L'envoûtant flamboiement de la nature automnale. Des chênes centenaires et des érables pleins d'une sève intarissable, dont le feuillage virait au rouge, à l'orange et au jaune clair. L'automne s'annonçait magnifique et Eliza, Janie et leurs voisins en avaient profité pour aller se promener.

— J'adore cet endroit. J'y viens presque tous les jours. Attention aux oies, prévint Susan en voyant les enfants s'avancer vers le lac, avant de se tourner vers Eliza. Je ne leur trouve qu'un défaut : elles couvrent les berges de leurs déjections. C'est une horreur. Mais parlons d'autre chose. Avez-vous des nouvelles de la police concernant l'auteur du cambriolage ?

— Aucune, répondit Eliza. Et d'ailleurs, pour tout vous dire, je n'en attends plus. La patrouille de nuit m'a dit de ne pas trop compter là-dessus.

— À quoi sert donc de payer des impôts si la police ne fait pas son travail ! s'exclama Susan d'une voix indignée.

Eliza hésita à poursuivre la conversation. Elle ne voulait pas lancer de fausses accusations mais, depuis une semaine, l'idée que Larson pouvait être à l'origine de ce cambriolage la hantait. Sa rage était telle qu'elle finit par confier ses soupçons à sa voisine.

— Mon Dieu, Eliza ! s'écria Susan lorsqu'elle apprit que Richards possédait encore un double des clés de la maison. Je sais que Larson a besoin d'argent, mais de là à le soupçonner de vol

— Que voulez-vous dire par « Il a besoin d'argent » ?

— Je vous ai bien parlé de son entreprise ?

— Oui.

— Je ne devrais pas me laisser aller à de telles confidences, mais je suppose que tout ça n'a plus d'importance maintenant que les Richards sont morts.

— De quoi s'agit-il ? la pressa Eliza.

Susan se décida.

— Les Richards avaient prêté beaucoup d'argent à leur fils pour que son affaire ne coule pas. Mme Richards s'inquiétait beaucoup au sujet de cette histoire et avait demandé à Larson de signer des reconnaissances de dette. Mais il revenait sans cesse à la charge, en leur demandant toujours plus d'argent. À la fin, les Richards ont refusé d'investir un sou de plus dans cette arnaque.

— Et quelle a été la réaction de Larson ?

— Terrible. Mme Richards pleurait lorsqu'elle est venue m'en parler. Vous ne pouvez pas imaginer la cruauté de cet homme. Il lui avait dit que, puisqu'elle le prenait ainsi, elle ne le reverrait jamais plus. Qu'il les considérait tous les deux comme morts.

— Gentil garçon, observa Eliza, ironique.

Les yeux de Susan s'emplirent de larmes.

— Mme Richards était si désemparée... Elle ne voulait pas perdre son unique enfant et envisageait de continuer à lui verser de l'argent.

— L'a-t-elle fait ?

— Je n'en sais rien. Les Richards sont morts, peu de temps après.

86

— M. Morton est à l'accueil. Il demande Mme Blake.

— Dites-lui que je descends immédiatement.

Paige raccrocha le téléphone et quitta son bureau. Une occasion d'interviewer l'un des candidats à la présidentielle venait de se présenter et Eliza était partie en toute hâte pour Washington. Paige n'avait pas eu le temps de prévenir M. Morton.

Elle descendit rapidement à l'accueil et se dirigea vers un homme brun aux tempes grises, grand et élégant, qui patientait là. Les vêtements n'avaient aucun secret pour Paige. Ce M. Morton portait un costume Zegna, très seyant, qu'il avait dû au bas mot payer deux mille dollars.

— Monsieur Morton ? demanda Paige en lui tendant la main. Je suis Paige Tintle, l'assistante de Mme Blake.

— Enchanté.

— Je suis désolée, mais Mme Blake a malheureusement dû s'absenter ce matin. Elle vous présente ses excuses et espère vivement que vous pourrez vous rencontrer à un autre moment.

Samuel Morton ne cacha pas sa déception

— Si vous le souhaitez, je peux vous faire visiter nos studios, lui proposa-t-elle.

Il accepta et fit preuve, pendant cette petite visite improvisée, de beaucoup d'intérêt. Lorsqu'ils arrivèrent au bureau d'Eliza, son regard plongea immédiatement sur le plateau en contrebas.

— Si seulement Sarah avait pu voir ça ! murmura-t-il, je suis sûr qu'elle aurait adoré.

— Je suis sincèrement désolée, monsieur Morton, murmura Paige, qui ne trouvait pas les mots pour lui exprimer sa compassion.

Ils regagnèrent l'accueil et Samuel tendit à la jeune fille le paquet qu'il avait gardé jusqu'alors.

— Je serai à New York toute la semaine et j'aimerais beaucoup rencontrer Mme Blake, si son emploi du temps le lui permet. Mais donnez-lui tout de même ce présent de ma part.

87

Le souvenir de leur conversation avait poursuivi Range tout le week-end. Malgré les réticences d'Eliza, il trouvait cette idée de reportage excellente. Et, en tant que producteur, il était en droit d'imposer certains sujets. Il décida donc de faire appel à Keith Chapel et lui demanda de le rejoindre au bocal.

— Tu te rappelles Linda Anderson, la présentatrice de GSN ? Essaie de retrouver des indices sur sa disparition, il y a cinq ans.

— Tu penses à un reportage sur cette affaire ?

— Peut-être, mais rien n'est trop sûr. Regarde ce que tu peux grappiller et nous en parlerons à Eliza.

Keith hocha la tête et fit demi-tour.

— Hé ! Keith, attends ! Regarde ce que j'ai là. Range sortit une cassette vidéo de son tiroir et la lui tendit. En cherchant un peu, je suis tombé sur l'audition de Linda Anderson. Elle était prête à travailler pour nous. Dis-moi ce que tu en penses.

Un peu plus tard ce jour-là, Keith visionna la cassette. La ressemblance avec la présentatrice de « Key Evening Headlines » était frappante...

88

Ce type traînait encore devant les studios d'enregistrement.

Joe Connelly savait qu'il aurait dû appeler la police, et il devait se retenir d'aller demander à cet homme ce qu'il fabriquait là depuis quelques jours. De nouvelles lettres étaient arrivées et l'inertie du FBI le rendait nerveux et agressif. Il était bien décidé à ce que rien n'arrive à Eliza tant qu'elle serait sous sa surveillance.

Encadré de deux vigiles en uniforme, Connelly déboula hors des studios, attendit que le trafic lui permette de traverser la rue et fondit sur le type en T-shirt.

— Excusez-moi, monsieur. Pouvez-vous décliner votre identité et la raison de votre présence dans ce secteur ?

L'homme lui lança un regard méprisant.

— Mon identité ne regarde que moi et, que je sache, chacun peut circuler comme il veut sur les trottoirs. Nous sommes dans un pays libre.

— Écoute, charlot, tire-toi de là et que je ne te revoie plus. Tu m'entends ? Si je te vois encore dans les parages, j'avertis la police.

— Ben voyons, tu me fais peur.

Connelly lui aurait volontiers mis son poing dans la figure. Il se contint toutefois et adressa un signe à l'un des gardes. Celui-ci sortit aussitôt un petit appareil photo de sa poche et s'empressa de prendre un cliché de l'inconnu.

— Eh ! Vous n'avez pas le droit !

— Appelle donc la police, mon vieux, lâcha Joe d'un air triomphant. Maintenant, casse-toi, et ne t'avise pas de traîner à nouveau dans le secteur.

89

Quelle chance avait ce garçon !

Certes, il souffrait d'une maladie génétique, il avait des problèmes d'élocution et ne réussirait peut-être jamais à apprendre à lire et à écrire. Mais son handicap lui permettait ce soir d'approcher Eliza.

Le spectacle de la présentatrice parlant gentiment à ce garçon le bouleversait. Pas étonnant que le gamin n'arrête pas de taper des mains. Il y avait de quoi, à côté d'une telle femme.

Il se repassait ainsi à l'envi des scènes où elle apparaissait, et il en rêvait ensuite la nuit. Bien sûr, il n'avait pas oublié Linda Anderson. Si seulement, elle ne s'était pas débattue ! songea-t-il amèrement. Elle était seule responsable.

Il se rappela son lent travail d'approche. Il lui avait fallu des mois pour la mettre en confiance et devenir le confident de ses espoirs et de ses peurs.

La peur. C'est elle qui avait tout fait échouer. Linda s'était sentie suivie et avait alerté la police. Quelqu'un, tapi dans l'ombre, l'épiait sans cesse. Quelqu'un qu'elle connaissait. Quelqu'un à qui elle avait cru pouvoir faire confiance.

Il s'était bien sûr tenu tranquille jusqu'à ce que les policiers cessent de l'accompagner dans ses déplacements. Puis, un soir d'octobre, cinq ans auparavant, l'attente était devenue insupportable. Sur le pas de sa porte, les lèvres de Linda avaient tremblé et la peur s'était lue dans son regard.

Tout aurait pourtant pu finir autrement. Si elle avait accepté son amour, il n'aurait pas eu à la traîner de force dans les bois. Si elle l'avait écouté au lieu de crier, il n'aurait pas été obligé de la réduire au silence. Il avait parfois encore l'impression de sentir son cou se briser sous ses doigts.

Après, il avait dû transporter le corps dans le coffre de sa voiture et l'avait gardé là jusqu'à ce qu'il trouve un endroit où s'en débarrasser à la mi-novembre.

Tout aurait pu finir autrement.

Avec Eliza, les choses seraient différentes. Ils vivraient heureux ensemble.

Elle ne ferait pas les mêmes erreurs que Linda Anderson.

Dans le cas contraire, elle connaîtrait le même sort.

Mon Dieu, faites que cela ne recommence pas ! pria-t-il.

90

Eliza feuilleta l'album en cuir que Samuel Morton lui avait confié. Il contenait, dans l'ordre chronologique, toutes les lettres qu'elle avait écrites à Sarah. Sous chacune d'elles, Samuel avait pris soin de noter les réactions de sa fille, ses commentaires, tout ce dont il se souvenait.

L'ordonnancement des feuillets attendrit Eliza. Cet homme traversait une telle période de détresse !

— Paige, peux-tu joindre M. Morton et me le passer, s'il te plaît ?

En attendant la communication, Eliza caressa machinalement la photo sur la couverture de l'album. La jeune Sarah, souriante, y apparaissait vêtue d'un chandail jaune à l'effigie de son équipe de foot favorite.

— M. Morton sur la trois, Eliza.

Elle prit une profonde inspiration.

— Monsieur Morton ? Eliza Blake à l'appareil. Je voulais m'excuser pour notre rendez-vous manqué et vous remercier de votre cadeau. J'apprécie beaucoup ce geste.

— J'en suis heureux. Constituer cet album a eu l'effet d'une thérapie pour moi. Et ne vous excusez pas pour l'annulation de notre entrevue, je sais que vous êtes très occupée.

Elle n'était pas insensible à la voix grave de cet homme.

— Comment vous sentez-vous, monsieur Morton ?

— Appelez-moi Samuel.

— D'accord, si vous m'appelez Eliza.

— Entendu, dit-il, un léger sourire perceptible dans le ton de sa voix. En fait, je me sens mieux depuis que j'ai mis un peu de distance entre mes proches et moi.

— Je comprends. Mais vous avez des connaissances à New York ?

— Oui, le fait est que j'ai vécu ici quelques années. Je vais pouvoir renouer de vieilles amitiés.

— Tant mieux. On a parfois besoin d'un peu de compagnie dans les moments difficiles, même si on s'en défend souvent. La solitude ne mène à rien de bon.

— Vous avez raison, approuva Samuel. Le problème est que mes amis ont des vies bien remplies et n'ont guère de temps à perdre avec un homme qui se met à pleurer très facilement.

Eliza se souvint avec émotion des dîners avec ses amis après le décès de John. Ils avaient beau être compréhensifs et aimants, elle les sentait parfois embarrassés en sa présence. De tout son cœur, elle souhaitait réconforter cet homme à l'autre bout du fil.

— Voudriez-vous dîner avec moi, Eliza ? tenta Samuel.

Elle pensa un instant bredouiller une excuse, mais n'en eut pas la force. Son regard tomba une nouvelle fois sur la jeune fille souriante au chandail jaune.

Après tout, quel mal y avait-il à passer quelques heures avec Samuel Morton ?

— Avec plaisir, répondit-elle. À condition que je ne rentre pas trop tard chez moi.

— Parfait ! s'exclama-t-il dans un regain d'enthousiasme. Choisissez le lieu et l'heure.

— Je pensais justement à demain soir, après la diffusion du journal. Disons aux alentours de 19 h 30.

— Bon, et l'endroit ?

— Je vous laisse choisir, Samuel. Vous n'aurez qu'à le dire à Paige demain.

En raccrochant le combiné, Eliza pensa à Mack. Aucun homme ne l'avait invitée au restaurant depuis son départ. Ce dîner n'aurait bien sûr rien d'un rendez-vous galant, mais elle aurait aimé que Mack soit au courant.

91

Florence Anderson fut ravie de répondre à la demande de Keith Chapel. Depuis longtemps, ni ses proches ni même la police ne voulaient entendre parler de Linda.

L'affaire semblait classée et, de toute évidence, les recherches n'aboutiraient jamais. Elle sentait comme un reproche dans la voix des inspecteurs lorsqu'elle se risquait à les joindre. Elle détestait leur résignation, leur absence d'acharnement. Elle aurait parié que, s'il s'était agi de la fille d'un de ces fonctionnaires de police, l'enquête aurait été autrement plus efficace et le mystère levé depuis longtemps.

Mme Anderson donna libre cours à sa colère, sans se douter que le chef opérateur de Key News la trouvait parfaite pour son reportage.

— La police avait pourtant bien entamé les recherches, admit-elle. Durant les jours qui ont suivi la disparition de Linda, ils ont ratissé les environs avec une meute de chiens. Ils ont même survolé la région en hélicoptère. Ils espéraient encore la retrouver vivante.

Florence observa une pause avant de poursuivre.

— Ils n'ont rien trouvé. Après toutes ces années, je sais, au fond de moi, que ma fille est morte. Mais j'aimerais savoir ce qui lui est arrivé. Pour pouvoir enfin tourner la page. Vous n'imaginez pas quel supplice c'est de ne rien savoir.

Sa voix se brisa.

— Vous avez raison, je ne peux pas m'imaginer pareille souffrance, poursuivit Keith calmement. Maintenant, écoutez-moi, madame Anderson. J'ai une proposition à vous faire. Est-ce que vous pourriez répéter ce que vous venez de me dire devant une caméra ?

— Monsieur, je traverserais Broadway toute nue si cela pouvait m'aider à trouver une réponse à mes questions.

92

— Mon petit doigt me dit que vous avez des relations. Il est impossible d'obtenir une table ici à moins de réserver des semaines à l'avance.

Samuel se contenta de lui adresser un large sourire. Ils se trouvaient dans le restaurant du prestigieux Trump Hotel. Le design des lieux se caractérisait par un dépouillement extrême visant à ne pas détourner l'attention de la nourriture. Des serveurs voletaient sans cesse autour des tables, assurant un service irréprochable.

Eliza se décida en entrée pour une soupe à l'ail, Samuel pour des asperges.

— Je suis sûr que vous venez souvent ici, dit Samuel.

— À vrai dire, c'est la première fois. J'ai souvent eu l'intention de venir, mais l'occasion ne s'est pas présentée.

— Je vois. C'est un peu comme quand on possède un jardin merveilleux et que l'on n'y met jamais les pieds.

— La métaphore est bien choisie mais, vous savez, j'essaie de ne pas trop m'absenter de chez moi. J'aime retrouver ma fille à la fin de la journée.

Elle regretta aussitôt ses paroles. Parler de sa fille à un homme qui venait d'enterrer la sienne. Comment pouvait-elle manquer de tact à ce point ?

— Bien sûr, je comprends ça, répondit-il sans s'offusquer. Le temps que vous passez avec votre fille est précieux. Je suis désolé de vous avoir éloignée d'elle ce soir.

— Ce n'est pas ce que je voulais dire. Je suis ravie d'être ici avec vous, bafouilla-t-elle. Janie elle-même ne doit pas s'en plaindre. Elle regarde sûrement la télévision avec Mme Garcia en mangeant du pop-corn.

— Mme Garcia est sa nourrice ?

— Oui, doublée d'une merveilleuse employée de maison.

— Vous avez de la chance, une personne de confiance est difficile à trouver. Je me rappelle lorsque Sarah était petite et que ma femme venait de décéder. Je suis passé par un nombre inouï de nourrices. Certaines me volaient, d'autres amenaient leur petit copain en mon absence, et j'en passe.

— Comment vous en êtes-vous rendu compte ?

Samuel parut embarrassé par la question.

— Cela me gêne de vous le dire. Vous risquez d'avoir une bien piètre opinion de moi. Le fait est que j'ai commencé à m'interroger sur le compte de l'une d'elles. Chaque fois que je rentrais plus tôt que prévu du travail, je la surprenais avec son compagnon. Un jour, j'ai même cru déceler une odeur de marijuana dans l'appartement. Profitant à mon tour de son absence pendant un week-end, j'ai décidé de fouiller sa chambre.

— Et vous avez trouvé de la drogue ?

— Non, je suis tombé sur son journal intime. Elle décrivait ses ébats avec son copain, dans mon lit, le sentiment d'excitation que cela lui avait procuré et leurs jeux sensuels dans ma douche. Tout cela pendant que Sarah dormait dans la pièce voisine. (Samuel se rejeta sur son dossier.) Vous devez me prendre pour un sale type, à présent.

Eliza ne tenta pas de le rassurer immédiatement. Mais, à la réflexion, elle jugea son attitude compréhensible.

— Je comprends votre réaction, j'aurais sans doute agi de la même manière.

En attendant la suite du repas, ils évoquèrent la situation professionnelle de Samuel. Deux magnifiques tranches de flétan ivoire flottant dans un coulis de tomates et accompagnées d'un délicat ruban de courgettes leur furent ensuite servies.

— Mmmm, c'est délicieux ! déclara Eliza dès la première bouchée.

Il l'approuva d'un signe de la tête.

— À Sarasota aussi, les restaurants sont excellents. Vous connaissez la région ?

— Non, mais c'est une ville dont j'entends souvent vanter les mérites. Moi qui adore la mer, je crois que je n'aurais plus envie de me tuer au travail si j'habitais là-bas.

— C'est exactement ce qui m'arrive. La mer a des qualités apaisantes. Les cendres de ma petite Sarah ont d'ailleurs été dispersées dans le golfe du Mexique.

Eliza eut soudain du mal à avaler. Son visage trahit une telle détresse que l'avocat s'empressa de s'excuser.

— Excusez-moi, Eliza. Cela m'a échappé. Je le regrette.

Pauvre homme ! pensa-t-elle. Sa plaie était encore à vif.

Sur le trottoir, devant le restaurant, un paparazzi épiait la présence d'éventuelles célébrités. Après le repas, Samuel Morton escorta Eliza jusqu'à sa voiture, stationnée près de Central Park. Le photographe ne pouvait espérer mieux.

Le lendemain matin, le *Daily News* publiait la photo de leurs deux visages, LE NOUVEL AMOUR D'ELIZA BLAKE, annonçait la légende.

93

Drake apporta docilement les journaux du samedi à son maître, comme celui-ci le lui avait appris. Jerry feuilleta d'un œil distrait le *Record* et tomba sur le portrait rayonnant d'Eliza Blake. Le souffle lui manqua lorsqu'il lut l'article qui lui était consacré. Eliza habitait à quelques kilomètres de chez lui, en amont de Saddle River. Ils étaient donc voisins !

Une fois passé l'effet de surprise, il relut l'article et le découpa soigneusement. Il le glissa ensuite dans le tiroir de sa table de nuit. En comparaison de ce qu'il venait d'apprendre, le *New York Times* lui parut bien ennuyeux. Il se contenta de le feuilleter, notant au passage que les Yankees arriveraient probablement cette année encore en phase finale du championnat de base-ball.

La lecture du *Daily News* lui fut en revanche insupportable.

LE NOUVEL AMOUR D'ELIZA BLAKE.

Il observa la photo du couple. Ce type avait l'air d'un cerf apeuré surpris par les phares d'une voiture. Eliza ne pouvait s'être amourachée de lui. Jerry ne décoléra pas de toute la matinée. Il se jeta sur un paquet de gâteaux au chocolat qu'il s'efforça d'éliminer par une séance de musculation forcenée.

Incapable de se contenir plus longtemps, il se précipita sur le téléphone. Il était 14 heures.

Mis en relation avec le poste d'Eliza, il libéra sur son répondeur le flot de haine et de désir qui l'assaillait depuis les premières heures de la journée.

— J'ai tout lu dans le journal, Eliza. C'est une sage décision, d'avoir quitté la ville. Tu seras mieux ici, tu verras. (Sa voix s'emplit de larmes.) Mais ne te mets pas avec ce type, Eliza. Il a l'air terriblement ennuyeux. Nous pourrions tellement nous amuser tous les deux, mon amour. Donne-moi une chance.

Il pensa raccrocher, mais il voulait que ses paroles soient prises au sérieux.

Il prononça ses derniers mots dans un sifflement menaçant scandé par les aboiements de son fidèle Drake.

— Tu as intérêt à écouter mes conseils, ma belle. Sinon, je m'occuperai de ta fille.

94

Abigail sortit satisfaite de sa séance de gym dominicale.

Elle était fière de ses abdominaux et songeait qu'Eliza apprécierait leur fermeté si seulement elle se laissait tenter...

Elle avait bien fait de se lever tôt car, tandis qu'elle se dirigeait vers la sortie, les gens commençaient à affluer dans la salle de sport. Elle tomba nez à nez avec Monica Anderson qui patientait sur le trottoir. Peu disposée à lui parler ce jour-là, elle lui adressa un vague sourire et bafouilla une excuse. C'était sans compter sur la détermination de Monica.

— Devine quoi, Abigail ? Key News fait un reportage sur la disparition de Linda. Ma mère est aux anges. Elle est convaincue qu'une émission diffusée à l'échelle nationale peut apporter un nouvel éclairage sur l'affaire. Quelqu'un tombera peut-être dessus et apportera de nouveaux éléments.

— C'est super pour toi, Monica, répliqua froidement Abigail.

— Ma mère a tout de suite pensé que l'idée venait de toi.

Abigail aurait pu mentir sans que Monica en sache jamais rien. À quoi bon, cependant ?

— Je regrette, mais ce n'est pas moi. Qui se charge du reportage ?

Monica se pinça la lèvre. Sous le coup de l'émotion, le nom du chef opérateur qui avait interrogé sa mère lui échappait.

— Impossible de retrouver le nom du technicien. Je sais en revanche que le sujet sera diffusé au journal télévisé. Eliza Blake va venir à la maison pour l'interview.

Sur le chemin du retour, Abigail se demanda pourquoi Key News déterrait une histoire aussi vieille.

Mais apprendre qu'Eliza allait enquêter sur la disparition d'une de ses meilleures amies fut pour elle comme un signe du destin. Elle y vit la preuve que leurs deux vies étaient liées de manière inextricable.

OCTOBRE

95

Il y avait enfin du nouveau, mais pas de nature très rassurante, En interrogeant son répondeur, le lundi matin, Paige tomba sur un nouvel appel qu'elle transmit sans tarder à la sécurité.

— Pas un mot à Eliza, lui fit promettre Connelly. Je lui en parlerai moi-même le moment venu.

Les samedis après-midi étaient relativement calmes au standard de Key News, ce qui permettrait peut-être à l'opérateur téléphonique de trouver la provenance de l'appel.

Connelly écouta une fois de plus le message adressé à Eliza avant d'en reporter le contenu dans son fichier.

L'homme avait commencé par dire qu'il habitait non loin de chez Eliza.

Il lisait le *Record* et le *Daily News*.

Il possédait un chien.

Fait important, parce que nouveau : il avait proféré des menaces à l'encontre de la fille d'Eliza.

La sueur perlait sur le front de Connelly.

— Je vais dépêcher une équipe de sécurité pour surveiller votre domicile.

Eliza s'agrippa aux bras de son fauteuil, abasourdie par la nouvelle. Janie, pensa-t-elle dans un sursaut d'angoisse.

Elle était à l'école en ce moment. N'importe quel cinglé armé pouvait entrer dans l'enceinte de l'établissement et l'enlever. Combien de fois avait-elle rapporté de telles histoires sur le petit écran ? Eliza avait du mal à respirer. Elle ferma les yeux, comme pour chasser de son esprit la terreur qui s'emparait d'elle.

— Ce n'est pas le moment de paniquer, Eliza.

Joe avait raison, elle n'avait pas le droit de craquer maintenant. La vie de sa fille en dépendait.

— Je me charge de tout, l'assura-t-il. Dès cet après-midi, votre propriété sera sous surveillance.

Eliza hocha lentement la tête.

— Il faut que je prévienne l'école et Mme Garcia.

— Je peux m'en charger, proposa Joe.

Dans un dernier effort, Eliza se ressaisit.

— Non, je le ferai moi-même, Joe.

Elle ne laisserait pas un détraqué régenter sa vie.

96

Le type de la sécurité pouvait aller au diable. Il n'avait plus besoin de se rendre à New York et de camper devant ces satanés studios d'enregistrement, Eliza avait emménagé à deux pas de chez lui.

Enfin presque. Ils habitaient certes le même comté mais, en termes de standing, un fossé les séparait. Le journal local parlait d'une communauté très « sélect ». Et Cornelius n'appartenait certainement pas à ce monde.

Il s'habilla soigneusement, enfila son unique pantalon vert kaki et un sweat-shirt sur lequel un joueur de polo était brodé. Il s'était juré de ne jamais porter ce pull ridicule, cadeau de sa mère pour Noël. Ce jour-là, pourtant, il lui en fut reconnaissant. C'était tout à fait le type d'habits portés par les aristos de HoHoKus.

Il emprunta la Nationale 17 à bord de sa vieille Escort en guettant la sortie vers HoHoKus. Au niveau de Hollywood Avenue, il passa le pont surplombant l'autoroute et nota ensuite le nom de toutes les rues aux intersections. Lloyd, Elmwood, Lakewood, Fairview. Au bout d'un kilomètre environ, il débarqua sans encombre dans le centre-ville de HoHoKus.

Et quel centre-ville ! ricana-t-il. Une petite bourgade endormie, tout au plus. Il longea lentement la rue principale, en quête d'un coiffeur. Il avait bien besoin d'une coupe, et surtout, il ne trouverait pas meilleur endroit pour apprendre les derniers ragots.

Ayant repéré ce qu'il cherchait, il se gara un peu plus loin. Malheureusement, une pancarte « Fermé », apposée sur la devanture du salon de coiffure, vint compromettre ses plans.

Quel imbécile ! On était lundi. Il jeta un œil à l'intérieur et vit une silhouette dans la pénombre. Il toqua contre le carreau de la porte d'entrée et réfléchit rapidement à la manière d'embobiner le coiffeur.

— Bonjour, monsieur ! Je viens juste d'emménager dans le quartier et mes beaux-parents viennent visiter la maison pour la première fois aujourd'hui. Ma femme veut que je sois présentable et elle va me tuer si je ne reviens pas avec une coupe digne de ce nom. Est-ce que vous pouvez me prendre ?

Le coiffeur regarda sa montre.

— Eh bien, j'avais prévu d'aller jouer au golf, mais pas avant cet après-midi. Entrez donc.

— Vous êtes mon sauveur ! s'exclama Cornelius en franchissant la porte.

— Heureusement pour vous que j'avais oublié mon portefeuille ici, sans cela vous n'auriez trouvé personne. Le coiffeur alluma machinalement les lampes murales. Vous venez d'emménager où ?

— Nous avons acheté une maison près de Lakewood.

— Lakewood ? Ça ne me dit rien. Je n'ai pourtant pas eu vent d'un achat dans le coin ces derniers temps.

— C'était une vente de particulier à particulier, improvisa aussitôt Cornelius.

— Vous avez eu de la chance. Croyez-moi, tout ce qui est mis en vente dans la région est pris d'assaut.

— Je sais. Ça fait des années que ma femme veut s'installer par ici. Depuis qu'elle sait qu'Eliza Blake habite la région, elle est encore plus excitée. Vous savez où elle habite ?

Le coiffeur prit ses ciseaux et se mit au travail.

— Elle a acheté la propriété des Richards, sur la route de Saddle Ridge. Une imposante bâtisse en brique.

— Il faut que j'emmène ma femme voir ça. C'est la seule propriété de ce style dans le coin ?

Son interlocuteur s'arrêta un instant pour réfléchir.

— Pas sûr. Ils ont encore construit là-bas ces derniers temps. En tout cas, la maison d'Eliza Blake est sur la droite quand vous arrivez de Saddle River Road. Juste dans le virage, vous verrez.

97

Une douzaine de roses magnifiques, disposées dans un vase de forme oblongue, atterrirent sur le bureau d'Eliza le lundi après-midi. Elle leva toutefois à peine les yeux lorsque Paige les lui apporta.

— Il y a une carte, vous voulez que je la lise ? s'aventura son assistante.

— Si tu veux, répondit Eliza d'une voix morne.

Paige fit glisser la petite carte de son enveloppe.

— Merci de m'avoir fait comprendre que la vie pouvait encore me réserver des moments agréables. Samuel.

Paige attendit avec impatience la réaction de sa supérieure, espérant que ce geste romantique la tirerait de sa torpeur.

— C'est gentil, articula finalement Eliza.

Elle se leva et se dirigea vers la fenêtre.

— J'ai tellement hâte que cette journée se termine ! ajouta-t-elle alors.

— Est-ce que les hommes de la sécurité sont déjà arrivés chez vous ?

— Oui, je viens juste d'avoir Mme Garcia au téléphone. Elle en a vu deux postés à l'extérieur de la maison.

— Et Janie ?

— Elle va bien et ne se rend pas vraiment compte de ce qui se passe.

— C'est mieux comme ça, déclara Paige.

Eliza, désespérée, pressa ses poings contre la vitre devant elle. Mais pourquoi Joe Connelly et la compagnie gérant le réseau téléphonique ne parvenaient-ils pas à arrêter ces détraqués ?

98

Chaque semaine, aux alentours de 17 heures, un coursier récupérait le courrier à destination du bureau de Londres afin qu'il parte le soir même. Ce jour-là, Abigail glissa une enveloppe grise à l'adresse de Mack McBride dans le sac jaune déjà bien rempli. Mais elle se garda cette fois de respecter la procédure : elle ne mentionna pas son nom sur la fiche récapitulative qui accompagnait les envois.

Pourquoi lui aussi ne souffrirait-il pas ?

En ouvrant l'enveloppe, Mack tomberait sur la photo compromettante du *Daily News*. Il aurait beau chercher, il ne saurait jamais qui la lui avait envoyée.

Et puis, qui sait ? la nouvelle le découragerait peut-être. Il ne chercherait sans doute plus à renouer avec Eliza s'il apprenait qu'elle lui avait trouvé un remplaçant.

Abigail ne baissait pas les bras. Malgré les protestations d'Eliza, elle espérait toujours la conquérir. Elle ne voulait pas que Mack resurgisse dans la vie de celle qu'elle aimait.

99

Un autre appel parvint à Key News un peu après minuit. Cette fois, Eliza brava les conseils de Joe et demanda à entendre le message. Les mots chuchotés à l'autre bout du fil la firent pâlir d'horreur.

— Eliza, tu n'as pas besoin de maquillage pour resplendir. Je sais que le jour est proche où je me réveillerai à tes côtés. Ta fille nous rejoindra au lit et nous nous blottirons tous les trois...

Pas besoin de maquillage ? Qui avait bien pu la voir sans maquillage ? Quelqu'un qui l'aurait épiée chez elle, tandis qu'elle jouait avec Janie dans le jardin ? Ou qui l'aurait vue arriver aux studios un jour où, en retard, elle n'avait pas pris le temps de se farder ?

Eliza en eut la nausée, Elle se précipita aux toilettes pour vomir.

Il fallait qu'elle tienne le coup. À tout prix.

Keith voulait tourner les scènes de leur prochain reportage sur les chauves-souris. Il suggéra donc une visite au zoo du Bronx en fin de semaine, afin d'y interviewer le spécialiste en la matière. Et puis ils pourraient en profiter pour interroger les visiteurs sur leurs impressions concernant ces bêtes étranges.

La météo prévoyait un temps clément. Tous les éléments étaient réunis pour une journée de tournage réussie.

Eliza réfléchit un instant, impossible de laisser Janie seule ce week-end.

— D'accord, Keith, mais j'emmène ma fille avec moi, déclara-t-elle d'un ton ferme.

Si Keith fut surpris, il n'en montra rien.

— Pas de problème, Eliza. C'est une bonne idée. Il paraît qu'il y a quelques attractions liées à Halloween là-bas et je suis sûr que Janie va adorer ça.

Il passa une dernière fois en revue les différents points qu'il avait griffonnés sur son calepin.

— Autre chose, Eliza. En ce qui concerne Linda Anderson, j'ai pensé à mardi prochain pour interviewer sa mère ? Ça te convient ?

Eliza peinait à rester concentrée sur son travail.

— Vois avec Paige. Si mon agenda le permet, c'est d'accord.

Les recherches de Keith sur le sujet avaient emballé Range. Un reportage sur Linda Anderson promettait de faire exploser l'Audimat. Eliza s'était montrée plus réticente, mais l'insistance de Range l'empêchait de s'opposer à ce choix. Les ressemblances entre les deux présentatrices étaient frappantes : même physique, même travail, même popularité. L'enquête policière avait d'ailleurs piétiné en raison de celle-ci. N'importe quel téléspectateur avait pu devenir obsédé par l'image de Linda.

Les recherches avaient conduit les inspecteurs à interroger de nombreux proches de la disparue, du simple collègue de travail jusqu'aux amis les plus intimes. Au total, près de quatre cents personnes, et presque autant de pistes suivies. La police avait finalement penché pour la thèse du fan obsédé. L'ironie avait voulu que Linda soit victime de sa propre popularité. Tous les moyens mis en œuvre pour la retrouver avaient échoué.

100

James était à l'école et la nourrice s'occupait des petites. Susan laça ses baskets et sortit pour sa séance de jogging. Elle commença par s'étirer contre la façade de la maison, puis s'élança sur la route. Ce matin encore, la voiture gris foncé de la sécurité était garée devant la propriété d'Eliza. Un homme était au volant et un second inspectait les alentours.

Susan eut une pensée émue pour sa nouvelle amie. Elle avait toujours cru que les célébrités menaient une vie de rêve, et constatait à présent que la réalité était bien plus sinistre. Elle n'en apprécia que davantage encore le calme de sa propre vie.

Elle salua l'homme dans la voiture et se dirigea vers le lac autour duquel elle avait l'habitude de courir. Elle attaquait son cinquième tour lorsqu'elle aperçut une vieille voiture bleue s'arrêter à hauteur d'un bouquet d'arbres, en face d'elle sur l'autre rive. Un tour supplémentaire lui fit constater que la voiture se trouvait toujours au même endroit, mais qu'il n'y avait personne à l'intérieur.

Cornelius avait dépassé au ralenti l'imposante demeure, notant la présence de la berline gris foncé postée à l'entrée. Il n'osa faire demi-tour pour jeter un deuxième coup d'œil. La voiture sentait le flic à plein nez.

Il se gara au même endroit que le lundi matin, quand il était venu repérer les lieux après sa conversation avec le coiffeur. L'endroit lui parut parfait : légèrement en retrait par rapport aux maisons avoisinantes, et près d'un bois sombre qui lui assurait un bon camouflage. Il avait été bien inspiré de venir là en début de semaine, avant que ces salauds ne viennent surveiller la maison d'Eliza. La facilité avec laquelle il avait pu fouiller du regard les moindres recoins de la propriété l'avait empli d'enthousiasme.

La dépendance en particulier l'avait séduit – elle était plus spacieuse et plus jolie que son propre appartement. Mais il avait choisi le refuge perché dans un arbre comme poste privilégié d'observation. S'il parvenait à s'y glisser à la tombée de la nuit, il disposerait d'une vue parfaite sur la chambre d'Eliza.

La présence des gardes compliquait certes un peu les choses, mais rien ne l'arrêterait à présent. Sa décision était prise. Et puis cet abri lui rappelait en tous points le refuge de ses chauves-souris. Désormais, l'occasion lui était donnée d'imiter ses compagnes nocturnes. L'obscurité le ferait sortir de sa cache pour traquer sa proie.

Larson Richards se préparait en vue d'un déjeuner important. Un investisseur potentiel l'attendait chez Marcello, un restaurant de HoHoKus. Pas de raté aujourd'hui, se dit-il en descendant l'avenue Sheridan. Il avait à peine réussi à payer ses employés cette semaine et, s'il ne décrochait pas une grosse somme d'argent dès aujourd'hui, il ne pourrait leur verser leur prochain salaire. Ce serait alors le commencement de la fin.

Si ses avocats, ses comptables et ses secrétaires n'étaient plus payés, ils devineraient la gravité de la situation et en parleraient autour d'eux. D'abord à leurs épouses, qui le répéteraient à leurs amies, et ainsi de suite.

Il était en avance. Sans réfléchir il prit l'avenue Lloyd. La fille d'Eliza devait sortir de l'école à cette heure-là.

Il espérait encore gagner la confiance de la présentatrice. L'inciter à investir elle aussi. L'avertissement de la jeune femme lui revint alors à l'esprit. Elle ne voulait pas le revoir aux alentours de sa maison. Mais elle n'avait pas parlé de l'école. Si seulement il parvenait à gagner la confiance de la gamine, sa mère suivrait. De toute façon, il n'avait plus rien à perdre, il était au plus bas. Même Augie, ce pompiste minable, le menaçait.

Il se gara derrière une longue file de voitures, sans remarquer la présence d'une berline gris foncé derrière la Volvo blanche.

Un instant plus tard, une nuée d'écoliers sortaient en courant rejoindre leurs parents ou leurs nounous. Il repéra Janie. Une dame à peine plus grande que les élèves la conduisit jusqu'à sa nourrice.

Larson ouvrit la portière puis se ravisa. Il choisissait peut-être mal son moment. Mme Garcia ne l'avait guère apprécié lors de sa petite visite surprise. Cela n'arrangerait pas ses affaires si elle se plaignait encore une fois de lui à Eliza.

Il tenterait sa chance une autre fois.

Voilà donc comment ils procédaient.

La voiture de sécurité suivait la bonne lorsqu'elle allait chercher la gamine à la sortie de l'école.

C'était le moment d'en profiter pour gagner son poste d'observation. Sinon, il lui faudrait attendre la nuit noire. Une crainte le fit toutefois reculer : il était fort probable que les gardes inspectent la cabane à leur retour. Cornelius patienta donc derrière les arbustes jusqu'au retour du convoi. La nourrice emmena la fillette à l'intérieur et les gardes mangèrent leur repas dans la voiture stationnée devant la maison. Toutes les vingt minutes, l'un des deux hommes faisait le tour de la propriété. À chaque fois, il passa à deux pas de Cornie sans remarquer sa présence. À 16 heures, une équipe vint prendre la relève.

Il patienta une heure de plus, sachant qu'il serait en retard au bar et que son patron lui en voudrait. Mais il était encore plus impatient de voir sa tête quand il lui annoncerait qu'il ne faudrait pas compter sur lui vendredi soir. Son patron aurait beau râler, rien ne le ferait renoncer. À aucun moment en effet l'un des gardes n'avait songé à inspecter la cabane.

101

— Ne me demande pas pourquoi je l'ai fait, Doris. J'en ai eu envie, c'est tout.

— Ressentir de la compassion pour un homme ne justifie pas de l'inviter à dîner chez toi, surtout avec tout ce qui t'arrive en ce moment.

Doris avait entièrement raison, mais Eliza avait été touchée lorsque Samuel l'avait appelée pour lui demander s'ils pouvaient de nouveau sortir ensemble. Elle lui avait raconté tous ses déboires. Sa gentillesse et son attention avaient fait le reste. Et même s'il était difficile de l'admettre, elle se sentait soulagée de s'être confiée à un homme. Évidemment, elle ne niait pas que son côté protecteur l'avait séduite. Mais cela lui était égal. Au vu de la situation, elle serait rassurée d'avoir quelqu'un à ses côtés le vendredi soir.

Elle n'avait pas informé ses beaux-parents de la menace proférée à l'égard de Janie. Il était inutile de les faire paniquer.

— Tu as imaginé la réaction de Janie ? Qu'est-ce qu'elle va penser d'un nouvel homme à la maison ? demanda Doris en dessinant le contour des lèvres d'Eliza.

— J'espère qu'elle s'entendra avec lui. Je lui ai promis que, si elle était gentille vendredi soir, je l'emmènerais au zoo le lendemain.

Doris leva les yeux au ciel et Eliza éclata de rire pour la première fois depuis plusieurs jours.

— Tous les moyens sont bons, je vois.

Pendant tout son séjour en Israël, Mack avait pensé appeler Eliza, sans se résoudre à le faire. Les arguments ne manquaient pas : le travail harassant, les événements à couvrir, etc. Pourtant, il ne se leurrait pas. Il avait beau risquer sa vie tous les jours en se déplaçant dans des zones de conflits, il savait que seule la lâcheté l'empêchait de décrocher son téléphone pour renouer avec Eliza.

Elle n'avait pas répondu à sa longue lettre d'excuses.

Chaque jour, la situation devenait plus compliquée et le fossé se creusait entre eux. De retour à Londres, allongé dans la chambre entièrement rénovée d'un magnifique hôtel victorien, Mack réalisa qu'il était trop tard pour recoller les morceaux. La coupure de journal posée sur le lit le lui avait confirmé.

Elle avait trouvé quelqu'un d'autre.

Quoi de plus normal, après tout ? Il l'avait trompée si facilement. Et il n'était même pas à ses côtés alors qu'elle avait besoin d'aide. Eliza ignorait qu'il avait appelé Joe Connelly régulièrement pour se tenir au courant des développements de l'enquête. Il avait tenu à ce qu'elle n'en sache rien.

S'il avait eu un peu de cran, il serait allé voir Marcy pour lui demander quelques jours de congé.

Mack s'empara une dernière fois de la coupure de presse et regarda la photo. Ce type avait l'air bien. Sans doute la traiterait-il mieux qu'il n'avait su le faire.

102

La nuit était fraîche et Cornelius se félicitait d'avoir apporté sa veste de ski et ses gants. Son sac à dos contenait quelques sandwichs au fromage, une bouteille Thermos remplie de café et des cannettes de bière. Il pourrait toujours pisser dans une cannette vide en cas d'envie pressante.

La maison était entièrement éclairée et, de son poste d'observation, il se trouvait aux premières loges. Il embrassait d'un seul coup d'œil plusieurs pièces de la maison.

De la cuisine lui parvenaient les échos d'une conversation. Eliza était parfaite dans le rôle de la maîtresse de maison joyeuse qui s'activait à remuer la salade et à servir des verres de vin. Le type, lui, avait l'air d'un de ces snobs aux armoires impeccablement rangées, remplies de vêtements de marque. Mais il ne ressemblait guère à l'homme que le magazine people avait surpris au bras d'Eliza l'été précédent. Cornelius s'était renseigné sur Mack McBride. Il voulait savoir pourquoi Eliza s'était entichée de ce reporter. Il avait ainsi suivi ses reportages sur le Moyen-Orient. Non, cela ne faisait aucun doute, le gars de ce soir n'était pas McBride.

Mais quel genre de mère était-elle ? Changer d'amant comme de chemise, avoir le culot de les ramener à la maison et s'exhiber devant une petite de cinq ans ? Pute ! pensa-t-il.

Le spectacle mielleux de ce trio réuni autour de la table de la salle à manger lui donna la nausée. Le type couvait la gamine des yeux et se montrait exagérément attentif. Il l'interrogeait et riait à chacune de ses réponses. Le meilleur restait toutefois encore à venir.

Eliza et sa fille quittèrent la table et l'invité resta seul à siroter son vin. Une lumière s'alluma à l'étage, découvrant un pan de mur jaune. Il entrevit la bouche d'Eliza articuler des mots tandis que, probablement, la petite se brossait les dents.

Pendant ce temps, le type alla à la cuisine se servir un autre verre de vin. Il regarda distraitement par la fenêtre, ouvrit la porte qui donnait sur le jardin et s'aventura à l'extérieur. Dans le noir, il sembla à Cornie que l'homme se penchait vers la piscine. De légers plissements agitèrent la surface de l'eau.

Drôle d'oiseau, pensa-t-il.

La lumière à l'étage disparut. La gamine devait être couchée à présent. Eliza réapparut au rez-de-chaussée et, constatant l'absence de son invité, se dirigea vers la cuisine.

Cornie entendit distinctement sa voix.

— Samuel ?

— Je suis là, Eliza. Je contemple votre piscine.

— Ah ! Attendez, je vais allumer.

Le jardin fut soudain inondé de lumière et Cornelius se recroquevilla du mieux qu'il put. Précaution inutile.

Ils n'auraient rien remarqué de toute façon.

— Il faut que je fasse installer une bâche pour la couvrir, dit Eliza, les bras croisés à cause de la fraîcheur.

Lorsqu'elle s'avança au bord de la piscine, l'inconnu l'enlaça. Ils échangèrent quelques mots à voix basse.

Cornelius ne perdit pas une miette du spectacle. La vision de cet homme en train d'embrasser Eliza le mit dans une rage folle. Les mains de la jeune femme se nouèrent autour du cou de l'inconnu et elle lui rendit son baiser.

Traînée !

L'homme se retira aux alentours de 23 heures. Une demi-heure plus tard, la maison était plongée dans le noir. À minuit passé, une nouvelle équipe de gardes prit la relève et Cornelius quitta son perchoir.

Il suivit discrètement la rangée d'arbustes qui encerclait la propriété et traversa les terrains de trois maisons mitoyennes en direction du lac. De là, il regagna la route bitumée et retrouva sa voiture.

Il y avait une contravention sur le pare-brise.

Merde !

Les flics avaient dû relever sa plaque d'immatriculation.

103

— Bon, d'accord, tu peux venir. Tu rivaliseras avec les éléphants.

À l'instant même où il prononçait ces mots, Keith comprit qu'il venait de dépasser les bornes. Même sils parvenaient à sauver leur couple, Cindy ne lui pardonnerait jamais son injure.

Le visage de sa femme trahit son ébahissement, puis sa douleur.

Et maintenant les larmes, anticipa Keith.

— Bordel, Cindy ! Tu me pousses à bout.

— Je voulais juste passer une journée avec mon mari. Qu'est-ce que je suis censée faire ? Traîner seule dans cet appartement ? dit-elle en pleurant.

Keith regarda ses chevilles gonflées et son ventre protubérant. La femme blonde, sensuelle et chaleureuse qu'il avait connue s'était effacée derrière cet être gauche et terne. Sa peau était marbrée et le manque de sommeil dessinait des cernes sombres sous ses yeux. Un mélange de compassion et d'écœurement le saisit. Il ne voulait pas être vu avec elle au zoo.

Sa présence serait un poids pour lui et Eliza. Après l'épisode de Dallas, il ne tenait pas particulièrement à faire les présentations. Cindy ne viendrait pas, un point c'est tout.

— Écoute, chérie. On ne va pas y passer la journée, je serai de retour au milieu de l'après-midi, je te le promets. Ça nous laissera du temps ensemble.

Mais la colère de Cindy avait redoublé.

— Inutile de te forcer ! lui décocha-t-elle, à bout de nerfs.

Elle se précipita dans la chambre et claqua la porte de toutes ses forces.

104

Cornelius était frigorifié. Il venait de passer la nuit à somnoler dans sa voiture. La veille, il avait quitté les bois pour rejoindre le centre de HoHoKus. Là, il s'était garé près d'une station-service et n'avait pas bougé jusqu'au petit matin.

Un copieux sandwich aux œufs et au bacon accompagné d'une bonne tasse de café brûlant revigora ses membres engourdis. Tout en engloutissant la nourriture, il s'interrogea sur l'emploi du temps d'Eliza.

Que faire aujourd'hui ?

Impossible de retourner au même endroit. Les flics se douteraient de quelque chose. Vadrouiller dans le voisinage semblait aussi risqué, étant donné la présence de ces fichus gardes-chiourme. Il fallait trouver un endroit sûr.

Une idée lui traversa alors l'esprit. La nouvelle maison en construction un peu plus loin dans la rue ferait l'affaire. Le chantier serait désert ce week-end et il pourrait y dissimuler sa voiture. Même si des badauds l'apercevaient, le mauvais état de son Escort laisserait penser qu'elle appartenait à l'un des ouvriers.

Il reprit la route de Saddle Ridge et s'engagea dans le chemin boueux menant au chantier. Les travaux étaient déjà bien avancés et il rangea sa voiture dans le garage. Empruntant les quelques marches qui le séparaient des pièces habitables, il se retrouva dans ce qui deviendrait sûrement la cuisine. Il déambula encore, un instant avant de tomber sur l'escalier qui le conduisit à l'étage. Une petite chambre lui procura entière satisfaction. De cet endroit, il retrouvait une vue imprenable sur la maison d'Eliza.

Il reprit aussitôt sa surveillance et vit sa patience vite récompensée. Eliza sortit de chez elle avec sa fille et monta dans la Volvo. Un garçonnet de la maison voisine les rejoignit et la voiture démarra, suivie de près par la berline.

Cornelius épousseta son pantalon et dévala l'escalier jusqu'au garage.

105

Sous le soleil radieux de cette journée d'automne, Samuel Morton faisait les cent pas à l'entrée du zoo. Il était ravi qu'Eliza lui ait proposé de la rejoindre au zoo après le tournage et de passer ensuite le reste de l'après-midi avec elle. Il espérait simplement que ce n'était pas la pitié qui avait dicté son invitation.

Le souvenir de leur baiser, la veille, au bord de la piscine, lui assurait le contraire. Elle avait fait preuve d'une certaine fougue et, s'il avait voulu, il aurait pu aller plus loin. Mais il ne souhaitait pas précipiter les choses. Il était encore trop tôt.

Il la vit arriver de loin, accompagnée de deux enfants et de deux techniciens chargés de matériel vidéo. Deux autres hommes la suivaient en retrait. Les gardes, sans doute, pensa-t-il.

— Bonjour, lui dit-elle avec un sourire et en l'embrassant sur la joue. Après votre départ, j'ai réalisé que j'aurais dû vous demander de nous retrouver un peu plus tard. J'espère que vous n'allez pas trop vous ennuyer.

— Ne vous en faites pas. À vrai dire, je suis plutôt ravi d'avoir l'opportunité d'assister à un tournage en direct.

Eliza fit les présentations.

— Vous connaissez Janie. Voilà son copain, James.

Samuel se prêta au jeu et se courba pour serrer la main du garçon.

— Voici Keith Chapel, notre réalisateur, B. J. D'Elia, notre cameraman et enfin notre ingénieur du son, John Dolan.

— Bonjour, messieurs, salua Samuel en inclinant la tête et en serrant, tour à tour, la main des trois hommes.

Eliza ne mentionna pas les gardes.

— Par quoi commence-t-on, Keith ? demanda Eliza,

— On pourrait entrer et jeter un œil sur les animaux pendant que l'équipe se prépare. On en profiterait pour demander aux gens leurs impressions sur les chauves-souris.

— Parfait, allons-y.

Eliza s'entretint auparavant avec les hommes de la sécurité, leur demandant de rester à l'extérieur pour ne pas gâcher le souvenir qu'auraient les enfants de cette journée.

Trop beau pour être vrai.

Cornelius se mêla aux autres visiteurs et épia Eliza et sa tribu réunie devant l'entrée du Monde Souterrain. Il connaissait cette partie du zoo par cœur, car sa soif de connaissance des mammifères volants l'avait déjà conduit ici plusieurs fois. C'était d'ailleurs là qu'il avait, pour la première fois de sa vie, tenu le corps tremblant d'une chauve-souris dans ses mains. Le zoo proposait diverses activités pédagogiques pour familiariser les enfants avec ces étranges volatiles.

La juxtaposition soudaine des deux passions de sa vie, là, devant ses yeux, l'excita follement.

Regardez-moi ça. Elle n'a pas trouvé de jean plus moulant !

Au même moment, cinq paires d'yeux cillèrent pour s'adapter à la soudaine obscurité. Eliza, Samuel, Keith et les deux enfants avancèrent à tâtons dans le pavillon du

Monde Souterrain. L'espace avait été conçu de manière à recréer le monde caverneux et utérin dans lequel vivaient certaines espèces. Impressionnés, Janie et James se collèrent à Eliza puis, rapidement excités par l'ambiance nocturne, se précipitèrent vers les vivariums.

— C'est quoi, maman ?

Reste calme et entre avec les autres visiteurs, se dit Cornie.

Il passa à proximité des gardes et de l'équipe technique, puis s'engouffra, à l'intérieur de la grotte.

L'obscurité était son alliée.

— Janie, James ! Ne courez pas ! tonna Eliza. Restez à côté de moi.

Les enfants se penchaient déjà sur la vitre suivante.

— Berk ! Des chauves-souris ! grimaça Janie.

— Super ! s'exclama James.

Les trois adultes s'arrêtèrent eux aussi devant la grappe sombre de chauves-souris agrippées à une branche d'arbre. De temps en temps, l'une d'elles étirait ses ailes, découvrant une silhouette encore plus repoussante.

Cornelius n'en pouvait plus.

Eliza était à deux pas. Elle observait les chauves-souris, encadrée par deux hommes. Au diable les autres visiteurs ! Il ne pouvait résister plus longtemps.

Eliza s'écarta un instant pour laisser passer les autres curieux et en profita pour lire le document explicatif. Une main chaude se posa sur sa nuque. La douceur du contact de la main de Samuel était plutôt agréable. Elle pensa aux escapades de son adolescence... L'obscurité des salles de cinéma elle aussi était propice à ce type de contact furtif. Soudain, une voix rauque chuchota à son oreille.

— Pourquoi est-ce que tu t'obstines à t'habiller comme une traînée ? Tu devrais prendre exemple sur les chauves-souris et être une bonne mère pour ta fille.

Elle eut aussitôt un geste de recul instinctif.

— Maman, maman ! Viens voir par ici ! lui lança la voix fluette de sa fille, juste avant qu'Eliza se mette à hurler.

Samuel et Keith bondirent dans l'obscurité et plaquèrent Cornelius à terre.

106

Joe se trouvait dans son jardin, occupé à ranger la tondeuse et le mobilier de jardin dans le hangar en prévision de l'hiver qui approchait, lorsque sa femme l'avertit qu'on le demandait au téléphone.

Dix minutes plus tard, il faisait route vers le zoo du Bronx. À son arrivée, il reconnut immédiatement l'individu arrêté par Keith et Samuel. C'était le même type qui avait traîné pendant quelques jours devant les studios de Key News. Maintenant, Joe allait enfin connaître son identité. Cornelius Bacon, habitant de Moonachie, dans le New Jersey.

Les inspecteurs de police du Bronx s'étaient empressés d'avertir leurs collègues de Moonachie. Cornelius était fiché là-bas. Barman d'un troquet local, les gens le trouvaient bizarre. Sa spécialité : l'élevage de chauves-souris.

Les chauves-souris. Joe faisait maintenant le lien avec les lettres adressées à Eliza : *« Les chauves-souris appartiennent à la race des vampires... Tu devrais prendre exemple sur elles... »*

Connelly demanda aux policiers de Moonachie si l'homme n'était pas par hasard affublé d'un sobriquet. La réponse ne se fit pas attendre et il se sentit soulagé. Désormais, ils en tenaient un.

Mais il n'osait imaginer ce qui aurait pu se passer sans la présence d'esprit de Keith et de Samuel. Malgré les gardes, ce malade avait pu sauter sur Eliza.

Quant à l'autre cinglé du téléphone, il courait toujours.

107

Le lundi matin, dès son arrivée, Eliza entendit Paige lui demander si elle souhaitait accorder une interview à l'émission « Entertainment Tonight » sur les événements qui s'étaient déroulés au zoo.

— Hors de question, riposta Eliza. Donner des idées à un autre tordu ? Il ne manquerait plus que ça.

— Le producteur m'a confié que, de toute façon, ils traiteraient le sujet avec ou sans votre témoignage. Ils savent que l'équipe technique a pris des images et ils voudraient copier la bande, lui apprit alors Paige.

Eliza laissa échapper un long soupir. Toute cette affaire commençait à la déstabiliser. Elle se sentait vulnérable.

— Ils ne feront rien sans mon accord, dit-elle avec détermination. Je refuse d'alimenter leur soif de sensations fortes.

Elle était même décidée à aller trouver Yelena Gregory dans son bureau pour empêcher la circulation de ces images. Les cris de Janie, qui ne l'avaient plus lâchée d'une semelle, et la petite mine apeurée de James Feeney la hantaient encore.

Aucune cassette vidéo ne sortirait des studios. Et qu'on ne vienne pas lui parler dans cette histoire de la liberté d'expression ou du droit du public à être informé. Rien ne la ferait changer d'avis.

— M. Connelly a déjà appelé deux fois ce matin, poursuivit Paige.

— Bien. Rappelle-le et passe-le-moi, s'il te plaît.

Eliza se dirigea vers son bureau et se retourna au passage vers son assistante.

— Et, Paige, je suis désolée de t'avoir fait venir un jour férié.

— La mauvaise nouvelle, c'est que la mère de Bidoche a payé la caution de mille dollars et que le type a pu sortir. La bonne nouvelle, c'est que le tribunal lui a donné l'ordre de ne pas vous approcher à moins de huit cents mètres jusqu'à ce que l'affaire soit jugée.

— Tout ça en l'espace d'un week-end seulement ? demanda Eliza, soufflée par la rapidité des décisions.

Elle tira nerveusement sur le cordon téléphonique.

— Oui. Certaines affaires se règlent en un clin d'œil quand on fait pression sur les bonnes personnes.

— Dans combien de temps aura lieu le procès ?

— Je ne sais pas exactement. Peut-être deux ou trois mois.

La nouvelle ne rassura guère Eliza.

— Qui dit qu'il va respecter l'interdiction de m'approcher ?

Connelly hésita.

— Personne, en effet. Mais nous allons maintenir les mesures de protection autour de vous.

Aucun d'eux n'exprima alors le fond de sa pensée.

Les gardes étaient présents au zoo.

108

Le jingle familier de « Entertainment Tonight » précéda l'annonce des principaux thèmes de la soirée.

« La présentatrice-vedette de Key News traquée au zoo du Bronx. » Une photo d'Eliza suivait l'annonce.

Le présentateur rapporta que Cornelius Bacon, jeune homme de trente-deux ans, venait d'être arrêté pour avoir agressé la jeune femme alors qu'elle se trouvait au zoo en compagnie de sa fille et de deux techniciens de Key News. L'inculpé travaillait au Like It Rare, un bar-restaurant du comté de Moonachie, dans le New Jersey. Les caméras de « Entertainment Tonight » étaient présentes le dimanche soir lors de l'arrivée de Bacon au bar. Le suspect avait caché son visage sous sa veste à l'approche des journalistes.

Comment ce Bacon avait-il osé s'en prendre à son Eliza chérie ? Comment avait-il pu croire qu'Eliza lui appartenait ? Elle était sienne depuis longtemps. Et tant pis si la justice n'avait pas réglé l'affaire. Il savait comment s'y prendre pour empêcher ce type de reposer ses sales pattes sur Eliza.

109

Amaigrie et les cheveux grisonnants, Florence Anderson ressemblait à une survivante. De profondes rides creusaient son front, donnant à son visage une expression de constante inquiétude et de triste sévérité. Elle n'avait guère eu envie de rire ces cinq dernières années. Pourtant, la détermination se lisait dans son regard lorsqu'elle accueillit l'équipe de Key News.

Un simple regard suffit aux deux femmes.

— J'ai regardé « Entertainment Tonight » hier soir, avoua-t-elle en serrant la main d'Eliza. Je suis sincèrement désolée.

— Merci, répondit Eliza.

— Une chance qu'ils aient arrêté ce détraqué. Mais comment ont-ils pu le relâcher aussi vite ?

Eliza, désemparée, haussa les épaules.

— C'est comme ça que les choses se passent, je suppose. Il est en liberté surveillée jusqu'au procès.

— C'est tout simplement dégueulasse, commenta Florence.

L'incongruité de la remarque fit sourire Eliza. D'autant plus qu'elle était tout à fait d'accord avec Mme Anderson. Cette situation était vraiment au-dessous de tout.

L'équipe technique envahit rapidement le séjour pour installer le matériel. La pièce ressemblait à un véritable sanctuaire dédié à la disparue. Pas un mur où ne figurait une photo de Linda Anderson. Chaque étape de la vie de l'ex-présentatrice était représentée. Linda bébé, Linda faisant ses premiers pas, Linda en uniforme, en maillot de bain, portant un trophée ; Linda un peu plus grande avec un micro, puis lors de sa première interview devant un tribunal, sur un plateau télé… Eliza frissonna en observant les photos de cette jeune femme dont le parcours ressemblait étrangement au sien.

Elle se demanda comment Florence Anderson pouvait supporter d'être entourée des photos de sa fille disparue. Si quelque chose devait arriver à Janie un jour, elle n'aurait jamais la force de vivre ainsi. De toute façon, elle ne pourrait pas surmonter une pareille perte. S'il arrivait quoi que ce soit à sa fille, elle prendrait un tuyau, le relierait au pot d'échappement de sa voiture et, une fois à l'intérieur du véhicule, mettrait le moteur et inspirerait profondément.

Une voix intérieure lui souffla de ne pas faire ce reportage.

Keith leur suggéra de s'asseoir sur le sofa pour l'interview. Ainsi, les photos de Linda Anderson entreraient dans le champ de la caméra. Il attacha un micro au revers de la veste de Florence.

— Parlez-moi de votre fille, madame Anderson.

— En tant que mère, je peux dire que Linda était l'enfant que chacun rêve d'avoir. C'était un bébé magnifique. Elle avait une forte personnalité et a réussi brillamment à l'école. Je n'ai jamais eu l'ombre d'un problème avec elle. Bien sûr, elle aimait s'amuser et elle a fait toutes les bêtises que font habituellement les adolescents. (Florence eut un sourire contraint à l'évocation d'un souvenir.) Un jour, je me rappelle, je suis allée la récupérer au poste de police. Elle avait été interpellée avec d'autres gamins à bord d'une voiture. Ils avaient bu.

Eliza invita Florence à poursuivre son récit par un signe de la tête.

— Depuis toute petite, Linda s'intéressait à l'univers de la télévision. Mais elle ne pensait pas devenir un jour présentatrice-vedette.

— Oui, sa carrière a connu une ascension fulgurante. On sait d'ailleurs que Key News voulait l'engager.

— C'est vrai. Un agent l'avait contactée et lui avait fait tourner un bout d'essai qu'il avait ensuite envoyé à Key News. Un rendez-vous a même été pris pour un entretien. Linda était enthousiaste à l'idée de travailler pour une chaîne prestigieuse. Elle s'était longtemps préparée à cet entretien. (Florence observa une pause, et baissa les yeux.) Mais elle n'a pas eu le temps de...

— Linda devait être très douée, car il est très rare que des agents démarchent ainsi les journalistes. En général, c'est à eux de les contacter.

— Oui, elle était douée, confirma Florence d'une voix faible. Bien sûr, je suis sa mère et cela ne me rend pas très objective. Mais les gens disaient qu'ils avaient l'impression de la connaître rien qu'en la regardant à la télévision. Elle dégageait cette sorte d'aura familière.

— Pouvez-vous me parler de la période juste avant sa disparition ?

Florence se tut un instant, puis se lança résolument.

— Quelque chose ne tournait pas rond. Linda avait la sensation d'être suivie. Elle m'a appelée plus d'une fois, au bord de la panique. Je lui ai proposé de venir s'installer à la maison le temps que les choses se clarifient. Si seulement elle m'avait écoutée...

— En a-t-elle parlé à la police ?

— Oui, tout de suite, et ils ont décidé de l'escorter. Rien n'est arrivé pendant ce laps de temps, mais ils ne pouvaient pas lui assurer cette garde rapprochée indéfiniment. Linda, quant à elle, ne voulait pas continuer à vivre dans la terreur. Elle s'était inscrite à un cours de self-defence, mais je pense qu'elle n'a pas été de taille face à son adversaire.

— Et après sa disparition, que s'est-il passé ?

— Au début, la police a fouillé tous les environs. Ils ont interrogé des témoins, des gens qui la connaissaient de vue, des collègues, ses ex-petits amis, bref, tous, ceux qui, de près ou de loin, l'avaient approchée. Tous les soirs, GSN évoquait sa disparition. Les gens ont attaché des rubans jaunes autour des arbres en signe de solidarité. La chaîne a même promis une récompense à qui la retrouverait, sans résultat. Un jour, l'un des détectives m'a appelée et m'a confié que, plus le temps s'écoulait, plus les chances de la retrouver s'amoindrissaient. La police privilégiait la thèse d'un spectateur obsédé par Linda. Mais la piste était vouée d'avance à l'échec car n'importe qui pouvait être suspecté.

— Merci mille fois, madame Anderson, conclut Eliza en lui prenant la main. Vous vous êtes livrée très spontanément et je vous en suis très reconnaissante. J'imagine que ce doit être très difficile pour vous.

— Je l'ai fait parce que je crois que cela peut contribuer à faire éclater la vérité. Je veux que le coupable soit arrêté, c'est tout ce qui m'importe.

Le cameraman filma quelques instants encore les deux femmes tandis qu'elles échangeaient de menus propos. La séquence servirait pour le générique. Il s'attarda ensuite sur les photos de la disparue.

Au moment où l'équipe s'apprêtait à quitter la maison, Florence Anderson leur posa une dernière question.

— Vous connaissez Abigail Snow ? Elle travaille chez vous.

— Oui, bien sûr, répondit Eliza, étonnée. Elle s'occupe de la promotion.

— Pouvez-vous lui transmettre mes amitiés ? Linda et elle travaillaient ensemble et elles s'entendaient très bien. Elles suivaient toutes les deux un cours de self-defence. Mais après la disparition de Linda, Abigail a trouvé un autre boulot à New York et on a perdu contact. Ma fille Monica la rencontre parfois à son cours de gym.

Mme Anderson s'interrompit et devint pensive.

— Oui, elles étaient vraiment très bonnes amies.

Sur le chemin de retour, Eliza et Keith, assis côte à côte à l'arrière de la fourgonnette, échangèrent leurs premières impressions sur l'interview.

— Tu imagines l'enfer qu'a dû traverser cette pauvre femme ? laissa échapper Eliza, en regardant par la fenêtre.

Keith approuva, mais ne trouva rien à ajouter.

— C'est le cauchemar le plus terrible qu'une mère puisse connaître. Tu verras, Keith, quand ton bébé sera né. La peur de perdre un enfant est au-delà de ce qu'on peut s'imaginer.

— J'ai certainement hâte de voir ça, répondit-il sombrement.

Eliza regarda cet homme assis à côté d'elle qui se rongeait les ongles. Le dédain qu'elle avait ressenti pour lui à Dallas se muait aujourd'hui en pitié. Il était là, à travailler dans un environnement où il subissait une pression constante et, en plus, son couple battait de l'aile.

Eliza aurait aimé lui dire qu'elle le comprenait, mais elle se contint.

Cette fois, elle ne tenterait pas le diable et éviterait tout quiproquo. Mieux valait séparer travail et vie privée.

— Tu sais, Keith, j'ai pensé qu'on pourrait faire un reportage sur les gens qui ont perdu un enfant.

— Pourquoi pas, répondit-il d'une voix blanche.

Son enthousiasme l'avait quitté depuis quelque temps.

110

Samuel attendait de pouvoir traverser la Cinquième Avenue. Il était inquiet pour Eliza. Les derniers événements survenus dans la vie de la présentatrice le consternaient. Cet insensé au zoo, les appels téléphoniques, les dessous offerts, le cambriolage. Il se sentait le devoir de la protéger. Il fallait qu'elle se sente en confiance avec lui.

Il poussa la porte de la bijouterie Tiffany et contempla les bijoux disposés dans de petites vitrines. Les bagues en particulier attirèrent son attention. Il s'arrêta devant un magnifique diamant monté en solitaire sur un anneau en or blanc. Dans quelque temps, peut-être, il l'offrirait à Eliza.

Il passa presque une heure dans la boutique avant de se décider pour une somptueuse paire de boucles d'oreilles en forme d'étoile de mer.

Parfait. Elles rappelleraient à Eliza leur amour partagé pour la mer.

— Samuel ! justement, j'allais vous appeler.

— Ça fait plaisir à entendre.

— Ne vous réjouissez pas trop vite.

— Pourquoi ?

— Laissez-moi vous expliquer. Je vais travailler sur une émission concernant... Eliza s'efforça de trouver les mots justes, puis décida de se montrer franche. En fait, il s'agit d'un reportage sur les parents qui ont perdu un enfant. Je me demandais si vous accepteriez de témoigner.

Samuel ne sut quoi répondre.

— Je suis désolée de vous prendre au dépourvu, Samuel, s'excusa-t-elle.

— Je serais bien sûr ravi de vous aider. Qu'aimeriez-vous, au juste ?

— Eh bien, nous pensons contacter l'hôpital Sloan-Kettering et leur demander la permission de tourner dans leur section pédiatrie. Là, nous chercherons des parents qui ont des enfants gravement malades... Et j'ai pensé que votre témoignage pouvait constituer le point d'orgue du reportage.

— Tout cela est encore si récent, Eliza.

— Oui, je sais, Samuel. Et c'est une des raisons pour lesquelles je vous le propose maintenant. Les téléspectateurs n'en seront que plus émus.

Il y eut un long silence.

— Samuel ?

— Oui, je suis là, répliqua l'homme d'un air las. Puis-je y réfléchir avant de vous donner une réponse ?

— Bien sûr. Prenez tout votre temps.

— Et pour samedi, notre rendez-vous tient toujours ?

— Oui, si cela ne vous dérange pas de venir dans le New Jersey une fois de plus. Je demanderai à Mme Garcia de garder Janie et je réserverai une table à Esty Street, le restaurant dont je vous ai parlé. Tout le monde en dit le plus grand bien.

111

Augie n'avait pas eu la moindre maison a cambrioler depuis celle d'Eliza Blake. Il commençait à désespérer. Il lui restait encore quelques bijoux à faire expertiser à New York. Ici, on ne lui en offrait presque rien alors qu'ils valaient certainement leur pesant d'or. Le besoin d'argent le rendait fou. Richards l'avait saigné à blanc et, à présent, il était déterminé à récupérer les sommes faramineuses qu'il avait investies. Et toujours ces atermoiements. Larson Richards fuyait ses appels et lui faisait toujours faux bond.

Il maudissait le jour où il avait signé ces contrats, qui l'obligeaient à verser de l'argent à Richards jusqu'à la vente définitive. Et si la vente n'avait jamais lieu ?

Augie décrocha son téléphone.

— Larson Richards, s'il vous plaît. De la part de Augie Sinisi.

— M, Richards est en réunion, monsieur Sinisi.

— Passez-le-moi ou je débarque tout de suite.

— Un moment, s'il vous plaît.

Augie savait que Larson ne voulait pas voir arriver dans ses bureaux un mécanicien crasseux. La menace fit effet.

— Salut Augie, comment ça va ?

— Évitez les familiarités avec moi, Larson. Je veux mon fric et tout de suite.

— Mais enfin, Augie, vous savez bien que c'est pas aussi simple, répondit Larson, feignant l'exaspération. La vente n'est pas encore signée.

— Dites-moi quand elle le sera, alors.

— Augie, ces choses-là prennent du temps. Il y a parfois des complications, des imprévus.

— C'est moi qui vais finir par vous apporter des complications, si ça continue.

— Dois-je comprendre que vous me menacez, Augie ? demanda Larson d'un ton exagérément posé.

Mais Augie connaissait la musique et, cette fois, il ne tomberait pas dans le panneau.

— Non, Larson, je ne vous menace pas, je veux mon argent, c'est tout.

— Les temps sont durs pour vous aussi, on dirait, commenta Larson d'un ton condescendant.

Augie avait de la peine à contenir sa rage.

— On peut le dire.

— Justement, ma voiture aurait besoin d'un petit contrôle technique.

Augie aurait volontiers cédé à la colère en insultant cet escroc, mais il eut une meilleure idée.

— D'accord, Larson, dit-il d'un ton conciliant, je viendrai chercher votre voiture demain matin et vous pourrez venir la récupérer en fin d'après-midi. Vous n'aurez qu'à laisser les clés à la réceptionniste.

112

Avant de s'absenter pour le week-end, Joe appela son contact auprès de la compagnie qui gérait le réseau téléphonique.

— Du nouveau ?

— Non, Joe. Mais je te rappelle dès que j'en saurai un peu plus. À l'heure actuelle, je ne peux pas te dire d'où provenaient ces appels.

— Oui, je sais. Mais surtout, n'oublie pas de me prévenir à la minute même où tu auras localisé leur auteur.

— Bien sûr.

— Bon sang ! pourquoi cela prend-il autant de temps ?

— Enfin, Joe, tu sais bien comment ça marche. Un peu de patience !

Connelly ôta ses lunettes et se frotta les yeux. Il commençait à se faire vieux pour ce genre de boulot.

En plus du JT quotidien, depuis peu, il ne ratait aucun des « Entertainment Tonight » du lundi soir. Mais cela ne faisait qu'accroître sa nervosité, rendant les massages de Lori totalement inefficaces. Jerry souffrait régulièrement de spasmes musculaires et de crampes soudaines et rien ne parvenait à calmer son agitation. Savoir qu'Eliza habitait à quelques pas de chez lui le rendait fou. Il devait réagir.

Dès que Lori aurait quitté son appartement, il appellerait Key News et laisserait un message.

113

Des guirlandes d'ampoules minuscules égayaient les arbres à l'abord du restaurant. À l'intérieur, un énorme bouquet de gueules-de-loup mêlées de roses blanches et de muguet jaillissait d'un vase en cristal.

— Bienvenue à Esty Street.

Le patron du restaurant les accueillit chaleureusement et les conduisit à leur table. La salle était décorée avec goût et les murs recouverts de miroirs gigantesques. Eliza sentit le regard de plusieurs personnes glisser sur elle tandis qu'elle s'asseyait. Elle remarqua alors la présence à une table voisine de Larson Richards. Heureusement, il ne semblait pas l'avoir vue.

— C'est agréable d'avoir tous les regards braqués sur vous dès que vous entrez dans un lieu public ? lui demanda Samuel.

— Pas autant qu'on pourrait le croire, lui confia Eliza en dépliant sa serviette et en la disposant sur ses genoux. On s'habitue, à la longue, sachant que tout ce qu'on peut faire ou dire sera rapporté, commenté et critiqué. J'avoue que, par moments, j'aimerais passer inaperçue.

— Vous devez parfois vous sentir comme sous un microscope ?

Eliza haussa les épaules.

— Au fond, je ne devrais pas me plaindre. Après tout, j'ai choisi ce métier et des tas de gens rêveraient d'être à ma place.

Un premier serveur ne tarda pas à leur apporter la carte, tandis qu'un second déposait sur la table une assiette d'amuse-gueules. Tout en dégustant les biscuits apéritifs accompagnés de sauce piquante, ils étudièrent les différents menus. Eliza se décida pour de l'agneau accompagné de patates douces et de carottes, tandis que Samuel optait pour un filet mignon rôti à l'ail avec sa purée. Le repas fut copieux et délicieux mais, bien que terriblement tentés par la carte des desserts, ils préférèrent terminer par un café bien serré.

Eliza avait attendu cet instant pour aborder le sujet qui l'intéressait.

— Avez-vous réfléchi à ma proposition, Samuel ?

Le visage de son interlocuteur s'assombrit aussitôt.

— Oui, Eliza. J'y ai réfléchi. Mais je ne me sens pas prêt à parler de la mort de Sarah. Et surtout pas dans le cadre aussi impersonnel d'une émission grand public. J'espère que vous comprenez mes réticences.

Il la regarda droit dans les yeux tout en lui prenant la main.

— Bien sûr, Samuel. Je n'aurais jamais dû vous demander une chose pareille. J'ai manqué de tact et d'intelligence, je suis désolée.

— Ne soyez pas désolée, je sais que vous ne pensiez pas à mal. Je me suis toujours demandé comment vous déterminiez les sujets de vos reportages. Est-ce que Sarah a été le catalyseur ?

— En fait, j'ai interviewé une femme qui a perdu sa fille. Les circonstances sont un peu différentes puisqu'il s'agissait d'une célèbre présentatrice. En discutant avec la mère de la disparue, je me suis rendu compte que l'âge ne modifiait en rien la douleur provoquée par la perte d'un enfant. J'ai alors pensé à Sarah.

Eliza repoussa une mèche de cheveux tombée sur le front de Samuel et posa sa main sur la sienne. Il paraissait accablé.

— Je suis désolée Samuel, sincèrement désolée, murmura-t-elle.

Il sembla faire un effort pour sortir de sa soudaine torpeur et prit dans la poche de sa veste une petite boîte bleue entourée d'un fin ruban de satin blanc. Il posa le présent entre eux.

— C'est pour vous, Eliza. J'espère avoir fait le bon choix.

Elle tira délicatement sur le ruban et ouvrit l'écrin, reconnaissable entre tous, de chez Tiffany.

— Oh ! Samuel, elles sont magnifiques !

— J'espérais bien qu'elles vous plairaient. Il faut reconstituer votre collection de bijoux.

— Elles sont vraiment superbes, dit Eliza, tenant les minuscules étoiles de mer dans la paume de sa main. Superbes... mais je ne peux pas accepter...

— Non, l'interrompit Samuel sans brusquerie. Vous n'imaginez pas le bien que m'ont procuré ces brefs instants passés à vos côtés. Quand je suis arrivé à New York, je croyais que ma vie était fichue. Grâce à vous, j'ai repris confiance en l'avenir.

Eliza aurait volontiers invité Samuel à entrer prendre un dernier verre, mais la berline grise était stationnée à l'entrée et Janie dormait profondément. Il n'insista pas.

— Je vous appellerai, l'assura-t-il en l'embrassant.

Eliza entra sur la pointe des pieds et appela Mme Garcia.

Celle-ci regardait la télévision.

— Janie a été sage ?

— Elle était fatiguée, ce soir. Elle a été se coucher dès que je le lui ai dit.

— Bon, très bien. Des appels ?

— Oui, señora. Votre mère a téléphoné mais Janie était déjà couchée. Elle rappellera demain. Et le señor McBride a appelé également.

En sentant son cœur battre la chamade, Eliza comprit que son histoire avec Mack était loin d'être terminée.

114

Larson rentra chez lui écœuré. Les hommes d'affaires qu'il venait de régaler ce soir-là à Esty Street n'investiraient pas un sou dans son affaire. Il le devinait d'instinct.

Il gara sa Mercedes et marcha d'un pas traînant jusqu'à la porte d'entrée. Le signal d'appel du téléphone clignotait dans l'obscurité. La personne avait raccroché sans laisser de message, mais l'appareil avait enregistré son numéro. Carmine Carelli. Il avait appelé deux fois.

Carmine Carelli était bien sûr trop malin pour laisser un message. Bon sang, pourquoi s'était-il fichu dans un pétrin pareil ? Il savait bien que ces types n'étaient pas des enfants de chœur. Il risquait un soir de trouver chez lui une bande de gros bras peu enclins à discuter.

Il prit une bière dans le frigo et remarqua que la nourriture était sens dessus dessous. Ouvrant le freezer, il constata le même désordre. La panique s'empara de lui lorsqu'il vit les boîtes de petits pois éventrées et les asperges plantées dans la glace. Pis, le coffre-fort avait disparu.

Comment avait-il pu être assez stupide pour conserver la dernière lettre de sa mère ? Il aurait dû la brûler en même temps que ses reconnaissances de dette.

Seuls les imbéciles faisaient preuve d'un tel sentimentalisme.

115

Ce détraqué de Moonachie ne se verrait infliger qu'une petite peine pour ce qu'il avait osé faire à Eliza au zoo. Même s'il allait en prison, il n'y ferait pas de vieux os.

Il pouvait donc recommencer. Et cela, il ne saurait le tolérer.

Eliza était trop précieuse. Il la protégerait.

Il mettrait Bacon hors d'état de nuire.

116

Il avait passé un mauvais week-end. Le deuxième cinglé tardait trop à être localisé. Le lundi matin, Joe arriva plus tôt qu'à l'accoutumée aux bureaux de la sécurité.

Sans trop savoir ce qu'il cherchait, il se mit à relire toutes les retranscriptions de coups de fil douteux consignées dans son fichier informatique. L'auteur des appels nocturnes avait bien dû se trahir à un moment et laisser échapper un détail significatif.

« Eliza, tu n'as pas besoin de maquillage pour resplendir. »

C'était un début...

Le chef de la sécurité avait préféré attendre Eliza dans son bureau.

— Je veux que vous pensiez aux personnes susceptibles de vous voir sans maquillage, lui demanda-t-il sans ambages.

— Facile à dire, Joe ! Il m'arrive de venir au bureau sans maquillage et, dans ce cas-là, il faudrait interroger tous les employés de Key News.

— Bon, mais en dehors d'ici ? insista-t-il.

Eliza fit un effort pour se concentrer.

— Le type qui m'a vendu sa maison. Il est passé à l'improviste voir Janie un matin.

Joe consigna le nom de Larson Richards sur son bloc-notes.

— Vous avez son téléphone ?

— Paige doit l'avoir.

— Bon, je jetterai un œil. Quelqu'un d'autre ?

Le souvenir de Keith Chapel à Dallas dans la salle de gym lui vint à l'esprit, mais elle ne le croyait pas capable d'un tel acte. Elle secoua la tête.

— Personne pour le moment.

— Très bien, Eliza, mais si vous pensez à quelqu'un d'autre, vous savez où me trouver.

117

La lettre avait été rédigée à la main sur du papier rose pâle.

> *Larson,*
> *Ton père et moi sommes consternés par la tournure que prennent les événements. Tes paroles m'ont brisé le cœur. Nous t'avons aimé et élevé depuis ta naissance. Nous avons travaillé dur pour te nourrir et, plus tard, te soutenir dans tes projets. Que tu nous renies de la*

sorte est insupportable. Tu as dit que nous serions morts à tes yeux si nous refusions de te donner plus d'argent. As-tu déjà oublié toutes les sommes que nous avons investies dans ton affaire ? À l'évidence, celle-ci compte plus pour toi que tes propres parents. Nous avons du mal à l'admettre. Mais nous n'accepterons pas pour autant tes menaces, Larson. Si tu préfères rompre tout lien avec nous, fais-le. J'ose espérer que tu sauras prendre le recul nécessaire et retrouver la raison. Ton père et moi t'aimons profondément et saurons te pardonner et oublier ce que tu as dit sous le coup de la colère.

Je tiens à te préciser que tout ce que nous possédons te reviendra un jour ou l'autre, même si tu choisis de nous renier.

Avec tout mon amour,
Ta mère.

Augie regarda la date inscrite en haut de la lettre, puis la plia et l'enfouit dans sa poche. Un petit tour à la bibliothèque s'imposait. S'il trouvait un vieux numéro de *Record* pour confirmer ses soupçons, il pourrait prouver que Mme Richards avait écrit cette lettre juste avant sa mort et celle de son mari.

118

— Je ne sais pas, Mack. De toute façon, nous n'allons pas débattre de ça au téléphone. Si tu reviens pour les fêtes de Noël, nous en parlerons à ce moment-là.

Eliza regarda l'heure. Elle devait rejoindre Doris et écourta la conversation.

— Il faut que j'y aille, maintenant.

Postée devant son miroir, Eliza fronça les sourcils en découvrant ses traits tirés.

— Quelle tête !

— Mais non, ma douce, lui dit Doris en tentant de la rassurer. Tu vas voir. Dans un quart. d'heure, tu seras belle comme le jour.

— Avec un tube entier de fond de teint, je parie ! Regarde-moi ces cernes !

— Tu n'as pas dormi cette nuit ?

— Presque pas. Je me suis endormie vers minuit, mais à 2 heures pile, je me suis réveillée et j'ai commencé à me tourner et à me retourner dans mon lit. Plus je me disais qu'il fallait que je dorme, moins j'y parvenais. Enfin, tu vois... Un vrai cercle vicieux.

— Tu as trop de soucis en ce moment. Normal que tu ne trouves pas le sommeil. Tu devrais peut-être prendre des somnifères, non ?

Eliza haussa les épaules, pas très convaincue.

— Je ne sais pas... Je préfère éviter. Si je tombe dans un sommeil profond, j'ai peur de ne pas me réveiller si Janie m'appelle. Sans compter que je n'ai guère le temps d'aller voir un médecin.

— J'ai des cachets à la maison, je te les amènerai demain pour que tu les essaies, si tu veux.

Cette fois, même le maquillage se révéla impuissant à gommer les traces de fatigue sur le visage de la présentatrice.

— Essaie de te reposer un peu ce week-end, Eliza.

— Comment tu veux que je fasse ? Avec toutes les mesures de sécurité de Connelly et ces obsédés qui rôdent autour de moi. Et puis, Mack m'a appelée.

— Qu'est-ce qu'il voulait ?

— Quelqu'un lui a envoyé la photo du journal avec Samuel.

— Bonne idée. J'aurais dû y penser.

Un sourire subreptice se dessina sur les lèvres peintes d'Eliza.

— Il veut qu'on parle.

— Tu te sens comment ?

— Partagée.

Dans son bureau de la présidence de Key News, Yelena Gregory regardait d'un air préoccupé le journal télévisé. Sa présentatrice-vedette n'était pas aussi rayonnante que d'habitude. Et l'image de marque de Key News risquait d'en pâtir. Un point qu'elle se voyait dans l'obligation de lui faire remarquer.

Toutefois, elle compatissait au sort d'Eliza et se tenait informée des mesures mises en place pour assurer sa sécurité. Heureusement, Joe Connelly venait de lui faire part de son espoir d'arrêter bientôt l'auteur des coups de fil.

Il avait intérêt.

119

Susan Feeney s'était surpassée. Le costume d'Olive Oyl qu'elle venait de terminer se révélait particulièrement réussi. Janie avait revêtu une robe à col Claudine, rond et plat, des collants à rayures et des chaussures noires. Susan lui avait façonné un faux nez en trompette avec du papier mâché et récupéré une perruque qu'elle avait nettoyée et coiffée en forme de chignon. Olive Oyl dans toute sa splendeur.

James, tout aussi excité, portait un pull marin et un chapeau, mâchouillait une tige de maïs en guise de pipe et trimballait une boîte d'épinards. Une des manches de son pull était relevée et laissait apparaître une ancre dessinée à même la peau.

L'étape suivante consistait pour le petit couple improvisé à se rendre au point de départ du défilé. Eliza quant à elle devait se rendre à l'école pour y préparer des boissons et des friandises. Susan accompagnerait les enfants, suivie de près par la berline grise.

Parés de leurs plus beaux atours, sorcières, monstres, magiciens, diablotins, citrouilles et princesses se rassemblèrent au centre de HoHoKus dans une ambiance joyeuse. Eliza fut soulagée de constater que, si les plus beaux costumes étaient faits main, la plupart sortaient tout droit de magasins de farces et attrapes.

Vifs et enthousiastes, les gamins avancèrent en désordre sous le soleil d'octobre. Eliza eut le temps de filmer le début de la joyeuse procession avant de rejoindre son poste à l'école.

Les tables sur tréteaux étaient déjà disposées dans la cour, entièrement recouvertes d'assiettes remplies de beignets à la cannelle saupoudrés de sucre glace et de pichets de jus de pomme de la région. Eliza disposait çà et là des petits tas de serviettes en papier lorsqu'elle fut abordée par Larson Richards.

— J'étais sûr de vous trouver ici ce matin avec Janie. Mais je ne me doutais pas que vous teniez le stand des rafraîchissements.

— Je ne fais qu'apporter mon aide, Larson, répondit Eliza sans regarder son interlocuteur.

Volontairement indifférente, elle continua de s'affairer en espérant qu'il n'insisterait pas. Au lieu de ça, il lui tendit un bout de papier.

— Qu'est-ce que c'est ?

— La combinaison du coffre-fort.

— Vous me la donnez trop tard, Larson. J'ai été cambriolée.

— Oui, j'ai appris la nouvelle et vous m'en voyez désolé.

Comment lui dire qu'il avait sciemment conservé la combinaison dans l'espoir de la revoir ?

Eliza ignora ses molles excuses.

— Je me demandais si nous pouvions discuter un moment, Eliza.

— De quoi ?

— D'un investissement qui pourrait vous intéresser.

— Le moment est mal choisi, Larson, coupa-t-elle.

— Oh oui ! oui... Je comprends, bafouilla-t-il, décontenancé. J'ai pensé que nous pourrions nous voir pendant le week-end.

— Je regrette, mais je n'ai pas envie d'investir dans quoi que ce soit pour le moment.

— Vous avez tort, Eliza. C'est une réelle opportunité, insista-t-il.

Cette fois, Eliza le regarda droit dans les yeux. Bien qu'elle n'en eût pas référé à la police, elle avait de sérieuses raisons de penser qu'il pouvait être à l'origine du cambriolage. Et si Connelly prouvait qu'il était également l'auteur des coups de fil, elle se chargerait personnellement de lui arracher les yeux pour avoir osé menacer sa fille.

— Écoutez, Larson, je vous ai répondu. L'affaire est close. Fichez-moi la paix maintenant.

Larson s'éloigna fou de rage. Cette femme n'était qu'une garce.

120

Encore une soirée qui s'achevait.

Cornelius finit de nettoyer le bar de fond en comble à 2 heures du matin. Il tira le sac en plastique de l'énorme poubelle, enfila sa veste, éteignit la lumière et quitta le bar.

Les chauves-souris sont parties maintenant, pensa-t-il lorsqu'un vent froid l'accueillit à l'extérieur. Il transporta le sac jusqu'au local à poubelles situé derrière le bâtiment.

Sa voiture se trouvait juste à côté. Il avait pris l'habitude de la garer là pour ne pas avoir à revenir sur ses pas, une fois sa dernière tâche accomplie. Il traversa tranquillement le parking désert. Enfin, presque désert. Une autre voiture attendait là, tous feux éteints.

Cornelius ne l'entendit pas tout de suite se rapprocher. Lorsqu'il se retourna, il était trop tard. La lumière des phares qui venaient de s'allumer l'éblouit. Il se débarrassa du sac-poubelle encombrant et plia un bras devant son visage pour se protéger.

La voiture le percuta de plein fouet avant de freiner brusquement. Puis elle fit marche arrière pour repasser sur le corps qui gisait à terre, achevant ainsi sa besogne.

121

— Mon Dieu, Joe, ce que je vais dire est horrible, mais je me sens soulagée !

Eliza murmurait au téléphone pour que Janie ne l'entende pas.

— Moi aussi, Eliza. Un de moins sur notre liste. Je me suis permis d'appeler chez vous car je savais que vous préféreriez être mise au courant.

— Vous avez bien fait, Joe. Je n'aurai plus à me demander si ma jupe est à la bonne hauteur, plaisanta-t-elle.

— Ne nous réjouissons pas trop vite, Eliza, même si je pense que je dormirai mieux ce soir que les nuits précédentes.

— La police sait-elle qui l'a tué ?

— Il est encore trop tôt. En ce qui me concerne, je considère que le meurtrier nous a rendu service.

Lorsque Samuel sonna chez elle ce soir-là, Eliza s'efforça de rester calme en lui apprenant la nouvelle.

— J'en suis ravi, s'exclama-t-il. Je ne sais pas ce que je ferais s'il vous arrivait quelque chose.

Sa réaction troubla Eliza. À n'en pas douter, cet homme était épris d'elle. Elle devait d'ailleurs reconnaître qu'elle n'avait rien fait pour le décourager. L'idée d'avoir un homme à ses côtés l'avait rassurée et elle avait profité de lui. Bien sûr, elle n'avait pas pensé à mal et elle l'avait même aidé à traverser une période difficile, mais, au bout du compte, c'était lui qui l'avait soutenue au cours des derniers jours.

Il n'en demeurait pas moins que, si charmant fût-il, il n'arrivait pas au bon moment. Il venait de traverser une terrible épreuve et cherchait désespérément à redonner un sens à sa vie. De son côté, Eliza s'interrogeait toujours sur ses sentiments envers Mack. Leur relation ne partait décidément pas sur de bonnes bases. Sans compter que, si elle appréciait sa compagnie, son contact ne la bouleversait pas. Et ce constat avait toujours pesé lourd dans ses choix amoureux.

Il s'agissait maintenant de le lui faire comprendre, d'une manière ou d'une autre. Eliza craignait de lui asséner un deuxième coup dur, mais savait qu'il serait plus cruel encore de le laisser nourrir de faux espoirs.

122

Pour la première fois de sa vie, Augie Sinisi avait le dessus. Sûr de lui, il se présenta à l'accueil de Richards Entreprises.

— M. Richards, s'il vous plaît.

La jeune réceptionniste le toisa du regard.

— Vous avez rendez-vous, monsieur ?

— Non. Dites simplement à M. Richards que Augie Sinisi le demande. Dites-lui également que j'ai des informations très importantes à lui transmettre.

Quelques instants plus tard, Augie se retrouvait en face de Larson.

— J'espère que vous ne me ferez pas perdre mon temps, Augie. Je suis très occupé.

— Je sais, Larson. Vous êtes un type très occupé. Très très occupé...

Le sourire en coin d'Augie laissait présager le pire.

— Alors, Augie ? Quelles sont ces informations dont vous avez parlé ?

— Je tenais juste à vous prévenir que les flics pourraient bien accuser réception d'un indice intéressant concernant les circonstances de la mort de vos parents.

— Que voulez-vous dire ?

— Vous savez parfaitement de quoi je parle, Larson.

Mais Larson avait déjà compris. La disparition du coffre-fort. La lettre. Augie avait la lettre. Il allait devoir jouer serré.

— Vous savez, Augie, j'ai été cambriolé ce week-end.

— Pas de chance.

— Écoutez-moi. Si quelqu'un détient quelque chose qui a été volé chez moi, cela signifie que cette personne est passible de la prison. Surtout si on découvre qu'elle a commis d'autres larcins.

— Oui, je sais très bien ce que cette personne risque. Pratiquement rien comparé à un individu qui, lui, aurait tué ses parents.

Larson considéra d'un air absent les derniers rapports financiers de l'entreprise étalés sur son bureau.

— Exact, Augie. Mais aucune de ces deux personnes n'aimerait finir en prison, n'est-ce pas ?

— Bien entendu. Et aucune n'y mettra les pieds si vous me rendez mon argent, avec un petit extra en prime. La police n'en saura rien, Larson.

123

— On le tient, Joe.

— Bien joué ! Connelly ne tenait plus en place. S'agit-il du Richards dont je t'ai parlé hier soir ?

— Non, l'appel provenait du New Jersey. Je n'ai pas le droit de te donner le nom du type. Demande à l'inspecteur de police chargé de l'enquête de me joindre immédiatement.

Le comté de Bergen, situé au nord du New Jersey, était si proche de New York qu'il arrivait souvent aux inspecteurs de la mégalopole de s'y rendre en cas de nécessité. Les officiers Ed Kane et Kenneth Sheehan se présentèrent donc avec leurs insignes au poste de police de Upper Saddle River.

— Messieurs, que pouvons-nous faire pour vous ?

— Nous avons besoin d'un coup de main. Nous avons repéré un individu qui s'amuse à passer des coups de fil anonymes. On aimerait aller lui parler.

— Son nom ?

Sheehan consulta son calepin.

— Walinski. Jerry Walinski. Vous le connaissez ?

— Et comment. Tout le monde ici connaît ce pauvre diable.

La voiture de police banalisée s'engagea dans l'allée, suivie de près par un fourgon de police. Les inspecteurs, accompagnés de deux agents de police, se présentèrent à la porte de la maison. À l'intérieur, un chien aboya. Jerry Walinski vint leur ouvrir dans sa chaise roulante.

Joe n'avait pas voulu lui apprendre la nouvelle au téléphone.

Jerry Walinski ne lui ferait jamais aucun mal.

— C'est malheureux à dire, mais ce type est paraplégique. Il a eu un accident de voiture il y a quelques années et il ne remarchera jamais. Il vit d'une pension d'invalidité.

— Et quand m'a-t-il vue sans maquillage ? demanda Eliza.

— Jamais. Il a probablement inventé toute cette histoire. Les flics disent qu'il avait placardé des photos de vous dans tout son appartement et qu'il possédait aussi plusieurs cassettes vidéo. Son handicap lui laissait le temps de gamberger.

— Que fait-on maintenant ? demanda Eliza, qui accusait le choc.

— On peut le traîner en justice.

Elle grimaça.

— Y sommes-nous vraiment obligés, Joe ? L'idée de traîner un paraplégique en justice ne me plaît pas.

— À moi non plus. Mais s'il plaide coupable, j'ai pensé que nous pourrions ne le faire condamner qu'à un suivi psychiatrique. Cela lui éviterait une peine trop lourde.

— Très bonne idée, acquiesça Eliza, satisfaite. Et dites-moi, Joe, maintenant que Bacon est mort et Walinski arrêté, nous allons pouvoir reprendre une vie normale ?

— J'en ai bien l'impression, répondit-il en souriant. Vos gardes du corps vont pouvoir rentrer chez eux.

124

Eliza se concentra sur les commentaires de la dernière partie du JT qui s'affichaient sur le prompteur.

— Depuis des siècles, les chauves-souris errent dans nos esprits comme des oiseaux de mauvais augure. Les découvertes des spécialistes montrent pourtant que ces mammifères volants ont un rôle bénéfique sur notre environnement. À l'approche des fêtes d'Halloween, nous consacrerons donc une émission à ces créatures nocturnes si méconnues.

Keith avait réalisé un travail de maître sur la question. L'émission s'ouvrait sur un document transmis par des specialistes de San Antonio. Filmé à la tombée de la nuit dans la grotte de Bracken, au Texas, il présentait la plus importante colonie de chauves-souris au monde, tandis qu'un éminent spécialiste apportait son commentaire.

« Les chauves-souris sont vraiment les animaux les moins offensifs qui existent. Elles n'ont jamais été très appréciées car celles que nous avons l'occasion d'approcher sont en général malades ou blessées et qu'elles montrent alors les dents pour se défendre. N'essayez pas d'en prendre une dans vos mains ni de la garder en captivité. Elles n'aiment pas ça. Observez-les simplement comme elles sont et vous serez surpris. Elles sont aussi drôles et attachantes que n'importe quel autre animal. »

Son intervention, bien qu'un peu longue, présentait un grand intérêt.

Keith était par ailleurs retourné au zoo du Bronx pour y filmer les réactions des visiteurs. Eliza reconnut l'entrée du Monde Souterrain.

— Brr... Elles me donnent la chair de poule, témoigna une jeune femme.

— Je les trouve cool, s'exclama quant à lui un adolescent.

Et cætera, et cætera.

Eliza, pour sa part, savait qu'elle ne pourrait s'empêcher à l'avenir d'associer ces créatures à Cornelius Bacon, dit Bidoche.

Elle ressentit un soulagement indicible en rentrant chez elle. La berline grise qui lui faisait penser à un corbillard avait enfin déserté les lieux.

Une des spécialités de Mme Garcia mijotait sur le feu et une bonne odeur de nourriture flottait dans l'appartement. Eliza entendit la voix de Janie dans la cuisine.

— *Pollito*, poulet. *Gallina*, poule. *Lapiz*, crayon. *Y pluma*, stylo...

Elle se sentit comblée. Rentrer chez elle dans un environnement chaleureux et douillet, entendre sa fille chanter, voilà tout ce dont elle rêvait. En l'entendant, Janie se précipita dans ses bras. Eliza la serra longuement et essaya de chasser la pensée qui venait de lui traverser l'esprit. Son prochain reportage serait diffusé la semaine suivante, le jour anniversaire de la disparition de Linda Anderson.

Ce soir, comme tous les soirs depuis cinq ans, Mme Anderson ne pouvait pas serrer sa fille dans ses bras.

125

Abigail n'avait pas envie de se déguiser pour Halloween, cette année. Elle dut se forcer, sachant que ses amies l'y traîneraient de force si elle ne venait pas au défilé de Greenwich Village.

Après tout, elle avait là une bonne occasion de faire la fête. Chaque année, des centaines d'homosexuels déambulaient dans les costumes les plus extravagants. Depuis son installation à New York, Abigail avait tous les ans été fidèle au rendez-vous et ne l'avait jamais regretté.

Pourtant, Halloween réveillait également une vieille blessure.

Cinq ans déjà. Comme le temps passait.

Cinq ans et pas l'ombre d'une solution au mystère Linda Anderson.

Mais peut-être y aurait-il enfin du nouveau grâce à l'émission consacrée à sa disparition. Keith lui en avait donné un enregistrement afin qu'elle puisse rédiger les accroches publicitaires.

— Je connaissais bien Linda Anderson, lui avait-elle avoué à cette occasion.

— Oui, j'ai appris ça. Sa mère a parlé de vous après l'interview. Vous travailliez ensemble ?

— Oui. Nous étions très bonnes amies.

Elle avait deviné la question muette de Keith. Non, malheureusement pour moi, Linda n'était pas homosexuelle, songea-t-elle. Elle l'aurait volontiers giflé, mais à quoi bon.

126

Eliza s'éclipsa à l'heure du déjeuner et prit un taxi pour se rendre chez Bergdoff Goodman, célèbre boutique de la Cinquième Avenue. Elle tenait à choisir le cadeau elle-même. Paige était de loin l'assistante la plus consciencieuse et la plus compétente avec laquelle elle ait jamais travaillé. Le professionnalisme et le sang-froid dont elle avait fait preuve durant tous ces événements l'avaient impressionnée. Elle tenait donc à lui prouver sa reconnaissance.

Ayant remarqué que Paige adorait les vêtements et s'habillait toujours avec goût malgré son salaire modeste, elle entra dans le magasin et se dirigea tout de suite vers les pulls.

Le choix de cachemires était impressionnant. Eliza hésita un moment entre deux articles, l'un noir et l'autre bleu clair, à col roulé. Finalement, elle acheta les deux. Son assistante le méritait bien.

Elle fit également un petit tour du côté des vêtements pour enfants et y choisit un blouson chaud, un bonnet et des gants assortis pour Janie. Satisfaite de ses achats, elle s'apprêtait à prendre un taxi lorsqu'elle aperçut une silhouette familière de l'autre côté de la rue, aux abords de Tiffany.

Elle la reconnut tout de suite. Samuel Morton. Un petit sac bleu à la main, il remontait l'avenue.

Eliza accueillit avec soulagement l'arrivée d'un taxi et s'engouffra sans tarder à l'arrière du véhicule. Elle ne tenait pas particulièrement à voir Samuel aujourd'hui. Il serait déjà assez pénible le samedi suivant de lui avouer ce qu'il n'avait pas envie d'entendre.

Et ce sac qu'il portait... Elle espéra qu'il ne s'agissait pas d'un nouveau cadeau.

127

Le gynécologue estimait qu'il restait encore quelques semaines avant l'accouchement, tenant compte du fait qu'un premier enfant se fait toujours plus attendre. Pourtant, Cindy ressentait tous les jours des contractions. Keith était nerveux. Il l'était d'ailleurs constamment. Ainsi traversait-il la vie dans un état de stress permanent.

Range avait assuré qu'il comprenait la situation, mais d'une voix qui trahissait son exaspération. Keith craignait de perdre sa place s'il s'absentait trop longtemps après la naissance du bébé. Il mettait donc les bouchées doubles et s'efforçait de filmer le maximum de scènes nécessaires au montage des prochains reportages.

Il appela l'hôpital Sloan-Kettering pour obtenir confirmation de l'interview du lundi matin avec le professeur Lieber, qui s'occupait des enfants cancéreux.

Il espérait secrètement que Cindy tiendrait jusqu'à ce que ce sujet soit bouclé.

128

Eliza emmena Janie et James à la ferme de Demarest le samedi après-midi pour y chercher des citrouilles. Sur place, ils trouvèrent une longue file d'attente. Ils durent donc patienter avant d'avoir accès au champ où poussaient les plus grosses citrouilles de la région. Les enfants se mirent en quête des plus belles et leur choix se porta bien évidemment sur les plus volumineuses, qu'ils parvinrent à peine à soulever.

De retour à la ferme, Eliza acheta une tarte aux pommes et un litre de glace à la vanille pour le repas du soir.

Elle avait longuement réfléchi à la manière d'aborder les choses avec Samuel.

Elle préparerait le repas elle-même et, lorsque Janie serait couchée, ferait part à l'avocat de ses préoccupations. Les pensées se bousculaient dans sa tête. Elle comptait sur sa compréhension et espérait que, une fois sa déception surmontée, ils resteraient bons amis.

Mme Garcia avait fait les courses et tout était prêt pour qu'elle puisse se mettre à cuisiner sans tarder. Côtelettes de porc à la sauce aigre-douce et pommes de terre. Un bon menu de saison.

Sur le parking de la ferme, Eliza s'aperçut que la jauge d'essence clignotait. Mme Garcia avait probablement oublié de faire le plein.

Elle décida de faire un crochet par la station-service.

— Mais où t'es allée pêcher ça ? demanda Augie à Hélène qui se pavanait dans le bureau de la station-service.

— T'as voulu me faire des cachotteries, bébé, susurra-t-elle en entourant la taille épaisse de son mari. J'ai trouvé ça au fond d'un tiroir. Ça et d'autres choses aussi. Un vrai petit trésor. Tu voulais faire une petite surprise à ta femme ?

Sexe ou pas, Augie l'abreuva d'insultes. Elle avait dépassé les bornes.

Eliza écoutait d'une oreille distraite les commentaires des enfants sur la manière dont ils allaient sculpter leurs citrouilles. Samuel occupait toutes ses pensées. Tandis qu'elle faisait le plein, une blonde mince et élancée, vêtue d'un pull à col roulé et d'un pantalon moulant en cuir noir, sortit de la station et se dirigea vers une voiture.

Ça n'a pas l'air d'aller fort, pensa Eliza devant la mine revêche de l'inconnue.

Le soleil automnal de cette fin d'après-midi fit alors briller un bijou à son cou, sur le revers du col roulé. Le souffle coupé, Eliza reconnut la broche de saphirs et de diamants que John lui avait offerte avant sa mort. Son cadeau pour la naissance de Janie.

Elle se précipita sur un vieux reçu qui traînait dans sa boîte à gants et griffonna le numéro de la plaque d'immatriculation de la voiture. La blonde disparut dans un crissement de pneus.

Elle tendit quelques journaux à Janie.

— Voilà. Maintenant, avec James, vous allez étaler ça sur la table de la cuisine. Après, vous prendrez les feutres noirs et dessinerez les visages que vous voulez sur les citrouilles. Moi, je dois passer un coup de fil à l'étage.

Quand je reviendrai, on évidera les citrouilles. Et pas question de prendre les couteaux pendant que je suis là-haut, compris ?

Dociles, les enfants hochèrent la tête.

Eliza se précipita dans sa chambre et composa le numéro du poste de police de HoHoKus.

129

Une fois Janie couchée et bordée, Eliza rejoignit Samuel dans le séjour. De loin, elle vit un petit écrin bleu déposé à côté de son assiette vide.

— Qu'est-ce que c'est ?

— Ouvrez-le et vous le saurez. Même si la police vous restitue la totalité de vos bijoux, j'espère que vous apprécierez celui-ci autant que je vous apprécie, Eliza.

Il souriait d'un air satisfait. Elle se sentit lâche.

— Écoutez, Samuel, je ne peux pas accepter. Il faut que je vous parle.

— Ouvrez-le d'abord, insista-t-il. Nous aurons tout le temps de parler ensuite.

Bien que mal à l'aise, Eliza s'exécuta et découvrit le collier assorti aux boucles d'oreilles qu'il lui avait offertes.

— Il est magnifique, Samuel, vraiment, mais je ne peux pas...

— Laissez-moi vous le passer, la coupa-t-il en se levant d'un bond. Il vous va à la perfection.

— Je ne peux pas l'accepter, Samuel.

— Bien sûr que si, répliqua-t-il, sourd à ses protestations. On dirait qu'il a été fait spécialement pour vous.

— Oh ! Samuel ! Vous êtes tellement attentionné et votre gentillesse... Vous avez tellement souffert... Je ne voudrais pas vous faire du mal.

Samuel changea d'expression. Il venait de comprendre.

Cette idiote d'Hélène !

Il avait cru avoir une attaque lorsqu'il l'avait vue avec la broche. Maintenant, les flics sonnaient chez lui avec un mandat de perquisition.

Augie réfléchit rapidement à la situation. Il avait écoulé la quasi-totalité de ses vols, à l'exception de quelques bijoux appartenant à Eliza. Heureusement que le coffre-fort de Larson n'avait contenu que de la paperasse.

Tout au plus pourrait-on l'accuser d'avoir cambriolé la maison d'Eliza Blake.

Augie demanda l'assistance d'un avocat. Un bon avocat pourrait lui obtenir un non-lieu en échange d'informations sur un double meurtre.

— Je suis désolée, Samuel. J'espère que vous finirez par partager mon opinion et que nous resterons bons amis.

Amis. Eliza elle-même trouvait que le mot sonnait faux.

Samuel s'efforça de faire bonne contenance, mais ses traits tirés trahissaient le coup terrible qu'il venait de recevoir. Il avança lentement jusqu'à la porte d'entrée.

— S'il vous plaît, Samuel, reprenez votre cadeau.

Elle lui tendit l'écrin bleu.

— Non, répondit-il. Gardez-le. En souvenir de tout ce que vous avez fait pour Sarah et moi.

130

Les couloirs de l'hôpital Sloan-Kettering ravivèrent tous ses souvenirs.

Combien de fois n'avait-elle pas foulé ces sols polis alors que, enceinte de quelques semaines, elle ne savait si elle devait attribuer ses nausées à sa grossesse ou au spectacle quotidien de son jeune mari agonisant ?

Eliza ne s'était toutefois jamais rendue dans l'aile du bâtiment réservée aux enfants.

Le personnel avait apporté un soin particulier à la décoration des chambres, afin de les rendre plus gaies. Mais les silhouettes amaigries et les crânes chauves des enfants rappelaient, si besoin était, que tous, jeunes et moins jeunes, garçons et filles, luttaient contre la maladie.

La caméra suivit le professeur Lieber le long des couloirs tandis qu'Eliza le questionnait.

— Le principal problème avec les enfants, c'est qu'ils sont en pleine croissance et que les cellules cancéreuses se développent alors aussi vite que les autres.

— Lorsque vous savez qu'un enfant est condamné, comment aidez-vous les parents ? lui demanda-t-elle.

— Nous disposons d'une équipe de psychologues. Mais, pour tout vous dire, je doute que cela suffise lorsque l'on se retrouve confronté à pareille épreuve. Comment apaiser la douleur des proches ? Parfois, certains enfants souffrent tant que leurs parents accueillent leur mort avec une certaine sérénité, en se disant que c'est mieux ainsi.

Eliza pensa à Samuel.

— La fille d'un de mes amis vient de mourir d'un cancer. Elle a été traitée chez vous.

— Comment s'appelait-elle ?

— Sarah Morton.

Le professeur secoua la tête.

— Son nom ne me dit rien. Mais je n'en suis pas surpris. Nous accueillons tellement d'enfants ici. Comment réagit votre ami ?

— Pas très bien, répondit Eliza.

Le visage affligé de Samuel lui revint à l'esprit.

— Ces blessures mettent du temps à cicatriser, vous savez, conclut le professeur.

L'équipe technique filma la salle de jeux, veillant à ne pas divulguer l'identité des jeunes patients. Aucun des visages ne serait montré sans l'accord écrit des parents.

Pour l'instant, seule une fillette pouvait apparaître à l'écran, ses parents ayant accepté qu'elle témoigne pour l'émission. Stoïque, la mère raconta l'enfer qu'ils vivaient depuis plus de deux ans. Le père, quant à lui, craqua devant les caméras et demanda à ce que ce passage ne soit pas diffusé.

Le docteur Lieber rejoignit toute l'équipe de Key News à la fin du tournage documentaire. Il transmit sa carte à Eliza.

— N'hésitez pas à me joindre si vous avez besoin d'autres renseignements. Et puis j'ai repensé à votre ami, madame Blake. Qu'il m'appelle s'il le désire. Peut-être serait-il bon qu'il obtienne un soutien psychologique.

589

Après son passage à l'antenne ce soir-là, Eliza appela Samuel. En entendant la voix pleine d'espoir de l'avocat, elle se demanda si elle ne commettait pas une erreur.

— Je venais aux nouvelles.

— Oh ! répondit-il. Ça va. Mais s'il vous plaît, Eliza, ne vous en faites pas pour moi. Cela rendrait les choses plus difficiles encore.

— Je m'inquiète pour vous, Samuel. Vous avez été très éprouvé ces derniers temps et je voulais vous dire que j'ai parlé de vous à un médecin de Sloan-Kettering. Il m'a proposé d'arranger un rendez-vous auprès de la cellule psychologique de l'hôpital,

— Non, merci. Je suis assez grand pour m'en sortir tout seul.

— Mais en quoi l'aide d'un spécialiste pourrait-elle vous nuire ?

— Qu'est-ce qu'il va m'apprendre que je ne sais pas encore ? Sarah est morte... Sa voix devint presque inaudible, Merci de vous soucier de moi.

Et il raccrocha.

Elle pensait encore à Samuel dans la voiture qui avançait au pas sur l'autoroute. À hauteur du pont George Washington, elle sortit la carte de visite du docteur Lieber et composa son numéro sur son portable.

Elle tomba sur son répondeur et laissa un message.

— Docteur Lieber, c'est Eliza Blake. Je m'inquiète réellement pour cet ami dont je vous ai parlé. Rappelez-moi à Key News ou même chez moi quand vous aurez un moment.

131

Il n'en revenait pas.

Une minute auparavant, Larson pensait avoir touché le fond. Mais, après le coup de fil de la police, il comprit que ce qui l'avait préoccupé jusqu'alors n'était rien en comparaison de ce qui l'attendait.

132

— Je suis désolé, madame Blake, mais je viens juste de prendre connaissance de votre message.

En général, les médecins ne s'excusaient pas de n'avoir pas répondu à un appel non urgent déposé en dehors des heures de travail. Présenter le journal télévisé de Key News avait ses avantages. On la rappelait toujours.

Elle commença par lui rapporter la conversation qu'elle avait eue avec Samuel.

— Je ne suis pas psychiatre, madame Blake, mais il semblerait que votre ami ait besoin d'aide. Voulez-vous que je le joigne personnellement ?

Eliza considéra un instant l'offre du docteur Lieber. Était-ce la culpabilité qui la poussait à agir ? Samuel apprécierait-il son geste ? Bien sûr, elle était animée de bonnes intentions, mais il risquait de lui reprocher d'avoir trahi sa confiance. Elle hésita, puis décida qu'il importait avant tout de l'aider.

— Oui, docteur Lieber. Je crois que ce serait préférable. Je n'arrive pas à lui faire entendre raison.

Elle reçut un appel de Samuel dans l'après-midi.

— Je sais ce que vous essayez de faire, Eliza. Je sais que vous ne voulez que mon bien mais, je vous en conjure, laissez-moi en paix. Nous ne pouvons pas être amis – pas pour l'instant du moins. J'ai besoin de rester seul pendant quelque temps.

133

La veille d'Halloween, la coutume veut que les adolescents s'amusent à badigeonner les habitations de leur quartier à l'aide d'œufs, de farine, de papier-toilette et de savon.

Un groupe de fêtards déboula dans la rue où vivait Larson Richards et savonna les vitres des voitures garées à l'extérieur des maisons. Si leurs propriétaires étaient assez bêtes pour les laisser dehors, ils méritaient de retrouver leurs pare-brise soigneusement repeints.

Il n'y avait pas trace de la Mercedes de Richards et pas de lumière chez lui. Les gamins s'engouffrèrent joyeusement dans l'immense propriété et badigeonnèrent les fenêtres du rez-de-chaussée avant de poursuivre leur chemin. Aucun d'eux n'entendit le bruit du moteur de la Mercedes Benz dans le garage. Portières et vitres fermées, les gaz du pot d'échappement se répandaient peu à peu à l'intérieur du véhicule.

134

Le jour d'Halloween, Janie sauta hors de son lit, impatiente de revêtir son costume d'Olive Oyl pour aller à l'école. Dans l'après-midi, Susan et Mme Garcia feraient le tour du pâté de maisons avec les enfants pour quêter des friandises. Eliza promit à sa fille de rentrer du travail le plus vite possible pour distribuer avec elle des bonbons aux adolescents qui passeraient dans la soirée.

Florence Anderson se réveilla bien avant l'aube. Elle appréhendait cette journée des mois à l'avance. Lors du premier anniversaire de la disparition de Linda, elle n'avait pas eu le courage d'ouvrir sa porte aux enfants, comme la tradition le voulait. L'année suivante, elle avait timidement distribué des paquets de M&M's. C'étaient les préférés de Linda.

Depuis, elle en remplissait tous les ans un gros bol qu'elle tenait prêt sur la table de son entrée. Petit à petit, la vie reprenait le dessus.

Et peut-être, oui peut-être, osait-elle espérer, le reportage qui suivrait le journal télévisé ce soir-là éveillerait-il chez quelqu'un des souvenirs jusque-là enfouis. Elle aurait alors une chance de tirer un trait sur le passé.

135

Keith l'appela du studio de montage.
— C'est bouclé. Tu veux jeter un coup d'œil ?
— J'arrive tout de suite, répondit Eliza.

Elle descendit deux étages et gagna la salle de montage, Keith se leva à son arrivée et lui céda sa place.

— Tu es satisfait ? demanda-t-elle en s'installant.

— Plutôt. Je trouve le sujet bien mené, mais j'attends ton avis.

Keith resta en retrait, au fond de la cabine, et commença à se ronger les ongles. Le documentaire débutait par des images d'archives montrant Linda Anderson lors de ce qui devait être son dernier JT. La voix d'Eliza intervint alors pour présenter le sujet de la soirée.

« Linda Anderson ne savait pas qu'en quittant GSN ce soir-là, veille des fêtes d'Halloween, elle venait de présenter son dernier journal télévisé. Bien au contraire, tout portait à croire qu'elle ferait carrière dans la profession. »

Le visage inquiet de Mme Anderson apparut à l'écran.

« Les gens disaient qu'ils avaient l'impression de connaître Linda rien qu'en la regardant à la télé. Elle dégageait cette sorte d'aura familière. »

« Et en effet, on sait que le public appréciait beaucoup Linda Anderson, poursuivait la voix d'Eliza. Les courbes d'audience montraient que les spectateurs du New Jersey lui étaient fidèles et que, de l'autre côté de l'Hudson, elle ne laissait pas non plus le public indifférent. »

La parole revenait ensuite à Florence Anderson.

« Un agent l'avait contactée et lui avait fait tourner un bout d'essai qu'il avait ensuite envoyé à Key News. Un rendez-vous a même été pris pour un entretien. Linda était enthousiaste à l'idée de travailler pour une chaîne aussi prestigieuse. »

« Mais Linda ne s'est jamais rendue au rendez-vous qui lui avait été fixé par la chaîne, reprit Eliza. Après la diffusion de son dernier journal, elle a quitté les studios de GSN et personne ne l'a plus revue. »

Le visage de Florence Anderson réapparut à l'écran.

« Au début, la police a fouillé tous les environs. Ils ont interrogé des témoins, des gens qui la connaissaient de vue, des collègues, ses ex-petits amis, bref, tous ceux qui de près ou de loin l'avaient approchée. »

À cet endroit, Keith avait inséré quelques images pour illustrer le témoignage de la mère de Linda Anderson.

« Tous les soirs, GSN évoquait sa disparition. Les gens ont attaché des rubans jaunes autour des arbres en signe de solidarité. La chaîne a même promis une récompense à qui la retrouverait, sans résultat. Si vous voulez mon avis, la police a classé l'affaire. »

« La police dément bien sûr ces allégations », intervint Eliza.

Un détective interviewé par Keith apparut à l'écran.

« L'affaire Linda Anderson est toujours en cours et le restera jusqu'à sa résolution. Le sort des célébrités intéresse bien sûr tout le pays mais le fait est que, malgré nos recherches assidues qui n'ont négligé aucune piste, nous ne sommes pas encore parvenus à retrouver la présentatrice. La liste des suspects potentiels est beaucoup trop longue. »

Ainsi se terminait le reportage. Keith transmit à Eliza le texte qu'elle devait enregistrer pour la conclusion.

Avant de disparaître, Linda Anderson avait confié à sa famille et à ses amis qu'elle se sentait suivie. Traquer quelqu'un est illégal dans tous les États du pays. Si la presse relate uniquement les cas des célébrités qui subissent ce genre de harcèlement, nous ne devrions pas oublier que les personnes les plus touchées sont des citoyens ordinaires. La police vous conseille d'écouter votre instinct. Si vous rencontrez quelqu'un qui vous met mal à l'aise, évitez-le et protégez-vous de lui.

— Qu'est-ce que tu en penses ? demanda Keith.

— Pas mal, mais j'aurais préféré qu'on prenne plus le temps de raconter l'histoire de Linda Anderson.

— Crois-moi si tu veux, mais Range tenait à ce qu'on coupe entre dix et quinze secondes supplémentaires. Je lui ai dit que c'était impossible.

Eliza comprenait les impératifs du producteur.

— Tu as fait du bon boulot, Keith, répéta-t-elle.

Elle se leva et remarqua alors sur la table de montage la cassette contenant le bout d'essai tourné par Linda Anderson.

— Je peux l'emprunter ? J'aimerais y jeter un œil.

Sa ressemblance avec l'ex-présentatrice de GSN la troublait beaucoup.

136

La porte de la salle de maquillage était ouverte. Personne à l'intérieur.

Doris était probablement en train de faire admirer son déguisement dans les étages, pensa Abigail en inspectant les grosses boîtes disposées sur la table. Des étagères remplies de fonds de teint, de crèmes, de fards et de rouges à lèvres couvraient les murs. Abigail regarda l'heure. Eliza ne tarderait pas et elle voulait éviter une rencontre inopinée.

Elle prit un tube de fond de teint noir. Exactement ce dont elle avait besoin. Elle savait que Doris ne le lui aurait pas refusé si elle avait été là. De toute façon, elle le lui rapporterait le lendemain.

Eliza étudiait des propositions de script dans le bocal lorsque Keith débarqua, affolé.

— Cindy a perdu les eaux ! Il faut que j'y aille !

— Bonne chance, mon vieux ! lança Range sans lever les yeux de son ordinateur.

— Oui, bon courage, Keith, répéta Eliza. Et appelle-nous quand le bébé sera là. Tu as mon numéro personnel, n'est-ce pas ?

— Oui, je n'y manquerai pas, répondit-il avant de tourner les talons.

Range se tourna vers Eliza.

— Tu t'imagines avec un type aussi angoissé dans la salle de travail ? plaisanta-t-il.

— C'est toujours mieux que personne, Range.

Le producteur se rappela dans quelles circonstances Eliza avait accouché. Pour une fois, il ne sut que dire.

137

Pourquoi Eliza avait-elle choisi ce reportage ?

Faire remonter toute cette affaire à la surface.

Le visage de Linda souriait à l'écran. Magnifique et si vivant. Si seulement elle ne s'était pas débattue !

Qu'est-ce qui pouvait pousser un être à rejeter un amour sincère ?

D'abord Linda. Et maintenant Eliza.

138

Eliza fourra la cassette dans son sac, pensant trouver un peu de temps pour la visionner chez elle. Au bureau, il était impossible de passer quinze minutes d'affilée sans interruption.

Elle salua au passage Paige, qui étrennait le pull en cachemire bleu. Il lui allait à merveille.

Une voiture l'attendait à la sortie des studios. Le trafic était assez fluide et elle arriva chez elle à 20 heures.

La police de HoHoKus avait décrété un couvre-feu à 21 heures. Une patrouille passerait alors dans le voisinage pour enjoindre aux enfants de rentrer chez eux. Eliza avait promis à Janie qu'elle pourrait veiller un peu ce soir-là. On sonna à la porte. Un pirate et un chaudronnier se présentèrent, tandis que leurs parents patientaient sur le trottoir, devant la maison. Vinrent ensuite des adolescentes qui riaient nerveusement dans leur uniforme de cheftaines.

À 21 heures, Eliza déclara qu'il était temps d'aller se coucher. Plus personne ne viendrait ce soir.

Un épouvantail au visage fardé de noir s'était immobilisé sur la Sixième Avenue, au beau milieu de Greenwich Village. Dans la cohue des fantômes aux larges capuches et des lutins espiègles, des femmes grimées en homme et des hommes grimés en femme, Abigail se sentait seule.

Le souvenir douloureux de Linda la hantait. Elle ne voulait pas faire semblant d'être enjouée. Pas ce soir. Cinq ans déjà, et pourtant sa douleur restait aussi vive.

Elle s'écarta du trottoir bondé tandis que ses amis continuaient à avancer. Elle pourrait toujours prétendre les avoir perdus dans la foule.

Eliza borda sa fille et regagna sa chambre pour se changer. Une tenue plus confortable s'imposait. Dans la cuisine, vêtue d'un jean et d'un ample T-shirt, elle trouva le repas que Mme Garcia avait préparé pour elle. Mais quelques tranches de cheddar accompagnées de crackers feraient l'affaire pour ce soir. Il était un peu tard pour engloutir un repas copieux. Un verre de vin blanc rejoignit le plateau-repas qu'elle installa sur une table basse. Elle allait enfin pouvoir visionner la cassette de Linda Anderson.

Un coup de sonnette l'interrompit. Elle se dirigea vers la porte d'entrée, pensant tomber sur un fêtard retardataire.

— Samuel ! s'exclama-t-elle. Entrez donc !

Jimmy Willis s'accroupit derrière un arbre dès qu'il aperçut le fourgon de police.

Rien à faire de leur couvre-feu ! Le jeune garçon était bien déterminé à visiter encore quelques maisons avant de rentrer. Sa mère lui avait déjà passé un savon, la nuit précédente, lorsqu'elle l'avait récupéré au poste de police où il avait été emmené pour avoir lancé des œufs pourris sur la maison de ses voisins. Elle lui avait interdit de sortir ce soir, mais il n'avait eu aucun mal à se faufiler dehors. S'il devait être privé de repas, autant ramener encore quelques friandises.

L'adolescent de quatorze ans attendit que le gyrophare de la voiture de patrouille ait disparu avant de sortir de sa cachette et de redescendre la rue.

Samuel avait l'air d'un homme qui venait d'enterrer son meilleur ami lorsqu'il s'échoua sur le canapé. Eliza ressentit de la pitié pour lui,

— Je ne peux ni manger ni dormir. Je me sens si démuni sans vous.

Le téléphone retentit. Sauvée par le gong, pensa furtivement Eliza. Car comment réconforter cet homme ?

— Excusez-moi, Samuel.

Eliza laissa son invité quelques instants. Un jeune père fier de l'être l'attendait à l'autre bout du fil.

— Félicitations, Keith ! C'est super. Comment va Cindy ?

Eliza sentit le regard de Samuel posé sur elle tandis qu'elle interrogeait Keith. Nerveusement, elle saisit le boîtier de la cassette qu'elle s'apprêtait à regarder avant l'arrivée de Samuel.

— Quatre kilos ! Waou ! C'est un beau bébé. Comment s'appelle-t-il ?

Keith lui dit le nom de son fils, mais Eliza ne l'écoutait plus. Son regard venait de tomber sur l'étiquette collée à l'intérieur du boîtier. Sous le nom de Linda Anderson figurait celui de son agent. Samuel Morton.

Abigail ôta son maquillage et se changea rapidement. Elle ne voulait certes pas partager la folle ambiance du défilé de Greenwich Village, mais elle ne passerait pas la soirée ici à se morfondre. Dans la rue, elle se mit en quête d'un petit bar tranquille.

Les yeux clos formaient deux petites courbes parfaites, la bouche entrouverte comme un bouton de rose libérait un léger souffle imperceptible. Keith Chapel s'émerveilla de la perfection de ce petit bonhomme qui dormait dans les bras de sa femme.

Robert Keith Chapel, son fils.

Le jeune couple échangea un regard complice. Tous trois formaient à présent une famille unie.

Cindy avait tant souffert en l'espace de neuf mois que Keith espérait qu'elle lui pardonnerait son comportement. Par-dessus tout, il espérait pouvoir se pardonner lui-même.

Eliza tenta rapidement de se rappeler si elle avait mentionné à Samuel le thème du reportage de ce soir. Oui, elle revoyait la scène : elle lui en avait parlé à Esty Street. Bizarrement, il n'avait fait aucune remarque à ce sujet.

Elle voulait plus que tout lui accorder le bénéfice du doute. Elle n'était pas sûre d'avoir prononcé le nom de Linda Anderson. Peut-être n'avait-il pas établi de lien entre le thème de l'émission et l'ancienne présentatrice de GSN. Mais même si elle n'avait pas nommé Linda, l'histoire qu'elle lui avait racontée aurait dû le faire réagir.

Un frisson la parcourut. Elle avait besoin d'un temps de réflexion. Existait-il un autre Samuel Morton ? se demanda-t-elle en s'asseyant en face de son hôte.

— Où en étions-nous ? reprit-elle.

— Je vous disais combien je me sens malheureux sans vous. Eliza, êtes-vous sûre de ne pas vouloir revenir sur votre décision ? Nous avons tout le temps. Je vous promets de ne pas précipiter les choses. Mais j'ai besoin de savoir si nous continuerons à nous voir.

— Bien sûr, Samuel, mais uniquement en tant qu'amis.

Ce n'était de toute évidence pas la réponse qu'il attendait.

— Venez, dit-elle l'entraînant vers la cuisine. Je vous offre un verre.

Elle venait juste de sortir une bouteille de vin lorsque la sonnerie du téléphone retentit une seconde fois.

— Excusez-moi, mais je ne veux pas réveiller Janie.

Samuel acquiesça tristement.

— Madame Blake ? Bob Lieber, de Sloan-Kettering, je ne vous dérange pas ?

— Mais pas du tout, Que se passe-t-il ?

— Pour tout vous dire, je suis un peu inquiet. Je vous appelle de l'hôpital où je viens de consulter la liste des patients que nous avons admis ces six derniers mois,

— Oui, et alors ?

— Eh bien, aucune Sarah Morton ne figure sur nos listes.

Plus qu'une maison avant de rentrer chez lui. Jimmy allait terminer son escapade par un gros coup. La maison de cette femme de la télé.

Il écrasa la cigarette qu'il venait de fumer et se dirigea vers l'imposante demeure. Toutes les lampes étaient allumées. Confiant, il frappa à la porte. Personne ne vint lui ouvrir. Il insista.

— Ne répondez pas.

— J'en ai pour une minute, Samuel.

— Je vous le demande, Eliza, ne répondez pas cette fois.

Eliza eut soudain envie de courir vers la porte d'entrée et de s'enfuir dans la nuit. Mais Janie... Elle ne pouvait pas abandonner sa fille derrière elle.

Les révélations du professeur Lieber l'avaient estomaquée. Comment Samuel avait-il pu lui mentir à ce point ? Il devait y avoir une erreur. Sarah Morton devait bien exister. Sinon, pourquoi avoir inventé toute cette histoire ?

Et cette photo souriante sur l'album que lui avait remis Samuel ? Il y avait bien une ressemblance entre Samuel et cette jeune fille.

Une peur viscérale s'empara d'elle.

Et si c'était lui, Samuel Morton, le meurtrier de Linda Anderson ?

Mais pour qui se prenait-elle ? Était-ce trop lui demander que d'ouvrir sa porte pour offrir une friandise ? Dire que sa mère n'avait que le nom d'Eliza Blake à la bouche. Il n'y avait vraiment pas de quoi être impressionné.

Jimmy frappa une dernière fois avant d'entendre le moteur d'une voiture. Les flics, pensa-t-il en se coulant derrière des arbustes.

Après le passage de la patrouille, il voulut se venger à sa manière.

Il vérifia que personne ne se trouvait dans le salon et entreprit d'en savonner les fenêtres. Il contourna ensuite la maison et agit de même avec celles de la bibliothèque. Enfin, il s'approcha de la cuisine.

Il aurait dû décamper en vitesse.

Mais ce qu'il aperçut le cloua sur place. Il reconnut la présentatrice de la télévision. Elle tournait le dos à la table, tandis qu'un homme faisait les cent pas devant elle.

Profitant d'un instant où il ne la regardait pas, elle saisit un couteau et le coinça dans la ceinture de son jean, sous son T-shirt.

Il fallait qu'elle l'entraîne hors de la maison. Qu'elle l'éloigne à tout prix de Janie.

Eliza trempa les lèvres dans son vin.

— Écoutez, Samuel, je me suis peut-être trompée. Tout me paraît si confus en ce moment. J'ai besoin d'un peu de temps pour reconsidérer notre relation.

Elle se passa la main dans les cheveux.

Samuel lui jeta un regard plein d'espoir.

— Allons faire un tour dehors, proposa-t-elle.

— Et Janie ?

— Ne vous en faites pas pour elle. Nous serons vite de retour. Venez. (Elle le prit par la main.) Un peu d'air frais nous fera le plus grand bien.

Nom d'un chien !

Où était la police quand on avait besoin d'elle ?

Jimmy redescendit la rue à toute allure et, pour la première fois de sa vie, pria pour tomber nez à nez avec une patrouille de policiers.

Il ne croisa personne.

On dit que cela arrive parfois. Vous rencontrez quelqu'un et, instinctivement, vous savez que c'est la personne de votre vie.

Abigail examina le visage de la jeune femme assise au bar à côté d'elle. Pour la première fois depuis des mois, elle ne pensa pas à Eliza.

La surface du lac était plissée par une légère brise d'automne. Le reflet tremblant de la lune éclairait légèrement leurs visages.

Eliza fit appel à toute sa volonté pour ne pas repousser Samuel lorsqu'il lui passa un bras autour des épaules.

— Vous pensez sincèrement pouvoir m'aimer ? murmura-t-il.

— J'en suis même certaine, Samuel.

Eliza pria pour que passe une voiture. Pour que quelqu'un fasse quelque chose. Pour qu'on l'aide à sortir de ce cauchemar.

Samuel la serra plus fort.

— Je vous aime, Eliza.

Il la prit par le menton et se pencha pour l'embrasser. Elle lui retourna son baiser. Sa vie en dépendait.

On peut savoir où tu as traîné ? tonna la mère de Jimmy.

— M'an ! M'an ! Faut prévenir la police !

— Tu ne crois pas qu'on a déjà assez eu affaire à elle ces derniers temps ?

— Mais maman, tu comprends pas.

— Oh si ! je comprends très bien, mon garçon. Je suis fatiguée de tes salades. Je t'avais dit de rester dans ta chambre ce soir. Maintenant, hors de ma vue !

Furieux, Jimmy monta dans sa chambre et se jeta sur son lit. Il aurait dû laisser tomber toute cette affaire, mais ne put s'y résoudre. Il prit son téléphone et appela le bureau de police de HoHoKus.

Sa voix chevrotante ne convainquit pas son interlocuteur.

— Qui est à l'appareil ? demanda le brigadier.

— Jim willis.

— C'est toi qu'on a arrêté hier ?

— Oui, mais ce soir je vous appelle pour quelque chose d'important. Ça concerne la présentatrice de la télé qui habite sur la route de Saddle Ridge. Elle était avec un type dans sa cuisine et elle a glissé un couteau sous son pull. Je vous jure, ça a l'air louche...

— C'est ça, mon garçon, joyeuses fêtes d'Halloween !

Eliza regardait fixement Samuel lorsqu'il rouvrit les yeux. Il desserra son étreinte,

— Qu'est-ce qui se passe ?

— Rien, rien, Samuel.

— Pourquoi vous me regardez comme ça ?

Eliza glissa sa main droite dans son jean.

— Vous êtes au courant, Eliza.

— Au courant de quoi ?

Elle sentit le manche du couteau de cuisine.

— Vous savez pour moi.

— Quoi... Pour vous ?

La voix d'Eliza tressautait. Elle ne savait plus quoi faire. Si elle hurlait, personne ne l'entendrait et alors.

— Vous mentez, Eliza. Je sais que vous mentez, je vous connais par cœur. Cela fait des années que je vous observe sous toutes les coutures. De « Key to America » jusqu'au JT de Key News, j'ai tout enregistré, Eliza, tout visionné, et plus d'une fois. Je sais qu'à cet instant précis, vous mentez.

— À propos de quoi, Samuel ?

— De Sarah. Vous savez que j'ai tout inventé pour vous approcher.

606

— Mais cette photo sur l'album ? demanda Eliza. Elle vous ressemble comme deux gouttes d'eau.

— C'est ma petite nièce, la fille de mon frère Leo.

Eliza saisit le manche du couteau.

— Je devais trouver un moyen de vous rencontrer, Eliza... Nous étions faits l'un pour l'autre. Et ça a failli marcher entre nous... Puis vous avez tout gâché.

Eliza commençait à faire le lien avec l'affaire Anderson. Linda avait avoué qu'elle se sentait suivie et, dès que la police avait décidé de l'escorter, plus rien... Elle avait dû se confier à son agent qui, de cette manière, avait pu s'éclipser le temps nécessaire.

— J'aurais préféré que les choses se passent différemment, avoua Samuel, les yeux rivés sur le lac. Mais vous aimez l'eau... Tout comme moi, tout comme Linda. Par sa tranquillité, l'eau peut nous guérir de tout... Je pense souvent à Linda... Quelle chance pour elle d'avoir rejoint le vaste lit de l'océan Atlantique !

— L'océan Atlantique... C'est là que Linda repose.

Samuel haussa les épaules.

— Je peux bien vous le dire, maintenant. De toute façon, vous n'aurez pas l'opportunité de le répéter. Oui, Linda repose au large des côtes de Sandy Hook. J'aime me dire qu'elle est en paix, à l'endroit même où nous nous sommes si souvent promenés.

— Du moins c'est ce que vous croyez ? Depuis, son corps a pu dériver n'importe où.

La voix d'Eliza avait retrouvé son aplomb.

— Non, Eliza. Quand j'ai tiré le corps de Linda du coffre de ma voiture, je l'ai déposé sur un bateau pneumatique solide. J'ai rivé des poids tout autour avant de le mettre à l'eau et il m'a suffi de pratiquer une petite ouverture dans la toile pour voir le lit funèbre de Linda disparaître progressivement dans les vagues.

Eliza avait pris sa décision. Elle sortit vivement son couteau et en enfonça la lame dans le ventre de Samuel.

Le brigadier aurait parié que le gosse mentait. Il recevrait d'ailleurs un sérieux avertissement pour avoir plaisanté avec un fonctionnaire de la police sur un sujet aussi grave.

Mais si le gamin disait vrai et qu'il ne faisait rien, il pourrait le payer très cher.

Mieux valait ne pas prendre de risque. Il envoya une patrouille en reconnaissance.

Samuel hurla de douleur, mais il eut le réflexe de s'agripper au cou de sa proie. La plaie n'était pas assez sévère pour lui faire lâcher son étreinte. Eliza eut beau se débattre, elle ne parvint pas à lui faire lâcher prise.

Elle réussit néanmoins à lui assener un coup de genou dans l'aine. Les mains de Samuel la libérèrent et elle put s'éloigner de quelques mètres. Mais elle était loin d'avoir mis son adversaire à terre. Sur le chemin boueux, elle se mit à courir à toute vitesse tandis que, derrière elle, les pas lourds de son agresseur la rattrapaient.

Un long grognement suivi d'un bruit sourd parvint à ses oreilles, Samuel venait de glisser sur les fientes d'oiseau et Eliza profita de cette aubaine.

Et si elle se réfugiait chez les Feeney ?

Mais Janie se retrouverait alors toute seule. L'instinct la poussa à rejoindre sa fille. Arrivée chez elle, elle s'enferma à clé et se jeta sur le téléphone. Elle composa le numéro qu'elle connaissait par cœur, fixant la porte d'entrée comme une bête apeurée.

— Police de HoHoKus ?

La patrouille reçut le message cinq sur cinq et se dirigea vers Saddle Ridge Road.

— Il se peut que ce soit une blague, mais allez quand même jeter un œil, on ne sait jamais.

La voiture n'était qu'à quelques mètres de la propriété d'Eliza Blake lorsqu'un second appel fut transmis par radio.

— Suspect armé et dangereux. Envoyez des renforts.

Tétanisée, Eliza attendait l'arrivée des secours. Les secondes lui semblaient interminables et la police qui n'arrivait pas…

Elle vida frénétiquement ses tiroirs à la recherche d'une arme. Dans la cheminée, elle saisit le tisonnier en acier.

La plaie saignait abondamment lorsque Samuel se hissa jusqu'à la piscine. Il ôta la bâche qui protégeait le bassin. C'était dans l'eau qu'Eliza, elle aussi, trouverait le repos. Puis, rassemblant ses dernières forces, il délogea une pierre d'un des parterres de fleurs. La porte vitrée de la cuisine éclata en mille morceaux dans un vacarme assourdissant.

Eliza était prête.

La voiture de police arriva en trombe devant l'entrée de la propriété. Le policier cogna vigoureusement contre la porte, sans obtenir de réponse.

Il sortit son arme, ne sachant pas ce qu'il allait trouver à l'intérieur. Les renforts ne tarderaient pas.

Samuel se glissa dans la cuisine, foulant les débris de verre éparpillés et s'arrêta net pour écouter.

Où se cachait-elle ?

Une trace de sang le suivit dans le séjour, le salon et le petit bureau.

Elle devait être montée dans son nid pour protéger sa progéniture.

Il s'élança dans l'escalier et, dans le couloir, tomba sur elle. Deux yeux fixes dans la pénombre. Elle n'hésita pas une seconde : le tisonnier vint frapper son crâne de plein fouet. Il tituba un instant, puis tomba à la renverse dans l'escalier.

Eliza resta immobile lorsque des hommes en uniforme bleu s'approchèrent du corps ensanglanté.

Janie dormait profondément.

Épilogue

Un vent mordant soufflait sur les eaux de Sandy Hook, chahutant les manteaux des quelques personnes réunies sur la plage. Au premier rang de l'assemblée, Florence et Monica Anderson écoutaient le pasteur lire un passage de la Bible.

À la suite des proches de la famille, Eliza Blake et Abigail Snow s'avancèrent au bord de l'eau et jetèrent des œillets roses dans l'océan.

Puis les gens se succédèrent auprès de Florence Anderson.

— Mes condoléances, madame Anderson.

Eliza ne put rien dire de plus.

Florence Anderson la prit dans ses bras.

— Mille mercis. À présent, je sais ce qui s'est passé. C'est mieux comme ça.

Eliza regarda avec compassion cette mère fatiguée. Son regard, bien que las, étincelait de ce bleu si intense qu'elle lui connaissait. Elle pria pour qu'elle retrouve un peu de sérénité.

— Vous pouvez vous joindre à nous pour le repas, si vous le souhaitez.

— C'est gentil, Florence, mais je dois être de retour à Key News pour un enregistrement sur la présidentielle.

Eliza proposa à Abigail de la déposer aux studios, pensant qu'elle accepterait sans hésiter. À sa grande surprise, elle déclina l'invitation. Elle se joindrait au repas avec ses anciens collègues de GSN, qui étaient venus rendre un dernier hommage à Linda.

— Eliza, je tenais à vous dire, j'ai rencontré quelqu'un...

— Ça, c'est une nouvelle, Abigail. Félicitations !

Solitaire, Eliza parcourut lentement la langue de sable qui la séparait de sa voiture.

Elle pensa à Mack. Il devait rentrer pour les fêtes de fin d'année et sans doute pourraient-ils se retrouver. Le ressentiment qu'elle avait nourri pendant son absence s'estompait à présent.

Après tout, personne n'est parfait, pensa-t-elle.

À son retour de la cérémonie funèbre, Eliza rencontra Joe Connelly qui lui fit le récit du rapport de police à l'époque de la disparition de Linda.

— En tant qu'agent de Linda Anderson, Samuel Morton s'était toujours montré irréprochable. Il s'était occupé des intérêts de la présentatrice avec professionnalisme. Les dépositions des amis et collègues de Linda allaient dans le même sens. Ils écartaient d'emblée Samuel de la liste des suspects.

— Et ils l'ont laissé filer comme ça ? demanda Eliza, incrédule.

— Bien sûr. Aucune charge ne pesait contre lui. La police savait qu'il avait rejoint son frère en Floride, un an après la disparition de la présentatrice. Cela ne ressemblait pas a une fuite. Son frère dirigeait un cabinet juridique et lui avait proposé de travailler à ses côtés. Qui aurait pu se douter de quoi que ce soit ?

— Est-ce que la police locale de Sarasota a suivi l'affaire ?

— Oui, et encore une fois, rien de suspect. Samuel Morton passait pour un citoyen modèle. Philanthrope avéré, il participait à de nombreux galas de charité.

Quelle leçon ! Dire que derrière n'importe quel type avenant et raffiné pouvait se cacher le pire des psychopathes, pensa Eliza.

— Et son frère ? Il était au courant ?

— Le chef de la police de Sarasota pense que non. Leo Morton était inquiet pour Samuel. Il le savait déprimé depuis longtemps et cela se ressentait dans son travail. Certains matins, il ne venait pas au bureau et passait son temps à marcher sur la plage. Mais de là à le soupçonner de meurtre... Leo était présent lors de la fouille de l'appartement de son frère à Sarasota. La découverte des cassettes vidéo de Linda Anderson et de vous l'a laissé sans voix.

— Sait-il que Samuel utilisait une photo de sa fille pour monter ses petits scénarios pervers.

Joe acquiesça.

— Il le sait depuis peu. Il est devenu livide en l'apprenant.

— J'imagine.

Eliza imagina ce qu'elle-même ressentirait si quelqu'un venait à se servir ainsi d'une photo de Janie.

— Que va-t-il se passer maintenant ?

— Si vous aviez visé un peu mieux ou un peu plus fort, la question serait superflue. Mais, dans le cas présent, vous allez devoir témoigner et ne pensez pas que cela va lui déplaire. Ce sera une occasion comme une autre pour cet homme d'être près de vous, si près de vous... Une dernière fois.

La police avait récupéré l'alliance, les boucles d'oreilles en diamants, le bracelet d'émeraudes et la broche qu'elle adorait plus que tout. L'inspecteur de police de HoHoKus lui confia qu'il avait retrouvé à l'intérieur de la station-service le double des clés de toutes les résidences cambriolées dans le voisinage. Augie Sinisi allait être incarcéré.

— Tu resplendis ce soir, Eliza, remarqua Doris tandis qu'elle lui poudrait le visage.

En effet, lorsque Doris se rendit dans la cabine de contrôle pour apporter une dernière retouche au maquillage d'Eliza, elle constata avec satisfaction que le visage de la présentatrice avait retrouvé son éclat habituel.

Janie, le front collé contre la fenêtre, guettait l'arrivée de sa mère. Dès qu'elle aperçut les phares de la voiture, elle se retourna vers Mme Garcia.

— Ça y est, elle arrive ! cria-t-elle, tout excitée.

Janie sauta au cou d'Eliza pour lui raconter sa journée. À l'école, l'institutrice leur avait parlé des premiers colons américains. Daisy s'asseyait quand elle le lui demandait et Mme Garcia lui avait appris deux nouveaux mots d'espagnol.

Eliza écouta sa fille lui égrener les détails de sa petite vie. Ces moments ordinaires lui étaient chers. Elle prit Janie dans ses bras, l'embrassa et la garda tout contre elle un moment.

Elle se promit de ne plus jamais rien prendre pour argent comptant, sachant pertinemment combien pareille résolution était vaine. On ne peut changer la nature humaine.

Cache-toi si tu peux

Prologue

Il aurait aimé allumer une lampe, mais c'était impossible. Et elle en fut heureuse. Toute lumière provenant de la cabane de jeu risquait d'attirer l'attention d'un domestique. Il aurait également aimé écouter un peu de musique. Il avait même apporté son radiocassette. Mais elle insista pour qu'ils évitent de faire le moindre bruit. Mieux valait qu'aucun son ne s'échappe dans cette nuit paisible. Ils devraient se contenter du silence et du lent va-et-vient régulier de leurs corps.

Elle s'étendit sur le lit en fer forgé en songeant aux enfants qui avaient fait la sieste ici même. Elle se crispait chaque fois que lui parvenait le cri d'un grillon ou le triste gémissement d'une mouflette dans le champ voisin. Elle se demanda si des bêtes rôdaient dans le souterrain désaffecté qui passait sous la cabane. Pourvu que non ! Ce tunnel était leur seule issue en cas de fuite précipitée.

Elle avait quelque peine à s'abandonner aux caresses de son amant. Lui, au contraire, était parfaitement à l'aise. Alors qu'il était au comble de l'excitation, une voix retentit au-dehors.

— Zut ! laissa-t-elle échapper en le repoussant. C'est Charlotte...

Ils rassemblèrent leurs vêtements à la hâte, sans y voir grand-chose tant il faisait noir. Il se saisit de son radio-cassette. Déjà sa compagne soulevait la trappe du plancher. Ils s'enfoncèrent dans l'obscurité et rabattirent la trappe sur eux. À l'instant même où elle se refermait, ils entendirent s'ouvrir la porte de la cabane.

Leurs pieds nus foulèrent le sol froid, rude et poussiéreux du souterrain.

— Qu'est-ce que tu fais ? murmura-t-il. Viens donc.

— Je me rhabille !

Dieu sait quelles bestioles traînaient dans ce tunnel. Elle préférait ne pas être dévêtue pour se frayer un chemin dans un endroit pareil.

Ils enfilèrent leurs vêtements à tâtons. D'en haut leur parvenaient des voix étouffées.

— Qui est avec Charlotte ? demanda-t-il.

— Comment veux-tu que je le sache ?

Bras tendus, ils progressèrent lentement vers l'autre extrémité du tunnel. Leurs doigts frôlaient les murs. Elle étouffa un cri : quelque chose venait de lui glisser entre les jambes. Un raton laveur ? Un rat ? Voilà ce qui arrivait quand on avait péché : Dieu vous punissait.

Ils virent enfin l'ouverture de la galerie et l'eau de la baie de Narragansett scintiller dans la nuit. Ils accélérèrent le pas. La lune répandait une clarté rare, précieuse. Ils allaient toucher au but quand il s'arrêta soudain.

— Mince...

— Quoi ?

— Mon portefeuille. Il a dû glisser de ma poche là-haut...

— Seigneur !

Il lui prit la main.

618

— Ne t'en fais pas. Continuons. Peut-être qu'ils ne le trouveront pas.

— Je vais le chercher, dit-elle, résolue.

— Demain. Tu iras le chercher demain.

Il la pressait de continuer plutôt vers la sortie.

Elle aurait bien voulu. Mais elle savait qu'elle n'arriverait pas à dormir de toute la nuit ; ce portefeuille oublié risquait de les trahir.

— Continue, dit-elle. Rentre à la maison.

— Je remonte avec toi.

— Non ! Tu ne peux pas rester dans l'enceinte de la propriété. Personne ne doit savoir que tu étais là. File. File tout de suite.

— D'accord. Mais on se revoit demain, alors.

Anxieuse, elle le regarda courir vers le rivage. Quand il eut disparu dans les ténèbres, elle rassembla son courage et fit demi-tour pour remonter le tunnel dans l'autre sens. Elle avança avec prudence, en longeant le mur. Sous ses mains, les vieilles briques formaient une surface rugueuse, inégale, sale et froide. Les esclaves, jadis, avaient emprunté ces galeries dans leur fuite. Ces malheureux avaient-ils seulement une lanterne pour s'éclairer ? Non. Sans doute étaient-ils obligés d'avancer à l'aveuglette. Ils ignoraient de plus ce qui les attendait au bout du chemin. Pourtant, ils étaient prêts à risquer le tout pour le tout – ils connaissaient trop bien les horreurs qu'ils laissaient derrière eux.

Parvenue non loin de l'échelle menant à la cabane de jeu, des morceaux de terre se détachèrent de la paroi. Son pouls s'accéléra. Et si le tunnel s'effondrait, la retenant prisonnière ? Qui aurait jamais l'idée de venir la chercher ici ?

Si elle se tirait d'affaire, elle jurait de ne plus jamais le revoir. Et tant pis pour lui s'il en mourait d'envie ! C'était la dernière fois : croix de bois, croix de fer.

Elle renifla doucement et poursuivit sa route.

Elle trébucha sur quelque chose. Elle tomba à genoux. Son souffle s'accéléra. Elle se mit même à haleter, épouvantée. Son cœur cognait contre ses côtes. Elle toucha à tâtons la forme qu'elle avait heurtée.

Un corps humain. Recouvert de tissu. Chaud. Sans vie...

Elle avait déjà éprouvé cette sensation, mais rarement, et seulement en rêve. L'envie de fuir la saisit comme une douleur. Elle eut besoin de hurler. En même temps, elle était pétrifiée. Incapable d'émettre le moindre son. Elle recula pour s'éloigner du corps. Elle se recroquevilla contre le mur en tremblant.

Des idées terrifiantes lui brouillaient l'esprit. Il fallait réclamer de l'aide. Appeler du monde. Mais elle en était incapable. Elle n'aurait jamais dû se trouver là. Elle était tétanisée à la perspective d'avoir à expliquer ce rendez-vous clandestin.

Pis : on risquait de l'accuser, elle ! Que ferait-elle si l'on venait à la soupçonner de meurtre ? C'est alors qu'elle entendit un grincement. Au-dessus d'elle. La trappe de la cabane s'ouvrait.

Elle ferma les yeux. C'était la fin. Le meurtrier allait l'assassiner à son tour.

Quelque chose lui frôla le visage. Un bout de papier ? Une carte ? Elle tendit l'oreille. Elle tremblait. Personne ne s'était aperçu de sa présence. La trappe se refermait doucement. Plus tard, elle sut qu'elle n'était restée que quelques minutes dans ce souterrain ténébreux, mais ces quelques minutes, sur le moment, lui parurent une éternité.

*

Quatorze ans plus tard

Des lampes alignées le long des parois du tunnel, alimentées par un générateur, représentaient une des rares concessions faites en ce lieu à la technologie moderne. Le travail s'effectuait à la main, et soigneusement. Comme autrefois. C'est à la main que des hommes avaient foré cette galerie un siècle et demi auparavant. Sans machine ! Et c'est à la main qu'ils avaient confectionné ces briques rouges.

De nouveau des hommes pénétraient ici. À leur tour, ils avançaient centimètre par centimètre, en veillant avec minutie à la solidité des murs. Car le tunnel devait être sauvegardé. Quand leur travail serait accompli, des milliers de touristes, d'historiens et d'étudiants pourraient enfin venir marcher sur les pas des esclaves en fuite vers la liberté.

— Il faut renforcer ici, dit un contremaître.

Ses paroles résonnèrent contre les parois.

La truelle racla l'argile rouge. Des débris dégringolèrent sur le sol. Le renfoncement, dans le mur, se creusa un peu plus. La fouille se poursuivit. Apparemment, des bouts de tissu étaient pris dans l'argile. Ils étaient décolorés. En lambeaux. Des fils brillèrent sous la clarté des lampes. Étaient-ce des fils de métal ? Le maçon dégagea le tissu avec précaution. Les autres ouvriers se rassemblèrent pour voir. Et quand la macabre trouvaille fut mise au jour, ils ne furent pas mécontents d'être plusieurs. Aucun d'eux n'aurait voulu faire seul une pareille découverte : un crâne humain et des os enserrés dans une robe tissée de fils d'or.

VENDREDI 16 JUILLET

1

C'était elle la plus âgée.

Grace observait les trois autres stagiaires qui s'affairaient sur leur ordinateur dans la salle de rédaction, ou bavardaient avec les journalistes de la chaîne. Comment ne pas avoir conscience du gouffre qui la séparait de ses camarades ? Elle avait dix bonnes années de plus qu'eux. Ils étaient si jeunes, et déjà si ambitieux ! Ils avaient envie d'en découdre. Ils en bouillaient littéralement d'impatience.

Ils ont la vie devant eux.

L'une des stagiaires croisa ses longues jambes bronzées en ayant soin de ne pas trop exhiber ce que ne parvenait pas à cacher une jupe effrontément courte.

Grace songea que ses condisciples avaient devant eux un avenir prometteur. Et s'ils étaient là, c'était pour essayer de décrocher leur premier job dans une importante chaîne de télévision : Key News. Tout comme elle. Sauf que ses trois concurrents – deux filles et un garçon – ne savaient pas ce que voulait dire être inhibé. Ils avaient les moyens de poursuivre leur ambition. D'entrer de plain-pied dans le monde du travail sans traîner un fardeau de problèmes personnels. Bientôt, toutes les portes s'ouvriraient devant eux.

Grace Wiley Callahan le savait trop bien : tel n'était pas son cas.

Elle n'avait pas débarqué à Key News avec une ardoise vierge. Elle avait déjà un lourd passé. Et des responsabilités. À trente-deux ans, elle avait connu les nausées matinales, le mariage, la maternité et le divorce – dans cet ordre. À l'âge de ses camarades, elle avait déjà renoncé à l'espoir d'aller au bout de ses études universitaires. Le jour de la remise des diplômes, elle avait traversé le campus en poussant le landau de Lucy pour aller voir ses amies monter sur l'estrade des lauréats ; et leurs cris de joie avaient été recouverts par ceux de son bébé qui souffrait de diarrhée.

Depuis, onze années avaient passé. Lucy entrerait bientôt en sixième. Grace commençait à voir des rides se dessiner au coin de ses yeux sombres, tandis que des mèches grises apparaissaient dans ses cheveux couleur de miel. Elle avait décidé de les coiffer en arrière le jour où elle avait appris qu'elle était admise à suivre ce cursus tant convoité. On lui offrait une seconde chance. Elle était résolue à en tirer profit, à obtenir enfin son diplôme. Et à saisir la chance qui se présentait à elle : intégrer le milieu du journalisme télévisé à New York.

Quelque chose d'autre l'enthousiasmait dans l'immédiat : ce projet de voyage à Newport, la semaine suivante. Ce séjour au bord de la mer avait été proposé aux stagiaires par Key News dans le cadre de son émission quotidienne « Key to America ». Bien sûr, ses camarades avaient un avantage sur elle puisqu'ils n'étaient pas obligés de se soucier de leur petite fille...

Cependant Grace n'avait jamais regretté d'avoir eu Lucy – pas une minute. En vérité, sa fille était encore ce

626

qu'elle avait réussi de mieux dans sa vie. Car son mariage avec Frank n'avait pas été un succès – c'était le moins que l'on puisse dire.

Apprenant que sa femme était enceinte, Frank avait d'abord refusé d'entendre parler d'un enfant. Grace était alors en première année de fac. Elle n'avait pas voulu interrompre sa grossesse. Elle avait décidé de garder le bébé, avec ou sans lui.

Grace baissa les yeux vers sa main sans alliance.

Frank Callaghan était finalement revenu à elle. Certes en traînant des pieds, et le cœur chargé d'amertume. C'étaient en réalité ses parents qui l'avaient contraint à « faire ce qu'il fallait », comme on dit. Frank avait beau être un garçon athlétique – en plus d'être un esprit brillant –, il était passé sous les fourches caudines de sa famille. Grace avait accepté de lui ouvrir à nouveau les bras. Naturellement, elle voyait bien que leur mariage ne commençait pas sous les meilleurs auspices ; mais elle se jura de faire tout son possible pour qu'il tienne.

Les noces furent menées tambour battant. Cinq mois plus tard, Lucy voyait le jour. Grace, Frank et leur bébé emménagèrent dans un appartement en sous-sol à Hoboken, dans le New Jersey. Chaque jour, Frank prenait son train de banlieue jusqu'à Manhattan. Il travaillait comme courtier dans une société d'assurances ; c'était son premier emploi. Grace, quant à elle, restait à la maison avec Lucy, et essayait de décrocher des piges dans la presse locale – ce qui impliquait d'assister aux séances du conseil municipal et autres réunions politiques se tenant généralement en soirée. Mais, peu à peu, Frank prit du galon dans sa société. Forcé d'assumer des responsabilités toujours plus importantes, il finit par ne plus supporter de devoir rentrer de bonne heure pour permettre à Grace d'aller faire ses reportages. Surtout qu'il commençait à bien gagner sa vie, et qu'ils auraient eu les moyens de s'offrir un appartement plus grand, plus beau, mieux situé, si Grace avait bien voulu arrêter de pondre des articles pour sa feuille de chou.

Mais elle tint bon. Un an, puis deux. Tout en continuant d'élever sa petite fille, et de la couvrir d'attentions. Elle ne voulait pas trop se préoccuper d'elle-même, même si elle était consciente que son mariage entravait sa carrière. Quand elle regardait les infos à la télé, elle essayait de ne pas penser à ce qu'elle serait devenue si elle avait achevé ses études de journalisme au lieu d'épouser Frank. Cependant, les regrets finirent par l'envahir et par prendre le dessus. Lorsque Lucy était couchée, elle se retrouvait de plus en plus souvent seule, scotchée devant les magazines d'actualité. Elle appréhendait alors le retour de Frank – sa mauvaise humeur, ses colères, et les parfums émanant de ses vêtements quand il rentrait tard, après ses prétendus « dîners d'affaires ».

Si elle restait avec lui, c'était pour le bien de Lucy – enfin, c'est ce qu'elle se disait à elle-même. Oui, c'était pour Lucy qu'elle s'accrochait à ce mariage. Elle ne voulait pas voir sa fille souffrir d'appartenir à une famille brisée. Lucy méritait d'avoir ses deux parents auprès d'elle. De grandir au milieu d'eux. Grace, en tout cas, refusait de partir. Elle ne partirait jamais.

C'est Frank, finalement, qui la quitta.

*

— Grace, voulez-vous être gentille et faxer pour moi ce planning prévisionnel au professeur Gordon Cox, à Newport ?

628

Le producteur et cameraman B.J. d'Elia lui tendait une feuille. Il avait l'air de s'excuser de lui donner du travail.

— Je sais que c'est un boulot rébarbatif, reprit-il. Mais si je ne file pas tout de suite, je suis sûr de rater mon train pour Rhode Island.

— Je suis là pour ça, répondit Grace en prenant la feuille.

C'est vrai qu'elle n'appréciait pas spécialement ce genre de corvées, mais elle savait que la confiance se construisait pas à pas. Si elle s'acquittait consciencieusement de ces petits travaux, on n'hésiterait pas à lui confier plus tard des missions importantes.

— Vous êtes du voyage, demain, Grace ?

— Oui.

— Puis-je vous demander une autre faveur ?

B.J. attendit la réponse. Il avait sorti une petite liasse de feuilles.

— Il s'agirait de synthétiser les éléments d'une enquête sur les sculptures en ivoire et les tatouages. Nous allons tourner des séquences avec un sculpteur d'ivoire. Peut-être avec un tatoueur, aussi. Il faudrait fournir à Constance... Vous savez que c'est elle qui présente l'émission, n'est-ce pas ? Il faudrait lui fournir des questions à leur poser durant l'interview. N'en faites pas trop...

Il se tut une seconde, puis enchaîna :

— Je veux dire : juste le nécessaire. Les bases, quoi. Faxez-moi le résultat à Newport quand vous aurez fini. Nous aurons une salle de rédaction à l'hôtel Viking. Le numéro est indiqué.

— Pas de problème, dit Grace en prenant les documents.

B.J. avait des mains puissantes, bronzées.

— Merci, Grace. Merci beaucoup.

Il afficha un sourire éclatant de blancheur, et se pencha vers elle pour ajouter à voix basse :

— Je vais vous confier un secret. C'est mon premier déplacement en tant que producteur, et je suis un peu nerveux.

— Vraiment ? Je pensais que vous aviez l'habitude...

— Pas du tout. Je suis journaliste et cameraman à Key News depuis six ans. Avant, j'ai bossé des années pour une télé locale. Ils m'ont bombardé producteur voilà quelques mois seulement. Mais je suis obligé de continuer à tenir la caméra. C'est comme ça, vous savez, de nos jours : le cumul. Vous êtes forcé de vous coltiner plusieurs boulots pour le prix d'un si vous voulez avoir une chance d'y arriver.

Grâce l'envia un peu. B.J. avait à peu près le même âge qu'elle. Peut-être deux ou trois ans de plus. Et il était déjà bien avancé dans sa carrière. Était-il marié ? Peut-être avait-il une femme qui restait au foyer et s'occupait des enfants pendant qu'il se taillait une place dans le monde. Pourtant, il n'avait pas l'air marié... D'abord, il ne portait pas d'alliance. Ensuite, il dégageait un je-ne-sais-quoi... Il donnait l'impression d'être libre, voilà. Mais sait-on jamais. Certains hommes ont l'art de jouer les célibataires alors qu'ils ont une famille à nourrir. Frank était spécialiste de ça.

Grace regarda s'éloigner la grande silhouette efflanquée de B.J. ; et elle se surprit à espérer qu'il n'était pas du même bois que son ex-mari.

Elle se tourna vers le fax. Elle composait le numéro quand elle fut rejointe par Josselyne Vickers, une fille du type « beauté brune » en minijupe. Josselyne murmura :

— Toi, au moins, il t'a donné quelque chose à faire. Je vais crever d'ennui si ça continue. Encore cinq minutes à surfer sur le web, et je m'ouvre les veines. En fait, ils n'ont pas assez de travail pour nous occuper tous.

Grace sourit. Le bip électronique lui signala que le fax était en train de passer. Josselyne Vickers n'avait pas tort. Elles avaient du temps libre à ne plus savoir qu'en faire.

— Ça devrait s'arranger à Newport, tu ne crois pas ? Il y aura sûrement plein de boulot, là-bas. En tout cas, on sera dans un endroit magnifique. Et à la belle saison.

Josselyne haussa les épaules.

— Mouais, On peut dire ça comme ça.

— Je ne suis jamais allée à Newport, reprit Grace. Tu connais ?

Pourquoi ne pas en profiter pour nouer une conversation ? D'ordinaire, ses camarades ne cherchaient pas le contact avec Grace. Ils avaient même l'air de ne pas trop savoir ce qu'ils devaient penser d'elle. Ils l'appelaient même peut-être la vieille. Que pouvaient-ils avoir en commun avec une maman divorcée ?

— Mes parents ont une maison là-bas, soupira Josselyne. J'y passe tous les étés depuis ma naissance.

— Vraiment ? C'est génial !

Le fax était passé. Grace, tout en récupérant la feuille de planning, jeta un coup d'œil aux orteils parfaitement manucurés de Josselyne dans leurs sandales Burberry. Des chaussures à trois cents dollars. Très jolies. Le contraire de ses propres escarpins fatigués, achetés en solde au supermarché.

— Ouais. Tu peux t'amuser à Newport. Si tu connais les bons endroits.

Elle passa la main dans son épaisse chevelure brune, à coup sûr entretenue par un coiffeur hors de prix.

— Ce sera utile pour faire des rencontres avec les gens du coin. Pas vrai, Josselyne ?

— Appelle-moi Joss.

Elle eut un sourire éclatant.

— Oui, reprit-elle. C'est vrai. Je compte là-dessus. D'ailleurs je pars ce soir. Je serai sur place avant tout le monde. J'ai l'intention de montrer à Key News ce que je vaux pendant cette semaine là-bas. Ils vont voir ce que ça donne quand je bosse à plein temps. Ce ne sera pas comme ici.

Tu n'es pas la seule, songea Grace dont le cœur était en train de sombrer. Josselyne avait un tel avantage ! *Tu n'es pas la seule...*

Au terme de ce stage d'été, un seul des quatre stagiaires – celui qui aurait fait ses preuves – serait recruté pour occuper un poste d'assistant de production. Le résultat reposait entièrement sur les performances de chacun, et Grace était résolue à donner le meilleur d'elle-même.

Assistante de production : elle avait réellement besoin de décrocher ce boulot.

2

Le professeur Gordon Cox prit le fax dans son casier, le parcourut des yeux, et décida qu'il réfléchirait à ce planning plus tard. Pour le moment, il avait un cours.

Devant le grand miroir au cadre sculpté, il ajusta sa cravate. Son visage aux yeux noirs, à la peau dorée, se couronnait d'une généreuse coiffure d'argent. Les cheveux gris lui étaient venus un peu prématurément, mais il ne détestait pas ce look d'universitaire distingué, apprécié du reste par les assistantes de la fac.

Si seulement Agatha Wagstaff pouvait être aussi impressionnée que ses jeunes collègues ! Depuis que l'on avait découvert ces ossements, elle menaçait de couper les crédits alloués à la restauration du vieux tunnel aux esclaves. Elle estimait qu'il pouvait s'agir de ceux de sa sœur. Or Gordon travaillait sur ce projet de sauvegarde depuis dix-sept ans. Depuis qu'il enseignait à l'université Salve Regina, en fait. Tout risquait soudainement d'être remis en question.

L'ouverture au public du tunnel de Shepherd's Point ! La cause était célèbre chez les historiens. Elle avait permis à Gordon de se faire un nom. La tête de file du projet, c'était lui. Il avait même entendu dire que l'on prononçait son nom pour l'attribution du prix Stipplewood. Apparemment, il devrait bientôt dire adieu à cette récompense. Agatha était folle à lier. Et elle n'avait jamais caché son scepticisme envers le projet de Gordon. Elle ne voyait pas l'intérêt d'ouvrir le précieux souterrain aux masses populaires. Alors, s'il apparaissait que sa propre sœur y reposait depuis quatorze ans...

Gordon se sentait profondément déprimé. En plus de travailler à ses recherches, à ses monographies, à ses conférences, il avait toujours eu à cœur de choyer Agatha, de la couvrir d'attentions. Non seulement Agatha, d'ailleurs, mais aussi Maud, la nièce d'Agatha, tout comme il avait été autrefois aux petits soins pour Charlotte – Charlotte la mère de Maud. Tous ces efforts pour rien.

D'un autre côté, il ne pouvait ignorer qu'il faisait un métier de rêve. Ouvrir les yeux de ses contemporains sur les splendeurs historiques et culturelles qui les entouraient, n'était-ce pas un privilège ? N'était-ce pas un rêve que d'être payé pour vivre une de ses passions ?

Sauf qu'il aurait pu être mieux payé encore. C'est pourquoi il continuait de se porter volontaire pour enseigner durant les cours d'été. De toute façon, il n'avait aucune envie de quitter Newport à la belle saison. Si les milliardaires avaient choisi cette ville historique au bord de l'océan pour y construire leurs résidences secondaires, c'est que l'endroit en valait la peine. Ses voyages, il préférait les accomplir en hiver. Ou pendant les vacances de printemps. En juillet et en août, c'est à Newport qu'il voulait être.

*

Était-ce une bonne chose que d'emmener un groupe d'étudiants à Shepherd's Point ? Il avait omis d'en demander la permission à Agatha, de crainte d'essuyer un refus. Elle aurait crié au scandale. Un troupeau d'étudiants débarquant dans sa demeure victorienne et piétinant ses plates-bandes !

Le chauffeur du minicar avait ralenti à l'entrée de la propriété.

— Continuez, lui ordonna Gordon.

Le chauffeur hésitait.

— Roulez, roulez ! Allez directement à la cabane de jeu.

Le véhicule s'engagea dans l'allée abîmée par les engins de chantier. Le professeur s'était de nouveau tourné vers ses étudiants :

— Shepherd's Point occupe à Newport une place prépondérante dans l'histoire des relations entre l'Amérique et l'Afrique. La demeure a été construite sur le site d'un ancien pâturage. Il y avait là un berger, un homme de principe qui avait l'habitude d'offrir son aide aux esclaves en fuite. Ces malheureux étaient pourchassés par les maîtres auxquels ils tentaient d'échapper. C'est ainsi qu'un tunnel fut creusé sous la hutte du berger. Cette galerie conduisait jusqu'à l'océan. Shepherd's Point - la pointe du Berger - a fini par devenir synonyme de liberté. Des années plus tard, Charles Wagstaff fit construire sa demeure sur ce terrain. Cet homme était richissime. Il possédait des mines d'argent. Il fit transformer la hutte du berger en cabane de jeu pour ses enfants. Et le tunnel, avec son chemin de fer, fut laissé en l'état. Oublié, pour ainsi dire.

Gordon invita les étudiants à descendre du minicar. Son genou lui faisait mal. Il n'en entraîna pas moins sa petite troupe vers la cabane relativement délabrée.

— Jusqu'à nos jours, poursuivit-il, un seul de ces tunnels de chemin de fer était ouvert au public. Il se trouve à Peekskill, dans l'État de New York. Il grimpe jusqu'à la maison de Henry Ward Beecher, l'abolitionniste bien connu. Mais les historiens disaient qu'il existait aussi un tunnel aux esclaves à Newport. Et c'est celui de Shepherd's Point, précisément. De temps en temps, quelqu'un s'introduisait dans la propriété pour essayer de le découvrir.

Le professeur Gordon reprit son souffle, puis enchaîna :

— Pendant des années, nous nous sommes employés à convaincre Agatha Wagstaff d'ouvrir un accès à cette galerie, et d'accepter que soient effectués les travaux de restauration nécessaires. Elle a fini par y consentir plus ou moins. Du bout des lèvres, disons. Et voilà que les travaux, à peine commencés, ont dû être interrompus. Il y a quatorze ans, l'unique sœur de Miss Wagstaff a disparu : la jeune Charlotte Wagstaff. Agatha vit en recluse depuis cet événement. Comme vous le voyez, Shepherd's Point est au bord de la ruine...

Les étudiants posèrent un regard intrigué sur le manoir gris dressé sur la colline, au milieu d'un champ de mauvaises herbes.

— En définitive, c'est le manque d'argent qui a poussé Agatha à autoriser le début des travaux. Il n'y a pas longtemps, un accord a été passé avec la ville : elle a accepté que le tunnel soit ouvert au public, en échange de quoi ses arriérés d'impôts locaux ont été oubliés.

L'entrée de la cabane était barrée par un ruban de la police. Le site n'était pas gardé.

— On a le droit, monsieur ?

— Allez-y. J'en prends la responsabilité. Vu ce qu'on y a découvert, j'ignore ce qu'il adviendra de ce tunnel à présent. Mais je veux que vous jetiez un coup d'œil. Nous serons peut-être les derniers à voir de nos yeux ce vestige historique.

Les étudiants, ayant obtenu l'approbation de Gordon, enjambèrent le cordon en plastique et poussèrent la porte de la cabane. L'entrée était étroite. Elle ne pouvait être franchie qu'en file indienne. Elle donnait sur une pièce unique qui jadis avait abrité le lit du berger, sans doute. Par la suite, elle avait été meublée d'une table et de petites chaises pour le goûter des filles Wagstaff. Mais tout avait été emporté depuis longtemps, Les seuls signes de présence humaine encore visibles en ce lieu étaient la cheminée aux parois charbonneuses et les cendres recouvrant le sol.

Le genou de Gordon le tourmentait toujours. Cependant il s'accroupit pour soulever un morceau de plancher et révéler un étroit escalier de bois. Les étudiants se pressèrent pour regarder ce passage obscur, mais aucun ne fit attention à ce qui se produisait à l'entrée de la cabane. C'est alors qu'une voix déchira l'air confiné :

— Dehors ! Sortez tous d'ici ! Allez-vous-en de ma propriété !

C'était Agatha Wagstaff. Ses yeux bleus paraissaient jaillir de sa figure laiteuse. Le rouge qui débordait de ses lèvres semblait former autour de sa bouche une tache de sang.

— Agatha, je vous en prie...

Gordon avait pris un ton suppliant.

— Je voulais juste montrer le tunnel à mes étudiants. Accordez-leur quelques minutes...

— Allez-vous-en, vous et vos étudiants ! Ou j'appelle la police ! Charlotte n'aurait jamais voulu ça ! Elle aurait refusé de voir notre maison devenir une attraction touristique !

3

Après le déjeuner, Grace se rendit avec les autres stagiaires dans la salle de conférences de l'émission « Key to America » où devait avoir lieu une distribution de T-shirts. Elle reçut les siens avec plaisir. Ils étaient blancs, imprimés en noir de l'inscription : « Key News – CALLAHAN. » Son nom sous le logo de la chaîne ! Mais la frénésie fit bientôt place à une certaine tension : Linus Nazareth, le producteur exécutif, venait de pénétrer dans la salle avec l'intention de s'adresser aux stagiaires. Il se mit sans tarder à leur expliquer ce que l'on attendrait d'eux durant cette semaine de déplacement à Newport :

— Vous êtes en service vingt-quatre heures sur vingt-quatre. Vous aurez tous un biper. S'il sonne, tâchez de rappeler en vitesse.

Sa grosse voix se fit plus menaçante encore :

— Et tâchez de vous montrer à la hauteur, si vous avez vraiment envie de travailler chez nous. Chaque employé de cette chaîne sait parfaitement qu'il s'agit d'un véritable engagement. Si vous voulez vous lancer dans une carrière télé, vous avez intérêt à vous impliquer à fond. Si vous ratez un sujet, inutile de chercher des excuses. Un conseil : ne laissez pas vos rendez-vous galants ou vos problèmes personnels se mettre en travers des responsabilités qui seront les vôtres, et ce tant que vous bosserez pour nous.

Un homme jeune prit la parole pour lancer avec un accent doux et traînant :

— Ça me convient parfaitement, monsieur Nazareth. C'est comme ça que je vois les choses. C'est l'état d'esprit dans lequel il faut être pour ce boulot. C'est un travail excitant et plein d'imprévus.

Nazareth posa les yeux sur le jeune garçon efflanqué qui se tenait adossé au mur. Il s'efforça de l'évaluer. Cette pulsion d'enthousiasme juvénile pouvait-elle être considérée comme sincère ?

— En principe, dit-il, vous attendez qu'on vous donne la parole pour vous exprimer. Comment t'appelles-tu, mon gars ?

— Sam. Sam Watkins.

— De quelle fac viens-tu, Sam ?

— Northwestern.

— C'est un bon établissement, Mais tu n'es pas de Chicago, n'est-ce pas ?

Linus faisait allusion à son accent.

— Non, monsieur. Je viens de l'Oklahoma. De Hollis, exactement.

— Ce n'est pas la porte à côté.

Linus était toujours épaté quand il voyait des jeunes traverser le pays rien que pour venir effectuer un stage d'été sans garantie d'embauche. Il avait même entendu dire que l'une des stagiaires arrivait d'Angleterre.

— Vous pouvez le dire, monsieur, approuva Sam en secouant la tête.

Linus, l'espace d'une seconde, se demanda où ce garçon logeait pendant son stage à Manhattan. En général, les étudiants louaient des chambres dans des appartements de banlieue, ou vivotaient chez des parents ou des amis. Certains réussissaient à se caser dans les logements du campus pour un prix raisonnable... Mais Linus n'en avait rien à faire, en définitive. Ces détails ne l'intéressaient pas. Il reprit :

— Très bien, Sam. Bon, comme je le disais, la plupart de nos apprentis journalistes sont impatients de se lancer dans leur premier reportage. Sachez que ça peut venir très vite.

Il promena un regard sur la salle.

639

— Ne comptez pas sur moi pour vous brosser un tableau idyllique du métier. Il vaut mieux que vous sachiez où vous mettez les pieds, puisque c'est ainsi que vous avez choisi de gagner votre vie.

Grace en avait l'estomac noué. Ces propos du producteur exécutif décrivaient exactement les cauchemars qui la réveillaient en pleine nuit. Grace savait qu'elle s'en voudrait à mort si elle devait, ne serait-ce qu'une seule fois, rater l'anniversaire de sa fille. Lucy avait beau être une grande fille maintenant, elle n'aurait pas compris que sa mère lui fasse faux bond le jour de la fête de l'école. Elle avait encore besoin que sa maman aille parler à ses professeurs. Qu'elle l'emmène chez le pédiatre. Sans parler des innombrables petits événements qui scandent l'existence d'un enfant. C'était d'autant plus important que Lucy approchait de l'adolescence : elle avait besoin que ses parents soient fortement impliqués dans son éducation. Surtout que l'un des deux avait choisi de quitter la maison. Mais Grace n'était pas la seule dans ce cas. Beaucoup de mamans étaient obligées d'élever leurs enfants tout en gagnant leur vie. Il devait bien y avoir un moyen d'y arriver. Il fallait qu'il y en ait un. Tant que l'on était soutenu, toutes les épreuves pouvaient être franchies.

Mon Dieu, faites que papa aille bien.

Grace songeait à son père, maintenant.

Comment ferait-elle pour s'en sortir s'il n'était pas là ?

4

Grace acheva sa recherche Internet une demi-heure avant la fin de sa journée. Elle avait trouvé plusieurs articles sur la sculpture de l'ivoire et l'art du tatouage. Ces deux disciplines avaient un point commun : que l'artiste veuille graver les os ou dessiner sur la peau, il devait avoir la main habile.

Elle fit des tirages des pages les plus intéressantes. Elle y joignit une note à l'attention de B.J. d'Elia, et lui faxa le tout. Dix minutes plus tard, elle entendit son nom dans le haut-parleur :

— Grace Callahan, ligne deux.

Depuis qu'elle était stagiaire à Key News – c'est-à-dire depuis quelques semaines seulement –, Grace ne recevait pas d'autres appels que ceux de Lucy, laquelle n'appelait en général que pour réclamer la présence de sa maman.

— J'ai bientôt fini, trésor, se dépêcha-t-elle de répondre en prenant la ligne deux. Je devrais être rentrée un tout petit peu après 18 heures, si le train n'a pas de retard...

Un rire masculin retentit à l'autre bout du fil. Grace sursauta.

— D'accord, trésor ! répéta la voix. À tout à l'heure...

— Oh ! je vous prie de m'excuser, bégaya Grace. Je croyais avoir ma fille au bout du fil... Mais qui est à l'appareil ?

— C'est B.J. Je viens de recevoir votre fax. C'est exactement ce qu'il me fallait. Merci, Grace.

— Vous êtes déjà arrivé sur place ?

641

— Oui, sans aucun problème. J'ai pris le train jusqu'à Kingston. Puis un taxi jusqu'à l'hôtel. C'est sympa ici. Ça va vous plaire.

— J'ai hâte d'y être, répondit Grace avec sincérité.

La dernière fois qu'elle était partie en voyage sans sa fille, c'était il y a quatre ans, quand Frank l'avait emmenée à Boston pour un déplacement d'affaires. Mais elle ne gardait pas un bon souvenir de ces trois jours passés avec lui.

— Grace, je sais que vous êtes pressée de rentrer chez vous. Mais je me demandais si vous accepteriez d'effectuer une autre petite recherche pour moi.

— Bien sûr. Je vous écoute.

Elle réfléchissait aux horaires de train de Penn Station. À quelle heure était le prochain, déjà ?

— Génial, dit B.J.

Il enchaîna :

— La découverte d'un squelette humain dans un souterrain fait les gros titres de la presse locale. C'est un vieux tunnel creusé dans une propriété, par ici. L'endroit s'appelle Shepherd's Point. On s'interroge pour savoir si le squelette n'appartiendrait pas à une héritière répondant au nom de Charlotte Wagstaff Sloane, disparue il y a quatorze ans. On ne sait pas, en fait. Le tunnel est un morceau de l'ancienne galerie de chemin de fer, et Dieu sait ce qui s'y est passé autrefois ! Je me demande s'il n'y a pas là un sujet intéressant pour « Key to America ». Le mystère Sloane, la saga des esclaves, tout ça. Ça vaut le coup d'y regarder de plus près, vu qu'on sera sur place.

— Vous piquez ma curiosité, dit Grace. Je vais m'y mettre tout de suite, avant de partir. Je vous faxe ce que je trouve.

— Formidable. J'apprécie le geste, vous savez. On se voit demain après-midi, alors ?

— Oui. Fidèle au poste !

Grace pressa le bouton pour couper la communication. Elle allait appuyer de nouveau pour reprendre la ligne et téléphoner à son père quand Josselyne se matérialisa devant elle.

— Tu n'étais pas pressée de rentrer chez toi ?

Grace fut gênée par cette réaction. Joss la surveillait, ou quoi ? Elle s'assurait peut-être que Grace ne faisait pas du zèle ; elle devait craindre d'être supplantée dans le rôle de la stagiaire la plus dévouée...

— C'est vrai que j'allais partir, répondit Grace. Mais B.J. me demande d'effectuer une recherche.

— Sur quel sujet ?

Oh ! Ce n'est pas un secret, après tout !

— Il veut des infos d'archives sur une personne disparue. Une femme : Charlotte Wagstaff Sloane. Des restes ont été retrouvés sur la propriété familiale. Ils pensent que ça pourrait être les siens.

— Ce n'est pas à Shepherd's Point ? demanda Joss à qui cette affaire disait quelque chose.

Grace approuva.

— Tu connais l'endroit ?

— Je connais même la famille. Et Maud, la fille de Charlotte. On est sorties deux ou trois fois ensemble à Newport. Elle est sympa, quoique un peu bizarre. Elle a toujours l'air de dépérir, si tu vois ce que je veux dire. J'imagine que le fait d'avoir perdu sa mère a dû sacrément la perturber.

Joss tourna les talons et fit un signe d'adieu.

— Bonne chance, dit-elle. On se voit là-bas.

Grace pressa le bouton du téléphone et composa un numéro familier. Walter Wiley décrocha à la troisième sonnerie.

— Papa, c'est moi. Tout va bien ?

— Très bien, chérie. Très bien. Lucy est en haut, dans sa chambre. Elle rouspète parce qu'elle n'a pas envie de faire ses devoirs de vacances.

— Je m'en occuperai en rentrant, papa. Ne t'embarque pas là-dedans.

C'était agréable d'avoir quelqu'un pour veiller au grain, mais Grace ne voulait pas que son père se fatigue. Depuis qu'il avait pris sa retraite de la compagnie des téléphones, il avait développé un cancer de la prostate, heureusement guéri ; et, quelques mois après, il avait fait une attaque cardiaque qui avait nécessité la pose d'un pacemaker. Il avait beau dire qu'il se portait « comme un charme », il était évident qu'il avait laissé beaucoup de son énergie dans ces épreuves. Grace avait déjà perdu sa mère ; elle ne supportait pas l'idée de voir aussi partir son papa.

— Je vais rentrer un peu plus tard, reprit-elle. Ça ira quand même ?

— Bien sûr, chérie. Tu sors avec des collègues ?

Grace sourit. Walter ne cessait de l'encourager à se faire des relations.

— Non, papa. En fait, j'ai un travail à accomplir. Et je ne sais pas combien de temps ça prendra. Une heure ou deux, sans doute.

— Pas de problème. J'ai déjà acheté une pizza. Ici, tout va bien.

Grace allait raccrocher quand une pensée lui traversa l'esprit.

— Papa... Le chèque de Frank est arrivé ?

La pension alimentaire. Une semaine de retard déjà. Pour ne pas changer.... Un silence s'établit à l'autre bout de la ligne.

— Papa ?

— Non. Le chèque n'était pas au courrier d'aujourd'hui, Mais il y a une lettre d'un cabinet d'avocats de Boston.

Grace se raidit. Depuis son divorce, elle se crispait chaque fois qu'elle entendait prononcer ce mot : « Avocat ». Au début, ces courriers la bouleversaient. Maintenant, ils la fichaient en rage. Une lettre de plus ! Devait-elle attendre d'être rentrée pour la lire ? Elle hésita, puis dit :

— Ouvre-la, papa, s'il te plaît.

Inutile de remettre à plus tard.

— Ne quitte pas, ma chérie.

Grace entendit son père reposer le combiné sur le comptoir de la cuisine. Elle l'imagina gagnant le vestibule et cherchant l'enveloppe de Boston sur le secrétaire. Les secondes passaient lentement, trop lentement. Son père fut enfin de retour.

— Grace ?

— Oui.

— Ce n'est pas une bonne nouvelle, chérie, dit-il d'une voix tendue.

— Dis-moi.

— Frank réclame la garde de Lucy. Il veut qu'elle vienne vivre avec lui et sa nouvelle femme dans le Massachusetts.

Grace essaya de digérer la nouvelle.

Mais ni elle ni son père ne pouvaient se douter que Lucy écoutait leur conversation, assise sur la dernière marche de l'escalier.

5

Josselyne poussa la porte à tambour de l'immeuble. Dehors, l'atmosphère étouffante tranchait avec la fraîcheur de l'air conditionné. Même le trottoir était brûlant. Joss repéra la Mercedes vert sombre qui l'attendait au coin de la 57e Avenue. Elle traversa la rue en slalomant, et monta en voiture sans laisser au chauffeur le temps de lui ouvrir la portière.

— Allons-y, Carl.

Comme elle se calait dans le siège de cuir, elle nota la présence à ses pieds d'un panier d'osier. Bien. Rosa lui avait préparé un casse-croûte pour le voyage. Joss se pencha et souleva le couvercle du panier. Une salade au poulet, du raisin, des noix. Il y avait aussi du melon au frais dans une boîte, des gâteaux et plusieurs bouteilles d'Aquafina. C'était parfait. Ils n'auraient pas besoin de s'arrêter en route.

Mais quand la Mercedes prit vers la sortie nord, Joss laissa échapper un soupir. Il était tard. Ça roulait mal. Comme toujours à la veille du week-end, beaucoup de véhicules essayaient de quitter Manhattan. En temps normal, on rejoignait Newport en trois heures et demie. Le trajet, ce soir, risquait d'être plus long.

Quand ils furent sur l'échangeur, Joss avait déjà dressé un plan. Elle irait voir Tommy dès son arrivée. Elle savait dans quel bar le trouver : le Salas. Cela faisait un moment déjà qu'elle était fatiguée de Tommy, mais elle jugeait impossible de le quitter sans s'être d'abord assurée qu'elle pourrait le reprendre, au cas où elle aurait besoin de lui à nouveau. En tout cas, elle le verrait tout à l'heure. Ce brave Tommy ! Un garçon si prévisible… Si impatient de lui faire plaisir. Un vrai gosse, en fait. Il tenait tellement à elle ! Il n'avait pas accepté que leur histoire ne soit qu'une amourette d'été. Il était grand et très beau. C'était le meilleur tireur de son groupe d'entraînement de la police. Mais Joss n'avait ni l'intention de vivre à Newport, ni de partager l'existence d'un simple flic. Cette perspective lui donnait même des frissons d'horreur.

Il n'en demeurait pas moins que l'apprenti policier pouvait l'aider à atteindre son objectif. Si Tommy arrivait à glaner quelque information sur ce squelette découvert dans la propriété des Wagstaff, elle lui en serait reconnaissante ; car ce serait excellent pour son image au sein de Key News, et pour sa promotion future au poste tant convoité d'assistante de production.

Il fallait convaincre Tommy de partir à la chasse aux infos. Mais peut-être pourrait-il déjà lui en communiquer quelques-unes quand ils se rencontreraient tout à l'heure au Salas. Joss fouillait déjà son sac à la recherche de son téléphone.

6

De retour à la maison, Grace trouva son père endormi sur le canapé. Il restait de la pizza ; elle en prit une part et alla embrasser Lucy qui était devant la télévision. La fillette adorait les enquêtes à succès de la série « Law & Order ». Et comme il y avait toujours sur le câble une chaîne pour programmer l'émission, Lucy la regardait trop souvent.

— Pourquoi perds-tu ton temps à regarder ça ? demanda Grace en lui donnant un baiser. Je n'aime pas ce feuilleton. C'est trop perturbant...

— Il est bien, maman. J'ai envie de savoir qui a fait ça.

La fillette ne quittait pas l'écran des yeux.

— Mais tu le sais ! C'est un épisode que tu as déjà vu !

— C'est bien quand même.

Grace s'assit dans le fauteuil et continua de mâcher sa pizza froide. Elle regardait l'écran sans le voir, songeant qu'elle devait appeler Frank, et qu'elle appréhendait de le faire.

— Tu es prête pour demain, ma chérie ?

— Bien sûr, maman.

— Tu as préparé tes affaires ?

— Pas encore. Je ferai mon sac après l'émission.

Grace n'avait pas envie de l'embêter. Surtout la veille d'une séparation qui devait durer toute une semaine. Semaine que Lucy devait justement aller passer chez son père et sa « charmante » belle-mère, une femme dont les seules occupations consistaient à se faire les ongles, à courir les boutiques et à céder à tous les caprices de Lucy.

— Très bien, Lucy, dit Grace en se levant.

Elle monta à l'étage et referma derrière elle la porte de sa chambre. Elle décrocha le téléphone sur la table de chevet.

Son ex-mari décrocha à la première sonnerie. Grace était tendue.

— Salut, Frank. C'est Grace.

— Ah, bonsoir ! Comment vas-tu ?

Toujours ce côté formel, comme s'il était dépourvu d'émotion.

— À ton avis ? reprit-elle.

Elle enchaîna sans attendre la réponse :

— J'ai eu la lettre de ton avocat.

— Je vois. Et alors ?

— Alors je me demande pourquoi tu fais ça.

Elle éleva le ton pour ajouter :

— Par pitié, Frank, ne va pas plus loin. Lucy n'a vraiment pas besoin d'un nouveau bouleversement dans sa vie.

— C'est précisément à elle que je pense, Grace.

Ce ton si tranquille, c'était à devenir folle !

— Ce serait mieux, pour elle, de vivre ici avec nous.

— Qu'est-ce que tu veux dire, Frank ? Pourquoi ce serait mieux ? Explique-moi. Elle est habituée à son école, ici, à Waldwick. Elle a fini par s'y faire des copines. Ce serait une mauvaise chose de la couper de ses racines encore une fois. Elle a supporté assez d'épreuves comme ça.

— Lucy sera bientôt adolescente, Grace. Et l'adolescence est une épreuve. Les ados ont besoin de stabilité. Ainsi que de bons modèles parentaux. De parents qui s'occupent de leurs gosses. Qui s'impliquent et qui leur manifestent de l'intérêt...

La main de Grace se crispait si fort sur le combiné qu'elle en avait les jointures toutes blanches. Elle avait déjà deviné la suite.

— Jeanne et moi pouvons prendre soin d'elle. Lui offrir un environnement stable, bien meilleur que celui que tu peux lui apporter.

— Tu oses me dire ça !

— C'est la vérité, et tu le sais très bien.

— Je ne sais rien du tout, Frank ! Lucy vit dans un environnement parfaitement stable. Un foyer aimant. Tu t'imagines peut-être que tu es un bon modèle ? Un exemple pour ta fille ? Avec tes prétendus dîners. Tes voyages d'affaires ! Tes aventures extraconjugales !

— Notre mariage ne marchait pas, Grace. C'est pour ça que j'allais voir ailleurs.

— C'est vrai ! J'oubliais combien tu étais malheureux.

Frank ignora le sarcasme.

— Écoute, dit-il, je n'ai aucune envie de revenir sur nos sempiternels problèmes. Les choses sont comme elles sont. À savoir que Jeanne et moi, nous sommes très heureux. Extrêmement heureux. Avec nous, Lucy aura une vision positive de ce qu'un mariage peut être. Nous avons une nouvelle maison, très jolie, dans une banlieue chic dotée d'excellents établissements scolaires. Jeanne a arrêté de travailler. Elle veut rester au foyer. Elle sera là pour Lucy. En ce moment, Lucy vit dans la maison de ton père. Toi, tu as décidé de reprendre tes études. C'est très courageux de ta part, mais ça te demande beaucoup de temps. Quand tu auras ton diplôme, j'imagine que tu prendras un poste à plein temps, et que c'est encore ton père qui devra s'occuper de la petite au quotidien. Or ton père n'est plus un jeune homme, Grace. Tu juges ça bien de lui imposer ce fardeau ?

Grace était consciente du problème. Mais elle savait que son père appréciait d'avoir sa fille et sa petite-fille auprès de lui. Ainsi, il avait retrouvé un but dans l'existence. Sa maison était de nouveau pleine de vie. Il avait tellement souffert de la solitude après la mort de sa femme...

— Papa aime Lucy, Frank. Et je remercie Dieu de l'avoir. Il s'occupe formidablement d'elle. Je sais qu'elle n'est pas un poids pour lui. Au contraire, elle lui donne de l'énergie.

— C'est possible. Mais il n'est pas en bonne santé. Et puis c'est moi le père de la petite.

— Et moi je ne suis pas sa mère, peut-être ?

Elle ajouta fermement :

— Elle reste avec moi.

Mais elle dut se retenir pour ne pas balancer le téléphone à l'autre bout de la chambre.

— Très bien, dit Frank. De toute façon, on n'avancera pas ce soir. Laissons le juge se prononcer. En attendant, je serai demain à la gare pour accueillir Lucy.

*

Et dire que ce sale égoïste ne voulait même pas d'enfant ! Grace enrageait. Descendue au sous-sol, elle pliait les vêtements encore chauds, tout juste sortis du sèche-linge, et les rangeait sur deux piles. Il fallait évidemment que ça tombe en ce moment. Frank réclamait la garde de leur fille alors qu'il allait l'avoir chez lui pendant deux semaines. Lui et sa nouvelle épouse se chargeraient de convaincre Lucy qu'elle serait mieux chez eux, tandis que Grace, de son côté, ne cesserait de tourner et retourner le problème dans sa tête.

Comme tout pouvait changer rapidement ! Hier encore, Grace se réjouissait : les vacances de Lucy chez son père tombaient en même temps que ce déplacement à Newport. Lucy était tout excitée à l'idée de prendre avec sa mère le train pour Rhode Island, puis de continuer seule jusqu'à Boston où son papa l'attendrait à la gare. À présent, Grace en était malade. Elle ne supportait pas la perspective de se séparer de sa fille pour la laisser partir « chez eux ».

— Lucy ! Tu veux bien aller chercher les valises ?

— Oui, maman.

Elle doit sentir qu'il se passe quelque chose. D'habitude, il faut renouveler la demande deux ou trois fois pour obtenir un résultat.

— Je les descends, maman ?

— Non. Porte-les dans nos chambres.

Grace souleva ses deux paniers de linge empilés l'un sur l'autre, et attaqua l'escalier en béton. Comme elle pénétrait dans la cuisine, elle se rendit compte que le papier peint avait vraiment besoin d'être changé. Le couloir qui menait au séjour réclamait un bon coup de peinture. Sans parler des moquettes usées jusqu'à la corde. C'est drôle : on passe jour après jour devant ces détails sans les voir, et soudain ils vous sautent aux yeux.

Quel genre d'intérieur Lucy allait-elle trouver chez Frank et Jeanne ? Grace le devinait sans peine : une étincelante cuisine en acier avec son comptoir en granit, des kilomètres de faïences, des planchers tout neufs, des baies vitrées dans le toit, un jacuzzi. Qui de nos jours construisait une maison sans penser aux baies vitrées et au jacuzzi ? Grace songea à la petite baignoire rose dans laquelle elle se lavait. La salle de bains datait des années 1970, comme presque tout ici. Grace, son père et sa fille habitaient un intérieur bien briqué, mais très loin du confort dernier cri. Ici, on vivait presque à l'ancienne mode ! Grace n'arriverait jamais à soutenir la comparaison avec ce que Frank proposait, Lucy serait-elle heureuse dans le luxe ?

Arrête ! Arrête tout de suite !

La question n'était pas de savoir qui avait la plus belle maison ! Si tel était le cas, alors Grace pouvait s'estimer battue d'avance. Or elle ne serait jamais en mesure d'offrir à sa fille un environnement comparable à celui de Frank. Les journalistes télé gagnaient bien leur vie, mais, sauf à être présentateur-vedette, vous ne pouviez espérer des revenus comparables à ceux des investisseurs bancaires.

Un juge était tout de même en mesure de savoir ce qui comptait vraiment. Étaient-ce les équipements d'une maison, ou la façon d'y vivre ? Un juge était tout de même capable de déterminer où étaient l'amour, la stabilité et les attentions ! En somme, ce dont un enfant avait réellement besoin.

Grace devait-elle entrer en compétition avec la nouvelle épouse de Frank ? Jeanne avait envie d'être femme au foyer. Cela signifierait-il, aux yeux du juge, que Lucy serait mieux avec elle qu'avec sa propre mère ? En tout cas, le juge ne pouvait décemment pas estimer qu'un enfant gagnait à être élevé par sa belle-mère plutôt que par sa vraie maman.

Autrefois, l'affaire aurait été gagnée d'avance : la place d'une fillette était auprès de sa mère. Mais les temps avaient changé. Les pères, désormais, avaient à cœur de faire valoir leurs droits. On pouvait à présent trouver normal de confier au père la garde de l'enfant... Certes, mais encore fallait-il que ce soit l'intérêt de ce dernier...

Or justement, Lucy devait rester où elle était, en sécurité, avec sa mère. C'était bien là que se situait son intérêt, non ?

7

Avant de finir son service, l'agent de police stagiaire Thomas James s'offrit une visite au bureau des inspecteurs. Il avait préparé une excuse pour le cas où quelqu'un lui demanderait ce qu'il faisait là. Tout ce qu'il voulait, c'était jeter un coup d'œil au dossier de Charlotte Wagstaff. Après tout, il n'avait lui-même que douze ans lorsque cette dame avait disparu. Si l'on venait à le surprendre, il jouerait les stagiaires consciencieux au service de l'inspecteur chargé de rouvrir l'affaire.

Il ne lui fallut pas longtemps pour trouver ce qu'il cherchait. Il avait entendu les inspecteurs parler d'un journal intime tenu par la jeune femme. Le journal était là. Des photocopies du journal, tout du moins. Des pages couvertes d'une écriture féminine extrêmement déliée.

Une mention figurait sur la couverture du dossier : « Original restitué à Agatha Wagstaff, sœur de la victime ».

Tommy se saisit des documents et se dirigea d'un pas nonchalant vers la photocopieuse. Les battements de son cœur s'accélérèrent quand il commença à passer les feuilles dans la machine. Il savait qu'il n'en avait pas le droit. Mais il savait aussi qu'il allait revoir Joss dans moins d'une heure. Elle lui avait dit qu'elle n'avait pas arrêté de penser à lui et qu'il lui avait manqué. L'idée que Joss allait lui appartenir à nouveau excitait follement Tommy.

Ils s'étaient connus l'été précédent. Joss se préparait alors à partir pour Manhattan où l'appelaient ses études. Tommy était tombé fou amoureux. Il savait en même temps que sortir avec elle, c'était viser très haut. Une fille de cette trempe, venue d'une famille si importante, n'était pas supposée se laisser séduire par un garçon tel que lui – un gars issu de la classe ouvrière, qui suivait des cours à la fac de Rhode Island, et dont l'ambition consistait à finir inspecteur de police à Newport. Il avait six ans de plus qu'elle, ce qui, à leur âge, au stade où ils en étaient, représentait une grande différence. Mais il trouvait Joss beaucoup plus cultivée que les autres filles du coin. Elle avait vu et vécu des choses dont les autres étudiantes n'avaient même pas idée.

Et, comme par miracle, elle ne l'avait pas quitté de tout ce fameux été – une saison véritablement magique : plage, danse sur les embarcadères, balades au clair de lune main dans la main. Tommy gardait un souvenir vif et émouvant de ces soirées sur la falaise, à observer l'océan et les vagues qui venaient exploser en bas sur les rochers. C'était au point que cet épisode heureux n'en finissait plus de hanter ses rêves et ses désirs.

Mais les meilleures choses ont une fin, et Joss était partie pour l'université. Pendant quelque temps, elle avait répondu à ses lettres passionnées, et passé de longues heures au téléphone avec lui. Puis, soudain, aux environs de Thanksgiving, elle avait changé d'attitude : elle avait souhaité qu'ils restent amis, sans plus. Elle s'était complètement immergée dans sa nouvelle existence.

Pourtant, Tommy espérait toujours que Joss lui reviendrait. Il avait envie que recommencent leurs promenades le long de la mer. Après tout, elle ne lui avait jamais dit explicitement qu'il n'avait aucune chance.

Tommy glissa la dernière feuille dans le photocopieur. Il prit dans le bac les copies encore chaudes.

Joss saura combien je l'aime quand elle verra que je risque ma carrière pour elle.

8

Il n'avait pas besoin de connaître le résultat des analyses pour savoir que les os retrouvés étaient bien ceux de Charlotte. Il n'y avait aucun doute possible.

Il se souvenait très clairement de la façon dont Charlotte était arrivée là. Ce souvenir restait douloureux et triste, bien que lointain. Tout avait mal tourné. Le désir de bien faire les choses s'était transformé en cauchemar.

Ce soir-là, Charlotte était désespérée. Mais comme toujours, elle était d'une beauté à couper le souffle. Elle avait préféré quitter la maison et aller discuter dans la cabane de jeu, de peur d'être entendue par sa fille, la petite Maud.

Charlotte avait accepté le mouchoir qu'il lui offrait pour essuyer ses larmes – une pochette de soie jaune.

Si seulement elle avait été plus réceptive ! Si seulement elle lui avait proposé une solution. Mais non. Elle s'était contentée de pleurer dans le mouchoir en examinant la photo prise quelques heures plus tôt au Country Club. Elle était incapable de se concentrer sur quoi que ce soit d'autre. Elle n'avait pas pris en compte les besoins de son interlocuteur. Elle n'avait pas perçu à quel point cette conversation était décisive. Une discussion portant sur l'avenir. Sur leur avenir à tous les deux.

Un rêve s'était brisé, et elle ne l'avait pas supporté.

Aujourd'hui, quatorze ans après, il acceptait mal la fureur aveugle qui l'avait poussé à se saisir du tisonnier dans la cheminée, et à frapper Charlotte à la tête.

SAMEDI 17 JUILLET

9

Le dentiste avait pris sa retraite depuis longtemps, mais il avait expédié le dossier de Charlotte Wagstaff Sloane à la police de Newport avant de mettre la clé sous la porte. Par la suite, les clichés des molaires de son ex-patiente, qui auraient suffi à déterminer si les restes étaient bien ceux de Charlotte, avaient dormi dans des cartons.

*

Maud Sloane, quant à elle, avait donné un échantillon de son sang, au cas où un test ADN se révélerait nécessaire.

Maud avait aujourd'hui vingt ans.

Elle remontait Ocean Avenue au volant de sa Mustang décapotable. Tout en conduisant, elle arracha le sparadrap collé à l'intérieur de son avant-bras. Elle refusait de garder sur elle quelque chose qui lui rappelait cette histoire. Elle qui avait perdu sa mère à l'âge de six ans et vécu des années de solitude ; elle qui avait souffert de voir son père brisé, et entendu les gens médire à leur sujet.

Un grand soleil brillait dans le ciel lumineux. Maud voyait s'étendre à sa gauche les eaux bleues et étincelantes de l'océan. L'horizon se piquait de voiles blanches qui s'inclinaient sous le souffle du vent, pour le grand plaisir des propriétaires de yachts. De l'autre côté de la route, des cerfs-volants flottaient au-dessus du parc de Brenton Point ; simples cartons découpés ou véritables machines en plastique en forme de baleine ou de grenouille, ils symbolisaient l'été, la liberté, les vacances et la vie.

Maud éprouva une sorte de jalousie. Être aussi libre que ces cerfs-volants dans les airs ! Aussi aventureuse que le marin sur l'océan. Jouir simplement de l'instant présent, au lieu de traîner le sempiternel fardeau de ses tristes souvenirs...

Elle serra les mains sur le volant. Le vent fouettait ses courts cheveux blonds. Pourquoi n'avait-elle connu de la vie que le chagrin ? Si rares étaient ses souvenirs heureux ! Sa maman qui l'emmenait au jardin en lui serrant la main très fort. Ses parents échangeant des sourires confiants, ou appréhendant son entrée à l'école. Les confiseries qu'ils achetaient à la sortie du jardin d'enfants... Ce bonheur avait si peu duré ! Maud se rappelait son premier jour à l'école primaire. C'est à cette période que ses parents avaient commencé à se disputer. Maud avait vu sa mère pleurer. Son père se réfugiait dans son bureau. Souvent la fillette se retrouvait seule avec son désespoir.

Et puis, un matin, au début des vacances d'été, maman s'en était allée pour toujours. La veille, elle s'était encore disputée avec papa.

Quatorze ans avaient passé. L'école primaire, puis les études secondaires. Maud était à présent en troisième année à Salve Regina. Elle avait beaucoup souffert à l'idée de n'avoir pas su aider sa mère. En tout cas, elle refusait de croire que Charlotte était partie de son plein gré. Plus exactement : elle ne s'autorisait pas à l'imaginer. Elle ne concevait pas que Charlotte ait pu l'abandonner. Quelqu'un lui avait pris sa maman. Quelqu'un ou quelque chose. Il lui était fatalement arrivé malheur.

Maud ne concevait pas non plus qu'Oliver, son père, ait pu jouer un rôle quelconque dans cette disparition. Elle savait aussi que ce sentiment était très loin d'être partagé par tout le monde. À Newport, on sous-entendait qu'Oliver Sloane avait purement et simplement assassiné sa femme.

À l'automne, quand venait l'heure de retourner à l'école, les élèves se faisaient une joie de répéter à Maud, dans la cour de récréation, ce qu'ils avaient entendu dire à table par leurs parents :

— Ton père n'a jamais aimé ta mère.

— Ton père boit.

— Ton père a assassiné ta mère.

Au début, ces commentaires blessaient Maud, ou la mettaient mal à l'aise. Puis elle s'était rebellée contre ses camarades. Enfin, elle avait coupé les ponts avec tout le monde. Sauf avec son père. Et avec sa tante Agatha. Car son père et Agatha avaient besoin d'elle.

Mais ces relations n'étaient pas sans lui poser des problèmes. En effet, après la disparition de Charlotte, Oliver et Agatha avaient cessé de s'apprécier, de s'aimer et de se faire mutuellement confiance.

*

La Mustang franchit la grille de la propriété. L'allée était longée de massifs de rhododendrons et de buis qu'une main experte avait taillés jadis pour leur donner des formes animales. La porte d'entrée de la maison – un « cottage » de vingt-huit pièces – était abîmée par les années et les intempéries. Une douzaine de chats se prélassaient sur la pelouse à l'abandon.

Maud gara sa décapotable à l'entrée. Finola apparut sur le perron et lança en clignant des yeux :

— Qu'est-ce que c'est ?

— C'est moi ! Maud... Qu'est-ce que tu fais là, à surveiller tout ce qui passe comme une araignée sur sa toile ?

— Je veille sur votre tante ! Voilà ce que je fais. Il y a des journalistes et autres poisons qui feraient n'importe quoi pour pouvoir l'approcher.

Le « n'importe quoi » était sans doute exagéré. Mais c'était un soulagement de penser que tante Agatha avait auprès d'elle sa femme de chambre pour faire barrage aux visiteurs. La presse locale et les télés essayaient même d'entrer en contact avec Maud, ainsi qu'avec son père.

Elle rejoignit Finola sur le perron. Dans la maison, elle fut prise à la gorge par l'odeur d'urine de chat qui imprégnait la moquette – une moquette jadis d'un rouge princier, aujourd'hui délavée et usée jusqu'à la corde.

— Votre tante est dans le salon.

Les rideaux de la pièce étaient tirés, de sorte que la lumière du soleil ne puisse y pénétrer ni se réfléchir dans les miroirs. La chaleur, alors, eût été trop forte. À Shepherd's Point, on ne connaissait pas l'air conditionné.

Les yeux de Maud eurent besoin de quelques secondes pour s'accommoder à la pénombre. Une forme minuscule se blottissait dans l'un des deux sofas, près de la cheminée en carrelage italien.

— Tante Agatha ? C'est moi...

Elle se pencha pour effleurer d'un baiser la vieille joue fripée, humide et froide.

— Ah ! Maud. Ma petite Maud... Comment vas-tu, ma chérie ?

Elle enchaîna sans attendre la réponse :

— Finola, allez chercher un verre de limonade, je vous prie....

— Je n'ai pas soif, ma tante. Merci.

— Vraiment ? Alors tant pis. Laissez, Finola.

De sa main griffue, elle donnait de petites tapes sur le velours déchiré du sofa.

— Viens, assieds-toi.

Maud consentit à s'asseoir.

— Je voudrais le voir encore, dit-elle.

— Quoi donc, ma chérie ?

— Tu sais bien.

— Oh ! Maud, pourquoi veux-tu encore te faire du mal ?

La vieille femme avait pris une mine implorante.

— S'il te plaît, tante Agatha. Il faut que je le voie.

Agatha se leva péniblement et gagna le buffet en acajou qui épousait l'angle du salon. Elle souleva un napperon sous lequel elle prit une clé. Elle enfonça la clé dans la serrure de cuivre. Ouvrir le tiroir exigea un effort. Agatha en sortit un cahier à couverture de cuir jaune.

*

« *Quelle idiote. Pourquoi faut-il que je sois si naïve ? Les gens mentent et trichent tout le temps. Mais la déception de ce soir au Country Club, c'était trop...* »

Ces mots étaient rédigés à la main, d'une écriture nette et résolue, mais différente des pattes de mouche maladroites, enfantines, qui couvraient les pages précédentes. Charlotte avait repris son journal intime pour s'y soulager de ses angoisses.

Maud, comme elle l'avait déjà fait cent fois, lut les derniers mots inscrits par sa mère dans ce cahier ; mais elle ne voulut pas le rendre à sa tante qui déjà tendait les mains pour le récupérer.

— Non, tante Agatha. Pas cette fois. Je le garde. Il est temps qu'il devienne ma propriété.

Agatha ne lui opposa aucune résistance.

— Comme tu voudras, chérie. Tu as probablement raison.

Ensemble, elles se levèrent du sofa. Elles savaient où aller maintenant. Elles obéissaient toujours au même rituel. Elles grimpèrent le grand escalier jusqu'au deuxième étage, où se trouvait la chambre de Charlotte.

C'était une pièce assez vaste qui n'avait pas changé depuis vingt ans, depuis que Charlotte avait quitté Shepherd's Point pour aller vivre à Seaview sa vie de jeune mariée. Sauf que les années et le manque d'entretien y avaient laissé leur empreinte. La courtepointe jaune qui habillait le lit en fer forgé était bien celle sous laquelle Charlotte s'était blottie enfant, mais la couleur en était désormais fanée, et elle se couvrait de poils d'animaux. La tapisserie à fleurs se décollait du mur. La pièce, en outre, n'était jamais aérée, de sorte qu'il y flottait une odeur suffocante.

Sur le petit bureau, près de la fenêtre, reposait une boîte en porcelaine rouge. Maud en souleva le couvercle. Elle savait très bien ce qui se trouvait à l'intérieur : le bijou qui avait symbolisé l'union de ses parents. Il n'y avait rien d'autre au fond du coffret que cette alliance en or, toute simple. Maud la prit, la fit tourner entre ses doigts, puis la passa à son annulaire. Elle se rappelait avoir vu sa mère l'enlever pour s'enduire les mains de crème, ce fameux soir. Agatha avait toujours insisté pour que le bijou demeure là où Charlotte l'avait laissé avant de disparaître ; et le père de Maud n'avait pas eu le courage de s'y opposer.

Le téléphone sonnait quelque part dans la maison. Maud ôta la bague. Finola entra dans la chambre.

— La police au téléphone, Miss Agatha !

L'espace d'un instant, la tante et la nièce furent paralysées. Était-ce la nouvelle tant attendue ?

— Je garde aussi la bague, dit Maud.

10

Dès que les proches parents furent informés de la nouvelle, l'État de Rhode Island et la police de Newport publièrent un communiqué destiné à la presse :

« Le squelette découvert la semaine dernière à Shepherd's Point, Newport, Rhode Island, a été examiné pour identification par le Service officiel de médecine légale de l'État. Des comparaisons ont été effectuées entre les empreintes dentaires, la forme du crâne et des os faciaux, et les données anthropologiques. Il est affirmé en conclusion de cette étude que les ossements sont ceux de Charlotte Wagstaff Sloane, une femme blanche née à Newport, Rhode Island. Mrs Sloane était âgée de vingt-huit ans quand sa disparition fut signalée voici quatorze ans.

Mrs Sloane a été victime d'un homicide. Cet homicide fait dès à présent l'objet d'une enquête criminelle. Aucune information supplémentaire ne sera délivrée. »

11

Le *Seawolf* – ou *Loup des mers* – emplissait de fierté Gordon Cox, et se révélait fort utile quand il s'agissait de faire impression sur les jeunes femmes. Gordon l'avait baptisé ainsi en souvenir de son père, qu'il n'avait pas connu. Cet homme avait rejoint la marine en 1944, peu après avoir épousé la mère de Gordon. Il appartenait à l'équipage du *Seawolf*, un sous-marin de l'armée américaine qui fut déclaré perdu à la fin de la Seconde Guerre mondiale.

Gordon, à la barre de son bateau, écoutait claquer les voiles sous le vent. Il approchait de Shepherd's Point, la jonction entre Narragansett Bay et Newport. Dressé sur la colline dominant la mer, le manoir victorien menaçait ruine.

— Le voilà, dit Gordon. Shepherd's Point. Vu sous un autre angle.

Ces mots s'adressaient à Judy, une jolie femme qui était à la fois l'étudiante de Gordon, et son amie la plus jeune. Judy rajusta sa casquette de base-ball pour mieux protéger son visage contre les rayons du soleil.

— Le manoir a beaucoup plus d'allure vu d'ici, fit-elle observer en clignant des yeux. Quand on s'y est rendu hier avec la classe, il m'a vraiment fait une triste impression. Il a dû être beau, autrefois. C'est déprimant de voir ce qu'il est devenu. Il faudrait qu'un riche le rachète, et s'occupe de le restaurer.

— Il faudrait qu'il soit très riche, dit Gordon. Très, très riche.

— Tu crois qu'Agatha Wagstaff accepterait de le vendre ?

Judy fouillait dans son grand sac de toile, à la recherche de sa crème solaire.

— J'en doute, répondit Gordon. Agatha est bien décidée à le léguer à sa nièce. Mais je ne serais pas surpris que Maud Sloane revende Shepherd's Point après en avoir hérité. Oh ! elle aurait les moyens d'entretenir le manoir. Cependant je ne crois pas qu'elle aura envie de le garder. Surtout si les ossements trouvés dans le souterrain se révèlent être ceux de sa mère.

Judy observait attentivement la côte.

— Où est-il, ce tunnel ? Je ne le vois pas.

Gordon procéda à la manœuvre nécessaire, et le *Seawolf* fit route vers une tache sombre qui se dessinait près du rivage. Gordon connaissait bien les lieux. Il les avait si souvent fréquentés ! Il fut soulagé en voyant que l'entrée du tunnel était fermée par une palissade noire. Le fait d'avoir retrouvé les restes de Charlotte remettrait peut-être à l'ordre du jour le projet de restauration du souterrain. Jusqu'ici, l'argument culturel et historique n'avait guère été efficace ; mais il devenait possible de miser désormais sur la fascination qu'inspirent au public les crimes commis dans la « bonne société ».

12

Le train ne tarderait plus à entrer en gare de Kingston, et Grace fut saisie d'une appréhension. Cette séparation serait une première pour elle et Lucy.

— On y est presque, chérie. Alors, rappelle-toi bien : tu restes sur ton siège, et tu ne parles à personne.

— J'ai compris, maman ! soupira la fillette exaspérée. Je sais. Je ne suis plus un bébé.

— Tu es mon bébé. Et je te répète que tu ne dois parler à personne.

— Je ne parlerai à personne, maman.

Grace considéra avec amour les taches de rousseur sur le visage de sa fille, et ses grands yeux marron abrités sous de longs cils. On lui retirerait bientôt son appareil dentaire. Ses seins commençaient à se former sous son T-shirt. Elle grandissait.

Le temps était passé si vite ! C'était à peine si Grace se rappelait à quoi ressemblait sa vie avant Lucy. Presque toute son attention s'était concentrée sur elle. Bien sûr, l'objectif était de permettre à Lucy de devenir une adulte indépendante et libre, mais la laisser partir n'était pas facile. Même en procédant par étapes.

Grace se demanda ce que serait son existence quand elle n'aurait plus Lucy auprès d'elle. Puis elle se raisonna en se disant qu'elle avait encore le temps. Lucy n'entrerait à l'université que dans sept ans ! Et sept ans, ce n'était pas rien. Sauf qu'il y avait Frank, et que si ce dernier gagnait devant le juge, alors Lucy s'en irait vivre chez lui - et les sept années à venir seraient alors des années perdues pour Grace. Elle ne verrait plus sa fille que le week-end, et durant quelques semaines en été. Du dos de sa main, elle essuya les larmes qui se formaient au coin de ses yeux.

— Ah non, maman ! Ne pleure pas... Je serai bien.

— Je sais, mon cœur. Je sais.

Elle lui donna un baiser sur le front, et respira ce parfum si familier de shampooing.

— Je suis ridicule, dit-elle.

Le train ralentissait. Grace prit la valise dans le casier à bagages.

— Tu as l'argent que je t'ai donné ? Et mon portable ?
Tu connais par cœur le numéro de papa, hein ?

Lucy approuva. Elle semblait ravie. Depuis un moment
elle réclamait un téléphone à elle, et voilà que sa mère lui
prêtait le sien le temps de son séjour : c'était un début.

— Je l'ai, maman.

— Tu rapporteras un petit cadeau pour ton grand-père ?

— Sûr. Papa a dit qu'on irait faire du tourisme. Je trouverai quelque chose pour papy.

— Tu es gentille,

Le train s'était arrêté. Il fallait descendre.

— Voilà, Lucy. Passe un bon séjour. Papa sera là pour
t'attendre.

— Ne t'en fais pas, maman,

— Je ne m'en fais pas... Au revoir, mon cœur. Je
t'aime...

— Moi aussi, je t'aime, maman.

Elle se leva vivement et étreignit sa mère.

*

Finalement, Lucy était encore une petite fille, songea
Grace en descendant du train. Lucy était sa petite fille, et
Frank ne pourrait la lui prendre.

Mais n'était-elle pas en train de donner des armes à
Frank ? N'était-ce pas une erreur que d'essayer de réaliser
son vieux rêve à tout prix ? Le moment était-il bien choisi
pour partir en déplacement professionnel ?

Elle héla un taxi. Elle savait qu'elle était à la croisée
des chemins. Elle pouvait encore laisser tomber ce stage
pour la télévision, se mettre en quête d'un travail moins
prenant, avec moins de contraintes. Un emploi qui ne

risquait pas d'apporter de l'eau au moulin de Frank. Mais elle pouvait aussi aller de l'avant, sans permettre à Frank de lui dicter ce qu'elle avait à faire pour mener sa carrière.

Grace réfléchit durant le trajet, tout en observant les bateaux de plaisance qui filaient sur les eaux bleues de Narragansett Bay. Sa décision était prise : elle irait de l'avant. Elle serait cohérente et sincère avec elle-même. En définitive, n'était-ce pas ce que sa propre fille atten-dait d'elle ? N'était-ce pas l'exemple qu'elle se devait de lui donner ?

13

Le taxi franchit le portail de l'hôtel Viking et emprunta l'allée en demi-cercle qui conduisait à l'entrée. L'établisse-ment était installé dans une vaste maison en brique de style colonial, bâtie dans les années 1920 par un homme qui aimait à recevoir de nombreux convives. Grace imagina les gens arrivant ici au volant de leur voiture à l'ancienne mode. Elle sourit à la vue des massifs de pétunias roses et rouges, des hibiscus et des marguerites qui ornaient les plates-bandes et les fenêtres. Sous le porche, les résidents prenaient le soleil dans des transats.

La réception était ornée de tapisseries blanches, de chandeliers anciens et de boiseries sculptées. Une boîte aux lettres en cuivre trônait entre les ascenseurs.

Le concierge en uniforme remit à Grace la clé de sa chambre, ainsi qu'un billet.

— Un message pour vous, madame Callahan.

Grace fut un peu déçue de ne pouvoir monter tout de suite dans sa chambre pour faire un brin de toilette. B.J. la priait de le rejoindre directement en salle de rédaction.

— Le salon Bellevue, s'il vous plaît ? demanda-t-elle au concierge.

— Sur votre gauche au bout du couloir, madame.

— Merci.

Chargée de sa valise, elle prenait la direction indiquée quand le concierge la rappela :

— Madame Callahan, le groom se fera un plaisir de monter votre valise, si vous le souhaitez.

— Ce serait formidable. Merci.

Grace s'arrêta au seuil du salon, et prit une profonde inspiration. La pièce, prévue pour accueillir réceptions, mariages et conférences, était aménagée en plateau technique pour la chaîne Key News et l'émission « Key to America » : ordinateurs, téléphones, fax, photocopieurs. Des techniciens achevaient de tirer, le long du mur, les câbles qui permettraient d'établir les transmissions haut débit avec New York et le reste du pays. B.J. se trouvait près du buffet dressé au fond de la salle. Dès qu'il aperçut Grace, il lui fit signe.

— Venez !

Les yeux de Grace se posèrent sur une profusion de sandwiches, de gâteaux et de fruits.

— Heureux de vous voir, reprit B.J. J'ai cru que j'allais être obligé d'y aller sans vous.

Elle l'interrogea du regard.

— J'ai pensé que vous auriez envie de m'accompagner à Shepherd's Point. On va essayer d'y tourner deux ou trois images. Avec un peu de chance, quelqu'un acceptera de nous parler.

Il ajouta en se tournant vers le buffet :

— Servez-vous. Prenez quelque chose à emporter. Vous le mangerez en route.

Grace choisit sur la table un sandwich au thon qu'elle enveloppa dans une serviette en papier. Elle prit aussi une bouteille d'eau. Et elle se hâta de rattraper B.J. qui se dirigeait déjà vers la sortie.

— Tout ce qu'on sait, c'est que les tests sont positifs, lui lança-t-il par-dessus l'épaule. C'est bien de Charlotte Sloane qu'il s'agit.

Il l'entraîna vers une voiture garée à l'entrée de l'hôtel.

14

Zoé Quigley vit Grace quitter le salon Bellevue sur les talons de ce très séduisant producteur – B.J., comme tout le monde l'appelait. Zoé aurait parié qu'il s'intéressait à Grace, et pas uniquement à cause de ses qualités professionnelles.

C'est pour ça que j'ai traversé l'Atlantique et sacrifié mes vacances ?

Aucun des producteurs de « Key to America » ne s'était encore approché d'elle pour lui confier la moindre tâche. À New York, on la laissait répondre au téléphone et faire des photocopies : c'était toute la confiance qu'on lui avait témoignée. Apparemment, les choses n'étaient pas parties pour être différentes ici.

Bientôt, ils m'enverront chercher les cafés.

D'un geste ample, elle rabattit en arrière ses grandes tresses. En tout cas, elle était résolue à ne pas en rester là. C'est elle qui décrocherait ce poste d'assistant à la production dont la chaîne Key News avait besoin. À son retour en Angleterre, ce job serait son trophée, et elle s'en servirait comme d'un atout pour essayer d'obtenir mieux encore. Ce résultat obtenu aux États-Unis, plus le film documentaire qu'elle allait tourner seule, lui ouvriraient les portes de la BBC.

Le souvenir de l'esclavage avait laissé en Amérique des traces profondes et complexes, et il valait la peine de montrer en quoi les vieux démons étaient toujours présents. C'est pourquoi Zoé employait son temps libre à filmer au caméscope les vestiges du combat mené autrefois par les Noirs au « pays de la liberté ». Son intérêt se focalisait notamment sur une esclave prénommée Mariah.

Elle savait qu'il ne lui serait pas facile de mener de front son stage, et son film, mais elle y parviendrait. Selon elle, le point fort de son documentaire était de donner à voir la vérité telle qu'elle était vraiment ; et la vérité, c'était que l'Amérique n'avait jamais cessé de mener la vie dure aux populations noires.

Elle continuait d'y réfléchir, songeant qu'en Angleterre la couleur de peau comptait bien moins. Là-bas, on ne vous jugeait pas en fonction de vos origines, mais de la classe à laquelle vous apparteniez. Votre façon de vous exprimer révélait qui vous étiez. L'accent pouvait être le signe d'un statut social élevé et d'une bonne éducation, il vous ouvrait des portes. En un sens, on pouvait peut-être aussi y voir une forme de discrimination. Sauf qu'une langue, on pouvait toujours l'améliorer. Il suffisait de travailler dur. Pour la couleur de peau, c'était une autre paire de manches.

15

Mon Dieu, il y a donc des gens qui vivent ainsi !

Grace était frappée de respect devant les chefs-d'œuvre d'architecture qu'elle voyait défiler le long de Bellevue Avenue. Toutes ces demeures étaient extraordinaires ! Toutes différentes ! Toutes réalisées avec art jusque dans leurs moindres détails. Étaient-ce encore les États-Unis ? On se serait cru en Europe, le long d'une avenue bordée de belles demeures. La Grèce antique, la Rome impériale, la Renaissance italienne, le Paris des Bourbons : les styles les plus prestigieux étaient tous représentés. Une fois encore, Grace essaya d'imaginer la vie, ici même, à l'époque de l'Âge d'or, quand Bellevue Avenue était sillonnée de fiacres menés par des cochers en livrée.

Évidemment, de pareilles demeures supposaient d'entretenir du monde : majordomes, jardiniers, femmes de chambre et autres domestiques. Mais avec les millions de dollars que ces gens gagnaient dans les chemins de fer, le pétrole, le charbon, le tabac, les transports maritimes, les banques et l'immobilier, ils avaient les moyens de s'offrir tout ce dont ils avaient besoin – d'autant qu'ils ne payaient pas l'impôt fédéral sur le revenu !

Mais les temps avaient changé. Le coût du travail n'était plus le même. La fiscalité non plus. Nombre de grandes familles en étaient même venues à estimer qu'elles n'avaient plus les moyens d'entretenir de telles habitations. Quelquefois, elles en faisaient don au comté de Newport – c'était une façon de résoudre le problème. Ainsi l'État prenait soin de ces richesses du passé, les ouvrait à la curiosité du public, ou les rentabilisait lors des cérémonies officielles.

Il est vrai que les deux guerres mondiales avaient été fatales aux grandes fortunes de la ville. Par la suite, le port avait pris une nette coloration militaire, la marine américaine ayant décidé d'y mouiller sa flotte Atlantique. Dans le centre-ville, s'étaient ouverts les bars et les commerces à bas prix destinés aux hommes de troupe. Mais ce temps-là était révolu aussi. Et peu d'industries étaient venues s'installer dans la région. Désormais, on s'intéressait à Newport pour son célèbre festival de jazz, et parce que John et Jackie Kennedy aimaient venir y passer leurs vacances. Mais les Kennedy, c'était il y a longtemps ! Aujourd'hui, il ne restait plus en fait que le tourisme pour rendre la ville attractive.

B.J. conduisait vite. Ils passèrent devant un club très sélect, le Bailey's Beach. Puis ils traversèrent le quartier prestigieux, quoique plus moderne, de Rhode Island Sound. Enfin la voiture ralentit à l'approche de Shepherd's Point. Il leur apparut tout de suite qu'aucun accord n'avait été trouvé entre l'État et Agatha Wagstaff en ce qui concernait la sauvegarde de la propriété. Le domaine, perché sur la colline, ressemblait au décor d'un vieux film d'horreur gothique. La maison était abîmée, dévorée par le lierre et les glycines sauvages, et comme abandonnée.

Près de l'entrée, parmi les herbes folles, se dressait un homme en chapeau de paille, vêtu d'un pantalon vert sombre et d'une chemise à manches longues ; cet homme tenait à la main une faux.

B.J. se gara dans l'allée, coupa le contact et descendit de voiture, suivi de Grace.

— Excusez-moi, dit-il en s'approchant du jardinier. Nous travaillons pour Key News.

L'homme était âgé. Il rabaissa sa faux. Des mèches grises s'échappaient de son chapeau déformé. Sa figure ridée était tannée par le soleil. Et son expression était tout sauf accueillante.

— Nous aimerions filmer la maison, reprit B.J. On se disait aussi que quelqu'un accepterait peut-être de nous dire quelques mots.

L'espace d'un instant, Grace se demanda si le jardinier n'allait pas les menacer en brandissant sa faux – d'autant qu'il empestait l'alcool. D'instinct, elle recula d'un pas.

— C'est un pays libre, dit le vieil homme. En tout cas, c'est ce qu'ils disent. Mais quoi qu'il en soit, vous êtes ici dans une propriété privée. Vous n'avez qu'à filmer depuis la route, si ça vous chante. Mais ne mettez pas les pieds sur les terres de Miss Wagstaff.

B.J. fit une nouvelle tentative :

— Mais vous, vous ne voudriez pas nous dire quelques mots ?

— Ça m'étonnerait, ricana l'homme. Ce serait à quel sujet ?

Comme s'il ne le savait pas ! songea Grace.

— C'est au sujet de Charlotte Wagstaff Sloane, répondit B.J. Les restes découverts dans le tunnel ont été identifiés ce matin comme étant les siens, non ?

Le jardinier laissa retomber ses épaules. Soudain accablé, il murmura d'une voix changée :

— Pas entendu dire ça...

Ils y allaient trop fort, pensa Grace. Le vieil homme tremblait, maintenant. C'était une chose affreuse que d'être informé d'une mauvaise nouvelle par un journaliste. Grace pensait à ces malheureuses familles qui ont perdu un fils ou une fille à la guerre, et qui l'apprennent par la télévision avant même la visite de l'aumônier militaire.

— Je suis désolé, reprit B.J. Comment vous appelez-vous, monsieur ?

— Dugan. Terence Dugan.

— Et vous travaillez pour Miss Wagstaff, monsieur Dugan ?

— Voilà quarante-deux ans que j'entretiens ce jardin. Je me souviens du jour où Miss Charlotte est née. Un si joli bébé...

Ses yeux s'emplissaient de larmes. Grace observa B.J. tandis qu'il poursuivait à voix basse :

— Je suis vraiment navré, monsieur Dugan. Je parie que vous aimiez beaucoup Charlotte.

Le jardinier reposa sa faux et tira de sa poche un mouchoir sale. Il s'essuya les yeux, et la sueur qui perlait sur son front.

— Miss Agatha va être bouleversée, dit-il. C'est elle qui a élevé Charlotte, car sa mère est morte quelques semaines après l'accouchement. Tout le monde savait qu'elle était trop âgée pour attendre un nouvel enfant. Miss Agatha avait déjà vingt ans ! Vous vous rendez compte ?

Terence continua :

— Deux ans plus tard, ça a été au tour de M. Charles de partir. Miss Agatha n'avait plus ni père ni mère. Elle a consacré sa vie à Charlotte.

— Quel tourment elle a dû vivre, dit B.J. Toutes ces années sans savoir ce qu'il était advenu de sa jeune sœur...

— S'il n'y avait que ça. Ce qui la torturait surtout, c'était de penser que Charlotte avait probablement été tuée par Oliver Sloane...

— Ça suffit, Terence !

Une voix jeune et féminine avait retenti derrière la porte.

— Arrête immédiatement de bavarder si tu ne veux pas t'attirer d'ennuis !

*

Maud Sloane ouvrit la marche, traversant le champ de mauvaises herbes qui menait vers la cabane de jeu. B.J. transportait sa caméra et sa valise technique. Grace s'était chargée du trépied.

— Je ne peux pas laisser les choses continuer comme ça une minute de plus, disait Maud d'une voix où perçait une détermination féroce. Il est temps de mettre les choses au point. D'ouvrir cette boîte aux mystères. Et tant pis pour les retombées.

— Si on commençait par vous, Maud ? suggéra B.J.

Il trépignait d'impatience à l'idée de pouvoir interviewer la propre fille de Charlotte Wagstaff ! C'était beaucoup plus important que de tourner des vues du domaine et du souterrain ! Si important qu'il préférait ne pas laisser à Maud le temps d'y réfléchir à deux fois. C'était une chance qu'elle ait dit oui. Il fallait vite en profiter.

— Si vous voulez, répondit-elle. Où voulez-vous faire ça ?

B.J. promena un regard sur le décor. Il cherchait la meilleure lumière. Le soleil d'été était haut dans le ciel. S'il filmait l'entretien en extérieur, on risquait de voir Maud cligner des yeux à l'image. Il avisa un grand chêne dont l'ombre se répandait près de la cabane de jeu. La journée était belle ; tourner sous les branches d'un arbre, voilà qui serait parfait.

Il installa la caméra sur son trépied. Il brancha les câbles du magnéto. Grace attendait près de Maud.

— Je suis navrée pour votre mère, dit-elle.

— Je vous remercie.

Cet échange fut suivi d'un silence gêné. Grace baissa les yeux, Maud était chaussée de sandales, et celles-ci révélaient un minuscule tatouage au pied droit. Maud vit que Grace avait noté ce détail.

— Ma mère n'aurait sûrement pas aimé, dit-elle. Mais c'est pour elle que je l'ai fait. Pour penser à elle tout le temps. Je n'ai guère de souvenirs, car j'avais six ans quand elle a disparu. Mais je l'entends encore me dire : « Attaque toujours du bon pied, Maud. » C'est pour ça. Je me suis fait tatouer un petit ange sur le pied droit. Ça m'aide à penser à elle. Elle m'appelait son ange.

— C'est une jolie histoire, dit Grace avec un sourire sincère. Ma mère me disait la même chose.

Maud chercha le regard de Grace.

— Votre mère est morte aussi ?

— Oui. Il y a six ans.

J'ai au moins eu la chance d'être élevée par ma mère, son-gea-t-elle. Elle était là le jour de mon bac. Elle était à mon mariage. Et à la naissance de Lucy. Je l'ai eue auprès de moi pour les étapes les plus importantes. Elle pensa aussi que sa mère lui manquait. Comme elle aurait aimé pouvoir encore parler avec elle de sa vie ! De ce qui se passait avec Frank. Du problème de la garde de Lucy. Oui, quelle chance d'avoir eu sa mère auprès d'elle si longtemps ! Grandir sans maman est si triste. Et c'était précisément ce qu'avait vécu cette jeune femme, Maud Sloane.

— Je suis désolée, reprit Maud en plissant les yeux. Pardon, mais... Je n'ai pas retenu votre nom.

— Grace. Grace Callahan.

— Qu'est-ce que vous faites chez Key News ?

— Je ne suis que stagiaire.

Maud l'observa avec scepticisme.

— Je sais, reprit Grace. Je fais vieille pour une stagiaire. Mais c'est une longue histoire. J'espère que mon stage débouchera sur une offre d'emploi. Il y a un job à la clé. Évidemment, tout le monde espère l'avoir. Il y a de la concurrence.

B.J. avait fini de s'installer. Il tendit à Maud un petit micro noir.

— Vous restez où vous êtes, dit-il. Je vous interrogerai en me tenant derrière la caméra. Grace, venez à côté de moi. Miss Sloane, si vous pouviez regarder Grace quand vous répondez, ce serait génial. Je préfère que vous ne fixiez pas l'objectif.

— Vous pouvez m'appeler Maud...

Elle accrocha le micro à son col, en faisant passer le fil sous le T-shirt, comme le lui avait suggéré B.J. Grace vint se placer près de lui.

— Prête ? dit B.J.

Maud fit oui de la tête.

— Très bien...

Il examina l'image miniature dessinée sur l'écran du moniteur, au-dessus de la caméra. Maud tordait ses mains délicates sur son buste. Ses cheveux blonds remuaient sous la brise légère venue de la mer. Le tronc du chêne apparaissait au second plan.

— Avant tout, Maud, quand et comment avez-vous appris que les restes ont été identifiés comme étant ceux de votre mère ?

Maud s'éclaircit la gorge.

— J'étais ici. Je rendais visite à ma tante Agatha quand on a reçu le coup de téléphone. C'était tout à l'heure. Juste avant de vous rencontrer en bas, à l'entrée.

— Votre réaction à cette nouvelle ?

La jeune femme fit une grimace. Elle secoua la tête. Grace, depuis toujours, détestait voir les reporters de la télévision brandir leur micro sous le nez des personnes victimes d'événements tragiques. *Pour l'amour du ciel, comment voulez-vous qu'elles aient réagi ? Ça les a accablées, brisées, atterrées !*

— Honnêtement ? Honnêtement, j'étais soulagée. Voilà quatorze ans que je me tourmentais au sujet de ma mère. Que lui était-il arrivé, tout ça... Je ne savais même pas avec certitude si elle était morte ou toujours vivante. C'est affreux, de ne pas savoir. Maintenant, je sais. C'est toujours ça. Les choses deviendront peut-être plus faciles.

B.J. enchaîna :

— La police vous a parlé de l'enquête ? Par où vont-ils commencer ?

— Ils ne m'ont rien dit, répondit-elle sèchement. Et je n'ai rien demandé.

— Vous avez l'air en colère.

— Vous ne le seriez pas, si vous appreniez que votre mère est restée toutes ces années dans un tunnel, à deux pas de chez vous, sans que la police soit fichue de la retrouver ?

Elle poursuivit :

— C'est leur faute. C'est à cause de leur incompétence que mon père a été l'objet d'accusations injustes. Il a vécu un véritable enfer. Tout le monde parlait dans son dos.

— Sauf votre respect, Maud, le fait que l'on ait retrouvé les restes de votre mère dans le tunnel ne prouve pas que votre père ne l'a pas tuée...

— Je sais, soupira Maud. Mais il aimait ma mère. Et puis, si la police avait retrouvé le corps plus tôt, elle aurait pu recueillir des indices qui auraient mis les enquêteurs sur la piste du véritable assassin. Laissez-moi vous dire une chose. Ce n'est pas mon père qui l'a assassinée, j'en suis absolument certaine.

B.J. releva la tête. Il regarda Grace, puis Maud.

— Alors, à votre avis, qui l'a assassinée ? dit-il.

La jeune femme hésita, puis lâcha d'un ton inflexible :

— Je ne peux rien vous dire pour l'instant. Maintenant, filmez la propriété. Et faites vite, je vous prie. Parce que si ma tante Agatha vous voit, elle piquera une colère.

— Nous comprenons, dit B.J. en éteignant sa caméra. Vous nous laissez dix minutes, un quart d'heure ?

— Pas plus. Je dois retourner auprès de mon père.

16

Toutes les radios diffusaient à présent le résultat des analyses, et le dernier individu à avoir vu Charlotte Sloane vivante n'était pas surpris de ce que l'on annonçait. La nouvelle aurait pu tomber plus tôt, ou plus tard. Il aurait préféré plus tard, bien plus tard, voire jamais.

Les détails sordides qui avaient précédé la mort de la victime risquaient d'être mis au jour. Or, de cela, il ne pouvait être question. Inquiétant, le mouchoir resté dans la poche de la robe. Ce mouchoir de soie qu'il lui avait prêté pour qu'elle sèche ses larmes.

Oui, inquiétant.

Heureusement, la photo n'avait pas refait surface.

Car il y avait aussi une photo. Tombée sur le sol du tunnel aux esclaves. C'est d'ailleurs ce qui avait désespéré Charlotte. Et tout déclenché.

L'arme du crime aussi était restée dans le tunnel ! Il avait dû retourner l'enterrer. C'est alors qu'il s'était aperçu que la photo avait disparu.

Quelqu'un l'avait prise.

D'abord, il avait eu une bouffée de panique. Puis il s'était senti soulagé en retrouvant ce portefeuille dans la cabane de jeu. Ce portefeuille stupidement oublié ! Et qui désignait un coupable. Tant que ce portefeuille existerait, il y avait peu de chances que la photo reparaisse.

Il avait adressé une lettre au propriétaire du portefeuille pour attirer son attention sur les risques qu'il encourait...

À présent, chacun tenait l'autre.

L'assassin était en possession du portefeuille. L'inconnu auquel appartenait le portefeuille était en possession de la photo. Des deux côtés régnait le silence. Chacun préférait ne pas courir après les ennuis.

Et il était capital de s'en tenir à ce *statu quo*.

17

Elsa Gravell adorait nourrir elle-même les oiseaux qui visitaient son jardin. Elle versait des graines dans la mangeoire quand le téléphone sonna. Elle se hâta de traverser sa pelouse impeccable pour pénétrer dans la fraîcheur du patio. Le sans-fil reposait sur la table en fer forgé, près de la chaise longue.

— Allô ?

— Elsa, c'est Oliver à l'appareil.

Elle sentit son cœur s'emballer. Il en allait ainsi depuis des années, chaque fois qu'elle entendait la voix d'Oliver Sloane. Elsa avait consacré l'essentiel de son existence adulte à aimer cet homme.

— Il y a du nouveau, Elsa. Les restes sont ceux de Charlotte, c'est sûr. C'est confirmé.

— Oh, je suis désolée, Oliver chéri... Je sais que toute cette affaire est pour toi un affreux cauchemar. Pour Maud aussi. Et pour nous tous, à vrai dire. Mais du moins, maintenant, nous savons. Le plus dur, c'était de ne pas savoir ce qui était arrivé à Charlotte. N'est-ce pas, Oliver ?

— Ça et les rumeurs disant que je l'avais tuée.

Dans la voix de baryton d'Oliver, la mélancolie semblait le disputer au cynisme. Elsa songeait à ce qu'il avait enduré. Elle partageait sa peine.

— Jamais, au grand jamais, une pareille idée ne m'a effleuré l'esprit, Oliver. Jamais je n'ai pensé que tu puisses être pour quelque chose dans la disparition de Charlotte. Je crois à ton innocence. De tout mon cœur et de toute mon âme. Tu le sais.

— Tu es bien la seule, Elsa. Avec Maud. La meilleure amie de Charlotte et la fille de Charlotte : il n'y a que vous deux pour m'avoir soutenu, À part vous, tout Newport me regarde comme un criminel.

— Tout va peut-être s'arranger.

— Pourquoi ? Qu'est-ce que tu imagines, Elsa ? Ils ont un corps, c'est tout. Ou ce qu'il en reste. L'assassin, lui, il court toujours.

Elsa devait admettre qu'il avait raison. Quelle épreuve affreuse que cette affaire ! Oliver n'en verrait pas la fin tant qu'ils n'auraient pas mis la main sur le coupable, c'était évident.

Elsa aimait Oliver d'un amour qui n'avait fait que croître après ces événements. Toutes ces années passées à le voir souffrir, à s'efforcer de l'aider tout en sachant que c'était impossible... Avec le temps, elle s'était dit qu'il finirait peut-être par oublier sa femme, du moins par s'éloigner d'elle, affectivement parlant. Elle avait espéré qu'ils pourraient enfin vivre comme un couple. Mais Oliver était dévoré par la culpabilité. Charlotte ne s'était guère montrée aimante avec lui au cours des mois précédant sa disparition. Et ils avaient eu une dispute le dernier soir qu'ils avaient passé ensemble. Cette culpabilité, Oliver s'efforçait de la noyer dans l'alcool ; une fois ivre, il se confiait à Elsa pendant des heures.

— Pourquoi n'ai-je pas su me montrer plus discret ? répétait-il. Qu'est-ce qui m'a pris ? Comment ai-je pu m'imaginer que Charlotte ne découvrirait pas mon infidélité ? Quel idiot j'ai été !

À chaque fois, il s'énervait. Elsa essayait de le calmer. Elle redoublait de patience.

— C'est le passé, chéri, disait-elle. Regarde l'avenir. Tu n'as consacré que trop de temps à cette histoire. Tu as encore de belles années devant toi – de belles années pour nous...

— Je t'en prie, Elsa. Ne recommence pas. Tu sais mieux que personne combien j'ai prié pour que Charlotte me revienne. C'est un miracle qu'elle ait voulu de moi. Sans l'intervention d'Agatha, je n'aurais jamais eu Charlotte. Et je ne t'ai jamais donné de faux espoirs. J'ai peut-être commis des erreurs, mais mon cœur a toujours appartenu à Charlotte.

À présent qu'Elsa avait Oliver au téléphone, et que les ossements venaient d'être identifiés, il lui répéta cette phrase une fois de plus :

— Mon cœur appartient à Charlotte...

— Mais Charlotte ne reviendra pas, Oliver ! le coupa brusquement Elsa. Nous pouvons vivre ensemble, maintenant. Nous pouvons nous marier. Tu es veuf. Officiellement veuf !

Elsa regretta aussitôt d'avoir prononcé ce mot. Certes, Oliver était privé d'épouse depuis quatorze ans, mais le moment était-il bien choisi pour l'entraîner dans un deuxième mariage ? En agissant ainsi, elle ne faisait qu'afficher son impatience à devenir Mme Oliver Sloane. Mais elle le voulait tellement ! Épouser Oliver ! Cet honneur avait beau n'intéresser désormais aucune femme de Newport, Elsa Gravell, elle, le désirait plus que tout. Elle était persuadée que son bonheur était attaché à la personne d'Oliver Sloane.

— Je viens juste d'apprendre avec certitude que ma femme est morte, reprit-il sèchement. Alors laisse-moi le temps de faire mon deuil.

Il raccrocha.

Elsa, qui avait encore le combiné à l'oreille, laissa échapper un juron.

C'était clair, Oliver ne l'accompagnerait pas ce soir à la réception donnée par les Vickers. Elle pouvait même décommander tout de suite. Elle décida cependant qu'il serait avec elle mercredi à la soirée de bienfaisance du Bal bleu. C'était elle qui présidait la cérémonie, et elle aurait Oliver à ses côtés, en dépit des événements. En réalité, c'est même la raison pour laquelle il se devrait d'être à ses côtés mercredi : parce que Charlotte avait été retrouvée. Il y serait en l'honneur de Charlotte. Il avait toujours été là le soir du Bal bleu. Charlotte et Elsa avaient coprésidé autrefois cette association pour la sauvegarde des oiseaux en danger. C'était gratifiant de voir que leur œuvre avait prospéré ; et Oliver, qui était là depuis le début, avait bravement fait sienne la cause de sa femme, au mépris des murmures.

Mais elle ne pouvait pas le forcer non plus. Elle ne pouvait se l'aliéner. Surtout dans une telle période, au moment précis où la vie leur offrait une chance de devenir peut-être, enfin, mari et femme.

Elsa avait grandi avec Charlotte. Charlotte avait jadis été sa meilleure copine d'école. Charlotte était alors une fille extravertie, aimée de tous ; Elsa passait pour plus calme, plus studieuse. Elsa avait été demoiselle d'honneur au mariage de son amie. Elle était la marraine de sa fille, Maud. Les deux amies avaient partagé cette passion des oiseaux qui les avait amenées à faire ensemble de lointains voyages. Combien d'heures n'avaient-elles passées côte à côte à guetter l'apparition d'un spécimen rarissime ? Et puis, un jour, cette fidélité d'Elsa envers Charlotte avait pris fin. À cause d'Oliver.

Elsa s'était aperçue qu'elle aimait Oliver, Elle avait décidé qu'il serait à elle.

Et tant pis si cela prenait du temps.

18

Grace et B.J., de retour à l'hôtel Viking, se rendirent immédiatement au bureau des reportages où le rédacteur en chef, Dominick O'Donnell, les regarda par-dessus ses lunettes en demi-lune. B.J. ayant expliqué ce qu'ils ramenaient de Shepherd's Point, Dominick laissa tomber ce jugement :

— L'interview de la fille de Charlotte Sloane peut faire une exclusivité, mais ça ne suffit pas à monter un sujet d'intérêt national. Le reportage est intéressant au niveau de la région. Il faudrait lui donner de la consistance si tu veux accrocher le grand public. Garde ton enregistrement et essaie de voir s'il n'y a pas un élément intéressant à développer.

B.J. décida de ne pas lâcher prise.

— Dom, dit-il, le squelette est identifié. On a filmé l'intérieur du tunnel aux esclaves. On a l'interview... À mon avis, ça suffit pour faire un sujet.

Dominick considéra l'écran de son moniteur.

— Tu as déjà de bons sujets de programmés tous les jours de la semaine, B.J. Tu as avancé sur les boulots en cours ?

— Ne t'en fais pas. Tout est sous contrôle.

— Dans ce cas si tu as bouclé les autres sujets et que tu peux apporter en plus quelque chose de valable dans l'affaire Sloane, alors, c'est d'accord. Mais je te le répète, B.J., il faut développer. Tâche d'obtenir des réactions. Va interroger les gens qui ont connu Charlotte. Son mari, par exemple. C'est tout de suite à lui qu'on pense. Il faudra présenter aussi le point de vue de la police. C'est indispensable.

B.J. avait compris.

— Très bien, dit-il. On reviendra à la charge quand on aura plus de matériel.

*

Grace passa brièvement un coup de fil dans le Massachusetts pour s'assurer que Lucy était arrivée à bon port. Dans la salle de rédaction, tous les regards étaient braqués sur elle. Ceux des autres stagiaires surtout. On la voyait travailler avec B.J. Sans parler de cet échange avec le rédacteur en chef.

À présent Grace était partagée. D'un côté, elle était heureuse de la confiance que lui manifestait B.J. ; en même temps elle se coupait de ses camarades, ce qui la mettait mal à l'aise. Elle n'aimait pas l'atmosphère de compétition qui régnait autour de ce poste d'assistant. Chacun se croyait tenu d'en faire des tonnes, quitte à outrepasser ses compétences. Était-ce vraiment le meilleur moyen de toucher au but ?

Une qui n'avait pas ces scrupules, en tout cas, c'était Joss Vickers. Elle se leva et dit soudain :

— Mes parents organisent un *clambake*, ce soir. Les gens de Key News sont les bienvenus.

— Super, dit Dominick, je n'ai jamais été à un *clambake*. On cuit des fruits de mer sur des pierres brûlantes, c'est ça ?

— Tu peux m'inscrire aussi, dit B.J.

En voilà une qui sait mener sa barque, songea Grace.

19

L'inspecteur Al Manzorella sortait d'une journée éprouvante. Il avait envie de tout, sauf d'aller à un *clambake* chez les Vickers. L'affaire Charlotte Sloane lui mettait les nerfs à vif.

Il réfléchissait tout en passant une chemise propre.

Bon, il y avait un cadavre, maintenant. Mais un cadavre ne faisait pas un coupable. Il récapitula mentalement les rares indices : le tisonnier, le journal intime, les boucles d'oreilles, et ce mouchoir de soie remarquablement conservé...

— Tu es prêt, chéri ?

Seanna venait d'apparaître au seuil de la chambre. Son regard étincelait. Elle avait mis sa nouvelle robe. Le fait d'être invitée à une soirée chez ces gens richissimes l'excitait énormément. Les Vickers : une famille que l'on ne voyait à Newport que l'été. Seanna travaillait à temps partiel dans une boutique d'antiquités, et c'est là qu'elle avait fait connaissance avec Vanessa Vickers. Une conversation s'était engagée. Et Vanessa, qui venait de laisser dans la boutique une somme d'argent considérable, avait invité Seanna et son mari à cette fête.

— Presque, dit Al.

Il ne pouvait pas faire faux bond à sa femme dans un moment pareil. Seanna n'avait pas souvent l'occasion de rencontrer des gens prestigieux. Il le regrettait d'ailleurs. Il s'en voulait de ne pouvoir offrir à sa femme tout ce qu'elle méritait. D'autant qu'elle ne se plaignait jamais. Dieu sait pourtant qu'elle aurait eu de quoi ! Les journées de travail d'un flic étaient longues, et ses revenus insuffisants pour leur permettre de s'offrir de belles vacances ou une maison plus grande.

— On prend ta voiture ou la mienne ?

— Prenons la tienne, répondit-il en essayant de peigner ses épais cheveux noirs.

C'était peut-être l'occasion de passer une bonne soirée, finalement. À vrai dire, il en doutait. Mais sait-on jamais... Dans ce genre de réception, il était quelquefois possible de glaner un ou deux tuyaux.

20

L'opération avait commencé beaucoup plus tôt, quand Mickey avait envoyé son équipe ramasser des algues dans les rochers. Un certain type d'algues en fait, aux feuilles sombres, chargées de ces bulles d'eau salée qui fournissent la vapeur, nécessaire à la cuisson. Le *clambake* traditionnel exigeait cela.

Le bûcher aussi devait être construit dans les règles, en respectant une alternance de bois et de pierres. Les flammes, en s'élevant, portaient les pierres à très haute température ; puis elles diminuaient, tandis que se formait un lit de charbons ardents. On recouvrait pierres et braises d'algues en quantité. Les bulles éclataient alors en produisant des émanations de vapeur salée qui cuisaient et aromatisaient poissons et fruits de mer.

Tout cela impliquait une préparation qui commençait longtemps avant l'arrivée des invités. Mickey Hager était un cuisinier exigeant. Il tirait grande fierté de ses talents quand il s'agissait de préparer le poisson. En fait, c'était lui qui présidait le *clambake*, lequel s'effectuait dans le respect d'une tradition triséculaire transmise par les Indigènes aux colons de la Nouvelle-Angleterre. Mickey était si doué qu'on se l'arrachait durant toute la belle saison. C'est à lui que l'on faisait appel pour les réceptions, les mariages et les soirées d'entreprises. Les *clambakes* se déroulaient sur la plage ou dans les propriétés familiales. Ils étaient très cotés à Newport, Et nombre d'estivants étaient prêts à les payer très cher.

Les Vickers étaient coutumiers de ce type de réception, et Mickey connaissait très bien leur maison. Il y disposait d'un local parfaitement équipé, aménagé dans un ancien hangar qui avait abrité autrefois les fiacres et autres voitures à cheval. La demeure n'avait pas la taille de ces constructions immenses qui bordaient Bellevue Avenue, mais elle était dotée de nombreux équipements parmi les plus enviables : la climatisation, la télévision par satellite et les machines à glace, inventions qui rendaient la vie du XXIe siècle plus confortable encore que celle du fameux Âge d'or.

Mickey travaillait rapidement. Il empilait les homards, les moules, les coquillages et le maïs dans des paniers de métal, sur un lit d'algues humides et fraîches. Les paniers étaient dressés ensuite sur les pierres avec art, de sorte à favoriser la meilleure cuisson possible. Avec l'aide de son assistant, il tendait même des toiles au-dessus du bûcher, afin de conserver la chaleur.

Mickey recula de quelques pas et contempla son œuvre. Il était satisfait. Ses affaires en général marchaient bien. Cependant il fallait essayer de rester le meilleur. Il s'était donné du mal pour en arriver là : pas question pour lui de redégringoler l'échelle et de retourner bosser comme serveur au Country Club.

– Salut, Mickey !

Il se retourna. Joss Vickers. Une super nana. Vêtue ce soir d'un short blanc et d'un T-shirt noir qui lui moulait les seins. Cette façon d'exhiber ses longues jambes bronzées outrepassait très largement les usages en vigueur. *Merde, elle est tout simplement à croquer.*

Elle aimait draguer, en plus. Mickey avait eu plusieurs fois l'occasion de voir comment elle s'y prenait pour séduire un gamin de son âge, quand ce n'était pas un ami de ses parents. Cette fille était un rêve. Elle avait un pouvoir d'enfer. Et elle savait s'en servir.

Chaque fois qu'il se trouvait en sa présence, Mickey revoyait leur première rencontre. C'était pour le sixième anniversaire de Maud Sloane. La fête se tenait au Country Club, au bord de la piscine. Toute petite déjà, Joss dégageait une volupté folle. Au point que c'en était choquant. À six ans, elle portait un maillot de bain léopard. Ses petites jambes étaient bien formées. Et elle avait déjà l'air d'avoir tout compris. Lui, Mickey, avait dix-huit ans. Il servait la limonade aux jeunes invités, et distribuait les parts de gâteau au chocolat. Il avait eu honte alors d'accueillir de telles pensées concernant une fillette. Aujourd'hui, il lui suffisait de se remémorer cette scène pour sentir le rouge lui monter aux joues.

— Salut, répondit-il prudemment.

Elle était son employeur, en l'occurrence. Il aurait été gêné de l'appeler par son prénom. En même temps, il ne se voyait pas non plus lui donner du « Miss Vickers ». Il s'essuya le front, heureux que la chaleur dégagée par le brasier l'aide à dissimuler son trouble.

— Ça se présente bien, on dirait, reprit Joss.

Elle fixait des yeux le lit de braises.

— Ouais. Tout est sous contrôle. Ce sera une bonne soirée.

Joss lui adressa un grand sourire et plissa les yeux.

— Super, dit-elle. C'est important pour moi que tout le monde passe une bonne soirée. Il n'y aura pas seulement nos amis de Newport. Des gens de Key News seront là aussi. Et j'ai l'intention de leur faire une méga-impression.

21

Grace, qui avait ouvert sa valise sur le lit, fut contrariée par le spectacle de ses vêtements mal pliés. Plus exactement, elle était mécontente de n'avoir pas les vêtements qui convenaient.

À présent qu'elle entrait dans le monde du travail, elle allait devoir se soucier plus sérieusement de sa garde-robe.

Ainsi qu'elle avait pu s'en rendre compte à New York, les employées de Key News ne se contentaient pas de venir au bureau dans une tenue classique. Elles s'habillaient au contraire avec une certaine recherche. Ici, à Newport, productrices, rédactrices et cadres avaient l'air de pencher pour le look Ralph Lauren : pantalon de toile, chemisier blanc ou T-shirt, sweater autour de la taille ou négligemment jeté sur les épaules. Grace avait même repéré des vestes en jean sur le dos de fauteuils, dans la salle de rédaction.

Elle sortit de la valise ses pantalons en lin – tous désespérément froissés ! Elle alla ouvrir la porte de la penderie. Elle y trouva une planche à repasser, mais pas de fer.

Du reste, le pantalon de lin était-il la tenue appropriée pour se rendre à un *clambake* ? Si seulement elle avait le temps de filer en ville... Elle y trouverait sûrement un magasin Gap. Mais B.J. s'était offert de l'emmener. Elle devait le rejoindre à la réception dans une demi-heure. Ayant contourné le lit et décroché le téléphone sur la table de nuit, elle demanda qu'on lui monte un fer à repasser.

*

— Izzie, avant de vous en aller, vous voudrez bien monter un fer à la 201 ?

Elle avait le choix, peut-être ? Ce n'était pas une demande. C'était un ordre. Un ordre venu de la chef. Et Izzie se savait surveillée : on attendait qu'elle fasse un faux pas.

— Bien sûr, Eileen. Tout de suite.

En attendant l'ascenseur de service, Izzie fit quelques exercices avec le bras droit, en se servant du fer comme d'un haltère. Elle répéta le mouvement. C'était une façon de récupérer un peu de sa musculature. Elle était sortie sans force de son opération. Et son boulot était pénible. Faire les lits. Vider les poubelles. Nettoyer les toilettes. Récurer les baignoires. Ce n'était facile pour personne. Alors pour quelqu'un qui sortait d'un cancer du sein, d'une opération et d'une chimio ! Autant parler de mission impossible. Combien de temps arriverait-elle à tenir ? Elle n'en savait rien. Tous les soirs, elle rentrait chez elle exténuée, incapable de rien faire d'autre que de s'effondrer sur son lit.

Dans l'ascenseur qui l'emmenait au deuxième étage, elle eut un étourdissement. Elle se dit que ce n'était rien. Elle était sujette à ce genre de symptômes depuis son traitement.

— Tiens bon, Lizzie, tiens bon, se répétait-elle à voix basse quand les portes de l'ascenseur s'ouvrirent.

Elle gagna la chambre 201. Elle frappa.

— Une minute, répondit une voix féminine.

Une minute ? Ce fut une minute de trop. Quand la porte s'ouvrit, Izzie gisait à terre.

*

— Vous allez mieux ?

Grace, accroupie, aidait la femme de chambre à se relever.

— Tenez bon, je vais appeler...

— Surtout pas.

Le ton était sans réplique.

— Alors, que puis-je faire ? Voulez-vous un verre d'eau ?

696

La femme de chambre prenait appui contre le chambranle de la porte. Elle faisait tous ses efforts pour tenir debout. Elle semblait épuisée.

— Je ne veux pas qu'on me voie comme ça, dit-elle. Vous ne me laisseriez pas entrer une minute ?

Grace se demanda si c'était prudent. Mais l'expression qui se lisait sur le visage tourmenté de cette malheureuse la poussa à dire oui. Elle la fit entrer. Elle l'accompagna jusqu'au fauteuil. Elle la fit asseoir. Elle gagna la salle de bains et revint avec un verre d'eau.

— Tenez, dit-elle doucement.

La femme de chambre accepta le verre. Grace l'observait. Cette personne avait quelque chose d'enfantin, avec ses courts cheveux gris, légers comme de la plume. De nouveaux cheveux, en fait. Grace songea à sa mère qui elle aussi avait perdu ses cheveux au terme d'une chimiothérapie.

— Je m'appelle Grace Callahan.

— Izzie O'Malley, murmura la femme.

— S'il vous plaît, Izzie, laissez-moi téléphoner à la réception. Ils enverront quelqu'un pour vous examiner.

— Non, non. Je vous remercie, mais ce n'est pas une bonne idée. Ils vont penser que je ne peux plus travailler, et je ne veux pas.

Grace hocha la tête. Elle comprenait.

— Très bien, reprit-elle. Dans ce cas, si j'appelais une de vos amies, ou un parent, pour que l'on vienne vous chercher ?

Izzie secouait la tête.

— Ça va aller, dit-elle. Pourvu que je puisse rester assise encore une minute.

Elle jeta un coup d'œil au pantalon de lin étendu sur le lit.

— Faites ce que vous avez à faire, je vous en prie. Je m'en vais dans un instant.

Grace regardait la pendule, et l'écran digital où s'égrenaient les secondes. B.J. était sûrement déjà en bas, en train de l'attendre. Elle brancha le fer.

— Vous êtes avec l'équipe de Key News ? demanda Izzie. Vous venez de New York ?

Elle hochait la tête vers la chaise où reposait le sac au logo de la chaîne.

— Oui.

— Ça doit être excitant.

— On verra. C'est mon premier stage sur le terrain. Je dois essayer de faire mes preuves. C'est pour ça : je suis un peu nerveuse.

Inutile de s'étendre davantage : Izzie avait compris qu'elle n'était pas la seule à avoir un patron sur le dos. Grace continua de passer le fer sur son pantalon. Izzie se leva.

— Ça va mieux, maintenant,

— Vous êtes sûre ? Je dois sortir avec un ami. Voulez-vous que nous vous déposions chez vous ?

— Non. Vous n'avez déjà été que trop gentille. Merci beaucoup.

Izzie regagna le couloir, puis l'ascenseur. Elle se sentait mieux. Il existait des gens bien, et Grace Callahan en faisait partie. Espérons qu'elle s'en sortirait dans son boulot.

Le temps d'arriver dans son bungalow, Izzie avait pris sa décision. Si elle devait rendre public ce qu'elle savait, elle s'adresserait à cette jeune femme : Grace Callahan.

Un service n'en vaut-il pas un autre ?

22

Il restait deux bonnes heures avant le coucher du soleil. Dans la propriété des Vickers, on avait dressé assez de tables pour accueillir une centaine d'invités. Les nappes rouges et blanches s'ornaient de ballons. Une tente accueillait la piste de danse et un orchestre de cinq musiciens. Des attractions étaient prévues aux quatre coins de la propriété : un portraitiste, un jongleur, une diseuse de bonne aventure, et même un tatoueur au henné.

— Impressionnant ! s'exclama B.J.

— Vous ne saurez pas ce que c'est qu'une fête tant que vous ne serez pas venu chez moi, dit Grace. Je vous inviterai, la prochaine fois. Mon père prépare des hot-dogs de première classe sur son petit barbecue.

B.J. souriait. Ses yeux bruns pétillaient de plaisir.

— Venez, dit-il. Allons boire un verre.

Ils prirent la direction du bar.

*

Grace but une gorgée de bière fraîche et promena un regard autour d'elle. Il fallait vraiment avoir de l'argent pour se permettre de rajouter quarante ou cinquante personnes de plus sur sa liste d'invités.

— Vous savez, Grace, reprit B.J., je ne voudrais pas que vous vous imaginiez que je ne pense qu'au boulot. Que je ne sais pas m'amuser. Mais bon. Pourquoi ne pas en profiter pour essayer de glaner deux ou trois infos sur l'affaire Sloane ? Histoire de développer le sujet, comme dit Dominick. Des gens qui se trouvaient à Newport au moment des faits. Tout ça.

— Vous avez apporté votre caméra ?

— Elle est dans le coffre de la voiture. Mais ce n'est pas tellement à ça que je pensais. Je songeais plutôt à parler à telle ou telle personne qui aurait connu Charlotte. Quitte à faire revenir les gens, après, devant la caméra. Si besoin est.

Grace, à vrai dire, n'aurait pas été fâchée de pouvoir profiter d'un moment de détente. Elle avait une longue journée derrière elle. Elle s'était levée tôt pour attraper son train. Ensuite il y avait eu ce choc émotionnel quand elle avait dû se séparer de Lucy. La vérité est qu'elle n'avait pas eu le temps de souffler depuis qu'elle avait débarqué à Newport... Mais c'étaient là des considérations dont elle préférait ne pas s'ouvrir à B.J. Mieux valait jouer le jeu à fond.

— Bien sûr, répondit-elle.

— Alors séparons-nous, enchaîna-t-il. On augmentera nos chances en opérant chacun de son côté. Ça ira ?

Grace but une autre gorgée de bière. *Que répondre ? Ah ! non, B.J. ! Je préfère vous coller au train ! De toute façon, je n'ai pas tellement confiance en moi, vous savez. Et je me disais qu'on allait passer la soirée ensemble, à se balader bras dessus bras dessous...*

— Ça ira très bien, dit-elle.

*

Elle se déplaça vers la périphérie de la fête. Elle regardait le jongleur faire tourner ses boules multicolores, quand elle sentit une présence auprès d'elle. Elle tourna les yeux. C'était un homme chauve d'allure aristocratique, vêtu d'une tenue décontractée et soigneusement étudiée en même temps : pantalon blanc au pli impeccable, chemise Oxford bleue à col ouvert, manches soigneusement roulées sur des avant-bras bronzés. L'élégant personnage était pieds nus dans ses mocassins de cuir.

— Vous êtes une amie des Vickers ou une de ces personnes de la télé ?

Il avait formulé la seconde hypothèse en réprimant un début de grimace.

— Peut être les deux.

Il interrogea Grace des yeux. Elle reprit :

— Je travaille pour Key News. Dans l'émission « Key to America ». Je suis stagiaire, en fait. Tout comme Joss Vickers.

Elle devina qu'il essayait de comprendre. Stagiaire ? À cet âge ? Autant devancer la question :

— J'ai repris mes études.

— Je vois.

Le ton était condescendant. Elle préféra ne pas relever. Mieux vaut avoir la peau un peu dure quand on a des ambitions.

— Je m'appelle Grace Callahan.

Elle fit passer son verre de la main droite à la main gauche.

— Kyle Seaton, répondit l'homme en acceptant la poignée de main.

Ce nom figurait dans les documents sur Newport qu'elle avait lus pour préparer ce séjour.

— Vous êtes le sculpteur d'ivoire, dit-elle.

Satisfait d'avoir été reconnu, Kyle tira aussitôt de sa poche une carte professionnelle : « KYLE SEATON, sculpteur d'ivoire, négociant, pièces de collection. »

— C'est la première fois que je rencontre quelqu'un qui travaille dans ce domaine, dit Grace en prenant la carte. C'est intéressant. J'ai fait une recherche sur votre activité.

— Key News débarque chez les provinciaux pour tourner des reportages couleur locale, n'est-ce pas ? Je me demande si je ne regrette pas déjà d'avoir accepté de vous laisser filmer ma boutique.

— Pourquoi donc ?

— Parce que je me suis forgé en vingt ans une réputation dans le milieu fermé des collectionneurs. Je ne tiens pas à la ternir en passant à la télévision.

— Vous avez accepté, cependant.

Grace était sincèrement surprise.

— Vanité, soupira Kyle en haussant les épaules. Vanité et bêtise. Enfin, je suppose. Il faut être bête pour s'exposer à la télévision devant les masses. Non ?

Grace n'était pas sûre de connaître la réponse à cette question, mais elle devait admettre qu'elle se l'était souvent posée. C'était un fait que, de nos jours, les gens n'hésitaient pas à divulguer à l'antenne des informations à caractère personnel, pour ne pas dire intimes, voire gênantes. Ils s'étaient fait refaire le ventre, le visage, les fesses, les seins, et le public bayait aux corneilles en écoutant la liste de ces détails ! Ils venaient au micro proclamer leur amour, jurer qu'il ne mourrait jamais, puis on les surprenait en flagrant délit d'infidélité. Ils participaient à des compétitions de survie au cours desquelles on les forçait à se nourrir d'insectes et de vers. Et toujours le téléspectateur se gaussait. Et jamais les producteurs d'émissions ne semblaient embarrassés de voir des êtres humains sacrifier leur dignité en échange d'un quart d'heure de gloire...

Grace décida de ne rien dire qui eût risqué de pousser Kyle à rompre son engagement avec la chaîne.

— Vous vivez à Newport depuis longtemps ?

— Un authentique Newporter vit à Newport depuis toujours, répondit Kyle avec un rien de solennité. Et je suis un vrai Newporter.

— Donc vous étiez là quand Charlotte Sloane a disparu.

Il se rembrunit.

— C'est un fait que je connaissais Charlotte depuis nos années d'enfance. Nos familles avaient des cabanons voisins au club de Bailey's Beach.

Joli coup.

— Alors vous devez avoir votre théorie sur ce qui lui est arrivé.

— Non. Vous avez certainement entendu parler de la rumeur : tout le monde en ville pense que son mari est dans le coup. C'est triste pour le pauvre Oliver. Mais je dirai pour sa défense qu'il possède une merveilleuse collection d'ivoires sculptés. C'était un de mes bons clients. Charlotte et lui achetaient de superbes objets pour fêter les anniversaires. Puis Charlotte a disparu. La ville a commencé à jaser. Et Oliver a cessé de fréquenter ma boutique.

— Je comprends. Charlotte a disparu le jour de leur anniversaire de mariage, je crois ?

— Oui. Ça doit être ça. Même si la réception donnée ce soir-là n'était pas une fête d'anniversaire. C'était une soirée de bienfaisance. Pour la protection des oiseaux menacés. Charlotte s'occupait de cette association avec Elsa Gravell. J'y étais, du reste. Charlotte aurait quitté la soirée seule. Et en larmes. Je ne l'ai pas vue. C'est ce qu'on m'a rapporté.

— Pourquoi pleurait-elle, à votre avis ?

Kyle la regarda d'un œil sévère, puis protesta :

— Ce ne sont pas mes affaires !

Phrase qui voulait clairement dire : « Ni les vôtres, Miss Callahan. »

*

— Grace, viens voir !

Cette voix nasillarde appartenait à Sam Watkins, le gars de l'Oklahoma. Sam lui faisait signe. Il l'invitait à le rejoindre.

Il était avec d'autres dans le box du tatoueur, et l'artiste s'employait à reproduire le dessin d'un aigle sur sa poitrine glabre. Joss assistait à la scène, ainsi que Zoé Quigley, la fille venue d'Angleterre.

— Ce n'est pas du patriotisme, ça ? s'écria le jeune homme. Qu'est-ce que tu en penses, Grace ?

Il baissait la tête pour essayer de découvrir le résultat.

— Rusty est un sacré artiste, non ?

Le tatoueur pressa un tube pour en faire sortir un peu de pâte brune qu'il appliqua sur son dessin.

— On va bientôt manquer de lumière, dit-il. Alors arrête de bouger. Je veux finir avant la nuit...

Il peaufina son dessin à l'aide d'une brosse.

— Maintenant, reprit-il, attends que ça sèche.

Il se renversa sur son pliant pour admirer le travail.

— Ça va tenir longtemps ? demanda Zoé, fascinée.

— Quelques jours, répondit Rusty. Voire une semaine. Ça dépend des frottements. Et de la quantité d'eau et de savon qu'il utilise pour se laver.

C'était amusant, ces tatouages au henné. Et sans douleur. On n'était pas obligé de les garder une vie entière. Grace songea à cet ange que Maud s'était fait graver sur le pied. Un vrai tatouage, celui-là. Un symbole indélébile associé au chagrin d'avoir perdu une mère. Un dessin visible chaque jour qui passait. Grace eut subitement envie d'en avoir un elle aussi. Mais se faire imprimer sur la peau un souvenir sans pouvoir jamais revenir en arrière ! Elle hésitait.

— Vous auriez le temps de m'en faire un petit ? demanda-t-elle à l'artiste.

Rusty consulta sa montre. Il leva les yeux vers le ciel déjà sombre. Pourquoi pas ? Il était payé à l'heure.

— En se dépêchant, alors. Qu'est-ce que tu veux comme dessin ?

— Une fleur d'iris, c'est possible ?

— Sûr. Ce n'est pas bien difficile. Tu la veux où ?

— Sur le pied.

Rusty haussa les épaules. Ce n'était pas un vilain endroit où faire un dessin. On lui avait déjà demandé pire.

Grace commençait à ôter sa sandale.

— Garde-la, dit Rusty. Je vais le faire juste au-dessus de la bride. Comme ça, tu ne seras pas forcée de rester pied nu le temps qu'il sèche.

Grace regarda les pétales se former au-dessus de son pied droit. Mais pour Sam, Joss et Zoé, la fascination était retombée : ils étaient déjà en route pour le bar.

— En fait, dit Rusty sans lever les yeux de son travail, il devrait tenir plus longtemps que celui de ton copain. La peau des mains et des pieds est plus perméable. Le henné tient mieux.

— Je réfléchis, en ce moment. Peut-être que ça m'intéresserait d'avoir un tatouage permanent.

— Je peux m'en charger. C'est mon boulot. C'est ce que je fais le plus : de vrais tatouages. Le henné, c'est juste pour arrondir les fins de mois. Viens dans ma boutique. C'est sur Broadway. Je te ferai tout ce que tu voudras. Mais je te préviens : le tatouage sur le pied, c'est très douloureux. L'aiguille pique tout de suite dans l'os.

Grace se pencha pour examiner le résultat.

— Pourquoi une fleur d'iris ? voulut savoir Rusty en rebouchant son tube de pâte.

— Iris était le prénom de ma mère, répondit Grace.

— C'est drôle. J'ai vu une fille, récemment. Elle est venue pour un tatouage sur le pied, elle aussi. Et c'était aussi en souvenir de sa mère.

— Ce n'était pas Maud Sloane ?

— Eh bien, si. C'était elle.

Rusty regardait Grace d'un air intrigué.

— Tu connais Maud ?

— J'ai fait sa connaissance aujourd'hui. J'ai vu son tatouage. C'est même ce qui m'a donné l'idée de l'iris. C'est triste, hein, ce qui est arrivé à sa mère ?

Il jeta le tube de henné dans sa boîte.

— Oui. Très triste.

— Ça m'a étonné, de la voir ici tout à l'heure. Vu ce qu'on disait aujourd'hui à la radio.

Grace se tourna vers la fête.

— Maud est ici ?

— Ouais. Je l'ai vue. Elle était avec une dame plus âgée qui a plein d'oiseaux imprimés sur son chemisier. Ça ferait de super tatouages, ces oiseaux-là.

*

Grace partie, Rusty remballa son matériel. Il n'était pas fâché de pouvoir enfin quitter cette bande de snobs. Il ne se sentait pas à l'aise dans ce monde-là. Les poses et les grands airs, ce n'était pas pour lui. Ça n'avait jamais été son truc.

Alberto S. Texiera, *alias* Rusty, avait fait son service dans la marine, à bord d'un bâtiment stationné dans la base navale de Newport. Au bout d'un temps, il avait été affecté au rôle de chauffeur de l'amiral, et cette mission l'avait rendu nerveux. À l'époque déjà il n'aimait pas accompagner les huiles en tenue d'apparat dans les endroits huppés de Newport. Et il n'avait pas changé depuis. Il aurait préféré de loin descendre des bières dans un bar, en ville, que de se retrouver dans une fête au milieu des rupins – même s'il se doutait que les Vickers considéraient leur réception comme une petite réunion décontractée.

Il faut dire que Rusty avait limité ses ambitions personnelles à peu de chose : *Vivre et laisser vivre.*

Il y était d'ailleurs parvenu jusqu'ici. Après son service militaire, il avait commencé à travailler à Broadway Tattoos, la boutique où lui-même s'était fait tatouer. Le propriétaire de ce commerce pratiquait des prix défiant toute concurrence. Résultat, les marins de la base venaient chez lui. Mais Rusty avait observé que son commerce attirait aussi d'autres clients, des civils qui souhaitaient se faire tatouer un petit quelque chose à un endroit discret. À l'épaule, au-dessus de la cuisse, dans le bas du dos. Même les gosses étaient intéressés ; et ils n'hésitaient pas à mentir sur leur âge pour obtenir ce qu'ils voulaient. Peu à peu, la clientèle de Broadway Tattoos s'élargit à un nombre toujours croissant de femmes des classes moyennes désireuses de mettre un rien de piment dans leur vie.

Rusty travailla ses dessins. Bientôt, le bouche à oreille aidant, c'est lui que les clientes réclamèrent. Quand le propriétaire parla de fermer boutique et de déménager en Floride, Rusty lui racheta Broadway Tattoos grâce à un prêt bancaire.

Il prospéra quelque temps. Mais la mode du tatouage ne faisait elle-même que croître et embellir, et la concurrence ne tarda pas à se durcir. Si Broadway Tattoos était resté longtemps le seul rendez-vous des candidats au tatouage de Newport, d'autres artisans décidèrent de tenter leur chance. La ville vit s'ouvrir plusieurs « salons d'art corporel ». Ces nouveaux négoces étendaient leur activité à toutes sortes de massages, de soins esthétiques et même de traitements pour la beauté et l'entretien du corps – tout cela dans une ambiance trop chic aux yeux de Rusty. Désormais, les élégantes de Newport ne franchissaient même plus le seuil de Broadway Tattoos : elles allaient directement voir la concurrence.

C'est pourquoi Rusty avait été heureux de recevoir le mois dernier la visite de Maud Sloane. En réalité, il ne l'avait pas reconnue. Il s'était appliqué à lui tatouer sur le pied un ange aussi parfait que possible, non sans l'avoir avertie qu'elle risquait de souffrir, ce dont il s'excusait par avance. Comme il se concentrait sur son travail, elle lui avait expliqué la raison de sa démarche. C'était en mémoire de sa mère. Elle vient sûrement de la perdre, avait alors songé Rusty. Puis, voyant son nom sur le reçu de carte bleue, il avait compris à qui il avait affaire.

Sloane.

C'était la fille de Charlotte Sloane. La petite Maud. À présent devenue une femme. Cette fillette dont Charlotte lui avait parlé, à lui Rusty, un soir qu'il tenait son rôle de chauffeur. Il avait conduit l'amiral à une soirée au Country Club. Il attendait dans la voiture. Charlotte avait quitté la fête en pleurant. Rusty l'avait conduite à Shepherd's Point. Et personne ne l'avait jamais revue.

Découvrant qu'il avait Maud Sloane devant lui, Rusty avait été tenté de lui parler de ce souvenir. Mais il n'avait pu s'y résoudre. Les mots ne venaient pas. Du reste, il n'était jamais allé raconter à la police qu'il avait conduit Charlotte à Shepherd's Point ce fameux soir. À son boss non plus, il n'avait rien dit.

Après avoir servi de chauffeur à Charlotte Sloane, il s'était hâté de revenir au Country Club avant que l'amiral ne décide de quitter la fête à son tour et il avait toujours gardé ce secret pour lui.

23

Au terme de plusieurs heures de préparation et de cuisson, Mickey put enfin sonner la cloche qui signalait le début du festin. Grace se joignit aux invités rassemblés autour du feu. Mickey offrit aux convives quelques explications sur le processus de cuisson. Quand ses aides délivrèrent le bûcher de sa toile, des « Oh ! » et des « Ah ! » enthousiastes fusèrent de toutes parts. L'atmosphère s'emplit aussitôt de vapeur et d'un exquis parfum d'aromates.

Les tables se couvrirent de homards fumants. Il y avait aussi de la morue fraîche, des clams, des moules, des épis de maïs, des sauces, des oignons, des pommes de terre et du pain chaud. Grace prit place dans la file devant le buffet. Quand vint son tour, elle tendit son assiette. Une fois servie, elle chercha un endroit où s'asseoir.

Il restait des places libres à une table où s'étaient installés des membres de Key News. Grace pensait aller dîner en leur compagnie. Mais, en chemin, elle entendit qu'on l'appelait par son nom. Elle s'arrêta. C'était Maud Sloane.

— Salut, Grace !

Grace songea au tatouage en forme d'iris qui séchait sur son pied. Pourvu que Maud ne s'en aperçoive pas ! Elle pourrait s'imaginer que Grace la copiait. Mais la nuit était tombée, désormais. Le seul éclairage de la fête venait des bougies alignées sur les tables.

— Bonsoir, Maud, je ne pensais pas vous voir ici.

Maud haussa les épaules.

— On se dit tu, proposa-t-elle. Je ne voyais pas l'intérêt de rester chez moi. J'ai essayé de convaincre mon père de m'accompagner, mais rien à faire.

Elle présenta Grace à la femme qui se trouvait auprès d'elle.

— Elsa, voici Grace Callahan. Elle fait un stage à Key News, je t'ai parlé d'elle. Grace, voici ma belle-mère, Elsa Gravell.

Elsa et Grace échangèrent une poignée de main. Grace reconnut dans la demi-pénombre le chemisier à motif d'oiseaux exotiques dont Rusty lui avait parlé.

— Vous avez fait sur Maud une forte impression, affirma Elsa Gravell. Elle m'a dit que vous vous étiez montrée très polie et très sensible.

— D'habitude, les gens qui rôdent autour de nous se conduisent comme de vrais requins, enchaîna Maud.

Grace sourit.

— Je débute dans le métier, dit-elle avec humour. C'est peut-être pour ça.

— J'espère que tu ne deviendras jamais comme eux, enchaîna Maud. Mais, de nos jours, c'est à la télé qu'il faut être, n'est-ce pas ? Tenez, ce cher professeur Cox, par exemple...

Elle désignait l'homme attablé à côté d'elles.

— Même lui, il accepte de passer à la télévision. Pourtant, c'est un savant très estimé.

Grace observa le savant en question. Autant qu'elle pût en juger, il était plutôt séduisant. Un nez puissant, des yeux sombres. Curieusement, sa chevelure blanche semblait le rajeunir. Mais il avait sans doute passé la cinquantaine.

— Monsieur le professeur Gordon Cox ? lança-t-elle.

— Exactement, répondit-il en se levant de sa chaise.

— Je vous en prie, dit Grace. Restez assis. C'est juste que je vous connais de nom. C'est moi qui vous ai faxé des plannings d'émissions depuis New York, pas plus tard qu'hier.

— Bien sûr ! Ils me sont parvenus. Je vous en remercie.

— C'est le meilleur professeur de Salve Regina, déclara Maud. Il n'arrête pas de me harceler, cela dit. Il veut que j'intervienne auprès de ma tante Agatha pour qu'elle autorise la reprise des travaux dans le tunnel de Shepherd's Point.

— Tu es gentille, dit Cox, manifestement ravi. Mais le « meilleur professeur » est sans doute trop généreux.

— Pas du tout, insista Maud.

Elle enchaîna en s'adressant à Grace :

— Il a l'art de rendre l'histoire vivante. Il n'est pas du tout comme ces enseignants qui ronronnent jusqu'à vous donner l'envie de hurler. Tu as de la chance de l'avoir comme consultant pour vos émissions, Grace.

— J'en suis convaincue, dit celle-ci.

Un siège était libre à côté de Maud. Cependant personne n'offrait à Grace de le prendre. Aussi décida-t-elle de s'excuser, et de rejoindre la table de Key News.

*

Le homard était fameux. Les épis de maïs aussi – onctueux et frais. Mais Grace n'apprécia pas vraiment ce repas.

En effet, Joss draguait ouvertement B.J.

Grace aurait voulu feindre de ne même pas avoir remarqué ce manège, mais c'était difficile. Joss parlait à B.J. en battant des cils, et en lui effleurant sans cesse le bras de ses doigts sublimement manucurés. Grace était un peu déçue par la réaction de B.J. : il avait carrément l'air d'être aux anges.

Grace s'essuyait les doigts dans sa serviette chaude quand Linus Nazareth s'approcha de leur table.

— Vous vous amusez bien ?

On lui répondit en chœur par l'affirmative.

— Je pense que nous devrions adresser un toast à Joss, notre charmante hôtesse, vous ne croyez pas ?

Les stagiaires y consentirent avec d'autant plus d'ardeur qu'ils avaient déjà absorbé pas mal d'alcool.

— Tout le plaisir est pour moi, monsieur Nazareth, assura Joss. Et pour ma famille.

Elle rayonnait. Elle se leva d'un bond et se jeta sur Linus pour lui donner un baiser sur la joue. La réaction du producteur exécutif consista à enlacer Joss et à l'attirer contre lui – geste qui obligea les autres femmes présentes à cette table à détourner les yeux avec écœurement. Linus Nazareth traînait une solide réputation de coureur de jupons, mais l'image de ce gros quinquagénaire en train de peloter une gamine de vingt ans avait quelque chose d'indécent.

Grace échangea un regard avec Beth Terry, la responsable de la logistique. Elle semblait particulièrement tendue. D'après la rumeur, elle était très dévouée au producteur. Elle était blessée, et ça se voyait. Grace se jura qu'elle saurait le cacher, si elle venait elle-même à être contrariée par le comportement de Joss et de B.J.

Elle se jura de faire comme si la chose lui était indifférente. Quand bien même elle en était mortifiée.

*

Grace s'excusa. En route, elle complimenta le cuisinier pour ce somptueux repas. Dans la maison, elle attendit son tour à la porte des lavabos. Le henné avait séché. Elle se tapota le pied à l'aide d'un mouchoir en papier. Rusty avait fait du bon boulot. C'était un très bel iris.

En sortant des lavabos, elle tomba sur Maud qui lui dit :

— Tu me colles, pas possible !

Son haleine exhalait des relents d'alcool.

— Ce serait plutôt le contraire, répondit Grace, puisque j'étais là la première.

Maud gloussa de rire.

— Tu as raison !

Elle toisa Grace, et ses yeux se posèrent sur le dessin au henné.

— Tu t'es fait faire un tatouage ?

Le ton n'était pas accusateur. C'était une observation, rien de plus.

— Juste au henné. Ça ne te dérange pas, j'espère ?

— Pourquoi ça me dérangerait ?

Grace, gênée, fit une grimace.

— Tu pourrais croire que j'essaie de te copier, ou ce genre de choses. Surtout que c'est le cas, je pense.

— L'imitation est une forme sincère de flatterie, dit Maud, impavide. Attends-moi une minute. Tu me raconteras.

*

Quand elles sortirent de la maison, l'orchestre jouait à fond les meilleurs hits des Rolling Stones, et les danseurs se trémoussaient sous la tente du bal. À un moment, Sam Watkins arracha le micro des mains du chanteur et se mit en devoir d'interpréter une version personnelle de « Brown Sugar ». Les paroles étaient à peu près incompréhensibles, mais on ne pouvait nier que Sam fût un fan authentique des Stones ; et ses musiciens improvisés ne ratèrent pas une mesure tandis qu'il se livrait à une imitation de Mick Jagger.

— Il est ivre mort, dit Grace.

Elle venait de voir Zoé tressaillir en entendant Sam massacrer les paroles des Stones.

— Il n'est pas le seul, dit Maud.

Elle appuya ses doigts effilés sur ses tempes, comme pour s'éclaircir les idées.

— Si on se cherchait un endroit calme, proposa-t-elle.

— Dehors, répondit Grace, on ne trouvera pas. Retournons plutôt dans la maison.

— D'accord.

Dans le séjour désert, elles s'installèrent sur un luxueux sofa. Grace présenta son pied à Maud.

— Qu'est-ce que tu en dis ?

— J'en dis que c'est pas mal.

Elle se pencha pour examiner le dessin de plus près.

— Pourquoi un iris ?

— C'était le prénom de ma mère.

— Super.

Maud se redressa, et reposa sa tête blonde sur le dossier du sofa, les yeux fixés au plafond.

— Tu sais quoi ? dit-elle. Je crois que j'ai bu un coup de trop.

— Ça peut se comprendre. Vu la journée que tu as passée...

— Les journées, tu veux dire. Les mois. Les années. Une triste existence.

Elle eut un profond soupir.

— Mais ça ira peut-être mieux, maintenant. En tout cas, on peut toujours l'espérer.

— Ça prend du temps, de faire le deuil de sa mère. Je me demande même si on y arrive vraiment.

Grace avait pris un ton mélancolique. Maud releva la tête.

— Tu penses beaucoup à ta mère, toi ?

— Tout le temps.

— Tu l'as perdue quand ? Tu me l'as déjà dit, mais j'ai oublié.

— Il y a six ans. Mais c'est arrivé alors que j'étais heureuse. J'ai grandi auprès d'elle. Quand je pense à ma fille, je ne l'imagine pas vivant sans sa mère.

Maud hocha la tête. Grace semblait sincèrement comprendre ce qu'avait été son enfance à elle.

— Mon père a fait de son mieux, murmura-t-elle. Il m'a élevée avec amour et tendresse. Ce n'était pas évident, avec ces rumeurs. Quant à ma tante Agatha, elle m'a donné toute l'affection possible, compte tenu de son état. Je les aime beaucoup, tous les deux. Ils ont énormément souffert...

Elle ajouta :

— Mais tu sais, pendant toutes ces années, je n'ai jamais cessé de rêver à ma mère.

— C'étaient des rêves heureux ?

— Des fois. En général, c'était plus mitigé.

Grace préféra ne pas pousser plus loin. Elle laissa à Maud le choix d'en dire plus, si elle le souhaitait.

— Il y a un rêve qui revenait sans cesse. Toujours le même. Je ne sais pas ce qu'il contient de réel, et ce qui relève vraiment du songe. C'est un rêve sur le dernier soir. C'est tante Agatha qui me garde. Mes parents sont à une réception. Ça, c'est réel. Je me rappelle m'être réveillée à Shepherd's Point, ce soir-là. Ma mère était en train d'écrire dans son journal. Je l'ai vue qui ôtait son alliance. Elle s'est enduit les mains de crème. Je revois cette scène dans mon rêve. Je trouve ma mère en

716

train d'écrire, assise devant son secrétaire, dans la vieille chambre, chez Agatha. Elle ressemble à une princesse de conte de fées. Ses cheveux sont rassemblés sur le sommet de sa tête. Elle porte une robe magnifique, tissée d'or. Quand elle me voit, elle cesse d'écrire. Elle me ramène dans mon lit. Elle me borde. Je lève les yeux vers son visage, je m'aperçois qu'il lui manque une boucle d'oreille. Je le lui fais remarquer. Elle détache alors la boucle restante, et la glisse dans la poche de sa robe. C'est alors que le téléphone sonne. Elle se lève pour aller répondre...

— Qui est au bout du fil ?

— Je ne sais pas. Je quitte aussitôt mon lit et je la suis dans sa chambre. Quand elle me voit, elle me fait signe de me taire en mettant son doigt sur ses lèvres. Puis elle dit dans le combiné : « Je te retrouve au portail. » Elle raccroche. Et elle m'envoie me recoucher.

— Tu obéis ?

— Dans le rêve, j'ai toujours obéi. Et c'est ce que j'ai dit à la police à l'époque. Que ma mère devait être partie en voiture avec la personne qui lui avait téléphoné. Mais depuis qu'on a retrouvé ses restes dans le souterrain, le rêve a changé. La nuit dernière, c'était même surprenant... Quand je me suis réveillée, j'étais couverte de sueur glacée.

— Pourquoi ?

— J'ai rêvé que je suivais ma mère jusqu'au portail.

— Et après ?

— Après, je ne sais pas.

Maud secouait la tête. Elle essayait de se rappeler.

— Dans le rêve, il y avait des phares. Ma mère attendait que quelqu'un descende de la voiture...

— Qui ? Tu pourrais dire qui est descendu de la voiture ?

— Non. Je me suis réveillée à ce moment-là.

Elles se turent un moment. C'est Grace qui rompit le silence :

— Je ne suis pas au courant de tout, mais tu étais toute petite quand ta mère a disparu. Des faits dont tu as été le témoin alors ont pu rester enfouis profondément dans ta mémoire. Peut-être que ton subconscient se prépare à t'en restituer le souvenir...

— Tu penses que je pourrais savoir inconsciemment qui est l'assassin ?

— Tout est possible.

— Je sais que tout est possible. Mais qu'est-ce que tu en penses ?

— Je ne sais pas, Maud. Je n'en ai aucune idée.

— Que dois-je faire, Grace ?

Elle fixait sur elle un regard intense.

— Qu'est-ce que tu ferais, toi ?

L'angoisse étreignait le visage de la jeune femme. Grace luttait intérieurement, essayant de trouver la réponse appropriée.

— Écoute... Je crois que j'attendrais de voir si mes rêves m'apportent de nouveaux éléments. Ou bien j'irais consulter un hypnothérapeute. Je ne sais pas... Je ne peux pas te dicter ta conduite, Maud. Je ne suis pas une professionnelle.

— Bien sûr, se plaignit Maud. Tu es Grace Callahan. Quelqu'un de la télévision...

Subitement, son attitude avait changé.

— J'avais oublié, reprit-elle. Je suis stupide, de tout déballer comme ça...

— Maud, je t'en prie...

— Maintenant, tu vas t'empresser d'aller raconter mon histoire à tes amis, c'est ça ?

Grace, il est vrai, était partagée. D'un côté, elle se demandait si elle ne devait pas au moins faire part de cette conversation à B.J. D'un autre côté, Maud lui avait fait confiance ; et la confiance méritait le respect. Ne partageait-elle pas avec elle un lien douloureux ? Maud n'était-elle pas déjà vulnérable ? N'avait-elle pas assez souffert ? Fallait-il lui infliger plus de mal encore ?

Techniquement parlant, Grace n'avait pas prévenu Maud que leur échange était « *off the record* » ; mais moralement, elle se sentait liée par un pacte implicite.

— Non, dit-elle. Je n'en parlerai à personne. C'est juré.

— J'apprécierais que tu ne dises rien, Grace.

Elle parut se détendre un peu.

Un silence gêné s'installa entre elles.

— Tu as envie de retourner dehors ? reprit Grace, doucement. Les feux d'artifice vont bientôt commencer, j'imagine.

Elles se levèrent.

Dans le couloir, quelqu'un s'éclipsa, qui avait prêté une oreille attentive à la conversation des deux jeunes femmes.

24

Cake aux fruits rouges et crème glacée, tel fut le dessert qui conclut le repas. Puis les invités furent conviés à une parade sur Narragansett Avenue, munis de flambeaux gracieusement fournis par leurs hôtes. Certains convives étaient si enthousiastes qu'ils chantaient « Yankee Doodle Dandy » à tue-tête, stimulés dans leur patriotisme par de nombreux verres d'alcool. La procession s'arrêta sur la falaise, au-dessus de l'océan, et le clou de la soirée fut le grand feu d'artifice offert par la municipalité de Newport, le spectacle n'ayant pu être donné à l'occasion de la fête nationale du 4 juillet pour cause de pluie.

Grace se trouva à côté du professeur Cox.

— Ce que vous voyez là en bas, lui dit-il, ce sont les célèbres Quarante Marches.

Il expliqua :

— Les serviteurs des grandes maisons ne savaient où passer leur seule soirée de libre de la semaine. Alors ils venaient se réunir ici. L'escalier était en bois, à l'époque, bien entendu. Non pas en pierre, comme aujourd'hui.

— Très intéressant, dit Grace.

Elle imaginait ces domestiques astreints à un rude labeur dansant ici même sous le seul éclairage de la lune. D'autres restaient assis sur les marches avec leur bouteille de bière. Certains étaient-ils assez braves pour plonger dans les eaux froides de l'Atlantique ? Grace en doutait. Pas les femmes, en tout cas. L'époque était puritaine, et ce genre d'audace pouvait vous ruiner une réputation.

La foule gronda : une première explosion de lumière venait de retentir dans l'air tiède de la nuit. Le ciel fut bientôt sillonné de fusées et de gerbes multicolores. Brusquement, des cavernes de clarté se creusaient dans les profondeurs obscures ; et les mortels, sur la falaise, étaient comme envoûtés par le spectacle.

Grace voulut se tourner vers le professeur – il n'était plus là.

Plus loin, Maud Sloane écrasait une larme. Grace se demanda si elle devait la rejoindre. Elle n'eut pas le temps de trancher la question. Maud tourna subitement le dos à l'océan pour se fondre dans la foule où elle disparut.

25

Maud avait compris. Elle savait que, si elle poursuivait son effort de mémoire, si elle laissait remonter d'autres souvenirs, elle arriverait à reconstituer le fil des événements.

Or il ne pouvait être question de la laisser faire.

Il n'y avait pas à tergiverser. Il n'existait qu'une seule solution : empêcher qu'elle se souvienne. Il fallait même s'en occuper tout de suite. Maud n'avait déjà que trop parlé à cette Grace Callahan,

Le feu d'artifice avait pris fin. Les convives, d'un pas léger, regagnaient la maison des Vickers où les attendait un dernier verre. Après, il serait temps de rentrer.

Où Maud était-elle passée ?

Filer discrètement n'était pas difficile dans cette cohue.

Les invités revenaient par petits groupes vers Narragansett Avenue. Bientôt il n'y eut plus personne au bord de la falaise. Et Maud avait disparu.

Où était-elle ?

Une silhouette était assise en haut des Quarante Marches.

Maud.

L'assassin se dirigea vers elle.

Le vacarme qui montait de l'océan étouffa ses pas.

26

Pris de violents hoquets, Sam Watkins tomba à genoux sous un orme géant. C'était clair : il avait trop bu. Trop de bière. Mélangé à de telles quantités de fruits de mer, l'alcool devenait nocif.

Il jeta autour de lui des regards furtifs. Pourvu que personne n'ait rien vu ! Il était si malade que c'en était pathétique. Et il ne tenait pas à se faire remarquer alors même qu'il se bagarrait pour ce poste à Key News. En le voyant dans cet état, on ne manquerait pas de le prendre pour un gamin qui ne tenait pas l'alcool – et c'était mauvais pour sa carrière. La nausée était de retour : il laissa échapper un profond gémissement.

Au bout de quelques minutes, il parvint à se remettre debout. Il quitta son arbre en titubant, puis marcha d'un pas plus assuré. Il remonta péniblement vers la route, et y parvint au moment où les derniers invités s'éloignaient. Apparemment, personne ne l'avait repéré. Il en fut satisfait.

Il se tourna une dernière fois vers l'océan, histoire de s'assurer qu'il n'y avait personne derrière lui.

Et il se demanda alors s'il n'était pas victime d'une hallucination. Il hésita, puis son instinct le poussa à vouloir porter secours. Mais ses jambes menaçaient de le trahir. Il fut submergé en même temps par les vapeurs d'alcool et par cette vision qui s'offrait à lui. Revenant en arrière, il alla de nouveau s'effondrer au pied du grand orme, tandis qu'un cri de femme couvrit quelques instants la sombre rumeur de l'océan.

DIMANCHE 18 JUILLET

27

Grace, qui ne dormait que par intermittence, jetait fréquemment un coup d'œil vers la pendule. Parfois, elle se levait pour aller boire un verre d'eau, régler le thermostat de la climatisation, ou écouter à nouveau son message : « Salut, m'man. Tu sais quoi ? Avec papa et Jeanne, on va venir à Newport ! Papa sait dans quel hôtel tu es, et il a réservé au même endroit. C'est trop cool, non ? On pourra sortir tous ensemble. Bon, rappelle-moi chez papa. Je t'aime. Bisous. »

Elle avait eu le message trop tard pour rappeler immédiatement, et c'était peut-être mieux ainsi. Elle n'avait pas envie de se disputer avec Frank au téléphone. Il avait eu une idée totalement déplacée, et il le savait ; sauf qu'il ferait celui qui ne comprend pas.

Grace se demandait en fait si Frank n'avait pas une intention précise derrière la tête. Laquelle ? Telle était la question. Peut-être essayait-il de la déstabiliser psychologiquement. De la rendre encore plus nerveuse alors qu'elle jouait une partie difficile sur le plan professionnel. Frank avait-il décidé de la faire échouer ? Autre hypothèse : il cherchait à réunir des éléments susceptibles d'être utilisés contre elle devant le juge. Il allait la surveiller. Prendre des notes, mentalement, sinon par écrit, sur les longues heures qu'elle consacrait à son travail.

Est-ce qu'elle n'était pas en train de céder à la paranoïa ?

Elle donna un coup de poing dans l'oreiller.

Non. Ce n'était pas de la parano. C'était exactement ainsi que procédait un Frank Callahan. Quand il voulait une chose, il déployait une énergie considérable pour l'obtenir.

Mais Lucy n'était pas une chose. Lucy était tout.

28

Elsa ouvrit la porte de sa penderie. Elle décrocha de la patère un large pantalon de coton et un chemisier à manches longues. Les mêmes vêtements que la veille. Et que l'avant-veille. Mais tant pis. Il était encore tôt, et elle n'avait pas le projet d'impressionner qui que ce soit. Elle savait même d'expérience qu'elle n'avait aucune chance de rencontrer quelqu'un d'intéressant pendant sa promenade matinale. Il serait bien temps plus tard de prendre une douche, et de s'habiller convenablement.

Elle soupira en se baissant pour nouer ses chaussures de marche. Elle se sentait vieille, ce matin. Il lui semblait qu'elle faisait plus que son âge. À quarante-deux ans, on n'a pas le corps raide au sortir de son lit – en principe. Mais il est vrai qu'elle s'était réveillée dans une mauvaise position. Elle n'avait pas eu un sommeil relaxant. Ses muscles étaient pleins de tensions.

Elle descendit le majestueux escalier de bois sculpté. Sur la table en marbre de l'entrée, elle prit ses jumelles et son téléphone portable. Elle s'approcha de la fenêtre aux meneaux de plomb. Elle se passerait de son thé. Le soleil était déjà haut, et elle n'avait pas de temps à perdre. Elle achèterait peut-être en route de ces délicieux scones au raisin pour Oliver. Peut-être prendraient-ils le petit-déjeuner ensemble...

Les pierres de l'allée craquèrent sous ses semelles de caoutchouc. Comme prévu, la route était déserte. Pas de bruit, sauf le grondement de l'océan, et les cris des oiseaux – *mes chers amis à plumes*, songea-t-elle.

Au bout de Ruggles Avenue, elle franchit une des entrées menant à la mer. Les mouettes volaient au ras des vagues. Elles nichaient en colonies au bord de la falaise. Elsa n'avait pas besoin d'utiliser ses jumelles pour repérer aussi les bécasses et les pluviers qui n'étaient pas rares sur la côte de Rhode Island. Elle surveillait avec plus de soin les espèces menacées, comme la grèbe bariolée, le busard, la chouette effraie ou le butor, par exemple, qui risquaient purement et simplement de disparaître. Elsa aurait vécu très mal une pareille catastrophe. D'où sa croisade en faveur des oiseaux. Et son choix de diriger cette association.

Elle prit le sentier vers le nord et observa les loriots déjà aperçus la veille autour des haies qui bordaient la falaise. Elle repéra un mâle, avec son plumage brun sombre caractéristique et son petit bec pointu. Cet oiseau était commun dans la région, et non menacé ; pourtant, il se faisait rare.

Était-ce bien hier qu'elle l'avait vu ? Il s'était passé tant de choses depuis ! Les restes identifiés comme étant ceux de Charlotte. Le ressentiment d'Oliver. Elsa aurait voulu qu'il l'accompagne chez les Vickers : ainsi ils auraient formé un couple aux yeux de la société. Mais peut-être valait-il mieux qu'il ait préféré ne pas venir en définitive. Sa présence à une fête un tel jour aurait sûrement été jugée inconvenante. Il n'aurait fait que s'attirer plus de critiques encore.

Maud, c'était différent. Les gens comprenaient. La pauvre petite avait subi de telles épreuves. Et sans avoir jamais rien fait de mal. Maud était innocente ; on acceptait mieux de la voir évoluer dans une atmosphère festive.

Le soleil s'élevait au-dessus de la mer. Elsa continua de grimper le sentier qui longeait la falaise. Elle ne remarqua rien d'inhabituel. Elle se réjouit de la présence de nombreux oiseaux dans les cieux.

Elle monta ainsi jusqu'à Narragansett Avenue. C'était le but qu'elle fixait ordinairement à sa promenade. Arrivée là, elle s'asseyait sur un banc pour se reposer et réfléchir quelques minutes, avant de redescendre. Le banc métallique imprima une sensation de froid sous ses cuisses à travers le coton du pantalon. Elle en voulut aux gens d'avoir laissé derrière eux, après le feu d'artifice, des mégots et des boîtes de bière. Un jogger la salua d'un signe en passant.

Elsa quitta son banc. Elle s'étira. L'air matinal était frais. Elle prit de profondes inspirations. On jouissait d'une mer particulièrement belle, aujourd'hui. Elle se rapprocha du bord de la falaise et des Quarante Marches.

Tout en bas, au pied de l'escalier, gisait le corps de Maud, comme vrillé dans une position affreuse.

29

L'agent Tommy James sortit du bar, un sac en papier contenant deux petits gâteaux et un gobelet de café fumant à la main. Il s'installait dans sa voiture de patrouille pour y prendre son petit-déjeuner quand la radio transmit un appel. Ayant calé le gobelet dans le couvercle de la boîte à gants, il se hâta de démarrer.

Il prit directement sur Broadway sans se donner la peine de déclencher sa sirène. La circulation était très faible, comme toujours le dimanche matin.

Il tourna rapidement sur Narragansett Avenue. Sa déception se réveilla comme une blessure quand il passa devant la propriété des Vickers. Joss ne l'avait pas invité au *clambake* de la veille. Les échos de la fête lui étaient déjà parvenus. La police avait reçu quantité d'appels de voisins qui se plaignaient du bruit. Apparemment, tout le monde s'était bien amusé.

Joss aurait dû l'inviter. Surtout qu'il avait pris des risques pour elle en faisant des photocopies de ce journal intime. Qu'est-ce qu'elle croyait ? Qu'elle pouvait se servir de lui ?

Oui. C'est ce qu'elle pensait. Et il le savait, au fond de lui-même. Le problème, c'est qu'il ne supportait pas l'idée de devoir renoncer à elle.

Arrivé au bout de la rue, il mit deux roues sur le trottoir, coupa le moteur et descendit du véhicule. Ses narines s'emplirent aussitôt d'un puissant parfum de chèvrefeuille. Il trouva drôle d'enregistrer ce genre de détails dans un moment pareil.

Des joggers s'étaient rassemblés au-dessus des Quarante Marches. Ils s'écartèrent à son approche. La femme d'âge moyen qui lui prit le bras pour l'entraîner avait une paire de jumelles autour du cou. Elle sanglotait. Elle lui montra quelque chose au pied des marches.

— C'est moi qui ai appelé, dit-elle. Je suis Elsa Gravell. Elle, c'est Maud Sloane...

Tommy dégringola l'escalier de pierre. Le corps inerte gisait au bord de l'océan. La victime avait le cou complètement tordu. Des yeux aveugles crevaient son visage sans vie. Tommy effleura le cou de la jeune femme, en quête d'une pulsation. Rien. Comme il s'y attendait.

Maud Sloane. Tommy réfléchissait à ce nom.

Joss aura envie d'en savoir plus.

30

Sam se réveilla avec un sentiment affreux : quelque chose lui rampait sur la figure. Il écarta l'insecte d'un revers de la main, ouvrit les yeux et grimaça dans la lumière matinale. Un relent écœurant lui remonta dans la bouche. Au-dessus de lui s'étendait un large dais de feuilles. Il donna de petites tapes sur le matelas herbeux et humide où il avait dormi.

Bon Dieu. Il avait passé la nuit à la belle étoile.

Il s'assit. Il avait mal à la tête. Les souvenirs commençaient à lui revenir en mémoire. Le *clambake*. La bière. Le feu d'artifice. La nausée. Et cette épouvantable vision sur la falaise.

Peut-être était-ce un effet de son imagination. Si tel était le cas, alors il faudrait laisser tomber l'alcool. Et pour de bon. Si dur que soit le sacrifice. Péniblement, il se mit debout. Il chassa les brins d'herbe de son pantalon. Il essaya de défroisser sa chemise. Puis il contourna l'arbre pour aller jeter un coup d'œil du côté de la falaise.

Une voiture de police. Des gens. Une ambulance.

Ce n'était donc pas une hallucination. Ce qu'il avait vu était bel et bien arrivé.

31

Le silence paisible de la chambre fut déchiré par la sonnerie agressive du téléphone.

— Allô ?

— Salut, Grace. C'est B.J. Je vous réveille ?

— J'aimerais bien. Mais je n'ai pas pu dormir.

— Alors habillez-vous et venez vite. Je vous attends en bas. Maud Sloane est morte.

Grace se dressa brusquement dans son lit.

— Mon Dieu, non...

Sa voix se brisait.

— On en discutera dans la voiture. Venez.

Grace enfila un jean et un T-shirt marron. Elle se brossa les dents. Son cœur cognait avec force. Comment était-ce possible ?

Maud... Elle l'avait vue écraser une larme au cours du feu d'artifice. Pour sa mère. En tout cas, c'est ce que Grace avait pensé.

Elle attacha ses cheveux en queue-de-cheval. Elle enfila ses chaussures de sport. Et elle sortit. Jugeant trop long d'attendre l'ascenseur, elle prit l'escalier. Et, tout en dégringolant les marches, elle se dit que c'était son baptême du feu. Son premier reportage.

Sauf que ce reportage ne concernait pas des inconnus. Ni une situation que l'on pouvait aisément considérer avec recul et objectivité. Elle avait noué un lien avec Maud. Elle l'avait appréciée. Sa mort la bouleversait.

*

B.J. attendait au volant. Sa caméra reposait sur la banquette arrière. Grace monta en voiture.

— Qu'est-ce que vous savez ? dit-elle en bouclant sa ceinture.

B.J. démarra.

— Le corps a été retrouvé ce matin. Au pied de la falaise. À l'endroit même d'où l'on a regardé le feu d'artifice. C'est tout.

— Mon Dieu. J'ai parlé avec elle pendant la fête.

Elle avala sa salive avec peine.

B.J. écrasait l'accélérateur. Il ne leur fallut que trois minutes pour aller de l'hôtel Viking au promontoire. B.J. se gara près de l'ambulance et des voitures de police.

— Comment vous avez su ? demanda Grace.

Il coupa le contact.

— Deux appels. Un de Joss, un autre de Sam. Les stagiaires ont de la chance, cette année.

32

C'était une journée de grand soleil, mais Agatha s'enferma pour pleurer dans sa chambre aux volets clos, au sol jonché de journaux, de magazines, de cartons d'où jaillissaient des vêtements démodés. Trois chats assis sur la moquette abîmée regardaient d'un air dédaigneux leur maîtresse sangloter dans son lit.

Tout était sa faute. Elle n'aurait jamais dû écouter Gordon Cox. Elle n'aurait jamais dû accepter de les laisser pénétrer dans le souterrain. Pourquoi avait-elle cessé de considérer ce tunnel comme un sanctuaire ? Comme une tombe ! La tombe qu'il était. Les restes de Charlotte y reposeraient encore en paix...

Chaque fibre de son être le lui criait : si les os n'avaient pas été retrouvés, Maud serait toujours en vie.

Maud. Maud qu'elle aimait tant. Et qui ne reviendrait plus.

Agatha s'essuya le visage avec la taie d'oreiller en satin. Une lueur de lucidité brillait dans le chaos de ses pensées. C'était cette maison. Elle aurait dû écouter Charlotte, et la vendre depuis longtemps. Ainsi le nouveau propriétaire se serait débrouillé pour négocier avec ces maudits historiens et autres amateurs de vestiges ! Tous ces gens obsédés par le tunnel aux esclaves. La maison vendue, Agatha et Charlotte seraient allées vivre ailleurs.

Charlotte n'aurait pas péri.

Maud aurait été sauvée.

Ces horreurs ne seraient pas arrivées.

Tout était sa faute.

On frappait à la porte. Agatha ne répondit pas.

— C'est Finola, miss Agatha. Miss Agatha ?

Silence.

La domestique pénétra dans la chambre. Elle tressaillit en voyant le désordre. Agatha ne voulait pas qu'elle fasse le ménage dans cette pièce. Et le spectacle n'était pas beau à regarder, même quand on avait la vue qui baissait. Finola avait connu Shepherd's Point au temps de sa splendeur. Quand les meubles d'acajou étaient bien astiqués. Quand l'argenterie brillait comme des miroirs. Quand les verres en cristal étincelaient. Toute une équipe de gens se déployait pour battre les tapis d'Orient, nettoyer les rideaux, frotter les cuivres et astiquer les carreaux dans la cuisine et la salle de bains. Shepherd's Point était en ce temps-là un superbe domaine. On y donnait fréquemment des soirées et toutes sortes de réjouissances.

Puis tout avait changé. Il y avait bien longtemps ! Quand la dernière mine d'argent avait été fermée. Les gens de maison, désormais, se réduisaient à deux âmes : elle et Terence. Tous deux prenaient de l'âge. Comment auraient-ils pu abattre une besogne qui occupait jadis douze personnes ? Finola se chargeait des courses et de la cuisine. Elle faisait de son mieux pour que la maison soit à peu près tenue. Mais miss Agatha voulait que rien ne bouge ! Que rien ne change.

Si Finola restait, c'était par loyauté. Dieu sait que ce n'était pas pour l'argent ! Depuis la disparition de Miss Charlotte, elle n'avait jamais été augmentée. Il arrivait même que l'on oublie de lui verser son salaire. Du moins avait-elle une chambre où dormir. Et de quoi se nourrir.

736

Pour dire la vérité, Finola ne se sentait pas de travailler ailleurs. Elle était attachée à miss Agatha. Elle passait sur ses excentricités. Et elle savait que la besogne de Shepherd's Point correspondait à ses capacités.

— Je vous ai apporté une bonne tasse de thé bien chaud, miss Agatha.

Dans le lit, le petit visage fragile n'avait pas bougé.

— Buvez-le tout de suite. Ça vous fera du bien.

— Rien ne peut me faire du bien, Finola. Rien. Maud est partie.

Finola ne savait que dire. C'était purement et simplement la vérité.

33

Les camions équipés de paraboles s'alignaient le long de Narragansett Avenue. Aucune télévision locale ne manquait à l'appel. L'affaire allait occuper les médias de la région durant tout le week-end. Une jeune femme retrouvée assassinée alors que l'on avait identifié la veille les restes de sa mère. La haute société de Newport mise en cause. Un crime logé dans le mystère d'une disparition vieille de quatorze ans. Une aubaine !

Grace passa les camions en revue. Jusqu'ici, Key News était la seule chaîne nationale à être représentée.

— Les autres ne sont pas là ? demanda-t-elle.

— On a de la chance, répondit B.J. en éteignant sa caméra. On n'était pas loin. Mais ils ne vont pas tarder... Ça me fait penser : il faudrait contacter les chaînes d'ici, et leur demander si elles ont des vidéos tournées au moment de la disparition de Charlotte Sloane.

— Je vais m'en occuper...

Les événements de la veille lui revinrent en mémoire.

— Je voulais aussi vous dire, B.J., que j'ai rencontré une personne qui a connu Charlotte enfant. Kyle Seaton. Notre sculpteur d'ivoire. Cela dit, je ne sais s'il acceptera de s'exprimer sur le sujet devant une caméra.

— Ah bon ? Pourquoi donc ?

Grace fit une grimace.

— Une impression. Comment dire... Il a l'air d'hésiter. Il est un peu... crispé, disons.

— Snob et collet monté, c'est ça ?

— Si vous voulez.

— On essaiera de l'amadouer en tournant le sujet sur son activité. Il consentira peut-être à coopérer aussi sur l'affaire Sloane.

*

Grace repéra la présence d'une seule et unique personne de couleur dans la foule de visages blancs qui se massaient au bord de la falaise. C'était Zoé Quigley. Elle filmait l'océan avec son caméscope.

Grace était la plus âgée de sa promotion, Qu'éprouvait-on lorsque l'on était la seule stagiaire noire ?

Zoé était venue d'Angleterre pour suivre cette formation. Elle devait avoir le sens de l'initiative. Si ça se trouve, elle était tellement sûre d'elle-même qu'elle n'avait même pas le sentiment d'appartenir à une minorité... Non. Ce n'était sûrement pas le cas. Zoé était parfaitement consciente de la situation.

Zoé se retourna, comme si elle avait senti le regard de Grace posé sur elle. Grace s'approcha.

— Je dois aller voir les correspondants locaux, dit-elle. Leur demander s'ils ont des vieux reportages sur cette affaire. Tu ne viendrais pas avec moi ?

Zoé eut l'air de peser le pour et le contre.

— Merci, finit-elle par dire. C'est sympa. Mais je bosse sur autre chose, là.

Autre chose que l'affaire présente dans tous les esprits ? Grace n'insista pas.

— Je comprends, dit-elle. Alors à plus tard. Peut-être au Viking.

— À plus, Grace.

34

En route pour regagner l'hôtel Viking à pied, Zoé commença à longer les luxueuses propriétés, et aperçut bientôt la synagogue Touro, un bâtiment aux élégantes proportions devant lequel s'amassait une petite foule. C'était la visite guidée du dimanche. Un jeune guide sortit et salua les visiteurs. C'est alors qu'il remarqua la caméra de Zoé.

— S'il vous plaît, dit-il, pas trop d'images.

Zoé glissa le caméscope dans son sac.

— Bonjour, ladies and gentlemen, commença le guide. Cette rue tranquille de Newport a vu triompher un principe. Depuis deux cents ans, la petite synagogue que voici peut l'attester : il est permis à chaque homme de rechercher les vérités éternelles à sa façon, sans en être empêché par les lois du gouvernement civil. George Washington a visité cette synagogue à deux reprises. Chaque année, nous célébrons l'anniversaire de la lettre par lui rédigée, qui garantit aux juifs la même liberté religieuse qu'aux autres Américains. Permettez-moi de vous lire un passage de la célèbre lettre adressée par Washington à la congrégation qui a fondé cette synagogue.

Zoé écouta le guide lire avec toute la solennité requise les mots du premier président des États-Unis.

— Tous possèdent la même liberté de conscience, et le statut de citoyen. Le temps est fini où la tolérance était un vœu, et semblait dépendre du bon vouloir d'une certaine classe sociale. Il s'agit désormais de l'exercice d'un droit naturel...

Le jeune homme se tut, le temps de s'assurer que chacun était attentif au propos, et surtout au passage le plus important :

— Fort heureusement, si le gouvernement des États-Unis ne sanctionne pas le fanatisme, il ne soutient pas non plus la persécution.

Le groupe lui emboîta le pas, et tous pénétrèrent dans la synagogue. Le guide enchaîna :

— Vous êtes ici sur le plus ancien lieu de témoignage de la foi juive existant sur le territoire des États-Unis. Comme vous pouvez le constater, le temple abrite une galerie supportée par douze colonnes ioniques figurant les douze tribus d'Israël. Les cinq candélabres de cuivre qui descendent du plafond sont des cadeaux offerts par des membres de la congrégation...

Il pointa le doigt vers l'extrémité est du sanctuaire.

— L'Arche Sainte contenant les rouleaux de la Torah. Nous avons ici la plus ancienne Torah du pays. Au-dessus de l'Arche, vous pouvez voir inscrits les Dix Commandements en hébreu.

Les visiteurs levaient la tête. Le guide poursuivit :

Cette estrade, au centre, c'est la *bimah*. On y lit la Torah. Ou on la chante. Notez la présence d'une trappe, sous la bimah. Elle ouvre sur un souterrain. Le souterrain de la vieille voie ferrée, avec lequel communique la synagogue. On dit qu'ici se cachaient des esclaves en fuite.

Le groupe s'ébranla de nouveau. Zoé resta en arrière. Elle tira le caméscope de son sac, et en braqua l'objectif sur la trappe.

35

Même si l'agglomération de Newport comptait en été pas moins de 125 000 habitants, elle demeurait à bien des égards un petit village. La nouvelle de la mort de Maud Sloane s'y répandit avant même d'être diffusée par la télévision.

Mickey essaya de ne pas plus penser à la mort de Maud qu'à son mal de dos. Il préférait se concentrer sur son travail. Il avait du pain sur la planche : un mariage à Fort Adams, une majestueuse demeure qui avait servi un temps de maison de vacances au président Eisenhower. La propriété offrait des vues à vous couper le souffle sur le port de Narragansett Bay. Les tentes étaient déjà plantées sur la pelouse depuis la veille, mais on attendait encore les nappes et les serviettes. Et, sans nappe, impossible de sortir des cartons les couverts d'argent et la vaisselle en porcelaine pour dresser les tables.

Mickey n'avait pas seulement mal au dos. Il souffrait aussi de l'estomac. Les douleurs revenaient chaque fois qu'il était anxieux, c'est-à-dire la plupart du temps. Il les attribuait au stress. Diriger sa propre affaire n'était pas de tout repos. La dyspepsie, en somme, venait avec la réussite. En tout cas, c'est ce qu'il disait et répétait. Tout en sachant au fond de son cœur que ça ne venait pas de là, mais d'autre chose.

Ses maux d'estomac avaient commencé alors qu'il venait d'avoir dix-huit ans, le jour même où Charlotte Sloane l'avait surpris la main dans le sac, en train de voler de l'argent dans la caisse du Country Club.

36

— New York me réclame un sujet sur l'affaire Maud Sloane pour le magazine « Sunday Evening Headlines ». Puisque tu l'as interviewée, j'ai pensé que tu pourrais t'en charger. Ce serait une première pour toi. Tu veux produire ?

B.J., son téléphone cellulaire collé à l'oreille, procéda mentalement aux calculs nécessaires avant de répondre à son rédacteur en chef. Évidemment, produire son premier sujet dans « Sunday Evening Headlines » représentait une sacrée opportunité. Mais il avait ce boulot en cours sur l'histoire de la famille Vanderbilt : un reportage déjà programmé pour le lendemain dans « Key to America », et qui réclamait encore du travail. D'un autre côté, il n'était pas judicieux de laisser passer l'occasion de produire un sujet dans un grand magazine...

— Compte sur moi, Dom, dit-il, songeant qu'il n'allait pas se coucher de bonne heure.

— Autre chose, reprit Dominick O'Donnell. Constance n'arrivera pas avant 16 heures. Tâche de garder du temps pour lui écrire son texte.

Merde ! Encore du boulot en plus !

— Il faut aussi que je monte le sujet ? demanda-t-il, craignant une réponse positive.

— J'espère que non. Mais ça dépendra.

B.J. referma son téléphone et partit à la recherche de Grace dans la foule de plus en plus dense. Il l'aperçut qui discutait avec une femme aux cheveux noirs, près d'un camion satellite de la chaîne WPRI. *Seigneur ! Cette Grace est un vrai canon !*

Depuis Meryl, aucune femme ne l'avait attiré à ce point. Il est vrai que son histoire avec Meryl s'était si mal terminée qu'il avait eu tendance à se protéger, à hésiter du moins avant de s'engager. L'heure était peut-être venue, finalement, de rompre le jeûne...

Il s'approcha d'elle sans oublier ses préoccupations du moment. Bon, il avait dans sa boîte cette interview de Maud Sloane – une exclusivité, le clou de son sujet. Il avait aussi une vidéo du corps enveloppé dans son linceul, que l'on introduisait dans l'ambulance. Il avait enfin interrogé deux ou trois curieux parmi les gens rassemblés sur la falaise. Ce qui lui manquait, c'étaient des documents en rapport avec l'étrange disparition de Charlotte.

Certes, il pourrait toujours se servir des vues tournées à Shepherd's Point dans le tunnel aux esclaves. Les passer pendant le récit, par exemple. Mais il lui fallait absolument des images vieilles de quatorze ans. Il fit une prière silencieuse. Mon Dieu, faites que Grace ait progressé sur ce terrain-là.

— Salut, B.J., dit-elle. Je vous présente Pam Watts. Elle présente le 20-heures de WPRI à Providence.

B.J. tendit la main à la présentatrice, et nota qu'elle avait de jolis yeux sombres et un sourire craquant.

— Pam a couvert la disparition de Charlotte Sloane il y a quatorze ans, poursuivit Grace. Elle a une vidéo de Charlotte au Country Club le fameux soir. Ainsi que des images de l'enquête. Elle pense que sa chaîne pourrait accepter de nous les vendre.

— Alors c'est qu'il existe un dieu des journalistes, soupira B.J.

Il les aurait volontiers embrassées toutes les deux. Enfin, surtout Grace...

37

Zoé se laissa tomber sur son lit. La chaleur de l'été américain l'épuisait. Elle se débarrassa de ses chaussures sans se donner la peine d'en dénouer les lacets. Elle avait une envie dingue de réaliser un super reportage. Et ce n'était pas une vidéo de trente secondes sur une trappe dans une synagogue qui faisait un super reportage.

Oh ! elle savait exactement ce qu'elle voulait. Sauf que ça risquait d'être moins facile que prévu. Son idée était de recréer le voyage d'une esclave dans sa course vers la liberté. Au fil de ses recherches, elle était tombée sur une personne qui correspondait à ses vœux : cette femme prénommée Mariah. Mariah se trouvait avec d'autres esclaves dans la cale d'un navire venu de Virginie, et qui faisait route vers Newport. Avec dix autres malheureux, elle avait réussi à se glisser hors de la cale pour se réfugier dans la salle des machines. Le reste du voyage devait se révéler atroce, cependant tous avaient survécu, en dépit de la chaleur étouffante et de l'air irrespirable. Avec l'aide d'un officier courageux, elle avait pu quitter le navire. Ses compagnons aussi. Tous avaient plongé dans l'océan à hauteur de Shepherd's Point, non loin de l'embouchure du tunnel. De là, Mariah avait pu gagner la synagogue Touro, puis l'église Bethel de Providence, d'où elle avait poursuivi son équipée vers le Canada et la liberté.

Zoé, sur l'écran minuscule de son caméscope, se repassait les images de la trappe. *Ne te laisse pas décourager. Ce n'est pas le moment de baisser les bras. Pense à Mariah. À ce qu'elle a enduré.*

Comparé aux épreuves d'une Mariah, produire un documentaire était un jeu d'enfant. Et obtenir un emploi à Key News aussi.

38

Grace était fascinée. Constance Young, une des présentatrices-vedettes de Key News, offrait sa blonde chevelure au souffle d'un vent océanique et bleuté. Elle portait un pantalon blanc et un top bleu marine rayé, style club nautique. Même en plein vent sur cette falaise, elle dégageait une présence incroyable. Était-elle une star-née, ou tirait-elle sa force de la position qu'elle avait acquise dans la hiérarchie de la chaîne ? Grace penchait pour la première hypothèse. D'autres présentatrices étaient excellentes, mais rares étaient celles qui possédaient ce style authentique.

B.J. tendit à Constance le texte qu'il avait rédigé pour elle en surlignant les passages où elle serait à l'image. Elle apparaîtrait au milieu du sujet, après la description des événements, à savoir la mort de Maud Sloane. L'interview de Maud servirait de lien entre l'actualité et la disparition de sa mère, quatorze ans plus tôt. Constance lut plusieurs fois le document. Elle fit signe à B.J. qu'elle était prête. Et elle descendit les premières des Quarante Marches.

B.J., resté en haut de l'escalier de pierre, mit sa caméra à l'épaule et cria :

— Maintenant !

Constance remonta les marches vers lui.

— La mort de Maud Sloane est-elle un accident ? Un suicide ? Un assassinat ? La police s'emploie à faire la lumière sur cette affaire. Mais ce n'est pas la première fois que la famille Sloane est associée à un mystère dans cette ville du bord de mer.

— C'est bon, dit B.J. Du premier coup.

— On ne devrait pas en faire une deuxième ? s'inquiéta Constance. J'avais les cheveux dans la figure avec ce vent.

B.J. n'avait pas remarqué. Mais il valait mieux ne pas contredire Constance. Par définition, les désirs de la présentatrice-vedette étaient des ordres. Elle redescendit les marches. Elle les remonta. Et de nouveau ce fut parfait.

*

Il lui plaisait d'imaginer ce qu'avait pu signifier, jadis, être le maître d'une pareille demeure, jamais il ne s'était lassé de venir les admirer, même si son genou lui avait fait des misères, ces derniers temps, l'empêchant d'apprécier ses traditionnelles promenades du dimanche après-midi le long de la falaise. Aujourd'hui, il avait même dû se faire violence pour mettre le nez dehors, et se convaincre qu'il ne servait à rien de rester à la maison à ruminer ses pensées.

Le professeur s'arrêta pour considérer les gens de Key News au travail. Il savait qu'il avait besoin de mettre de l'ordre dans ses idées. Il avait des copies à corriger, un cours important à assurer le lendemain, et surtout ce rendez-vous à 6 h 30 avec ces journalistes, précisément. Il allait devoir offrir une pleine brassée d'anecdotes palpitantes aux fidèles téléspectateurs des tranches matinales. Autrement dit, il lui faudrait se coucher tôt ce soir. Et il n'y avait rien de tel qu'une bonne promenade pour vous aider à dormir.

Mais serait-ce suffisant ?

Il y a quatorze ans, la disparition de Charlotte lui avait valu pas mal d'insomnies. Celle de Maud risquait d'avoir

747

le même effet. Même si Maud l'avait aidé à convaincre Agatha d'ouvrir le tunnel, elle ne voyait pas d'un bon œil la poursuite des travaux. Et après que les restes avaient été identifiés comme appartenant à sa mère, l'idée de voir les touristes visiter le tunnel avait commencé à lui déplaire. Après tout, ce souterrain avait servi de tombe à Charlotte quatorze années durant. La veille, à ce *clambake* chez les Vickers, Gordon avait eu le sentiment que Maud était décidée à s'opposer à la restauration du tunnel.

Voilà qui aurait été un problème, si elle avait vécu...

*

C'est Grace qui l'aperçut le premier.

— B.J., dit-elle à voix basse, il y a le professeur Cox, là-bas. Il était à la table de Maud, hier soir. Vous voulez que j'aille voir s'il a quelque chose à dire ?

B.J. regarda dans la direction indiquée par Grace. Puis il consulta sa montre.

— Ce serait une bonne idée, Grace. Sauf qu'on n'a plus le temps. Il faut rentrer à l'hôtel et monter ce sujet. On pourra toujours interroger le professeur demain si nécessaire.

39

Tommy raccrocha le téléphone, s'absorba un instant dans la contemplation du combiné, et releva la tête quand l'agent Manzorella pénétra dans le bureau des inspecteurs. À voir la tête de Tommy, Manzorella comprit tout de suite ce qui le préoccupait : Joss Vickers. Le gamin était obsédé par elle, et ce n'était un secret pour personne.

— Ne me dis rien. C'est Joss. Elle t'a encore envoyé sur les roses, c'est ça ?

— Je n'arrive pas à piger, éructa Tommy en abattant son poing sur le bureau. Je fais tout ce que je peux pour lui plaire, et elle a toujours une excuse pour ne pas me voir. Elle a toujours mieux à faire !

Manzorella posa une main réconfortante sur l'épaule du jeune homme. Il était désolé. Comment faire comprendre à ce gosse qu'une Joss Vickers ne pouvait pas s'engager avec un flic de Newport ? Sauf exception rarissime, les riches se mariaient entre eux, non ?

— Tu ferais mieux de ne pas perdre ton temps, dit Manzorella. Il y a d'autres poissons dans la mer. Et plein de super nanas à Newport qui ne demanderaient pas mieux que de sortir avec toi.

— C'est Joss que je veux, je n'arrive pas à oublier l'été qu'on a passé ensemble.

L'apprenti policier releva les yeux. Manzorella détourna les siens.

— Tu sais, c'est arrivé à la plupart d'entre nous, de vivre un amour d'été avec une fille inoubliable. Mais « Ils vécurent heureux et eurent beaucoup d'enfants », c'est une autre paire de manches. Les débutantes, ce n'est pas pour nous. Sortir avec un flic, elles veulent bien. L'épouser, pas question.

Tommy regardait attentivement l'inspecteur.

— Ça t'est arrivé ? dit-il. Tu as déjà eu dans ta vie quelqu'un comme Joss ?

— Ouais. Il y a un bail. J'étais garde du corps à Bailey's Beach. Pour une famille membre du club. C'était une période magique. La musique. Les clairs de lune.

— Alors tu sais ce que je ressens.

— Je comprends ce que tu ressens, fils. Mais la fin de l'été, c'est la fin des amours. Ainsi vont les choses. Écoute mon conseil. Tourne la page avec Joss Vickers. Ce genre de fille ne te mènera nulle part.

40

Grace sentit que Joss la fusillait des yeux au moment où elle pénétra dans la salle de rédaction avec B.J. et Constance Young. Sam, quant à lui, n'était pas en position d'exprimer sa jalousie : il avait la gueule de bois et la tête qui allait avec. Blême, les yeux rouges, il buvait de l'eau à grandes lampées, à même la bouteille. Zoé, enfin, était invisible.

Laissant B.J. et Constance rejoindre le rédacteur en chef, Grace s'approcha de ses camarades.

— Salut, tout le monde.

Son arrivée leur inspira un enthousiasme modéré ; elle décida néanmoins de poursuivre sur le mode cordial :

— Un bon point, d'avoir appelé ce matin pour Maud Sloane. Comment tu as su ?

— J'ai un copain dans la police, répondit Joss, maussade. Il m'a tuyautée. Mais ça m'a rapporté quoi ? B.J. a fait appel à toi, alors... On te donne plein de boulot, et à nous que dalle. Ça me rend malade.

Sur cette sortie, elle tourna le dos à Grace et s'éloigna. Grace en resta un instant stupéfaite. Elle regarda Sam.

— J'étais sur place, grommela-t-il. J'ai tout vu. Atroce.

Grace fut surprise par cette révélation. Feignant de rester indifférente à la réaction de Joss, elle enchaîna :

— Tu faisais ton jogging ?

— Non. J'étais là, c'est tout.

Grace s'éloigna et rejoignit le groupe formé par B.J., Constance et Dominick.

*

Sam songea que Joss était dure avec Grace, qui pourtant ne lui avait rien fait de mal. Après tout, ce n'était pas sa faute si B.J. avait un faible pour elle ! Lui-même, Sam, aurait bien voulu qu'une productrice jette son dévolu sur lui ! Ça ne l'aurait pas dérangé de lui faire les yeux doux, si cela pouvait l'aider à atteindre son objectif. Comment se distinguer du lot ? Telle était la question. Et il allait bien falloir qu'il trouve quelque chose.

Or il avait quelque chose.

Après avoir prévenu la chaîne de ce qu'il avait vu, il s'était hâté de quitter les lieux du crime avant que la police ne se mette en tête de lui poser des questions. Il était témoin dans cette affaire. Le témoin d'un meurtre.

Il jeta sa bouteille vide dans la corbeille, et en déboucha une autre. Ce statut de témoin pourrait peut-être lui servir, devenir un avantage. Pourquoi ne pas en tirer parti ?

41

D'abord la mère, ensuite la fille. Charlotte, autrefois. Maud, aujourd'hui. Un meurtre après l'autre – le second déjà inscrit dans le premier.

Tout le monde allait chercher à établir un lien entre les deux événements. Autrement dit, il était temps de prendre la plume. En écrivant de la main gauche pour modifier l'écriture. La lettre partirait avec le courrier du lundi. Quelques lignes suffisaient :

> *« Je suis toujours en possession du portefeuille oublié dans la cabane de jeu le soir où charlotte Sloane a trouvé la mort. Si vous montrez la photo à la police, je montre le portefeuille. Qui la police sera-t-elle tentée de croire, à votre avis ? Vous, ou moi ? »*

42

N'était-ce pas Lucy, dans le couloir ?

Grace cligna des yeux. Son cœur s'affolait. Oui ! C'était bien elle. Avec Frank et Jeanne. Manifestement, ils cherchaient la salle de rédaction.

Grace eut envie de se cacher sous la table. Mais non. Il fallait être adulte. Affronter l'épreuve en gardant la tête haute.

— Excusez-moi, B.J. Je reviens.

Lucy repéra sa mère ; aussitôt sa voix claire retentit. Dans la salle, toutes les têtes se tournèrent vers la fillette. Chacun la regarda courir vers sa maman et l'embrasser. Grace se sentit rougir jusqu'aux cheveux.

— Salut, Frank. Salut, Jeanne.

Elle avait sa fille dans les bras. Elle prit soudainement conscience de l'allure qu'elle devait avoir : non maquillée, vêtue d'un T-shirt fatigué. Frank, lui, semblait plus en forme que jamais. Il était mince. Il avait retroussé sur ses avant-bras bronzés les manches de sa chemise de golf. Physiquement parlant, c'était un magnifique spécimen – Grace devait l'admettre, même s'il lui faisait à la minute présente l'effet d'un repoussoir. Au fond, elle n'était pas fâchée que sa fille ait hérité du nez bien droit et du large sourire de son papa.

— Comment va ma petite Lucy ? glissa-t-elle à l'oreille de sa fille.

La femme de Frank était rayonnante. Elle portait un pantalon parfaitement repassé, et un superbe chandail en coton vert tendre noué sur ses épaules. Sa grande chevelure blond platine était retenue par un large bandeau noir assorti au bracelet de sa montre et à ses sandales de cuir italiennes. Grace ne put s'empêcher de remarquer les orteils bien soignés de Jeanne et son solitaire en diamant. On sentait la femme riche, équilibrée, dorlotée par la vie – le contraire de Grace.

— Nous voulions te proposer de dîner avec nous, dit Frank.

Lucy était aux anges.

Bien vu, Frank. Je vois que tu continues d'essayer de passer pour monsieur Parfait devant ta fille. Tu vas tenter de

m'arracher le cœur, et en attendant tu te la joues gracieux, géné-
reux, prêt à m'inviter à dîner...

— Ce serait avec plaisir, dit-elle. C'est vraiment très gentil. Mais je ne sais pas quand j'aurai fini mon travail... Je ne voudrais pas vous faire attendre.

— On peut attendre, affirma Frank. C'est sans problème.

Il dégouline de suffisance, songea Grace, écœurée.

— Dis oui, maman ! C'est vrai : on peut attendre.

Grace était coincée dans un cas comme dans l'autre. Elle ne demandait pas mieux que de profiter un moment de sa fille ; d'ailleurs elle détestait la décevoir. Mais aller au restaurant avec Frank et sa femme ! Afficher toute la soirée un sourire poli. Bavarder comme si de rien n'était. Elle n'avait pas envie de partager la table de Frank, elle bouillait de l'étrangler ! Et elle savait qu'en se dérobant elle ne faisait qu'apporter de l'eau à son moulin ; il irait chanter devant le juge que les sacrifices consentis par Grace pour sa carrière l'éloignaient toujours plus de Lucy...

— Très bien, finit-elle par dire. J'essaierai de me libérer vers 19 heures.

— Formidable. À la réception, ils m'ont parlé d'un italien génial, pas très loin. Le Sardella. 19 h 30, alors ?

— Il faut sûrement réserver, dit Grace en espérant que le restaurant serait déjà complet.

— Je vais demander à l'hôtel de s'en occuper, dit Frank.

Il conclut par un clin d'œil, en faisant le geste de glisser un pourboire au concierge.

Ignoble jusqu'au bout, se dit Grace intérieurement.

43

B.J. était satisfait. Il avait réussi à monter son sujet et à l'expédier à New York par satellite une demi-heure avant le début du magazine « Sunday Evening Headlines ». Il réfléchissait à l'effet de ce travail sur son image au sein de la hiérarchie, quand Sam s'approcha.

— Il faut que je vous parle.

— Je suis à toi dans deux minutes.

B.J. décrocha le téléphone et appela New York pour s'assurer que le sujet avait bien été réceptionné. Puis il se tourna vers Sam.

— Qu'est-ce qu'il y a ?

— Je pense avoir quelque chose pour l'émission de demain.

Le producteur l'enveloppa d'un regard interrogatif.

— J'étais sur la falaise, reprit Sam. J'ai vu ce qui est arrivé à Maud Sloane.

— C'est vrai ? dit B.J. en lui prenant le bras. Et qu'est-ce que tu as vu, exactement ?

Sam parut gêné.

— Je ne sais pas si je peux le dire maintenant.

— Comment ça ?

— Ce que j'ai pensé, c'est que je pourrais le raconter en direct à l'antenne,

C'était une suggestion. Elle eut pour effet d'éveiller un soupçon dans l'esprit de B.J. Qu'est-ce qu'il cherchait, ce gosse ? On ne le savait pas. D'un autre côté. C'était un témoin. Il apportait une interview exclusive...

— Tu sais quoi ? dit B.J. Je crois que le mieux, c'est d'aller en discuter avec Nazareth.

Sam ne put retenir un sourire de satisfaction. C'était exactement ce qu'il voulait.

*

— Tu as parlé à la police ? demanda Linus.

— Non.

Le producteur exécutif enregistra cette réponse sans quitter son expression imperturbable.

— Alors raconte-moi, reprit-il. Qu'est-ce que tu as vu ?

— Avec tout le respect que je vous dois, monsieur, j'insiste... J'aimerais faire mon récit en direct, demain, au cours de l'émission.

Linus devait reconnaître que ce gamin savait gérer une situation. C'était courageux. Et bien calculé. Linus décida qu'il voterait pour lui quand l'heure viendrait de pourvoir le poste d'assistant. Et comme sa voix à lui était la seule qui comptait vraiment...

Bien sûr, il aurait préféré savoir ce que Sam avait l'intention de raconter à l'antenne, mais était-ce une raison pour ne pas conclure le marché ? Après tout, qui peut jamais être sûr de ce qu'un témoin dira face à la caméra ? Linus était dans le métier depuis trente ans, et il lui était arrivé plus d'une fois d'être surpris par ce qu'il entendait. Certes, on pouvait toujours réaliser une pré-interview dans les conditions du direct. Ça donnait une idée. Mais ça ne garantissait en aucune manière que le gamin ne déciderait pas de dire finalement tout autre chose. C'est d'ailleurs ce qui faisait l'intérêt du direct, et le rendait si excitant.

Si Sam avait assisté au meurtre de Maud Sloane, son témoignage devait passer sur Key News et nulle part ailleurs. Or ce Sam lorgnait le poste d'assistant à la production. Pourquoi irait-il leur faire un coup tordu ? Ce n'était pas son intérêt.

La décision de Linus était prise. Il décrocha son téléphone et appela New York.

— Vous changez l'annonce pour l'émission de demain, dit-il. Et vite. Notez : « En exclusivité pour Key News : le meurtre d'une héritière de la haute société de Newport. Le témoignage de l'homme qui a assisté à l'assassinat. »

La nouvelle répandit une vague d'excitation au bout du fil.

— Et pour les images ? lança le producteur à l'autre bout du fil.

— La vidéo de Constance ! aboya Linus. Et le cadavre dans son sac monté par l'escalier... Attends une minute.

Il se tourna vers B.J.

— Prends ta caméra, tourne quelques images de Sam et expédie-les à New York. Tout de suite.

44

Il zappa de nouveau sur Key News après avoir exploré les chaînes locales. Il vit Constance Young exposer les grandes lignes de l'affaire. On passa des images du corps de Maud dans son sac en plastique – dur spectacle. Plus dur encore de voir paraître furtivement sur la vieille vidéo le visage de l'assassin. Ce visage qui n'avait guère changé. Et qu'il pouvait contempler chaque matin dans sa glace...

Des vues du Country Club, maintenant. Les hommes portaient le smoking et les femmes, des robes d'été qui formaient une ondoyante féerie de bleu, de rouge, de blanc et de jaune. Charlotte, c'était différent. Elle avait revêtu ce lamé d'or sans bretelles. Les policiers de Newport menaient leur enquête dans le riche voisinage d'Oliver et de Shepherd's Point. Les cabines téléphoniques de la ville s'ornaient de portraits de la disparue.

Quelle époque terrible ce fût... Les années qui avaient suivi la disparition avaient été dures elles aussi, marquées par la crainte permanente que la vérité ne vienne à être découverte.

La science médico-légale avait accompli pas mal de progrès en quatorze ans. Si jamais cette photo remontait à la surface, on n'aurait guère de mal à comprendre le fin mot de l'histoire.

Le moment n'était-il pas venu de quitter la ville ? D'aller se planquer quelque part ?

Peut-être, mais où ? Il avait son histoire ici. Sa vie s'était faite à Newport. Tout recommencer ailleurs ! Repartir de zéro ! Non. Pas question. D'autant que si l'affaire venait à être démêlée, il n'existerait plus aucun endroit sur terre où il puisse se cacher...

Mieux valait agir comme si tout était normal. Comme s'il n'existait aucune menace. En espérant que l'enquête retomberait comme un soufflé – c'est ce qui s'était passé quatorze ans plus tôt. L'histoire du crime n'était-elle pas coutumière d'affaires non résolues ?

Il se sentit un peu mieux. Il se pencha pour saisir la télécommande. Il allait éteindre la télévision quand une voix profonde retentit :

— En exclusivité pour Key News : le meurtre d'une héritière de la haute société de Newport. Une interview de l'homme qui a assisté à l'assassinat.

L'écran montra brièvement le visage d'un jeune homme.

Ce gamin ivre mort ! Il a tout vu !

45

Rien d'étonnant : ils avaient bel et bien une table réservée à 19 h 30 chez Sardella. On les précéda tous les quatre jusqu'à une salle charmante.

— Comment trouvez-vous l'hôtel ? questionna Grace en s'asseyant. Il est bien, non ?

— Si tu voyais notre chambre, maman ! s'écria Lucy, enthousiaste. On a une suite. Il y a même un jacuzzi dans la salle de bains !

— C'est génial, ma chérie.

Grace se forçait à sourire. Sa chambre à elle était convenable, mais dotée d'une salle de bains minuscule avec une douche où l'on avait à peine assez de place pour se retourner. Mais quelle importance ? Elle n'y était presque jamais, de toute façon. Et elle se fichait pas mal d'avoir un jacuzzi. Ce qui la contrariait, c'était cette compétition entre elle et Frank : son ex-mari marquait des points même quand il choisissait une chambre d'hôtel.

La serveuse leur déroula la liste des spécialités susceptibles d'être dégustées ce soir.

— Qu'est-ce qui te ferait plaisir, Grace ? demanda Frank.

— Ces aubergines au parmesan m'ont l'air très bien.

— Lucy ?

— Moi, je veux goûter les pâtes à la sauce vodka.

Frank fronça les sourcils.

— L'alcool brûle quand on le chauffe, Frank. Dans l'assiette, il n'y en a plus.

— C'est vrai, papa ! À la maison, des fois, maman nous en fait, à papy et à moi.

Frank avait une expression pincée. Grace se demanda si ce détail aussi serait utilisé contre elle au tribunal. Mais elle jugea cette pensée ridicule, et la chassa de son esprit. Elle n'allait tout de même pas devenir paranoïaque, et guetter avec angoisse la moindre réaction de Frank.

— Et vous, qu'est-ce que vous allez prendre ? reprit-elle en s'adressant à Jeanne.

La blonde afficha le plus doux des sourires.

— Je laisse Frank choisir pour moi, dit-elle.

Si c'est ça, leur relation, songea Grace, j'aime autant être à ma place qu'à la sienne.

46

Le domaine des Breakers ressemblait à une forteresse. On y était accueilli par un mur de deux mètres hérissé de grilles en fer forgé. Le camion à parabole passa entre les piliers majestueux qui marquaient le seuil de la propriété. Scott Huffman, qui conduisait, ne se fit pas de souci pour la parabole : le portail faisait presque dix mètres de haut. Il était surmonté d'un linteau massif, sculpté, orné de symboles figurant le blason des Vanderbilt : glands et feuilles de chêne.

L'ancien pavillon du gardien, tout de suite à gauche en arrivant, restait ouvert afin que les chauffeurs puissent se soulager en cas de besoin, pendant que les visiteurs faisaient le tour de la propriété. Étant donné les équipements dont le camion télé était doté, impossible de le laisser sans surveillance. Et les gens de Key News ne seraient pas sur place avant l'aube.

Autrement dit, la nuit risquait d'être longue. Scott s'y était préparé. Il avait emprunté à l'hôtel un oreiller et une couverture. Parcourant sa check-list, il s'assura de n'avoir rien oublié pour le reportage du lendemain...

— Merde, grommela-t-il avec mauvaise humeur.

Il manquait un câble.

47

Sam n'avait aucune envie de revenir en arrière. Il était convaincu d'avoir pris la bonne décision. Suivi la bonne stratégie. Il était même tout excité quand il se disait que ce scoop allait rapporter gros à Key News – et à lui-même. Linus Nazareth, alors qu'il se préparait à quitter la salle de rédaction pour aller dîner, s'était même arrêté pour lui donner une tape sur l'épaule. *Il m'apprécie*, songea Sam avec satisfaction. Il se voyait déjà dans le fauteuil de producteur assistant.

Mais il savait aussi qu'il ferait aussi bien, maintenant, d'aller se coucher. Il tenait à être frais et dispos pour son premier direct à la télé. Il était décidé à passer une bonne nuit quand l'un des téléphones sonna.

— C'est Scott Huffman, à l'appareil. Je suis aux Breakers. Je viens de m'apercevoir qu'on va manquer de câble jaune. Il faudrait m'envoyer tout de suite quelqu'un avec une bobine.

— Ça se trouve où, ces bobines ? demanda Sam.

Pourquoi ne pas saisir l'occasion de marquer quelques points supplémentaires ?

— Dans les cartons empilés contre le mur.

— Je m'en charge.

Il se dirigea vers les cartons. Il trouva les bobines facilement. Il s'adressa au bureau des reportages pour avoir une voiture.

Et il se mit en route.

Direction les Breakers.

48

À l'hôtel, le fauteuil en bois se balançait doucement dans l'ombre du porche. Il ne restait plus beaucoup de temps. Mais les jeunes gens aimaient sortir et faire la fête quand ils séjournaient dans une ville comme Newport.

Autrement dit, ce n'était pas idiot d'attendre tranquillement le retour de ce gamin à la langue trop bien pendue.

Et s'il n'était pas sorti ? Comment l'éliminer, s'il n'était pas allé s'amuser ?

Le temps n'était plus à échafauder des plans. Vient un moment où il faut agir vite. Comme la veille avec Maud. Comme avec Charlotte quatorze ans plus tôt.

Vient un moment où l'instinct doit parler.

49

Grace n'avait pas envie de s'attarder après le café. Déjà qu'elle avait trouvé ce dîner interminable !

— On s'était dit qu'on descendrait faire un tour sur les quais. Voir les boutiques et les bateaux.

Frank reposait dans sa soucoupe la tasse de son espresso.

— Ça doit être amusant, admit Grace d'un ton poli.

— Tu viens avec nous, maman ?

Grace sourit à l'enfant et lui caressa la tête.

— C'est gentil, chérie. Mais je dois rentrer. Je me lève tôt.

Intérieurement, elle remerciait le ciel d'avoir une raison de ne pas partager plus longtemps la compagnie de Frank et de sa femme. Elle l'avait vu plusieurs fois prendre la main de Jeanne au cours du dîner. Cela suffisait, maintenant. Grace ne pouvait s'empêcher de se poser des questions. Était-il toujours aussi amoureux, ou jouait-il cette comédie parce que Grace était présente, pour offrir délibérément l'image du couple baignant en plein bonheur – bref, de la famille parfaite dont Lucy avait besoin ?

*

L'hôtel n'était pas loin. Grace accueillit avec plaisir la perspective de rentrer tranquillement à pied en respirant un air doux et en s'éclaircissant les idées. Elle devait cesser de se tourmenter pour le jugement à venir concernant la garde de Lucy. De toute façon, tant qu'elle était à Newport, elle ne pouvait pas agir, ou très peu. Dès qu'elle serait de retour chez elle, elle irait voir son avocat. Pour le moment, elle tenait à se concentrer sur son stage. C'était l'enjeu du moment. Le seul sur lequel elle eut prise.

Cependant tout n'était-il pas dérisoire quand on songeait au triste destin de Maud ? Elle se sentait coupable d'accorder tant d'attention à ses soucis personnels. Comme ils semblaient insignifiants, en comparaison !

Deux jours auparavant, le nom de Maud Sloane lui était encore parfaitement inconnu. Ensuite étaient venues ces confidences chez les Vickers. À présent, Grace était secouée par sa mort brutale. Maud avait essayé de donner une signification à ses rêves. Elle avait fouillé sa mémoire, en quête d'un indice qui eût expliqué la disparition de sa mère. Une idée lui était-elle venue entre leur conversation et l'instant de sa mort ? Et n'était-ce pas cette idée, précisément, qui avait eu pour elle une conséquence fatale ?

Grace s'approchait du porche de l'hôtel. Marchant à pas lent, elle se demanda si elle ne devait pas aller raconter à la police sa conversation avec Maud. C'est alors qu'elle se trouva nez à nez avec Sam qui sortait de l'hôtel.

— Tu sors faire un tour ? s'informa-t-elle en clignant des yeux dans la lumière de l'entrée.

— Je dois apporter ça au camion technique.

Il lui montrait une bobine de câble jaune.

50

L'attente avait fini par payer.

Le gamin était là. En train de discuter avec Grace Callahan.

Ils se séparèrent. Grace pénétra dans l'hôtel. Sam remit un ticket au voiturier.

Quitter ce rocking-chair. Passer doucement derrière le gosse qui attend à l'entrée du porche sans se douter de rien. Gagner la voiture stationnée en face. S'asseoir au volant, Surveiller le gamin dans le rétroviseur...

Sam monta en voiture à son tour. Il fila directement sur Bellevue Avenue en direction des belles demeures.

Faire un demi-tour. Le prendre en chasse.

Où peut-il bien aller, ce foutu bavard ?

Les voitures passèrent la bibliothèque Redwood. Puis les courts de tennis. Puis le centre commercial, Peu importe où il va ! Il faudra faire avec, de toute façon.

Sam ralentit pour lire les panneaux de signalisation. Il tourna à gauche sur Narragansett. Puis à droite vers Ochre Point. Il se gara dans un parking, en face de l'allée menant aux Breakers.

La voiture qui l'avait pris en filature continua sa route, puis s'arrêta une centaine de mètres plus loin pour faire un demi-tour complet. Elle s'approcha à son tour des Breakers, tous phares éteints. Elle ralentit.

Il avait un pied-de-biche dans le coffre.

*

Sam remit la bobine de câble au technicien.

— C'était bien ce câble-là ?

— Exactement. Merci, mon gars.

Sam faisait demi-tour pour s'en aller quand Scott reprit :

— J'aurais dû demander aussi... Mais j'ai oublié. J'ai un mal de tête carabiné. Tu n'aurais pas des fois de l'aspirine ?

— Non. Désolé.

Sam secouait la tête.

— Vous voulez que j'aille vous en chercher ?

Le technicien avait une longue nuit devant lui. S'offrir une petite pause ne serait pas un luxe. Ce gosse avait l'air fiable. Et il n'y avait rien de spécial à faire, il fallait juste surveiller le camion.

— En fait, j'aurais besoin aussi de deux ou trois trucs... Écoute, ça t'embêterait de m'attendre un moment ici, en jetant un œil sur le camion ?

Sam hésita un peu. Il avait envie de rentrer à l'hôtel et de dormir.

— Ça devrait pouvoir se faire, dit-il cependant, Vous ne serez pas trop long ?

— Non.

— Alors je veux bien.

Sam ajouta :

— J'aurais besoin de pisser un coup.

— Tu as les buissons, mon gars. Ou le pavillon. C'est ouvert. Entre et fais comme chez toi, je ne serai pas long, Promis.

51

Le policier de garde se présenta à l'hôtel Viking, gagna directement la salle de rédaction, puis le bureau des reportages. C'est Beth Terry qui était de permanence. Le policier voulait parler au producteur exécutif.

— Puis-je vous demander à quel sujet ? dit Beth.

— Au sujet d'une interview que vous avez programmée. Un prétendu témoin du meurtre de Maud Sloane. Nous aurions besoin d'en savoir un peu plus.

— Je comprends... M. Nazareth est sorti pour dîner. Je peux essayer de le joindre sur son portable.

Mieux valait ne pas s'aliéner la police. La chaîne pouvait avoir besoin de faire appel aux forces de l'ordre durant la semaine qu'ils allaient passer à Newport. Beth composa le numéro. Le policier attendait.

— Linus, c'est Beth à l'appareil. Pardon d'interrompre ton dîner...

Elle mentait. En fait elle était ravie. Linus dînait avec Lauren Adams, qui présidait aux destinées de la rubrique « Style de vie ». Sûr qu'il était même en train de lui faire les yeux doux.

— C'est à quel sujet ?

— La police de Newport. J'ai un officier devant moi. Il souhaite te parler de l'interview du témoin.

— Ils ne savent pas qui est la personne interviewée, si ? Beth leva les yeux vers le policier.

— Je l'ignore, dit Beth en souriant au policier.

— Sam est dans les parages ? reprit Linus en prenant la main de sa compagne.

Il lui adressa un clin d'œil.

— Il vient de sortir, répondit Beth.

— Bien. Je n'ai pas l'intention de me laisser brutaliser par des poulets à la con. J'ai tenu tête aux fédéraux. Ce n'est sûrement pas la police de Newport qui va me faire peur. Ils pourront parler à Sam tant qu'ils voudront *après* l'émission. Point.

52

Il souleva la lunette des toilettes et fit ce qu'il avait à faire. Comme il tirait la chasse, il eut l'impression d'avoir entendu un bruit derrière la porte. Il sortit de la salle de bains. Personne.

Il gagna l'entrée et regarda le camion technique garé devant le pavillon. Pourvu que le chauffeur fasse vite. Sam avait besoin de réfléchir à ce qu'il avait l'intention de dire à l'antenne. Le mieux serait de s'exprimer sur le ton de la conversation. Il dirait ce qu'il avait vu et entendu, tout simplement, sans faire allusion au fait qu'il s'était écroulé ivre mort au pied d'un arbre.

Une lutte violente, Un cri déchirant. *Pauvre Maud Sloane.*

Sam laissa échapper un profond soupir. Il ferma les yeux. De nouveau il visualisait la scène. En fait, il n'avait pas vu le visage de l'agresseur. Mais il pouvait en fournir une description. La carrure de l'assassin. Ce qu'il portait comme vêtements. Ces indications n'étaient pas rien, même si Linus Nazareth espérait beaucoup plus. Mais Sam n'avait pas voulu griller ses cartouches. Il préférait laisser Linus penser qu'il avait quelque chose d'important à raconter. Quelque chose qui justifiait de passer sur une chaîne nationale. Sam avait été le témoin de ce crime, non ? C'était ça, le scoop...

Il perçut un mouvement derrière lui.

Il se retourna,

Et il vit le fameux visage.

L'instant d'après, le lourd pied-de-biche s'abattait sur son crâne.

53

Elle avait revêtu un short blanc et le T-shirt Key News. Ainsi on la verrait dans l'obscurité. Ses longues tresses noires lui battant la nuque, elle courait le long de Bellevue Avenue. C'était le même chemin qu'elle avait emprunté cet après-midi après avoir quitté les Quarante Marches en proie à l'agitation médiatique, pour suivre sa propre idée et aller tourner des images à la synagogue Touro. Elle passa devant les grandes maisons largement éclairées par les anciens réverbères à gaz désormais électrifiés.

C'était merveilleux de pouvoir observer un tel déploiement de richesses. Des fortunes édifiées sur le dos d'un dur labeur. Le travail des Noirs et celui des Blancs. Sauf que les Blancs, pour la plupart, étaient des immigrants, qui avaient choisi de venir chercher en Amérique une vie meilleure. Les Noirs, en revanche, on les avait capturés comme des animaux. Ils avaient été enchaînés. Arrachés à leurs terres. Une fois en Amérique, leur couleur de peau avait donné le ton d'un terrible destin. Rhode Island était certes le premier État à avoir adopté des lois destinées à briser l'esclavage. Quant à la Guerre civile, elle avait bel et bien libéré les esclaves – techniquement parlant, du moins. Cependant, à l'époque où l'on avait construit ces élégantes et riches demeures, les gens de couleur étaient encore des citoyens de seconde zone.

Zoé traversa à petites foulées le carrefour de Narragansett. Elle n'avait aucune envie de gagner les Quarante Marches, l'endroit où Maud Sloane avait trouvé la mort. Continuant sa route, elle passa quatre rues encore, jusqu'au panneau indiquant Victoria Avenue. Elle prit à gauche sur une impulsion, désireuse d'explorer une voie dont le nom lui rappelait l'Angleterre.

Ses semelles de caoutchouc frappaient l'asphalte de cette voie paisible. Il n'y avait pas grand-chose à explorer ! Les éclairages publics étaient moins luxueux que sur Bellevue. À mi-parcours, elle eut envie de rebrousser chemin. C'est alors qu'un bruit lui parvint. Le bruit d'un coffre de voiture que l'on referme.

Des phares s'allumèrent. Zoé fut aveuglée. Le véhicule s'éloigna du trottoir et fonça droit sur elle. Zoé bondit sur le côté. Elle atterrit dans l'herbe. Elle se redressa aussitôt pour essayer d'apercevoir le conducteur. Mais la voiture était passée trop vite. Zoé n'avait pas eu le temps de le voir. Elle parvint seulement à mémoriser les trois premières lettres de la plaque d'immatriculation éclairée : S.E.A.

Le pilote de cette voiture avait eu plus de chance que Zoé, il avait réussi à déchiffrer, dans la lumière de ses phares, le logo imprimé sur le T-shirt de la jeune fille.

54

Le sac de papier brun contenait un tube d'aspirine et trois cannettes de bière glacée. Ça devrait suffire pour la nuit, songea Scott en ouvrant la portière de son camion.

Il fut surpris de ne pas trouver le gamin à l'intérieur. La surprise se mua en colère quand il explora le pavillon. Personne ! Le petit con...

Le gosse avait fichu le camp, laissant le véhicule sans surveillance ! Quel petit trou-du-cul irresponsable !

Il retourna au camion.

Heureusement, tout paraissait en ordre.

LUNDI 19 JUILLET

55

Aux Breakers, on avait dressé une grande tente blanche pour accueillir les équipes de Key News et leurs invités, mais cette installation n'était pas nécessaire. Le temps serait radieux pendant toute la durée de l'émission. Constance Young et Harry Granger allaient pouvoir présenter « Key to America » en plein air.

Constance et Harry arrivèrent de bonne heure, comme ils en avaient l'habitude à New York. Ils voulaient avoir le temps de lire les journaux et de préparer leurs interviews jusqu'à la dernière minute. Ils rejoignirent les équipes déjà en place aux quatre coins de la propriété. Tout à l'heure, la musique du générique retentirait. Constance et Harry s'adresseraient à l'Amérique pour lui souhaiter bienvenue à Newport ; et les téléspectateurs ne pourraient se douter que les deux heures d'émission auxquelles ils allaient assister avaient exigé en amont des centaines d'heures de travail.

Grace était gagnée par l'excitation des équipes. Voilà en quoi consistait la préparation d'une émission en direct. Les qualités exigées étaient évidentes : professionnalisme et souci du détail. Chacun savait qu'un événement imprévu était toujours possible, et qu'il était nécessaire d'être prêt à improviser à tout moment devant des millions de spectateurs.

C'était principalement pour cette raison que des gens comme Harry et Constance touchaient de tels salaires. Si quelque chose arrivait, les animateurs devaient être capables d'improviser et d'affronter n'importe quelle situation sans perdre leur calme, leur élégance et leur vivacité d'esprit – plus facile à dire qu'à faire. Quand le présentateur était bon, le public ne se rendait même pas compte qu'il s'était produit quelque chose d'inhabituel.

*

À trois quarts d'heure du début de l'émission, le témoin le plus important n'était toujours pas en vue. Personne ne savait où était passé Sam. Quand on composait le numéro de sa chambre, personne ne décrochait.

Le producteur exécutif arpentait la pelouse en hurlant :

— Quelqu'un peut me dire où il est, bordel de Dieu ? Comment ça, qui ? Ce foutu gamin ! Sam Watkins !

Grace songea qu'elle tenait là une occasion de se rendre utile. Elle marcha à la rencontre de Linus.

— Il a quitté l'hôtel hier soir, dit-elle. Il devait apporter des câbles au camion satellite. Il m'a dit qu'il revenait se coucher aussitôt après cette course,

— Alors tâchez de trouver le technicien en question, voulez-vous !

La figure de Linus virait au rouge.

— Voyez s'il sait quelque chose.

Grace suivit sur la pelouse le fil d'Ariane des câbles électriques. Elle gagna ainsi l'allée de gravier. Puis le pavillon où stationnait le camion satellite.

Le technicien ne brossa pas de Sam un portrait flatteur.

— Mouais... Il m'a bien apporté ma bobine de câble. Après, je ne l'ai plus revu. Ça ne m'étonne pas qu'il ne soit pas là. Il n'est pas fiable. Il m'avait promis de garder le camion. Le temps d'une course que j'avais à faire. Quand je suis revenu, il avait disparu. Il avait laissé le camion sans surveillance !

*

Linus faisait toujours les cent pas. Il aboya :
— Pour l'amour du ciel, allez me le chercher à l'hôtel !
Il jetait autour de lui des regards furibards.
— Je vais le tuer !
Mais le compte à rebours continuait d'égrener ses secondes, et chacun était accaparé par sa propre besogne. Une fois encore, les yeux de Linus s'arrêtèrent sur Grace.
— C'est votre copain, non ? s'écria-t-il. Alors trouvez-le-moi.
Pas de réponse.
Grace, de nouveau, frappa à la porte et appela, au risque de réveiller tout l'hôtel. Sam ne pouvait pas être si profondément endormi qu'il n'entendait pas un tel vacarme !
Elle cherchait des yeux le téléphone de service pour demander à la réception d'envoyer quelqu'un avec un passe, quand le chariot d'une femme de chambre apparut au bout du couloir. Et ce chariot était poussé par Izzie O'Malley.
— Izzie... Bonjour. Vous me reconnaissez, n'est-ce pas ? Chambre 201...
Sans attendre la réaction d'Izzie, elle enchaîna :

— J'ai un problème urgent. Il faut absolument que je sache si l'un de mes collègues est dans sa chambre. Il doit rejoindre le plateau dans quelques minutes. C'est pour un direct. Vous ne voudriez pas m'ouvrir ?

La femme de chambre marqua une hésitation, puis elle tira de sa blouse un passe-partout magnétique. C'était interdit mais Grace lui avait rendu service ; c'était son tour de lui donner un coup de main. Izzie inséra la carte dans la serrure. Le voyant vert s'alluma. Les deux femmes pénétrèrent dans la chambre silencieuse.

Le lit n'était pas défait.

56

Aux Breakers, quelqu'un aperçut la voiture de Sam garée en face, sur le parking réservé aux touristes. On se perdit en conjectures. Sam n'avait peut-être rien à dire, en définitive. Si ça se trouve, il n'avait rien vu du tout. Il avait juste voulu faire le malin. Et maintenant il se planquait, sachant qu'il avait toutes les chances de se faire incendier.

Quand Grace arriva, Linus était hors de lui.

— Je me fous de savoir quel est son problème, à ce petit merdeux ! On laisse tomber l'interview. Tant pis pour lui.

Il se donna un coup de poing dans la paume et mugit :

— Il a voulu me faire passer pour un con ! Il va s'en souvenir !

Il conclut en s'adressant à tous :

— En attendant, on a promis une exclusivité, et, croyez-moi, on a intérêt à tenir parole. Alors remuez-vous les méninges. Tous. Trouvez-moi quelque chose. Et vite.

*

Grace se serrait dans ses propres bras. Au bout d'un moment, elle osa :

— Excusez-moi, monsieur Nazareth.

Le producteur exécutif tourna brusquement vers elle une figure gonflée de rage. Une veine tremblant sur son front, il beugla :

— Quoi ?

Elle respira profondément, puis lâcha ce qu'elle avait à dire d'une seule traite, en priant pour que Linus ne se mette pas à hurler qu'il n'avait jamais rien entendu d'aussi ridicule.

— Le professeur Cox. Notre consultant. Il connaissait Maud Sloane. Ainsi que sa mère. En fait, il était à la table de Maud lors du *clambake*. D'accord, il n'a pas été témoin de sa mort, mais il était avec elle ce soir-là.

Grace put presque voir les rouages se mettre en branle dans le cerveau du producteur exécutif.

— Un témoin visuel, finit-il par marmonner. C'est ce qu'on a annoncé. Vous trouvez que ça correspond ?

Grace se mordit les lèvres.

— D'un autre côté, poursuivait Linus, c'est tout ce qu'on a. Personne ne sera foutu de rien trouver de mieux. C'est bon. On le fait.

Encouragée par la réaction du producteur, Grace osa demander :

— Vous ne voulez pas attendre la réponse du professeur Cox ?

Un ricanement sournois se dessina sur le visage de Linus.

— Il sera d'accord, dit-il. Il émarge sur notre liste de vacataires salariés de la semaine.

57

Le générique s'ouvrit sur des vues prises depuis l'hélicoptère : les superbes maisons alignées le long de la falaise.

Constance Young salua le public d'un ton résolu.

— Bonjour ! Nous sommes le lundi 19 juillet, et voici votre émission « Key to America » en direct de Newport.

L'indicatif était lancé. Le réalisateur pressa le bouton de la caméra principale. Constance et Harry apparurent à l'écran. Ils étaient sur la pelouse des Breakers, avec au second plan l'océan somptueux, scintillant de lumières matinales.

— Nos émissions seront diffusées toute la semaine depuis cette splendide cité du bord de mer, une ville remarquable et célèbre dont nous allons vous faire partager la beauté et l'histoire...

Constance semblait ne pas se soucier de la brise marine qui malmenait sa coiffure au point de lui ramener des mèches sur le visage.

— Nous commençons par les Breakers, un cottage, comme on dit ici, mais un cottage de soixante-dix pièces !

La maison fut construite par Cornelius Vanderbilt. C'était une résidence d'été pour sa famille...

Des vues montrèrent la demeure néo-Renaissance dont la façade regardait l'océan : les quatre étages, les murs de pierre, les colonnes sculptées, les balcons, les multiples cheminées jaillissant du toit. Constance poursuivit :

— Mais d'abord, un point sur l'actualité. Harry, c'est à vous.

58

À cette heure matinale, la plupart des résidents de l'hôtel n'avaient pas encore quitté leur chambre. Izzie jugea qu'elle pouvait prendre son temps.

Elle alluma le téléviseur et régla le son au minimum. Elle commença à défaire la couverture du lit double. Elle y jeta un drap propre. Elle laissa échapper un gémissement quand elle se baissa pour l'ajuster sous le matelas. Son bras lui faisait vraiment mal, aujourd'hui. Elle avait besoin de souffler deux minutes.

Combien de temps allait-elle pouvoir tenir ? Hier, c'est à peine si elle avait réussi à se traîner jusqu'à la messe. Et le reste de la journée, elle l'avait passé à dormir. Elle n'avait même pas trouvé le courage d'allumer la télé ou de feuilleter un journal.

Elle alla s'asseoir et regarda à la télévision les vues de la falaise tournées depuis l'hélicoptère. Combien de fois avait-elle fait cette promenade avec Paddy ? Ils marchaient main dans la main. C'était un de leurs plaisirs favoris. Surtout les derniers mois, à la fin de la maladie de Paddy.

Ils vivaient leur balade comme un passe-temps apaisant, purifiant et gratuit – détail d'importance pour un budget sempiternellement serré.

Changeant de place, elle s'assit au bord du lit. Ainsi elle verrait mieux. Mais quand les vues aériennes cessèrent pour laisser place aux nouvelles, elle fit l'effort de se relever. Elle n'avait pas envie d'entendre parler des combats en Irak ou des attentats suicides en Israël. Elle était désolée pour tous ces malheureux, mais elle avait son propre fardeau de problèmes. Elle ne tenait pas à se laisser déprimer. Son médecin ne cessait de lui répéter qu'elle devait avoir des pensées positives. D'après lui, les pensées positives aidaient le système immunitaire à tenir le coup.

Alors qu'elle ouvrait le rideau de la baignoire, elle capta un bout de discussion venue du téléviseur.

— Voici l'escalier appelé les Quarante Marches. Et l'endroit où l'on a découvert le corps de Maud Sloane dimanche matin...

Izzie se tourna de nouveau vers l'écran. Elle mit la main sur sa poitrine. Là où elle avait perdu un sein. Où les battements de son cœur venaient de s'accélérer. Les marches de pierre, les vagues explosant en bas sur les rochers : les images tournées depuis la falaise tremblaient un peu. Izzie regardait avec attention. Et c'est la charmante Constance Young qui soudain apparut à l'écran.

— Le professeur Gordon Cox, disait-elle, notre consultant local pour cette semaine, fait partie des dernières personnes à avoir vu Maud Sloane vivante samedi soir. Merci d'être avec nous, professeur...

L'enseignant hocha la tête. Une expression solennelle s'affichait sur ses traits. Solennelle ou mécontente ? Izzie n'aurait su le dire.

59

Le professeur était mal à l'aise. Il n'aimait pas les questions qui lui étaient posées. Il n'avait pas apprécié d'être ainsi convoqué à la dernière minute parce qu'un Linus Nazareth avait promis aux téléspectateurs des révélations sensationnelles.

Ce n'était pas pour ce genre de prestations qu'il avait signé ! Telles étaient ses pensées alors qu'il s'entretenait devant la caméra avec Constance Young au sommet des Quarante Marches. Son domaine de compétence couvrait l'histoire de Newport. Telle était sa spécialité. Tel était son métier ! Et voilà qu'on lui demandait de revenir sur la disparition de Charlotte Sloane, de décrire les quelques minutes passées samedi en compagnie de Maud !

Il s'éclaircit la gorge.

— Écoutez, Maud m'a paru aller fort bien, si l'on considère ce qu'elle venait d'apprendre. À savoir que les restes découverts dans le tunnel avaient été identifiés comme étant ceux de sa mère. Le vieux souterrain aux esclaves de Shepherd's Point...

Mais Constance poursuivait son idée :

— D'après certains témoignages, Maud avait pas mal bu, samedi soir.

— Comme tout le monde. C'était un *clambake*. Je n'ai rien remarqué d'anormal chez elle.

— Si vous deviez vous prononcer sur cet événement, professeur, diriez-vous que Maud est tombée ou qu'elle a été poussée ?

— Je me garderais bien de spéculer sur l'une ou l'autre de ces hypothèses ! Tout ce que je puis vous dire, c'est que

Maud Sloane était une jeune femme très bien. Et que sa mort est une grande tragédie.

À la fin de la séquence, quand il décrocha son micro du revers de sa veste, Gordon fulminait intérieurement. Mais une idée lui frappa opportunément l'esprit et apaisa sa fureur. Il se pouvait que Shepherd's Point devienne plus vite que prévu la propriété de l'Association pour la sauvegarde des lieux de mémoire.

En effet, Agatha Wagstaff n'avait plus d'héritier désormais.

60

Mickey avait l'habitude de prendre son jour de congé le lundi, et ce répit était particulièrement le bienvenu au terme d'un week-end chargé. Après la soirée chez les Vickers et le mariage des Eisenhower, il aurait aimé dormir jusqu'à midi. Mais il avait mis son réveil à 7 heures. Il avait sa comptabilité à tenir.

Certes, son entreprise tournait à merveille, et il aurait eu les moyens de s'offrir les services d'un comptable, mais il n'avait confiance en personne dès lors qu'il était question de finances. Il savait trop combien il est facile d'entourlouper quelqu'un.

Il se tourna dans son lit. Il n'était pas peu fier d'en être arrivé là. Le gamin issu des classes moyennes de Newport avait su grimper les barreaux de l'échelle sociale et faire mieux que ses parents. Il revoyait sa mère se tordre les mains de désespoir en découvrant les mauvaises notes ramenées par son fils. Mickey se souvenait d'avoir ignoré ces plaintes et ces gémissements. De toute façon, il n'avait pas envie d'entrer à l'université. Pour lui, c'étaient quatre années de perdues. Ce qu'il voulait, c'était se tailler une place dans le monde et faire de l'argent.

Mais ce vœu s'était révélé plus difficile à accomplir que prévu. Disons que le monde ne l'avait pas accueilli à bras ouverts. Gagner un dollar après l'autre n'était pas une partie de plaisir, et Dieu sait qu'il s'en était aperçu. Mais Mickey était doté d'un tempérament têtu. Et il avait sa fierté. Il n'aurait jamais admis de devoir donner raison à ses parents. Au contraire, il avait tenu à leur montrer, et aux autres aussi, que Mickey Hager était quelqu'un avec qui l'on devait compter.

Il y était parvenu. Sa maison était plus grande que celle de ses parents. Ses voitures étaient plus récentes. Mieux garnis, ses comptes en banque. En saison, les *clambakes* rapportaient de l'argent à pleines poignées. Et son activité de traiteur marchait du tonnerre. Cette commande qu'il avait reçue pour vendredi, par exemple, l'emplissait de satisfaction. Le fameux Bal bleu. La traditionnelle soirée de bienfaisance aux Ormes. Tout Newport serait présent. Et chacun verrait ce qu'il savait faire. Dès samedi, il en était sûr, son activité de traiteur serait promise a un avenir infini.

Il tendit la main pour attraper la télécommande sur la table de nuit. Il la pointa vers l'écran plasma du téléviseur incrusté dans le mur de sa chambre. Maud Sloane apparut à l'image.

— ... Si la police avait retrouvé son corps plus tôt, il y aurait eu des indices. Ces indices les auraient mis sur la piste du véritable assassin. Laissez-moi vous dire une chose. Ce n'est pas mon père qui l'a assassinée. J'en suis absolument certaine.

Mickey écouta les journalistes spéculer à l'antenne sur les liens éventuels entre la mort de la mère et celle de la fille. Après toutes ces années, on se souciait encore de savoir qui avait tué Charlotte Sloane. Mais quelle importance, en définitive ? Pour Mickey, la disparition de Charlotte avait été pain bénit. En effet, Charlotte venait de le surprendre la main dans la caisse du Country Club. Elle n'avait même pas eu le temps de donner l'alerte. Mickey avait pu garder la somme piquée à cette bande de snobs. C'est cet argent qu'il avait investi dans sa propre entreprise. Cet argent qui avait fait des petits...

61

Grace regardait sur un moniteur Caridad Vega présenter la météo depuis les studios de Key News à New York. Pendant ce temps, on s'occupait de retoucher le maquillage et la coiffure de Constance, tandis que Harry s'offrait le luxe d'une petite partie de croquet avec les techniciens — une balle en mousse, et des pieds de micro en guise de mailles. La première heure venait de se dérouler sans l'ombre d'un problème. Linus lança depuis la régie :

— On a eu assez de sang dans la première partie ! Ça suffit. Maintenant, un peu de bonheur.

Les participants ôtèrent leurs lunettes de soleil et allèrent se mettre en place. L'assistant réalisateur donna le top départ. Harry ouvrit la deuxième partie en annonçant le sujet proposé après les pages de pub :

— Une visite des Breakers. Vous allez découvrir ce qu'étaient la richesse et la gloire de ces grandes familles de Newport au temps de l'Âge d'or.

*

Suivis de la caméra, Constance et le professeur Cox progressaient d'un pas de promenade sous les hautes arcades et les plafonds peints. On voyait apparaître sans cesse, gravé dans le sol de marbre italien, le blason des Vanderbilt – glands et feuilles de chêne. L'émission s'était transportée dans la grande salle de la demeure, baptisée Great Hall, et que dominait un imposant lustre de bronze. Au fond, la pièce était fermée par une baie vitrée donnant sur une loggia au toit de mosaïque, qui elle-même s'ouvrait sur l'océan.

Le reportage en direct offrit ensuite au public des vues du salon de musique, du petit séjour, du billard, de la salle à manger et enfin de la salle de banquet, la pièce la plus considérable et la plus richement ornée, décorée de douze colonnes d'albâtre rouge et rose. Les plafonds voûtés de cette salle s'ornaient de motifs peints et sculptés figurant une représentation d'Aurore, déesse de l'Aube. Les lustres en baccarat, composés de milliers de perles de cristal, éclairaient une table en bois exotique de style XVIe siècle.

— Un système de rallonges permet d'accueillir jusqu'à trente-quatre convives, expliqua le professeur.

— Seigneur ! s'exclama Constance qui regardait partout comme si elle n'en croyait pas ses yeux. Il devait falloir beaucoup de personnel !

— Montons voir les chambres, dit Gordon Cox.

— Volontiers.

On gagnait le second étage grâce à un escalier monumental surveillé par des statues de bronze, et que protégeaient des balustrades en fer forgé. Les degrés de marbre se couvraient d'un tapis rouge que foulèrent Constance, le professeur et l'équipe de tournage.

— Comment faisaient-ils pour chauffer des pièces aussi grandes ? demanda Constance. Ça devait leur coûter une fortune.

Le professeur souriait. Il semblait tout disposé à faire étalage de ses connaissances en la matière.

— Eh bien, dit-il, les Vanderbilt séjournaient à Newport durant la belle saison. C'est un premier élément de réponse. Mais il y avait aussi une énorme chaudière. Et le sous-sol de la maison du gardien pouvait accueillir un stock de plusieurs tonnes de charbon. Cave et chaudière étaient reliées par un tunnel.

62

Jamais le crâne de Sam n'avait enduré une pareille douleur. C'est au prix d'un effort épuisant que le jeune homme réussit à ouvrir les yeux. Mais il n'en demeurait pas moins dans le noir. Était-il devenu aveugle ?

Son corps reposait sur un sol froid et humide. Il régnait autour de lui une odeur de moisi. Sam était la proie de sensations chaotiques auxquelles son cerveau essayait de mettre un semblant d'ordre – en vain. Où était-il ? Que lui était-il arrivé ?

Aucune réponse ne se présenta à ses pensées.

Il perdit de nouveau connaissance.

63

Elsa éteignit la télévision. Elle serra son peignoir de soie contre son corps. Elle n'aurait pas dû regarder ce magazine. Maintenant, elle se sentait encore plus mal.

Elle n'aurait pas dû non plus se dispenser de sa sortie matinale. Cela lui aurait fait du bien de marcher le long de la mer, d'observer ses oiseaux merveilleux. L'air océanique, l'exercice et l'admiration pour la gent ailée avaient toujours eu sur elle un effet bénéfique.

Mais il ne pouvait être question de sortir, alors qu'Oliver s'était enfin décidé à la rejoindre dans son lit.

Il était toujours là. En haut. Il dormait. Après avoir passé la nuit à gémir, à répéter des tas de bêtises, à soupirer après la mort de sa fille. Ce n'est pas ainsi qu'Elsa s'était imaginé la vie avec lui. Mais elle était résolue à prendre Oliver tel qu'il était. Il attendait d'elle du réconfort ? Elle le lui donnerait. Elle voulait bien apaiser ses angoisses. C'était toujours mieux que de ne pas l'avoir auprès d'elle.

Dans la cuisine, elle coupa en deux une orange qu'elle pressa. Elle versa le nectar dans un verre. Pendant que les flocons d'avoine réchauffaient sur le feu, elle lava les fruits rouges et cassa des noix. Un solide petit-déjeuner bien nutritif : voilà qui remettrait d'aplomb son pauvre amant blessé.

Car telle était sa mission, désormais. Aider Oliver à surmonter cet affreux chagrin. Le convaincre que la vie valait toujours d'être vécue.

Avec elle.

*

Le plateau du petit-déjeuner en appui contre la hanche, Elsa poussa la porte de la chambre en s'efforçant de ne pas faire de bruit. Mais, à sa grande surprise, il n'y avait à l'intérieur personne à réveiller. Le lit était vide. Elle considéra les draps chiffonnés.

De l'eau coulait dans la salle de bains. Elsa frappa doucement.

— Oliver chéri... Je t'ai préparé un petit-déjeuner.

Il apparut. Ses yeux étaient injectés de sang. Il avait la chevelure en broussaille. Prince malheureux, torturé, persécuté par ses démons furieux.

— Je ne pourrai rien avaler.

— Il le faut, chéri. Tu as de rudes journées qui t'attendent. Tu dois garder des forces.

— Des forces ? Je n'en ai plus. Pas plus que je n'ai de raison de continuer.

Elsa frissonna intérieurement. Comme c'était blessant de l'entendre prononcer de tels mots ! Mais le temps guérirait cette blessure. C'était une question de patience. Elle reprit doucement :

— Il y a des parents qui ont perdu un enfant, Oliver, et qui ont surmonté l'épreuve.

Oliver répliqua avec mépris :

— C'est d'autant plus facile à dire qu'on n'a pas d'enfant.

64

Tout bien considéré, Linus n'était pas déçu par cette première émission. Sam leur avait fait faux bond, mais ils s'en étaient sortis honorablement. Les autres stagiaires avaient assuré. L'une avait même su réagir rapidement. Et convaincre le professeur Cox de bien vouloir dire un mot au sujet de Maud. Tout ce que demandait Linus, c'était que l'audience continue de grimper.

Cela dit, il fulminait quand il pensait à Sam. Ce petit con. Il pouvait faire une croix sur sa carrière à Key News, celui-là. Dire que, la veille encore, Linus était prêt à lui offrir le poste d'assistant à la production !

Les rayons du soleil se faisaient plus ardents. Il dévissa le bouchon de sa bouteille, et but une grande lampée d'eau minérale. D'un revers de manche, il essuya la sueur qui perlait sur son front. Il promena un regard sur la pelouse.

Elle était là. En train de rassembler des notes. Grace Callahan.

Elle était plus âgée que les autres stagiaires. Plus mature. Et c'était une bonne chose. Cette fille avait les pieds sur terre. Du sang-froid, aussi. Il décida de lui donner plus de travail, et de voir si elle faisait l'affaire pour ce poste tant convoité.

65

Si c'était ça, leur témoin oculaire ! Ils n'ont que dalle, songea Tommy. *Ils nous ont promis un témoin oculaire, et on ne l'a jamais vu.*

L'agent James et l'inspecteur Manzorella étaient demeurés sur le plateau, hors caméra, pendant toute l'émission. Et le seul invité à avoir été interrogé sur la mort de Maud Sloane était le professeur Cox ! Ils venaient de passer deux heures aux Breakers pour rien. À part que Tommy avait pu entrapercevoir Joss de temps en temps.

Les deux policiers quittèrent la propriété.

— Ils ne vont pas en rester là, dit Tommy. Pas après le tapage qu'ils ont fait autour de leur vrai témoin !

— C'est comme ça qu'ils travaillent, Tommy. Ils font croire aux gens qu'ils ont du sensationnel. Ils font de l'audience avec ce genre d'annonces.

L'inspecteur se tourna vers Tommy et lui donna une tape à l'épaule.

— Ne t'en fais pas, fils. Notre bonhomme, on le chopera. D'une façon ou d'une autre.

66

Rusty dormit jusqu'à midi d'un sommeil profond, répa-rateur. Rien ne l'obligeait à se lever tôt. Personne n'avait rendez-vous ce matin pour un tatouage. Il avait résolu de ne descendre au rez-de-chaussée ouvrir sa boutique qu'en fin d'après-midi. Il travaillerait jusqu'à minuit. Ainsi il récupérerait les clients tardifs : ils se décidaient plus faci-lement après quelques verres.

Il ouvrit le rideau et cligna des yeux quand la lumière se répandit dans son petit séjour. La journée promettait d'être chaude.

Son estomac grognait. Rusty s'était couché sans rien manger. Il enfila un short et se glissa dans ses mocas-sins. Il ne se donna même pas la peine de chercher une chemise propre. Il n'avait d'autre projet que de sortir le temps d'acheter un journal et un café. La douche et les vêtements propres, ce serait pour après.

Rusty entra dans le *delicatessen*, attrapant au passage le *Newport Daily* dans son présentoir. Et il prit la file d'attente. Le journal titrait sur la mort de Maud Sloane. Meurtre, suicide, accident ? La police hésitait. Rusty retint son souffle en découvrant dans les pages intérieures une photo de Charlotte datant de la soirée où elle avait été vue vivante pour la dernière fois.

Oui, elle était magnifique, ce soir-là. Même si elle n'al-lait pas bien. Pauvre jeune femme désespérée. Victime d'un mariage malheureux. En quête d'un chevalier ser-vant capable de la sauver. La voiture de l'amiral était sou-dainement devenue carrosse...

— Qu'est-ce que je te sers, Rusty ?

— Un café, Joey. Avec deux sucres. Et une part de gâteau. Il t'en reste aux graines de pavot ?

Rusty, par-dessus son journal, sourit au visage familier de Joey derrière son comptoir. Mais Joey ne lui renvoya pas son sourire. Il fixait des yeux la chemise de Rusty.

Rusty baissa les yeux. Sa chemise de coton blanc était maculée de sang séché. Il haussa les épaules.

— Les risques du métier, dit-il.

67

Grace et B.J. déjeunèrent d'un cheeseburger. Puis ils traversèrent Thames Street pour gagner le quai Bowen et la boutique de Kyle Seaton. La visite figurait dans l'agenda de la chaîne. À l'entrée de la boutique, une enseigne indiquait que le sculpteur sur ivoire exerçait son métier en ce même lieu depuis vingt-cinq ans.

À l'intérieur, des armoires de verre exposaient un grand assortiment de pièces sculptées et gravées. Il y en avait de toutes les formes et pour toutes sortes d'activités, du pommeau de canne ou de parapluie, en passant par le coupe-papier, les manches de couvert, les boutons de manchette, les bracelets et les boucles d'oreilles. La plupart des objets reposaient sur des coussins de velours. Grace prit sur le comptoir un lourd presse-papier, songeant qu'il ferait un joli cadeau pour son père. Elle le retourna pour regarder le prix. Et elle le reposa en émettant un sifflement.

— Il est en dent de baleine, dit le sculpteur qui s'approchait. Et, comme vous ne l'ignorez pas, les baleines sont protégées depuis le décret de 1975. De sorte qu'il est impossible, désormais, de trouver la matière première nécessaire pour fabriquer ce genre de choses. D'où sa valeur.

— C'est beau, reconnut Grace... Toutes ces pièces sont fabriquées avec des dents de baleine ?

— Dents de baleine et défenses d'éléphant, pour la plupart. J'ai aussi des objets en défense de morse. Fabriqués par des Esquimaux. Au XIXe siècle, les chasseurs de baleine américains rapportaient de l'Arctique des tonnes d'ivoire de morse. C'est ce que vous pouvez voir dans ces vitrines.

Il indiquait un meuble en particulier.

— Je peux filmer ça ? demanda B.J. Ça ne pose pas de problème ?

— Filmez. Là, vous avez aussi des objets en défense de sanglier...

Kyle montrait une vitrine au fond de la boutique.

— J'ai même deux ou trois pièces en défense d'hippopotame. Des pièces gravées. L'ivoire d'hippopotame est le plus dur. Et le plus rare. Les sculpteurs ne l'employaient pas souvent, à cause de sa résistance au burin, justement. Seuls les artisans les plus résolus osaient s'y attaquer.

— C'est génial, dit B.J.

Il avait l'œil collé au viseur de sa caméra.

— Ça nous fait pas mal de matière pour l'émission de demain. Mais vous aurez aussi un passage en direct avec Constance et Harry.

— Combien de temps m'accordez-vous pour cette prestation ? s'enquit l'artisan en regardant B.J. par-dessus ses lunettes. J'ai oublié de vous poser la question quand nous nous sommes parlé au téléphone.

— Deux minutes, répondit B.J.

Kyle eut une expression de mépris.

— Alors c'est hors de question, dit-il. Vous comprendrez que l'on ne peut pratiquement rien faire dans un laps de temps aussi ridicule. La gravure sur ivoire est un art qui exige un savoir considérable. Il faudrait des heures pour en parler...

— Je pourrais essayer de tirer jusqu'à trois minutes, proposa B.J. Ça irait, trois minutes ?

— Sûrement pas...

— J'ai une idée, intervint Grace.

Les deux hommes tournèrent vers elle des mines interrogatives.

— J'ai lu, enchaîna-t-elle, qu'il existait un important marché de faux ivoires.

Elle ajouta après une courte pause :

— Des objets en plastique qui imitent l'ivoire.

Kyle se renfrogna.

— Je connais très bien ces produits, dit-il. C'est de la pure camelote. Ça n'a aucune valeur.

— Que l'on aime ou pas, il faut reconnaître que c'est ce que les gens achètent le plus. Ils les trouvent pour dix ou vingt dollars dans les boutiques de souvenirs.

— Où voulez-vous en venir ? s'impatienta Kyle en regardant Grace avec dédain.

— Vous pourriez expliquer aux gens comment distinguer l'ivoire authentique du faux ivoire. Ce serait très intéressant pour les téléspectateurs. Chacun rêve de tomber un jour sur un objet de valeur dans une brocante, ou en vidant un grenier. Montrez-leur comment s'y prendre pour savoir s'ils ont affaire à du vrai ou à du plastique bien imité.

B.J. hochait la tête avec enthousiasme.

— J'adore, dit-il. On fait ça.

Kyle Seaton avait pâli sous son hâle.

B.J. ne voulait pas partir sans avoir soulevé la question.

— Vous avez confié à Grace, je crois, que vous étiez présent lors de cette fameuse réception, le soir où Charlotte Sloane a disparu.

— C'est vrai, répondit Kyle presque sur le ton du défi. J'y étais.

— Vous étiez aussi au *clambake*, l'autre soir, enchaîna B.J. Quand Maud Sloane a été tuée.

— Et alors ? répliqua sèchement le sculpteur d'ivoire.

— Alors rien, reprit B.J. Juste une remarque comme ça. Vous avez une idée de ce qui est arrivé à ces femmes ? Ou à l'une d'elles...

— Non. Je n'en ai pas la moindre. Je me demande seulement ce que je dois faire de la sculpture que Maud avait commandée pour l'anniversaire de son père.

68

L'inspecteur Manzorella jeta sur son bureau la chemise contenant les résultats du labo.

Charlotte Sloane était probablement morte d'un violent coup à la tête, porté par un objet contondant, comme en témoignait la fracture de sa boîte crânienne. Le tisonnier retrouvé enterré non loin de son corps présentait des taches de sang microscopiques. Il s'agissait bien du sien mais on déplorait l'absence d'empreintes.

Rien d'étonnant, d'ailleurs. Sur une surface non poreuse telle que le fer, les empreintes ne tiennent pas plus de quatre jours. Alors quatorze ans ! Sur une surface absorbante, comme le papier par exemple, c'était tout autre chose : elles pouvaient encore être identifiées plusieurs dizaines d'années après les faits.

69

Grace et B.J. trouvèrent au Viking une salle de rédaction quasi déserte.

— Je parie qu'ils sont tous à la plage, grommela B.J. En train de se dorer la pilule ! Et moi qui dois encore écrire le texte de l'émission, trouver Constance ou Harry pour le leur faire lire, monter mon sujet...

— Il faut vivre dangereusement, plaisanta Grace.

Le producteur sourit.

— Vous aussi, vous devriez sortir vous détendre, Grace. Après tout, vous n'êtes pas payée.

Elle haussa les épaules.

— Il y a longtemps que les parties de bronzette n'ont plus d'attrait pour moi, dit-elle. Et les autres stagiaires ne recherchent pas franchement ma compagnie, au cas où vous ne l'auriez pas remarqué.

— À propos des stagiaires... Je me demande si Sam a eu le cran de sortir de son trou.

Il parcourut la salle des yeux.

Pas de signe de Sam. Ni de Joss. Zoé n'était pas là non plus.

B.J. ouvrit son ordinateur portable et entreprit d'écrire son papier sur les sculptures en ivoire. Grace s'éloigna vers le bureau des reportages. C'était encore et toujours Beth Terry qui était à la barre — elle s'occupait en picorant des chocolats dans une boîte.

— Alors, Beth, des nouvelles de Sam ?

— Aucune.

— Vous ne pensez pas qu'il faudrait prévenir la police ?

— Si. Je le crois. Mais Linus estime qu'il vaut mieux attendre. Et c'est lui le patron.

70

Joss Vickers n'était pas à la plage. C'est avec un sentiment de fierté qu'elle quitta le quartier général de la police de Newport. Pénétrant de nouveau dans l'épaisse chaleur de cette fin d'après-midi, elle estima avoir eu raison de renoncer à la baignade pour se concentrer sur son objectif prioritaire.

Elle savait maintenant quels étaient les indices en possession de la police — des éléments dont les enquêteurs ne souhaitaient pas divulguer l'existence au public. Un mouchoir en soie et une boucle d'oreille. Deux objets en bon état retrouvés avec les ossements de Charlotte Sloane. À l'abri depuis quatorze ans dans la robe de la victime. Tommy venait de les lui montrer. Elle en avait fait des croquis sur une feuille. Du coup, elle avait été obligée de promettre à Tommy de le voir ce soir. C'était un sacrifice, mais le jeu en valait la chandelle.

Tommy avait bien voulu aller chercher les indices dans le local des pièces à conviction. Il les avait montrés à Joss dans la salle de repos des agents. Pendant qu'elle les examinait et les dessinait, il avait monté la garde à la porte, sans trop s'inquiéter toutefois, car il y avait peu de risque qu'un policier ait envie d'un café un jour de si grande chaleur.

Joss remonta dans la Mercedes verte. Elle mit le contact. Elle alluma la climatisation. Elle fouilla son sac à la recherche d'une barrette qu'elle clipa dans ses longs cheveux après les avoir roulés sur sa nuque. L'air frais commença à circuler dans l'habitacle. Elle contempla son dessin. Un disque doré de la taille d'un quart de dollar, serti de diamants, et figurant un cadran solaire. Un proverbe était gravé en caractères minuscules sur le flanc du disque : « Le Temps s'enfuit, l'Amour demeure. » Le mouchoir en soie était couleur citron — une nuance que Joss était certaine de ne pas oublier.

Oui, elle en savait désormais aussi long que la police. Elle avait lu le journal intime de Charlotte. Elle avait vu le mouchoir et le bijou. Elle n'avait pas encore pris de décision sur l'usage qu'elle ferait de ces informations, mais elle se sentait d'ores et déjà plus forte. Dans le pire des cas, elle pourrait toujours balancer ces éléments à Linus — ils ne manqueraient pas de l'impressionner. Mais ce serait pour plus tard. Et seulement si elle n'était pas parvenue à résoudre l'affaire elle-même.

Car Joss caressait l'espoir d'identifier le ou les assassins de Charlotte et Maud Sloane. Alors elle pourrait écrire elle-même un sujet, et le négocier avec la chaîne de son choix. En donnant la priorité à Key News.

Sur le point de démarrer en direction de Broadway, Joss avait le sourire. Journaliste d'investigation ! Elle se voyait déjà dans ce rôle... Mais son sourire s'effaça bien vite. Elle venait d'apercevoir Grace Callahan sur le trottoir. Elle n'appuya pas sur l'avertisseur. Elle ne fit pas un signe à sa condisciple. Grace se dirigeait vers l'entrée du quartier général de la police. Joss se contenta d'appeler Tommy sur son portable.

Pour qu'il ait Grace à l'œil.

Et qu'il promette à Joss de tout lui raconter après.

71

L'inspecteur Al Manzorella ajusta sa cravate à rayures, et s'effaça pour laisser Grace pénétrer dans une pièce étroite où tenaient à peine une table et quatre chaises. L'un des murs était entièrement couvert par un miroir.

— Je vous en prie, asseyez-vous, dit-il en indiquant une chaise de l'autre côté de la table. Que puis-je faire pour vous ?

— C'est au sujet de Charlotte et Maud Sloane. Il y a une chose dont le pense qu'elle peut avoir son importance dans votre enquête.

Elle croisa les mains sur la table.

— De quoi s'agit-il ? reprit l'inspecteur en s'asseyant à son tour.

— J'ai eu une conversation, avec Maud Sloane le soir de sa mort.

— Vous étiez amies ?

Ses yeux scrutaient le visage de Grace qui répondit :

— Non... Enfin, si. J'imagine que nous le serions devenues...

Cherchant ses mots, elle se dit que l'inspecteur allait finir par la prendre pour une cinglée.

— Permettez-moi de commencer par le début.

Elle prit une profonde inspiration.

— J'ai rencontré Maud pour la première fois samedi, le jour où les ossements du tunnel ont été identifiés comme appartenant à sa mère. Je suis à Newport avec la chaîne Key News. En tant que stagiaire dans l'émission « Key to America ». Nous sommes allés à Shepherd's Point pour essayer de tourner un sujet sur Charlotte Sloane. C'est là que j'ai rencontré Maud.

— Qui ça, *nous* ?

Il griffonnait dans son calepin.

— J'étais avec un producteur de Key News. B.J. d'Elia...

Pourvu qu'ils ne décident pas à aller interroger B.J. ! Elle ne l'avait même pas prévenu de sa décision de venir voir la police. Pas plus qu'elle ne lui avait raconté en détail sa discussion avec Maud. Il est vrai que cet entretien avait été placé sous le sceau du secret. Sauf que tout avait changé, maintenant. À présent, ce que Grace avait appris la poussait à venir parler aux autorités. C'était un devoir civique. Et puis sa promesse était tombée avec la mort de Maud... En agissant ainsi, Grace pouvait peut-être aider à la recherche de la vérité.

— Continuez, s'impatienta l'inspecteur.

— Bref, on a discuté... Le courant est passé. On avait un point commun : on avait toutes les deux perdu notre mère.

— Je suis désolé.

— Merci.

Maman m'approuverait d'être ici. De parler à la police. Je fais ce qu'il faut...

— Maud nous avait accordé une brève interview. Elle croyait dur comme fer à l'innocence de son père.

L'inspecteur gardait un visage impavide. Depuis des années, Oliver Sloane faisait figure de suspect numéro un dans cette affaire, même si la police n'était jamais parvenue à réunir des preuves contre lui. Le soir des faits, Charlotte était allée à Shepherd's Point au lieu de rentrer au domicile conjugal. Aux yeux des enquêteurs, si elle avait agi ainsi, c'était pour fuir son mari.

Mais, depuis la mort de Maud, beaucoup étaient revenus sur cette hypothèse. La culpabilité d'Oliver semblait moins évidente. En effet, on pouvait supposer l'existence d'un lien entre la mort de Charlotte et celle de Maud ; et dans ce cas, il était difficile d'imaginer un homme assassinant sa propre fille.

Cela dit, Oliver ne pouvait pas non plus être innocenté aussi facilement. En tout cas, Al tenait à ce que l'on continue de garder un œil sur lui. Certes, Oliver n'était pas présent à la soirée, mais il aurait très facilement pu approcher Maud aux Quarante Marches.

— En fait, reprit Grace, si je suis venue vous voir, c'est pour vous parler de cette conversation que j'ai eue avec Maud...

Elle se tut. Ses mains se mêlaient nerveusement l'une l'autre.

— Elle avait pas mal bu, reprit-elle. Elle s'est ouverte à moi.

— Qu'est-ce qu'elle vous a dit ?

— Elle a dit qu'au fond d'elle-même elle savait qui était l'assassin de sa mère.

L'inspecteur observa Grace avec attention.

— Comment ça, « au fond d'elle-même » ?

— Elle m'a dit qu'elle faisait des rêves dans lesquels elle se revoyait petite fille, le soir où sa mère a disparu.

— Et puis ?

— Les rêves devenaient de plus en plus nets.

Grace dit au policier tout ce qu'elle avait retenu de cette conversation avec Maud. La fillette qui s'éveillait et voyait sa mère penchée sur son journal intime. La boucle d'oreille glissée dans la poche de la robe. Charlotte remettant sa petite fille au lit. Maud qui se relevait aussitôt et surprenait un entretien téléphonique. La fillette qui suivait sa mère jusqu'à la porte du jardin. La rencontre avec une certaine personne invisible, au début, à cause des phares...

— Maud avait l'impression que la mémoire était en train de lui revenir, conclut Grace. Elle pensait être sur le point de pouvoir mettre un nom sur la personne qui conduisait la voiture. Si ça se trouve, Maud avait découvert ce nom. Et c'est peut-être pour ça qu'on l'a tuée. Vous ne pensez pas ?

Elle s'appuya contre le dossier de sa chaise. Elle était vidée.

De l'autre côté du miroir, l'agent Tommy James les surveillait. Il avait entendu toute l'histoire.

72

Kyle décida de fermer plus tôt. Il pouvait se le permettre, en tant que propriétaire. Il appréciait, du reste, cette liberté d'agir comme bon lui semblait. Et depuis que Claris l'avait quitté, il était plus libre que jamais.

Être à nouveau célibataire ! Il ne regrettait pas sa femme. Au temps de leur vie commune, elle ne cessait de lui mettre la pression. Elle exigeait des choses qu'il ne pouvait ni ne voulait lui donner. Elle se plaignait du manque de répondant de son époux, au lit comme dans la conversation – dans tous les domaines, en fait. Elle lui demandait sempiternellement ce qu'il avait en tête. Façon d'insinuer qu'il lui faisait des cachotteries. Bref, elle l'importunait jour et nuit.

Ayant tourné le verrou de sa porte, il enveloppa l'intérieur de sa boutique d'un regard satisfait. Les affaires marchaient bien. L'argent rentrait encore plus facilement depuis qu'il avait son site web, et que sa surface de vente s'étendait au monde entier. Il n'avait plus besoin de chercher les clients : c'étaient les clients qui venaient à lui. Et c'était une sacrée bonne chose ! En effet, Claris le saignait aux quatre veines avec sa pension alimentaire. Mais Kyle avait aussi de l'argent de côté dont Claris, grâce à Dieu, ignorait l'existence.

Oui, la vie s'était montrée assez agréable, ces dernières années. Et voilà que tout changeait. On avait retrouvé les ossements de Charlotte. Et Maud était morte. Résultat, les gens de Newport cédaient à la panique. Et l'affaire attirait les médias. La visite de ces deux journalistes, par exemple. Kyle en était contrarié. Cette Grace Callahan et son idée géniale ! Apprendre aux téléspectateurs à reconnaître les contrefaçons... Autant se tirer soi-même une balle dans le pied ! Qu'allait-il faire ? En repoussant cette idée, il eût risqué d'éveiller des soupçons. Non, il allait être obligé d'assumer. De faire demain ce qu'ils lui demandaient. En priant pour que tout se passe au mieux.

Kyle s'inquiétait aussi de voir la police s'agiter. Les flics risquaient de venir frapper à sa porte.

Il était urgent de séparer le bon grain de l'ivraie. Passant de vitrine en vitrine, il retira les sculptures en plastique parfaitement imitées, et arrangea la disposition des pièces authentiques pour boucher les trous.

Oui, il était temps de faire le ménage.

73

Grace avait des élancements dans le crâne quand elle regagna l'hôtel après son entretien avec l'inspecteur. Elle monta directement dans sa chambre sans passer par la salle de rédaction. Elle avait besoin de prendre une douche et de s'allonger.

Dès qu'elle eut ouvert la porte, elle laissa échapper un soupir en voyant clignoter le voyant rouge du téléphone sur la table de nuit. Elle n'avait envie de parler à personne. Pas même à Lucy. Encore moins à quelqu'un qui appelait pour lui refiler du travail. Elle avait besoin d'une pause et de rien d'autre.

Elle quitta sa jupe en jean et son T-shirt humide de transpiration. Si seulement elle avait apporté une autre jupe ! Mais non. Après avoir dormi un peu, elle ferait peut-être un saut dans les boutiques d'America's Cup Avenue, histoire de voir ce qu'on y trouvait. Elle avait très clairement besoin d'un pantalon en toile.

Elle pénétra dans la petite salle de bains. Elle avait de l'aspirine dans sa trousse de toilette. Elle avala plusieurs cachets en les faisant descendre avec de grands verres d'eau du robinet. Elle tira le rideau de la douche. Elle régla le mitigeur. Elle laissa le jet d'eau tiède lui envelopper la tête. Au bout de dix minutes, elle commença à se sentir soulagée.

Elle enroula son corps dans une serviette de bain. D'une autre, plus petite, elle se servit comme d'un turban. Elle revint dans la chambre et écarta le couvre-lit. Elle se glissa dans la fraîcheur des draps blancs avec un soupir de gratitude.

Mais le voyant rouge du téléphone clignotait toujours. Elle décrocha. Elle composa le code. Elle sourit. C'était un message de B.J. – un B.J. légèrement nerveux, semblait-il.

— Salut, Grace. C'est moi. Bartolomeo Joseph. J'ai fini de monter le sujet sur le sculpteur d'ivoire. Et j'ai décidé que nous avions bossé un peu trop dur, aujourd'hui. On a besoin de se détendre. Alors je me demandais si vous n'auriez pas envie d'un dîner agréable. Si vous êtes libre, évidemment. On pourrait aller manger des sushis au Candy Store. Après, on irait écouter de la musique.

Danser, peut-être. Je sais que j'adorerais. J'espère que vous aussi. Rappelez-moi sur le portable.

Carrément un rendez-vous galant ! Grace n'était pas trop poisson cru. Mais à l'idée de passer une soirée seule avec B.J., elle en oublia son mal de tête.

*

Pendant des générations, le Candy Store avait été le fief des marins de Newport. Le bar s'étendait sur toute la longueur d'une salle à manger d'où l'on découvrait le port et Narragansett Bay, L'endroit était dominé par la maquette géante d'un voilier suspendue au mur.

Le maître d'hôtel leur proposa une table au fond de la salle. Les autres étaient presque toutes occupées.

— On sera bien, dit-elle en dépliant sa serviette sur ses genoux.

— Je me suis laissé dire que c'était un des meilleurs restaus de Newport. Espérons qu'il sera à la hauteur de sa réputation.

Le temps qu'on leur apporte le vin, Grace hésita à lui parler de sa visite à la police. Cet aveu risquait évidemment de ruiner la soirée, mais il la soulagerait aussi. De toute façon, elle avait mentionné le nom de B.J. lors de l'entrevue avec l'inspecteur. Et puis elle voulait lui faire part de ses soucis. Peut-être suffisait-il d'y aller prudemment ; B.J. ne devait pas s'imaginer qu'elle essayait de faire pression sur lui...

— À vous, Grace, dit B.J., en levant son verre. C'est agréable de travailler avec vous.

Grace essaya de déchiffrer le sens de ce message. Elle sourit. Les verres se touchèrent. Ce n'était peut-être pas un rendez-vous galant, après tout. Peut-être juste un dîner entre collègues. Elle espérait que non. Elle se sentait de plus en plus attirée par lui. Et ce n'était pas seulement physique, même si B.J. était fort séduisant avec ses pommettes hautes et sa mâchoire bien dessinée. C'était aussi un homme raffiné et talentueux. Qui avait les pieds sur terre. Et qui évitait de se prendre trop au sérieux. Le contraire de Frank, en somme.

— On jette un coup d'œil au menu ?

— D'accord, dit-elle. Mais il faut que vous m'aidiez. Je n'y connais rien en sushis...

Seigneur ! Voilà qu'elle se conduisait comme Jeanne avec Frank ! Elle se serait giflée.

— Dans ce cas, suggéra B.J., prenons un peu de tout.

Le serveur s'approchait.

— Nous prendrons les tuanas poêlés à la sauce ponzu, la salade de crabe, le poulpe, les crevettes. Pour commencer. Avec deux assiettes de sahimis et sushis.

Grace décida de se lancer après avoir vidé la moitié de son deuxième verre de vin.

— Je suis allée trouver la police, B.J.

— Pour leur dire que Sam avait disparu ?

— Non. Ça, ce n'était pas à moi de le faire. Je le ferai, cela dit, si Sam ne reparaît pas...

Elle poursuivit :

— Non, je voulais leur parler d'un détail susceptible de les aider dans leur enquête sur la mort de Maud Sloane.

— Je ne comprends pas. De quoi s'agit-il ?

Il écouta attentivement le récit de la conversation entre Grace et Maud le soir du *clambake*.

— Eh bien, dit-il quand elle eut terminé. Si Linus savait que vous avez raconté tout ça à la police au lieu de lui en garder l'exclusivité ! Sûr qu'il exploserait. C'est exactement le genre de choses qu'il veut pour son émission. Il tuerait père et mère pour ça.

— Je n'ai aucune intention de lui en parler, B.J. Ni envie de passer dans « Key to America » pour révéler en direct les confidences de Maud. C'était un entretien privé. Je ne veux pas essayer d'en tirer profit. J'ai pensé que la police devait savoir, c'est tout.

B.J. souriait. Il semblait satisfait. Il posa la main sur celle de Grace.

— Vous êtes une fille bien, Grace Callahan. Je ne suis pas sûr que cette initiative vous permettra de marquer des points dans votre carrière, mais je vous admire de l'avoir prise.

Grace avait éprouvé une bouffée d'excitation au contact de la main de B.J. Elle en resta stupéfaite. Comme cette sensation était agréable et vivante ! Les dernières années auprès de Frank avaient été dépourvues de passion. Depuis combien de temps un homme ne l'avait-il pas touchée ? Depuis combien de temps devait-elle se contenter des étreintes affectueuses de son père... ? Grace ne voulait pas casser l'ambiance, mais avant que les choses n'aillent plus loin, elle tenait à prévenir B.J. qu'elle avait prononcé son nom devant l'inspecteur. Ce n'était pas bien méchant, mais on ne peut jamais prévoir les réactions des gens quand la police entre en jeu. Par exemple, elle aurait été terrifiée d'avoir à faire ce genre d'aveu à un homme tel que Frank. Frank craignait comme la peste les problèmes et les complications.

— L'inspecteur a voulu savoir qui était avec moi quand j'ai rencontré Maud à Shepherd's Point, reprit-elle doucement. J'ai répondu que vous étiez là.

— C'est sans problème. Qu'ils viennent me voir, si nécessaire. Je n'ai rien à cacher.

Il pressa plus fort la main de Grace.

*

Quand ils quittèrent le restaurant un orchestre de percussions se produisait sur le quai. La nuit était chaude. Ces rythmes créaient une atmosphère tropicale. Grace avait envie de s'abandonner au plaisir de cette soirée avec un homme. Quand B.J. lui proposa de prendre un verre, elle répondit d'accord.

— Vous croyez qu'ils font des piña coladas ? dit-elle.

— Je les prépare à merveille, murmura B.J. en se penchant vers elle. Je m'en occuperai moi-même, si le barman ne connaît pas.

Tandis qu'il allait au bar chercher leurs consommations, Grace s'avança jusqu'à la barrière, au bord de la terrasse dominant l'océan. L'ambiance était à la fête. Les gens s'amusaient, dansaient et riaient sous les étoiles. Beaucoup se promenaient le long des quais, en s'arrêtant devant les vitrines. Partout où se posaient les yeux de Grace, elle ne voyait que bien-être et aspiration au plaisir. Elle se sentit heureuse d'être là. Ce soir, elle était comme tous ces couples soucieux uniquement de jouir d'une belle soirée de vacances estivale.

Un homme et une femme descendirent d'un voilier et mirent pied à terre. Grace distinguait le nom du bateau inscrit à la poupe : Le *Seawolf* – le « loup des mers ». Comme le couple s'approchait, elle reconnut Gordon Cox. Il était accompagné d'une jolie blonde qui avait facilement trente ans de moins que lui. Ils approchaient toujours. Quand le professeur aperçut Grace, il se hâta de lâcher la main de sa compagne. Grace feignit de n'avoir rien vu.

Elle lui adressa un signe.

— Bonjour, professeur ! Heureuse de vous revoir...

— Bonjour, répondit Gordon.

Grace, pratiquement sûre qu'il ne se rappelait pas son nom, se dépêcha de le tirer d'affaire :

— Je suis Grace Callahan, dit-elle en s'adressant à la jeune femme.

— Judy Hazel. Enchantée.

— Judy est une de mes étudiantes, dit Gordon avec un peu trop d'empressement.

— Je vois, dit Grace. Je tenais à vous dire, professeur, que vous aviez fait un boulot remarquable, ce matin.

— Merci, Grace. Mais je dois vous avouer que je n'ai guère apprécié d'être mis à contribution comme ça. Spéculer sur ce qui est arrivé à Maud rien que pour faire plaisir à votre satané producteur – merci bien !

Grace s'abstint de l'informer que l'idée venait d'elle. Elle dit pour changer de conversation :

— Que va-t-il advenir du tunnel, à votre avis ?

— Franchement, je n'en sais rien, répondit-il en secouant la tête. Maud était la seule héritière d'Agatha. Autrement dit, il se peut qu'Agatha finisse par léguer Shepherd's Point à l'Association pour la sauvegarde des lieux de mémoire. Dans l'immédiat, elle refuse d'autoriser la poursuite des travaux. Mais je n'ai toujours pas renoncé à la convaincre.

*

Le temps que B.J. soit de retour avec leurs consommations – piña colada pour elle et bloody mary pour lui –, le professeur et son élève avaient poursuivi leur chemin. Tout en dégustant sa boisson aux saveurs d'ananas, Grace sentit se dissiper la magie de la soirée. La disparition de Maud laissait des gens dans la peine. Grace avait été l'une des dernières personnes à lui avoir parlé. Est-ce qu'elle ne devait pas aller présenter ses condoléances à son père et à sa tante ? Leur dire combien Maud affirmait les aimer ?

*

Grace et B.J. traversèrent Thames Street main dans la main, puis remontèrent vers le Viking par Touro Street. Comme ils approchaient de l'hôtel, Grace sentit s'accélérer les battements de son cœur. Comment la soirée allait-elle finir ?

Ils arrivaient sous le porche quand le biper de B.J. retentit. Il détacha l'appareil de sa ceinture et cligna les yeux pour lire le message.

— Merde, dit-il, cédant à un accès de mauvaise humeur.

— Quoi ?

— Linus veut visionner le sujet sur le sculpteur d'ivoire.

— Maintenant ? s'exclama Grace, déçue.

— Oui. Maintenant.

MARDI 20 JUILLET

Grace regarda sur un moniteur la deuxième émission en direct de Newport. Dans le décor d'un bastion de pierre, Constance et Harry offraient aux téléspectateurs une vue merveilleuse de Narragansett Bay. C'est Harry qui ouvrait la séquence :

— Nous sommes au fort Adams, la plus importante forteresse côtière des États-Unis. Un chef-d'œuvre d'architecture et de technologie. De 1824 à 1950, le fort a abrité des générations de recrues. Pièce maîtresse d'un parc national, il est désormais ouvert au public.

Constance prit le relais :

— Ce parc de trente-cinq hectares est un des plus vastes de Newport. Chaque été, les meilleurs musiciens de jazz du monde s'y produisent à l'occasion du célèbre festival. Nous aurons quelques-uns de ces artistes avec nous aujourd'hui. Nous allons vous offrir aussi un aperçu de la vie des soldats, et nous vous ferons visiter l'un des tunnels creusés sous le fort. Harry et moi prendrons ensuite une leçon de voile. Enfin, nous vous proposerons un sujet sur la sculpture de l'ivoire. Tout cela, et bien d'autres choses, c'est avec nous et c'est dans « Key to America » !

Le mélange de vin et de rhum avait laissé Grace quelque peu embrumée. La lumière aveuglante lui brûlait les yeux. Elle avait attaqué sa journée machinalement, et cette visite aux Ormes prévue tout à l'heure avec le professeur Cox ne lui disait rien du tout. Elle aurait préféré rentrer à l'hôtel piquer un somme ou rester un moment avec sa fille. Mais le devoir avant tout !

Si elle obtenait ce poste, elle ne pourrait plus se permettre de tels écarts en semaine. Mais ce ne serait pas un problème, dans la mesure où sa vie sociale se réduisait à peu de chose. On risquait aussi de lui imposer des horaires de nuit. Dans ce cas, si B.J. continuait de travailler en journée, ils n'auraient guère le temps de se voir... *Du calme, ma fille ! Tu te vois déjà filant le grand amour avec B.J., ou quoi ? Vous avez passé une soirée ensemble, c'est tout. On ne peut même pas encore parler de liaison.*

*

Elle se concentra sur le sujet qu'ils avaient mis au point, elle et B.J. Ce même sujet qui avait si brutalement interrompu leur soirée. Elle regarda les moniteurs installés dans la cour d'honneur. Elle reconnut les articles venus de la boutique de Kyle Seaton. Comme prévu, le sculpteur avait apporté plusieurs pièces en os de baleine, ainsi que des objets en matière synthétique, pour la séquence en direct programmée après le reportage. Kyle patientait aux côtés de Constance. Il était prêt à commencer. Il avait les yeux fixés sur le moniteur, lui aussi. Il essuya d'un revers la sueur qui lui mouillait le front. Il rajusta le col ouvert de sa chemise Oxford. Il épousseta les revers de son blazer marine. Grace eut un sourire ironique. Lors de leur première rencontre, il affectait de tout prendre de haut, et même d'avoir le plus grand mépris pour les gens de la télévision. Maintenant qu'il était lui-même sur le point de passer à l'écran, il tenait à faire bonne impression. Comme tout le monde, il allait s'efforcer de donner la meilleure image possible de lui-même.

Le visage de Constance s'anima d'un sourire. Elle se détourna du moniteur pour regarder la caméra.

— Avec nous aujourd'hui, dit-elle, un homme natif de Newport : Kyle Seaton. Kyle est l'un des plus importants marchands de sculptures en ivoire des États-Unis. Merci d'être avec nous...

— C'est moi qui vous remercie, affirma Kyle.

Grace nota que sa lèvre supérieure tremblait légèrement.

Constance prit une dent de baleine sur laquelle était gravé un trois-mâts toutes voiles déployées, et la présenta au cameraman qui zooma sur l'objet.

— Comment pouvons-nous déterminer si une pièce est authentique ou non ? demanda-t-elle. J'ai vu plein d'articles de ce genre dans les boutiques de la ville. Les prix inscrits sur les étiquettes sont si bas que l'on sait qu'il s'agit de reproductions. Mais comment faire si je tombe sur une sculpture en ivoire dans une vente aux enchères ou chez un antiquaire ? Comment être sûr de ne pas repartir avec un faux ?

— Écoutez, Constance, il y a aujourd'hui beaucoup de faux sur le marché. On en rencontre très fréquemment. Nombre de personnes qui possèdent un objet en ivoire s'imaginent qu'il suffit de piquer leur statuette avec une aiguille brûlante pour savoir si c'est une vraie ou une imitation. Si la matière ne fond pas, pensent-ils, c'est que c'est de l'ivoire. Hélas ! Le test de l'aiguille chaude, bien souvent, ne permet pas de savoir s'il s'agit d'ivoire, d'os ou de plastique mélangé à de l'engrais osseux. L'engrais osseux est un ingrédient très utilisé dans la fabrication des faux. Il donne à l'objet une apparence authentique.

— Si le test de l'aiguille ne marche pas, que faire ?

— La lime est un outil plus efficace que l'aiguille, dit Kyle.

Il présenta une petite boîte ronde de couleur crème. Il prit ensuite une lime à ongles en carton, et s'en servit pour effleurer le couvercle de la boîte.

— Vous n'avez même pas besoin d'utiliser une lime en métal, Constance. Une simple lime en carton suffit. Vous la passez discrètement sur l'objet, comme ça... Regardez... De toutes petites particules se déposent sur la lime...

Constance se pencha pour mieux voir.

— En effet.

— Sentez, reprit Kyle. Respirez-en l'odeur.

Constance s'exécuta.

— Ça sent le plastique, dit-elle.

— Exactement. Faites la même expérience sur de l'os, et vous constaterez que la poudre sentira l'os brûlé. Vous obtiendrez une odeur comparable à celle que vous respirez quand le dentiste vous fraise une dent. Ça veut dire que la pièce est en matière organique. Dans ce cas, pas de doute. Vous pouvez réaliser ce test vous-même, évidemment. Mais, pour conclure, je dois vous dire, Constance, que la meilleure façon d'avoir chez vous des ivoires authentiques, c'est encore de les acheter chez un bon vendeur.

La séquence était terminée. Kyle poussa un soupir de soulagement. Il n'était pas fâché d'en avoir fini. En même temps, il était contrarié. Cette idiote de Grace Callahan pouvait être fière ! À cause d'elle, il s'était mis lui-même en situation de s'attirer les pires ennuis !

76

Oliver passa de nouveau une nuit sans fin. Incapable de dormir, il restait sur son lit, les yeux fixés au plafond. La maison était calme — trop calme. Ce silence le torturait.

Maud était partie.

Il savait qu'il allait devoir vivre avec cette réalité. Comment faire ? Il fallait procéder par étapes. D'abord l'enterrement... Mais, quand Oliver appelait la police, les inspecteurs ne se donnaient même pas la peine de le traiter avec sollicitude. On lui répondait d'un ton rogue que le corps lui serait rendu, après l'autopsie, dès que possible... Sans doute les policiers se sentaient-ils mal à l'aise de n'avoir pas été capables de retrouver Charlotte plus tôt. Ou alors ils le considéraient toujours, lui, Oliver, comme le suspect numéro un dans la disparition de sa femme ; et probablement aussi dans celle de Maud.

À vrai dire, Oliver se fichait de ce que pensait la police. Comme de ce que pensaient les autres. Il avait survécu à la disparition de sa femme, mais il n'était pas assuré de survivre à celle de sa fille.

Il entendit l'horloge du rez-de-chaussée carillonner dans l'entrée. Depuis combien de temps était-il étendu sur ce lit ? Il n'en savait plus rien. Mais ce silence devenait insupportable. Il avait besoin de bruit. Il tendit la main vers la télécommande et alluma le téléviseur.

À l'écran, Kyle Seaton expliquait comment établir la différence entre une véritable sculpture en ivoire et une fausse. Oliver l'écouta sans enthousiasme, trouvant même la scène irréelle. Dans une vie antérieure, Oliver avait beaucoup fréquenté la boutique de Kyle. Lequel avait toujours fait preuve d'une grande patience. D'une grande amitié aussi. Kyle avait permis à Oliver de nourrir sa collection d'ivoires. Mais il l'avait tout bonnement laissé tomber, comme les autres, après la disparition de Charlotte.

Oliver avait bien essayé de maintenir le contact. Il était allé à la boutique, quelques mois après l'événement, pour remercier Kyle d'avoir aidé Charlotte à lui choisir un cadeau de Noël. Mais Kyle s'était montré froid et distant. Oliver avait compris. Il n'avait plus remis les pieds chez lui.

Il éteignit la télévision. Il n'avait pas envie de se laisser envahir à nouveau par les chagrins du passé. Durant toutes ces années, on l'avait snobé. Injurié, même, quelquefois. Tandis qu'il s'efforçait de garder la tête haute. Pour Maud. Parce qu'il n'avait pas le choix. Parce que la vie devait continuer. Parce que sa fille en avait besoin. Parce qu'elle se reposait sur lui.

Par la suite, c'était elle qui était devenue le seul soutien affectif d'Oliver. Maud était le portrait craché de sa mère, et le seul être qu'Oliver eût vraiment chéri après la mort de sa femme.

Bien sûr, il était aimé d'Elsa, laquelle faisait son possible pour remplir le vide laissé par la disparition de

Charlotte. Mais Oliver savait que ça ne pourrait jamais vraiment marcher entre eux. Au fond de lui-même, il s'en voulait d'avoir traité Charlotte durement. Il pensait qu'il ne méritait pas d'avoir une deuxième femme, une deuxième chance, une existence apparemment normale. Durant toutes ces années, il avait eu une bonne excuse pour ne pas s'engager avec Elsa : le corps de Charlotte n'ayant pas été retrouvé, il demeurait un homme marié. Mais il s'agissait d'une mauvaise raison et il le savait très bien...

Après la disparition de Charlotte, seule Maud avait compté pour lui. Le père et la fille. Cette relation suffisait à son équilibre.

Pourquoi n'avait-il plus sa fille auprès de lui ? Cette idée le torturait. Il écarta les draps et se dressa sur le lit. Il posa les pieds par terre. Quand il se leva, il sentit que ses jambes tremblaient un peu. La tête lui tournait. Il se cramponna au montant du lit. Au bout d'une minute, il se sentit mieux. Il descendit l'escalier et gagna la chambre de Maud.

Son parfum était toujours là. On respirait aussi l'odeur de son shampooing. Oliver en fut choqué. Il alla s'asseoir sur le lit de sa fille. Il souleva l'oreiller et y enfouit son visage. Il pleura.

Combien de temps ? Il n'aurait su le dire.

C'est le carillon de la vieille horloge qui, de nouveau, l'arracha à sa torpeur. Il fallait qu'il cesse de pleurer. Il devait rappeler la police. Avant tout autre chose, il devait donner une tombe à sa fille. Tant que Maud n'aurait pas de sépulture, il ne pourrait s'occuper d'éclaircir ce qui lui était arrivé.

Il se leva. Il alla pousser la porte de la salle de bains. Il se pencha sur le lavabo et se mouilla le visage. Il eut le réflexe de tendre la main vers le porte-serviettes. Mais il ne pouvait se servir d'une serviette qui avait été utilisée par sa fille quelques jours plus tôt. Cela risquait de lui arracher un nouveau flot de larmes. Il ouvrit l'armoire et prit une serviette propre sur l'étagère.

Un livre relié de cuir tomba sur le sol. Oliver le ramassa. Il le regarda sans l'ouvrir. C'était le journal de Maud. Il ne pouvait le lire maintenant. Impossible de s'infliger une pareille douleur. Devait-il le remettre à la police ? Si Maud avait été assassinée, les inspecteurs trouveraient peut-être dans ces pages un indice qui les mettrait sur la piste du meurtrier.

Ils disaient que l'on ressentait une forme d'apaisement, à l'idée que le coupable était enfin sous les verrous. Oliver en doutait, à vrai dire. Il aurait fallu pour cela que sa fille lui revienne — or elle ne reviendrait plus. Elle ne rentrerait plus à la maison. Alors il s'en fichait, de savoir qui l'avait tuée.

77

Durant le dernier quart d'heure de l'émission, la caméra suivit Gordon Cox qui entraînait Constance et les téléspectateurs sous les murailles du fort. Tout en marchant, le professeur expliquait :

— Au fil des années, les architectes ont essayé de prévoir tous les types d'attaques possibles. C'est ainsi que, à force d'aménagements, le fort Adams est devenu un bastion très difficile à prendre. Les assaillants auraient d'abord dû escalader les talus. Essuyer ensuite le feu des canons et des mousquets postés sur les fossés extérieurs. Mais, pour les militaires, c'était encore insuffisant. Ils entendaient aussi parer toute attaque souterraine...

— Des galeries que les agresseurs auraient pu creuser sous le fort, vous voulez dire ?

Gordon approuva.

— Oui. Ceux qui ont construit cette forteresse ne voulaient surtout pas que ce genre de choses puisse arriver. Alors ils ont creusé eux-mêmes des tunnels de surveillance, comme celui dans lequel nous entrons maintenant. D'ici, il aurait été possible d'entendre l'ennemi creuser. En pareil cas, ils auraient foré en direction du bruit. Et ils auraient détruit la galerie des ennemis.

— C'est fascinant, affirma Constance. Savez-vous, professeur, que je suis frappée par le nombre de galeries souterraines qui existent à Newport ? Ces tunnels, ici, au fort Adams. Celui qui servait à transporter le charbon pour chauffer les Breakers, dont vous nous avez parlé dans la précédente émission. Et, bien entendu, la galerie du chemin de fer de Shepherd's Point, où les restes de Charlotte Wagstaff ont reposé si longtemps. Y a-t-il d'autres tunnels à Newport, professeur ?

— Oui, Constance. Je puis même vous en montrer un.

— Merci, professeur Cox... Je rappelle à nos téléspectateurs que le professeur enseigne l'histoire à l'université Salve Regina...

Elle regardait maintenant droit sur l'objectif de la caméra.

— Le professeur Cox sera encore avec nous demain, quand l'émission sera diffusée du port.

*

Impatient d'être débarrassé de ses micros, Gordon sortit de l'ombre en boitillant et vint se placer en pleine lumière.

— Vous vous êtes fait mal ? lui demanda poliment Constance.

— Non. Mais j'ai un vieux problème au genou. De cartilages.

Constance frissonna.

— Ça doit être douloureux, dit-elle.

— Ça l'est. Je sais que, un de ces jours, il faudra me faire opérer. Mais je ne suis pas pressé de passer sur le billard.

— Je vous comprends.

*

Zoé regardait Constance et le professeur Gordon discuter ensemble. Elle attendait l'occasion. Quand les animateurs prirent congé de Cox en lui serrant la main, elle décida que le moment était venu.

— Professeur Cox ?

— Oui ? répondit-il, sévère.

— Je suis Zoé Quigley. Stagiaire...

— Ah, oui. Que puis-je pour vous, Zoé ?

— Je travaille sur un projet. Un documentaire, en fait. Sur une esclave qui a retrouvé la liberté en passant par la galerie du chemin de fer.

— Ça semble intéressant.

— Vous le connaissez, le tunnel du chemin de fer ?

Gordon se sentit presque offensé par la question.

— Je le connais très bien, dit-il. L'océan était une des principales issues pour les esclaves qui souhaitaient fuir vers la liberté. Ce que les gens ne comprennent pas, en général, c'est que les esclaves qui choisissaient de s'échapper le faisaient de leur propre initiative, sans l'aide des sociétés abolitionnistes. Des milliers de marins et de dockers de couleur ont créé leurs propres réseaux. Des réseaux d'entraide pour aider les autres esclaves à conquérir leur liberté.

Zoé était soulagée. Le professeur avait parfaitement compris à quoi elle faisait allusion. Elle se sentait encouragée également. Peut-être réserverait-il un accueil favorable à sa requête...

— Pour être juste, reprit-elle, j'ai lu aussi que certains marins et capitaines à la peau blanche avaient aussi quelquefois aidé des esclaves à s'enfuir.

Gordon opinait. Cette stagiaire lui plaisait. Il appréciait beaucoup son délicieux accent anglais.

— C'est vrai, reconnut-il. La mer était le moyen de transport le plus utilisé, depuis la Guerre civile. Un esclave qui ne trouvait pas d'embarquement sur un navire était obligé de faire à pied un voyage qui pouvait durer plusieurs mois. Sur terre, le risque était plus grand d'être rattrapé, et réexpédié auprès d'un maître ivre de vengeance.

Une image traversa les pensées de Zoé : une femme noire se frayant avec difficulté un chemin dans les marécages, poursuivie par les aboiements furieux des chiens lancés à ses trousses. Mieux valait se cacher dans la cale d'un navire, dans la salle des machines. L'expérience était suffocante, mais le voyage plus court – et la liberté plus proche. Mariah avait bien fait de choisir cette solution.

— J'ai lu votre article sur le tunnel aux esclaves de Shepherd's Point, professeur Cox. Je connais aussi vos projets concernant la sauvegarde de ce lieu de mémoire, et son ouverture au public.

Gordon souriait de plaisir à ces flatteries.

— Oui, confirma-t-il, c'est notre objectif.

Il semblait si satisfait que Zoé se décida à dévoiler ses batteries.

— Je suis sûre que vous le comprendrez, dit-elle : le tunnel est un des éléments clés de ma documentation. J'aimerais le filmer, professeur Cox. Et je me disais que vous accepteriez peut-être de m'aider.

— Vous voulez que je vous conduise au tunnel ? dit Gordon d'un ton peu aimable. J'ai peur que la chose ne soit impossible. Agatha Wagstaff a interdit à quiconque d'y pénétrer.

Mais Zoé ne lâchait pas prise aussi facilement.

— Vous pourriez peut-être insister auprès de miss Wagstaff. Lui demander de consentir à une exception. Dans un esprit d'éducation civique...

Le professeur la coupa résolument :

— Je regrette, Zoé. Je ne peux pas vous aider. Maintenant, si vous voulez bien m'excuser, j'ai du travail qui m'attend.

Il ne peut pas ou il ne veut pas ? Zoé, furieuse, regarda le professeur s'éloigner en boitant. Et sa colère ne s'apaisa pas quand elle le vit adresser un signe à Grace Callahan.

78

Durant le voyage en voiture entre le fort Adams et les Ormes, c'est Grace qui fit les frais de la conversation avec un professeur Cox peu loquace. Jugeait-il qu'elle lui était inférieure ? Pour ce qui la concernait, elle avait une mission à accomplir, et elle ferait son travail en dépit des obstacles et de la fatigue ressentie.

Ils pénétrèrent dans la cuisine où régnait une agréable fraîcheur. Grace commença à prendre des notes, et à réunir les éléments indispensables à la préparation de l'émission du lendemain sur la vie des domestiques chargés d'entretenir ces maisons immenses du temps de l'Âge d'or.

— Quarante-trois employés travaillaient ici, dit le professeur comme on récite sa leçon. Vingt-sept dans la maison, et le reste dehors. Il y avait un jardinier en chef, deux hommes pour entretenir les pelouses, deux pour les allées, un chauffeur, trois laquais, un cocher, deux valets de pied...

Il se tut, le temps d'explorer plus profondément sa mémoire.

— Voilà que j'en oublie... Écoutez, si vous tenez vraiment à avoir la liste complète, interrogez quelqu'un d'autre.

Ils traversèrent la terrasse. Ils passèrent devant un grand meuble destiné à ranger l'argenterie. Ils pénétrèrent dans une vaste buanderie.

— C'est ici que l'on faisait la lessive pour la famille Berwind, reprit le professeur. Pour leurs invités aussi. Et, bien entendu, pour les employés de maison. Tout était lavé et séché ici : le linge, les uniformes...

Gordon pointait le doigt vers le sol.

— Les femmes récuraient le parterre à quatre pattes. Elles en avaient les genoux complètement esquintés. Une expression locale est d'ailleurs restée dans le langage courant : « Avoir les genoux comme aux Ormes. » Ça disait bien ce que ça voulait dire, non ?

— Intéressant, dit Grace en notant l'expression dans son calepin.

— Nous allons descendre dans la chaufferie.

Un escalier métallique les conduisit au sous-sol, dans une salle caverneuse presque entièrement occupée par un fourneau volumineux, habillé de cuivre. Grace repéra une ouverture au fond de la pièce.

— Le tunnel qui permettait de faire venir le charbon, indiqua Gordon Cox. M. Berwind et M. Vanderbilt ne voulaient pas que le combustible soit livré au vu et au su des gens qui résidaient chez eux. C'est pourquoi le charbon était déversé dans le tunnel par un soupirail donnant à l'extérieur de la propriété. La cave pouvait en accueillir quarante tonnes. On le transportait jusqu'ici par fournées de cinq tonnes. Dans des wagonnets. Sur des rails étroits.

Grace s'approcha de l'ouverture. On y respirait une odeur de moisi. Le souterrain était éclairé par des lampes électriques ; ses murs de brique rouge suintaient l'humidité.

— Les Ormes sont une des dernières demeures construites au temps de l'Âge d'or, précisa le professeur. L'installation électrique est d'origine. Elle était excellente.

Mais c'est le tunnel proprement dit qui intéressait Grace.

— En continuant, dit-elle, on atteint le soupirail ?

— Oui. Mais il n'y a pas grand-chose à voir. À part des portes métalliques fermées. Ils ont dû barricader cette ouverture à cause des vandales.

Gordon fit demi-tour et s'éloigna de son pas claudicant.

— Venez, dit-il en grimaçant car son genou le lançait. Nous avons encore à voir la glacière, le cellier, la cave, un office, la cuisine et l'office du majordome... Ah ! j'oubliais. Il y a aussi la porcelaine exposée dans la mezzanine...

— Je vous suis, professeur.

Mais c'était le tunnel qui l'attirait.

79

De retour à l'hôtel, Grace tomba sur sa fille à la réception.

— Lucy, mon trésor ! Qu'est-ce que tu fais ici toute seule ?

— Papa et Jeanne sont dans la salle à manger. Ils finissent de déjeuner. Je voulais aller voir la boutique-cadeaux. Pour ramener un objet à papi.

— Et tu as trouvé quelque chose ?

— Oui !

La fillette brandissait un petit sac dont elle tira un article bien enveloppé dans son emballage coloré.

— Un coupe-papier, maman. Papi est toujours en train de s'occuper de ses factures et de son courrier. Ça lui sera utile.

Tout en parlant, elle avait défait l'emballage. Elle présenta l'objet à sa mère.

— Ivoire sculpté, dit-elle fièrement. Tu connais, non ? Une dent de baleine gravée de dessins. Avant, il y avait des baleiniers à Newport.

— Tu as très bien choisi, Lucy. Papi va adorer, j'en suis sûre.

Elle ne se sentait pas la force de dire à sa fille qu'il s'agissait d'un article en plastique. Un jour, peut-être, elle lui parlerait du test de la lime à ongles, mais ce n'était ni l'heure ni le lieu.

— Tu te plais, ici, chérie ?

— C'est super. Hier, on a visité deux manoirs. C'est génial de voir comment vivaient les riches. On a déjeuné au club de tennis. Soupe de poisson ! Je croyais que je n'aimerais pas, mais papa m'a dit d'essayer, et je suis bien. contente d'y avoir goûté. Maintenant, j'adore.

Le lumineux enthousiasme de Lucy faisait plaisir à voir. Mais elle se rembrunit en regardant sa mère, comme si elle craignait soudain de se montrer déloyale envers elle. Elle se hâta d'ajouter :

— C'est tout ce qu'on a fait.

— Lucy, reprit Grace d'un ton rassurant, crois-moi, je t'en prie, je suis très contente que tu passes du bon temps. Je veux que tu sois heureuse quand tu es avec ton père.

— Je sais, maman. Mais toi, tu passes une bonne semaine ?

Elle aurait répondu oui même si cela n'avait pas été le cas. Fort heureusement, elle ne fut pas obligée de feindre.

— Oui, répondit-elle. C'est vraiment intéressant. En fait, je rentre d'une visite, moi aussi. Le manoir des Ormes.

Elle lui offrit un bref résumé de ce qu'elle y avait vu. Lucy recouvra son enthousiasme.

— Ça a l'air impressionnant, maman. J'aimerais bien le voir, ce tunnel.

— Demande à papa s'il veut t'y emmener.

Elle donna à sa fille un baiser sur le front.

— Eh bien, chérie je dois aller déjeuner, maintenant. Si tu retournais auprès de papa et Jeanne ?

Mais Grace ne réussit pas à s'échapper : Frank et Jeanne traversaient la réception et venaient à leur rencontre. Une fois encore, Grace se sentit mal fagotée quand elle vit la tenue immaculée de Jeanne. Elle n'en afficha pas moins un sourire aimable. Elle les interrogea sur leurs projets pour la journée. C'est Frank qui répondit :

— Visite du port et de Narragansett Bay à bord d'une goélette. Après, nous avons rendez-vous avec un agent immobilier.

— Papa et Jeanne vont peut-être acheter une résidence d'été à Newport, intervint Lucy.

De nouveau elle était toute joyeuse.

— Vraiment ? dit Grace.

Elle continua de cacher sa contrariété derrière une expression affable.

Tu ne m'as pas envoyé le chèque de la pension alimentaire, et tu envisages de te payer une résidence secondaire à Newport !

— Ouais, se vanta Frank. Tu sais, mes affaires marchent du tonnerre en ce moment. Et j'aime bien, ici. J'y venais déjà à dix-neuf ans avec mes palmes et mon tuba. Je faisais de la plongée à Shepherd's Point.

Grace procéda à un rapide calcul mental. Elle avait trente-deux ans. Frank avait un an de plus. Il se trouvait à Newport l'été de ses dix-neuf ans – l'année où Charlotte Sloane avait disparu.

80

Personne n'avait vu Sam Watkins depuis dimanche soir. Il n'avait pas appelé non plus et n'avait pas regagné sa chambre. Seule Grace y avait pénétré la veille. Ainsi que la sécurité de l'hôtel, à la demande de Beth Terry. Le lit était intact. Ses affaires n'avaient pas bougé.

Beth, maintenant, avait décidé de prévenir la police – et peu importe si Linus était d'accord ou non.

81

Un buffet était dressé dans le salon Bellevue, et Grace nota avec plaisir que l'on avait su éviter pour une fois les sempiternels sandwichs accompagnés de chips. Des plats de pâtes fumaient sur les tables. Il y avait aussi des fruits de mer et de grandes salades de concombre, d'olives et de tomates. Du pain italien était coupé en tranches sur des plateaux de bois. Un carton discret annonçait que le buffet avait été préparé par le traiteur Seasons Catering.

Grace se retrouva dans la file d'attente derrière Beth Terry.

— Ça a l'air génial, dit-elle. Et ça sent bon.

Beth se servit une copieuse assiette de pâtes aux fruits de mer.

— Comme j'en avais marre de toujours commander la même chose, dit-elle, je me suis renseignée sur le nom du type qui avait officié chez les Vickers. Et il est apparu qu'il ne faisait pas que les *clambakes*.

Elle prit aussi de la salade et du pain.

*

Son assiette tenue à deux mains, Grace fouilla des yeux la salle de rédaction, en quête d'un condisciple avec qui partager cette pause. Plus important encore, elle cherchait B.J. Lequel n'était manifestement pas là. Elle se dirigea vers Zoé, seule à une table. Cette dernière leva les yeux et lui dit, comme lisant dans ses pensées :

— Il est parti filmer une cave viticole. Pour l'émission de demain.

— De qui tu parles ? demanda Grace.

— De B.J. Ce n'est pas lui que tu cherches ?

C'était donc si évident !

— Il est parti avec Joss, ajouta Zoé.

Elle piqua une tomate avec sa fourchette en plastique, et l'enfourna dans sa bouche.

*

Grace n'avait aucune raison de se sentir blessée. Ou offensée. C'était ridicule. Après tout, elle n'était pas là, ce matin ; B.J. n'avait donc pu lui offrir de l'accompagner. Et il avait parfaitement le droit, voire le devoir, de proposer du boulot aux autres stagiaires. Néanmoins... Grace était déçue. Il n'avait pas cherché à la joindre. Pis : il était allé chercher Joss !

Grace acheva son déjeuner sans plaisir. Elle jeta assiette et couverts dans le réceptacle près de la porte. Ruminer cette affaire ne servait à rien. Une halte au bureau des reportages lui permit d'apprendre qu'elle avait quartier libre. Elle renonça à sa sieste et, puisque personne ne lui proposait du travail, décida de se rendre à Shepherd's Point. Agatha Wagstaff accepterait peut-être de la recevoir... Grace sentait qu'elle devait essayer de lui parler de la conversation qu'elle avait eue avec Maud. Lorsqu'il arrive quelque chose à un être aimé, vous avez besoin de savoir ce qui s'est passé dans les minutes qui ont précédé le drame — c'est naturel.

Elle demanda à la réception qu'on lui appelle un taxi.

82

Le taxi de Grace croisa une voiture de police au volant de laquelle se trouvait l'agent Tommy James — un Tommy tout excité à la perspective de rendre à Joss une petite visite sur son lieu de travail. Sur le siège du passager, l'inspecteur Manzorella rouspétait :

— Manquait plus que ça. La mort de la petite Sloane. Et maintenant un étudiant qui disparaît ! Si jamais les journaux s'en mêlent, le maire ne manquera pas de nous tomber dessus à bras raccourcis. Le crime ne fait pas bon ménage avec le tourisme, tu sais.

*

Dans la salle de rédaction, on desservait le buffet sous le regard attentif de Mickey. Celui-ci tenait à s'assurer que sa première prestation pour la télévision était une réussite, du tout début à la toute fin. Key News était un client prestigieux. Certes, la chaîne ne serait peut-être pas de retour à Newport avant un bail, mais Mickey voulait les mentionner en tant que « clients satisfaits », tant sur son site web, que dans les publicités qu'il passait régulièrement dans les journaux. Mickey allait s'approcher de Beth Terry, la femme corpulente qui lui avait commandé le buffet, quand il remarqua, à l'entrée, la présence de deux policiers. Il fut aussitôt pris d'une forte envie de filer.

Du calme.

C'était seulement Tommy James. Et Al Manzorella.

Tu les connais depuis des lustres ! Ce n'est pas toi qu'ils cherchent. Ils ne pensaient même pas te trouver là.

Mais Mickey n'avait pas la conscience tranquille ; et quand vous n'avez pas la conscience tranquille, vous avez toujours peur que l'on vienne percer votre secret.

*

L'inspecteur et l'agent traversèrent la salle de rédaction.

— Nous cherchons Beth Terry...

— C'est moi.

Al et Tommy se présentèrent.

— Merci de nous avoir appelés. Nous souhaiterions nous entretenir avec toute personne susceptible de savoir quelque chose au sujet de Sam Watkins. Ce qu'il a fait le fameux soir. À qui il a parlé...

Beth jeta autour d'elle des regards anxieux. S'étant assurée que Linus ne rôdait pas dans les parages, elle reprit :

— Eh bien, le plus important à mes yeux, c'est que Sam était programmé pour un direct le lendemain matin. On avait montré son visage dans une annonce, sans dire son nom, en le présentant comme un témoin oculaire du meurtre de Maud Sloane.

Alors c'était lui ! songea Tommy James avec colère. Il se rappelait parfaitement que l'on avait refusé de lui donner l'information quand il était passé ici même le dimanche soir. *S'ils avaient accepté de me dire ce qui se préparait, on ne se retrouverait pas maintenant avec un tel problème sur les bras !*

Il nous faudrait une copie de cette bande-annonce, dit l'inspecteur en notant quelque chose dans son carnet. On en tirera une photo qui nous aidera dans nos recherches.

— Sans problème, dit Beth. Nous avons même le matériel nécessaire pour vous fournir directement la photo.

— Qui devrions-nous interroger, à votre avis ?

— Scott Huffman. C'est le chauffeur du camion satellite. Que je sache, c'est la dernière personne à avoir vu Sam. Vous le trouverez quai Bowen. Ils sont en train de tout installer pour l'émission de demain...

Qui d'autre ? se demanda Beth en se mordant la lèvre inférieure.

— Vous devriez peut-être interroger aussi les autres stagiaires, dit-elle en explorant la salle des yeux. Voyons... Joss Vickers est partie en reportage. Zoé Quigley, j'ignore où elle est passée. Et vous venez juste de rater Grace Callahan... Elle a dit qu'elle était tombée sur Sam en rentrant à l'hôtel. Juste au moment où il partait pour les Breakers...

L'inspecteur Manzorella savait parfaitement qui était Grace Callahan puisqu'elle était venue au poste, la veille, lui parler du rêve que faisait Maud Sloane. Elle était décidément très impliquée dans toutes ces affaires. Plus impliquée, en tout cas, qu'elle n'aurait dû l'être.

83

— Laissez-moi plutôt ici, dit Grace au chauffeur.

Ils étaient à l'entrée de Shepherd's Point. Quand elle paya sa course, elle se rendit compte qu'elle n'avait aucun moyen de rentrer à l'hôtel après sa visite.

— Vous reviendrez me chercher, dit-elle, si je vous appelle ?

— Bien sûr. Ça prendra un petit moment, mais je viendrai.

— Merci. Merci beaucoup.

Terence n'était pas là. Tant mieux. Grace n'avait pas envie d'être obligée de lui faire la conversation avant de pouvoir traverser le jardin. Le portail était entrebâillé. On ne craignait donc pas les mauvaises visites, à Shepherd's Point ? En pénétrant dans le domaine, Grace se souvint qu'elle avait rencontré Maud ici même quelques jours plus tôt.

Tandis qu'elle remontait l'allée, les chats qui se prélassaient sur la pelouse la regardèrent avec une suprême indifférence. Des vagues de vent chaud faisaient frissonner les arbustes et les herbes hautes. Grace sentit une goutte de transpiration lui rouler sur les reins.

Elle apprécia de pouvoir se réfugier dans l'ombre du perron. Ayant monté les marches, elle prit une profonde inspiration. Elle frappa à la porte dont la peinture s'écaillait. Elle attendit quelques minutes, et vit paraître une femme âgée au regard peu amène.

— Bonjour, je suis Grace Callahan. Êtes-vous miss Wagstaff ?

— Je suis sa femme de chambre.

— Ah, très bien. J'aimerais être reçue par miss Wagstaff.

— À quel sujet ? répliqua la domestique en jetant à Grace un regard soupçonneux.

— Je souhaite lui présenter mes condoléances.

— Eh bien, merci beaucoup. Je transmettrai. Miss Agatha ne reçoit pas,

Grace n'avait aucune intention de forcer la porte d'une femme frappée par le deuil.

— Fort bien. Dans ce cas, dites à miss Wagstaff que je suis profondément désolée. Aurez-vous l'amabilité de l'informer aussi que j'étais avec sa nièce le soir de sa disparition ? Maud m'a beaucoup parlé. Elle m'a dit combien elle aimait sa tante. J'espère que miss Wagstaff y trouvera quelque réconfort.

La femme de chambre hocha la tête. Elle commença à refermer la porte. Grace se tourna pour s'en aller. Elle descendait la dernière marche du perron quand une voix aristocratique s'éleva derrière elle.

— Laissez entrer cette jeune femme, Finola !

*

L'odeur de pipi de chat était nauséabonde. Grace suivit Agatha dans la pièce sombre en retenant sa respiration. Comment faisaient-elles pour supporter une telle puanteur ? Grace craignit de vomir si elle devait rester ici.

— Veuillez m'excuser, miss Wagstaff, mais je suis allergique aux chats...

C'était un mensonge, mais tant pis.

— Ne pourrions-nous pas aller plutôt dehors ?

En d'autres circonstances, Agatha l'aurait envoyée sur les roses. Mais pas aujourd'hui.

— Finola ! s'exclama-t-elle. Apportez le parasol !

*

Les deux femmes descendirent les marches de pierre qui reliaient la véranda au jardin terrasse.

— Le coin favori de Maud, murmura Agatha. Enfant, elle aimait venir jouer ici. Elle s'asseyait sur ce banc, là... Elle y passait des heures à s'amuser avec ses poupées. Et j'étais si heureuse de l'avoir auprès de moi... Elle m'était d'un tel réconfort...

Grace enveloppa la vieille femme d'un regard chargé de compassion. Le parasol aux couleurs fanées avait beau leur offrir un peu d'ombre, la lumière éclairait cruellement le visage à la peau quasi transparente, creusé de rides profondes. En dépit du chagrin, miss Wagstaff avait mis du rouge sur ses lèvres ; et Grace l'admirait pour cela.

Quand elles eurent pris place côte à côte sur le banc, Grace s'ouvrit de la conversation qu'elle avait eue avec Maud, mais en omettant de dire ce qu'elle savait concernant le rêve. Cela n'eût servi qu'à remémorer à Agatha le meurtre de sa sœur, et à la bouleverser encore plus.

— Maud m'a dit que vous l'aviez couverte d'affection. Et qu'elle vous aimait énormément.

Agatha lui prit le bras.

— Vous n'imaginez pas le bien que vous me faites en disant cela. J'ai fait de mon mieux pour veiller sur Maud. Surtout après la disparition de sa maman. J'en étais venue à avoir du mépris pour Oliver. On racontait que c'était lui qui avait tué ma sœur, n'est-ce pas ? Mais je dois lui reconnaître qu'il n'a jamais empêché Maud de me voir. Et je lui en sais gré.

Elle lâcha le bras de Grace, et se leva.

— Laissez-moi vous montrer quelque chose, dit-elle.

Elle s'avança sur ses jambes grêles, d'un pas mal assuré, et se fraya un passage entre les ronces qui envahissaient le jardin. Elle écarta un buisson récalcitrant.

— Venez voir, Grace.

Elle repoussa les mauvaises herbes, et révéla un cercle d'acier. Grace se pencha. C'était un cadran solaire.

— Regardez l'inscription : « Le Temps s'enfuit, l'Amour demeure. » C'est la maxime que je voudrais essayer de garder en mémoire, Grace. L'Amour demeure.

— C'est un beau sentiment, reconnut Grace à voix basse.

— Je le sais. La maman de Maud aimait ce sentiment. Comme notre mère l'avait aimé avant nous. Mon père avait fait fabriquer des boucles d'oreilles pour notre mère. De minuscules reproductions de son cadran solaire. Je les ai données à Charlotte. Après l'affreux événement, j'ai prié Oliver de me les rendre ; il m'a répondu que Charlotte les avait sur elle le soir de sa disparition.

Grace se souvint de la boucle d'oreille unique portée par Charlotte dans le rêve de Maud. Ainsi, ce cadran solaire était le modèle qui avait servi à la fabrication du bijou.

Où donc était passée la seconde boucle d'oreille ?

84

Mickey n'était pas fâché d'avoir quitté l'hôtel Viking et de s'être éloigné des policiers, mais il n'était pas autrement pressé de rencontrer Elsa Gravell, avec qui il avait rendez-vous pour régler les derniers détails de la réception du Bal bleu. Il laissa retomber contre la porte le heurtoir en forme de mouette. Quelle obsession bizarre, cet attrait pour les oiseaux ! Une chose était de cultiver un passe-temps, une autre de se laisser fasciner à ce point.

Elsa vint ouvrir. Elle portait une robe vert pâle ornée à l'épaule d'une épingle figurant un canari.

— Monsieur Hager. Entrez, je vous en prie.

Il la suivit dans le salon. Comme lors de sa première visite, il vit le mal qu'Elsa s'était donné pour décliner dans son décor le thème des oiseaux. Les housses des sofas et des fauteuils club étaient imprimées de perroquets et de cacatoès aux couleurs éclatantes. Les tables et le manteau de la cheminée accueillaient d'anciennes cages de cuivre où s'abritaient, sur des perchoirs, de minuscules oiseaux de verre. Les lampes s'ornaient toutes d'un motif d'oiseau ; ou c'était le pied ouvragé qui en figurait un. La table basse était chargée de livres consacrés aux oiseaux. Aux murs, dans des cadres, on découvrait des dessins d'Audubon représentant des chouettes, des mouettes, des faucons et des piverts. Mickey jugeait cette décoration réussie, mais un peu effrayante. Il s'installa dans un des fauteuils.

— J'ai le décompte définitif des inscriptions, dit Elsa. Il y aura du monde. Tenez.

Mickey prit la feuille qu'elle lui tendait.

— Ça correspond à nos prévisions, lui répondit-il.

— J'imagine que vous aimeriez toucher votre premier versement.

— Oui, madame.

Elle gagna le secrétaire, prit un chéquier dans un tiroir et inscrivit une somme. Elle remit le chèque à Mickey.

— Vous toucherez le solde jeudi matin. Si tout s'est bien passé, naturellement.

— Oh ! tout se passera bien, madame Gravell. Je vous le garantis.

Ils quittèrent le salon. Mickey était sûr qu'elle ne se souvenait pas de lui adolescent, quand il était serveur au Country Club. Il y avait si longtemps ! Et les gens riches ne lui adressaient même pas la parole, alors... Sauf Charlotte Sloane. Mais il aurait préféré que Charlotte ne fasse pas attention à lui, justement. Ou qu'elle s'intéresse à lui pour d'autres raisons.

Mickey avait puisé dans la caisse pendant plus d'un an. Oliver Sloane, qui était le trésorier du Country Club, ne s'en était jamais aperçu. Il est vrai qu'il buvait pas mal. Chaque fois que Mickey regardait dans sa direction, Oliver avait un verre à la main. Oliver n'était que trop heureux de l'avoir à sa disposition, lui Mickey, pour aller déposer l'argent à la banque. L'opération était fort simple : Mickey prenait un bordereau vierge qu'il remplissait d'un montant inférieur à la somme qu'il était censé déposer. Le vrai bordereau rempli par Oliver finissait dans la corbeille à papier. La différence était pour Mickey ! Oliver ne vérifiait jamais les relevés bancaires.

Le jeu aurait pu durer indéfiniment. Mais Charlotte, apparemment, avait compris qu'Oliver se montrait négligent sur ce point. Elle se plongea dans les livres de comptes, et s'aperçut bien vite qu'il manquait de l'argent dans la caisse.

Grâce à Dieu, Charlotte avait tenu à protéger d'abord et avant tout la réputation de son mari. Elle avait commencé par combler le déficit avec son propre argent. Puis elle avait demandé à Mickey de partir, menaçant de le dénoncer s'il refusait de démissionner.

À bien des égards, Newport était une paisible bourgade où chacun connaissait tout le monde et était informé de tout. Mickey n'avait pas l'intention de quitter la ville. Ni d'y vivre en paria.

À présent, Mickey régnait sur les réceptions estivales de la haute société de Newport. Lui qui n'avait été qu'un domestique — un domestique ambitieux, il est vrai.

85

Zoé était déçue. Elle s'était embarquée pour une heure de voyage à bord d'un ferry qui l'avait emmenée à Providence. Son projet était de tourner quelques vues de la célèbre Bethel Church, la plus vieille église noire de Rhode Island. L'édifice avait la réputation d'être un monument dédié à la liberté. Pendant des années, il avait servi de destination aux esclaves sudistes qui fuyaient par le chemin de fer souterrain. Mariah s'était arrêtée dans cette église alors qu'elle partait chercher refuge au Canada.

Or l'église n'était plus là. Zoé trouva seulement une plaque marquant le site où se dressait autrefois Bethel Church, et que traversait désormais une promenade voisine du campus de Brown University.

Il ne restait plus à Zoé qu'à filmer la plaque. Elle tourna une minute — pas franchement excitant, comme vidéo. Être venue jusqu'ici pour un résultat aussi maigre, même si elle serait sans doute contente d'avoir ces images à sa disposition quand elle monterait son film !

Mais elle n'avait pas renoncé à une autre vidéo, plus importante : le tunnel de Shepherd's Point. Le professeur Cox refusait de l'aider ? Très bien. Elle avait un autre plan. B.J. et Grace avaient tourné des images du tunnel lors de leur visite à Shepherd's Point. Et la cassette se trouvait sur une étagère dans la salle de rédaction à l'hôtel. Ce soir, elle descendrait discrètement en faire une copie. Ainsi elle aurait ses images du tunnel aux esclaves, sans déranger personne.

Rebroussant chemin, elle gagna l'arrêt de bus. Quelques minutes plus tard, elle s'embarquait sur le ferry à destination de Newport.

*

Quand elle vit se profiler à nouveau la côte et Newport, Zoé songea combien la ville avait dû être belle autrefois, quand elle accueillait le principal marché aux esclaves des colonies d'Amérique. L'esclavage ne sévissait pas seulement dans le Sud, alors.

Zoé offrit son visage aux caresses de la brise d'été. Le ferry se préparait à accoster à hauteur de Perrotti Park. Elle prit son sac à dos sur le banc, et attendit le signal invitant les passagers à descendre à terre. Au pied de la passerelle, un homme distribuait des prospectus aux arrivants. Son visage n'était pas inconnu à Zoé, mais elle ne le remit pas tout de suite. C'est seulement quand elle eut le prospectus entre les mains que la mémoire lui revint.

C'était ce tatoueur qui avait amusé la galerie au *clambake*. *Les temps doivent être durs*, songea-t-elle. Deux tatouages pour le prix d'un seul : c'est la proposition qui figurait sur le prospectus.

86

Scott Huffman, le chauffeur du camion satellite, n'avait pas grand-chose à raconter à la police. Il avait confié à Sam Watkins la garde du précieux véhicule le temps d'aller faire une course. À son retour, ledit Sam n'était plus là !

— Il m'a dit qu'il avait envie de pisser. Je lui ai conseillé les toilettes du pavillon. C'est la dernière fois qu'on s'est parlé.

Tommy James fut visité par une intuition : le tunnel. Ils avaient intérêt, selon lui, à y jeter un coup d'œil s'ils ne voulaient pas se ridiculiser une fois de plus. Tout le monde savait qu'il y avait un souterrain aux Breakers. À Shepherd's Point, quatorze ans plus tôt, les enquêteurs avaient négligé les galeries. Résultat, ils n'avaient pas retrouvé le corps de Charlotte Sloane qui gisait sous leurs pieds ! Le fiasco complet. Pour Tommy, le premier endroit à visiter, c'était le tunnel, puisque Sam avait disparu ici même, aux Breakers, dans la propriété des Vanderbilt.

87

Grace tomba sur B.J. à la réception.

— Je te cherchais, dit-il. Où étais-tu passée ?

— Des trucs à faire.

Elle préférait ne pas lui parler de sa visite à Shepherd's Point. Ni lui dire qu'elle venait de voir Agatha. Après tout, c'est avec Joss qu'il était allé visiter cette cave viticole, non ?

— Je t'ai cherchée, reprit-il. Ce matin, après l'émission. Pour savoir si tu voulais m'accompagner.

Tu n'as pas dû chercher bien longtemps.

— Il n'y a pas de problème, dit-elle.

C'était un mensonge.

— Tant mieux, reprit-il. On va en groupe prendre un verre, manger quelque chose. Ça te dit ?

— Pourquoi pas ? Grace n'avait rien de spécial à faire. Elle n'allait tout de même pas monter s'enfermer dans sa chambre et bouder en regardant un film

— Bien sûr, dit-elle. C'est une excellente idée.

*

À l'entrée du restaurant Salas, on les prévint qu'ils ne pourraient avoir une table avant une heure. Joss affirma que ça valait le coup d'attendre.

— Ils servent des homards fabuleux, dit-elle. Leurs spaghettis à l'orientale sont ce qui se fait de mieux. Allons au bar. Ils nous préviendront quand une place se libérera.

Grace était frappée par l'ambiance de camaraderie qui régnait dans leur bande. Constance et Harry, les présentateurs-vedettes, acceptaient sans façon de sortir avec des stagiaires. Beth Terry et Dominick O'Donnell étaient également de la partie.

La bière glacée descendait vite. B.J. leva sa bouteille pour porter un toast.

— À Sam, dit-il. En espérant le revoir bientôt.

— Et surtout en bonne forme, enchaîna Beth.

Ils en étaient à leur troisième tournée quand la serveuse vint les prévenir qu'une table de huit s'était libérée. Grace observa que Constance et Harry n'avaient pas touché à leur dernière bière. Les autres emportèrent leur bouteille. Tandis que le groupe s'engageait dans l'escalier pour gagner la salle à l'étage, Grace fit le détour par les toilettes. Zoé la suivit. Elles se lavèrent les mains ensemble devant la rangée de lavabos.

— J'étais sortie cet après-midi, quand la police est venue. Tu étais là, Grace ?

— Non. J'étais absente aussi.

Elle s'essuya les mains avec une serviette en papier tirée du distributeur mural.

— En fait, reprit Zoé, je crois que je vais appeler les flics demain. J'ai peut-être quelque chose pour eux.

— Ah bon ? Quoi donc ?

— Quand je suis allée courir, dimanche soir, je me suis retrouvée du côté des Breakers. J'ai vu une voiture démarrer rapidement au coin de la propriété. Le chauffeur a failli m'écraser. Si ça se trouve, ça n'a aucun rapport. Mais je crois que je dois leur en parler.

— C'était quel genre de voiture ? dit Grace.

Zoé haussa les épaules.

— Il faisait nuit. Et je ne connais pas les modèles des voitures américaines. Je n'ai même pas vu de quelle couleur elle était. J'ai juste aperçu un bout de la plaque. Les trois premières lettres : S.E.A.

— Zoé, il faut aller le dire à la police.

*

On engloutissait des tranches de pain à l'ail et des homards. À un moment de la soirée, tandis que fusaient les rires, quelqu'un mit sur le tapis le sujet du tatouage.

— J'ai un minuscule papillon, dit Joss.

— Où ? voulut savoir B.J.

— Je ne le dis pas, gloussa Joss d'un air enjôleur.

Elle afficha un petit sourire provocateur. *Elle ferait n'importe quoi pour gagner*, songea Grace.

— Moi, intervint Beth, je n'ai pas assez de cran pour m'en faire graver un. C'est... C'est tellement...

Elle finit par trouver le mot qu'elle cherchait :

— Tellement définitif !

— Pourquoi tu ne fais pas comme Grace ? suggéra Joss. Un tatouage au henné.

Elle essaie de me faire passer pour une poule mouillée, ou quoi ? se dit Grace. Zoé intervint :

— Si tu te décides, il y a une promo chez un tatoueur de Broadway. Deux pour le prix d'un seul.

— Vraiment ? s'étonna Joss. Je me demandais justement si je n'allais pas m'en faire faire un autre.

Comme si le prix avait la moindre importance pour toi !

— Ça intéresse quelqu'un ? dit Joss en regardant Grace d'un air de défi.

Et pourquoi pas, après tout ?

Ainsi, elle aurait pour toujours un souvenir de sa mère. Un souvenir aussi de son premier voyage avec Key News. Le premier d'une longue série, peut-être. En effet, Grace était plus que jamais résolue à décrocher le poste. Ne serait-ce que pour battre Joss à plate couture. Avec trois bières dans l'estomac, elle se sentait une âme de vainqueur.

— Moi, dit-elle. Ça m'intéresse.

Le gant était relevé. Elle ajouta :

— Allons-y après le restau.

88

Constance et Harry demandèrent la permission de prendre congé : ils devaient impérativement être frais et dispos pour attaquer de bonne heure. Beth et Dom, eux, accusaient la fatigue, Zoé avait quelque chose à faire à l'hôtel. Quand vint le moment de se rendre chez le tatoueur, seuls Grace, Joss et B.J. répondaient encore présent.

Sur Broadway, Grace observa l'enseigne en néon rose qui illuminait la vitrine. Maintenant, elle hésitait. L'artiste l'avait prévenue : l'opération serait douloureuse. Le sommet du pied était une zone sensible. Mais elle avait survécu à l'accouchement, non ? Ça pouvait difficilement être plus dur. Grace redressa les épaules et franchit la première le seuil de la boutique.

Rusty était plongé dans la lecture de *Playboy*. Il leva les yeux vers le trio, puis concentra son intérêt sur les femmes.

— Les filles du *clambake* ! finit-il par s'exclamer. C'est bien ça ?

Grace approuva. Joss, sans se donner la peine de répondre, traversa la pièce pour aller examiner les modèles de tatouages exposés au mur.

— Trois tatouages, alors ? reprit Rusty, plein d'espoir.

— Seulement les dames, répondit B.J.

— Et qu'est-ce que ce sera ?

— Je ne sais pas encore, dit Joss qui étudiait toujours les modèles. Je pensais à quelque chose d'un peu différent. Je ne vois rien qui me branche.

Rusty passa derrière son comptoir et ouvrit un classeur.

— J'ai d'autres dessins, dit-il. Des œuvres personnelles. Jetez-y un coup d'œil. Peut-être que quelque chose vous plaira.

Joss feuilleta les planches dans leurs protections en cellophane. Grace était derrière elle, et regardait aussi.

— J'aimerais un iris, dit-elle, comme celui que tu m'as fait au henné l'autre soir.

Joss continuait de tourner les pages. Elle s'arrêta sur un dessin qui semblait lui plaire. C'était un cercle de chiffres figurant une horloge et frappé d'une maxime : « Le Temps s'enfuit, l'Amour demeure. » Comment ce dessin pouvait-il apparaître dans les œuvres « personnelles » de Rusty ? Voilà qui était étrange. Joss tenta d'élucider le mystère ;

— D'où ça t'est venu, l'idée de celui-là ?

Le cadran solaire de Shepherd's Point, pensa Grace.

Joss savait parfaitement que le motif était celui des boucles d'oreilles que Charlotte Sloane portait le soir de sa disparition – ce bijou unique que Tommy lui avait montré et dont elle avait fait un croquis.

Rusty hésitait à répondre.

— Je ne me rappelle plus. Ça a dû me venir comme ça.

Le biper de B.J. sonnait. Il lut le message, puis siffla doucement entre ses dents.

— Qu'est-ce que c'est ? demanda Grace.

— Ils ont retrouvé Sam. Allons-y.

89

La chaîne locale WPRI développa l'information dans son édition de 23 heures. On avait retrouvé Sam Watkins dans le tunnel des Breakers. Aucune image n'était disponible, la rédaction n'ayant pas encore eu le temps d'envoyer une équipe sur les lieux. Le public dut se contenter d'une photo incrustée au-dessus de l'épaule du présentateur.

— La police de Newport a retrouvé ce soir un stagiaire de la chaîne Key News dont on était sans nouvelles depuis dimanche. Le jeune homme gisait inconscient dans une galerie creusée sous le domaine des Breakers. Âgé de vingt et un ans, Sam Watkins est originaire de Hollis, Oklahoma. Étudiant à Northwestern University, il effectuait un stage pratique au sein de la chaîne dont l'émission quotidienne « Key to America » est diffusée cette semaine depuis Newport. Le garçon a été admis à l'hôpital dans un état critique. Rappelons que c'est également dans un tunnel qu'ont été retrouvés la semaine dernière les restes de Charlotte Sloane. Nous ajoutons que Maud Sloane, la fille de Charlotte, est morte samedi après une chute dans l'escalier des Quarante Marches. La police tente d'établir le lien susceptible d'unir ces différentes affaires.

Ce stagiaire ne devait survivre à aucun prix ! Mais qui aurait pu penser qu'il survivrait à un tel coup de pied-de-biche sur le crâne ? En plus, le gosse avait été abandonné à son sort, sous la terre, deux jours entiers. Deux jours sans nourriture et sans eau. Sans soins pour sa blessure...

D'un autre côté, Sam était jeune.

Son agresseur s'en voulut de s'être conduit stupidement. Il éteignit la télévision et lâcha à haute voix :

— J'aurais dû m'assurer qu'il était bien mort !

Normalement, un pareil coup sur le crâne aurait dû le tuer. Comme il avait tué Charlotte. Un pied-de-biche tiré du coffre ou un tisonnier trouvé dans la cabane de jeu : à peu de chose près, c'était la même arme. La même puissance mortelle.

Ils disent que le gamin est inconscient. Demain, je ferai un saut jusqu'à l'hôpital, et je veillerai à ce qu'il ne reprenne pas connaissance. D'une façon ou d'une autre, il doit être réduit au silence. Mais la nature s'en chargera peut-être ; Sam, avec un peu de chance, mourra tout seul...

Dans l'immédiat, il y avait un autre problème à régler. Puisque ce Sam avait été retrouvé aux Breakers, tous ceux qui rôdaient aux alentours du domaine dimanche soir risquaient de se mettre à parler. Cette jeune Black qui faisait du jogging, par exemple. Elle avait vu la voiture s'éloigner de la maison. Heureusement qu'elle portait un T-shirt à son nom ! QUIGLEY... Une petite Black du nom de Quigley travaillant pour Key News, il ne devait pas y en avoir des dizaines...

MERCREDI 21 JUILLET

91

— Bonsoir, je souhaite laisser un message à Zoé Quigley.

— Vous voulez la réveiller, répondit le veilleur de nuit du Viking, ou vous préférez que je vous passe sa boîte vocale ?

— En fait, je pensais que vous pourriez peut-être prendre le message vous-même, et le lui délivrer à 3 h 30 du matin. Elle ne s'attend pas à devoir se lever d'aussi bonne heure. Et pourtant il le faut. C'est très important. Elle doit avoir ce message à l'heure dite...

Et je préfère que ma voix ne soit pas enregistrée par une boîte vocale, pensa l'assassin.

— D'accord, répondit le veilleur. Allez-y.

— Génial. Voulez-vous, je vous prie, dire à Zoé qu'elle doit absolument se rendre sur le quai pour l'émission ? Le rendez-vous sur place est à 4 heures du mat'.

— Je transmettrai.

— Merci beaucoup.

Le téléphone grésillait dans l'obscurité de la chambre. Zoé chercha le combiné à tâtons. Elle écouta le gardien lui communiquer le message.

Ils se décident enfin à me donner quelque chose à faire, et il faut que ça tombe justement ce matin.

Elle avait prévu de se lever tôt pour aller copier cette vidéo dans la salle de rédaction. Hier soir, l'opération n'avait pas été possible à cause de toute cette agitation autour de Sam Watkins. De retour du restau, elle avait regardé les infos avec les autres. Ensuite, elle était montée directement se coucher.

Elle avait dormi d'un sommeil agité. Les spaghettis à l'orientale ne lui avaient pas réussi. Elle songea d'abord à appeler la salle de rédaction pour leur dire qu'elle était malade, mais elle repoussa cette idée.

Elle prit une douche rapide. Elle sortit des vêtements propres de sa valise et s'habilla. Elle glissa dans sa poche son portefeuille et la carte magnétique de sa chambre. Et elle sortit.

Il faisait noir sur Bellevue Avenue. Zoé prit la direction de Church Street. Elle tourna à droite et descendit directement vers le port.

*

La voiture s'éloigna lentement du trottoir, puis tourna à droite, elle aussi, dans Church Street déserte. La ville dormait encore.

La fille était là. Elle marchait le long du trottoir, protégée par les voitures en stationnement. Mais bientôt elle serait obligée de traverser. Au carrefour, précisément. C'est alors qu'elle serait vulnérable.

La voiture ralentit presque jusqu'à l'arrêt. Au moment où Zoé descendit du trottoir et mit un pied sur la chaussée, le conducteur écrasa l'accélérateur. Zoé eut le temps de reconnaître les première lettres figurant sur la plaque minéralogique. L'instant d'après, elle était heurtée de plein fouet et jetée à terre. Le conducteur s'arrêta, enclencha la marche arrière et roula sur le corps inconscient. Pour ne pas manquer son coup, cette fois-ci, il remit la marche avant et lui passa dessus une seconde fois. Puis il s'enfuit.

93

Izzie avait l'habitude de retirer vite la bouilloire du feu dès que celle-ci commençait à siffler. Il n'y avait pourtant aucune raison de se précipiter désormais. Paddy n'était plus là. La bouilloire ne risquait plus de réveiller personne.

Elle s'obligea à glisser une tranche de pain au raisin dans le toaster. Elle n'avait pas faim. Elle n'avait plus jamais faim maintenant. Elle n'avait plus de goût à rien. Elle qui avait eu une passion pour les douceurs et le chocolat ! Naguère, elle se plaignait d'être trop grosse ; à présent ses vêtements lui pendaient sur le corps. Mais elle n'avait aucune envie de dépenser de l'argent ainsi. Elle n'allait jamais nulle part, de toute façon. À part à son travail et à l'église. Pour l'hôtel, elle avait sa blouse de femme de chambre ; quant à Dieu, il se moquait bien de savoir comment elle s'habillait le reste du temps. Ah ! ce n'était plus comme autrefois, quand elle voulait plaire à Paddy. Quand ils allaient danser à l'Hibernian. Quand ils économisaient pour se payer des homards au restaurant.

Le bon vieux temps s'était enfui. Paddy fumait ses deux paquets par jour, et le cancer avait fini par l'emporter ; comme il emporterait Izzie à son tour.

La tranche de pain sauta du toaster. Izzie y tartina un peu de beurre. Elle mangea sans enthousiasme, en buvant son thé à petites gorgées. Elle se préparait à affronter sa matinée. Encore une journée à faire des lits, à nettoyer la saleté des autres. Une journée de plus à tenir.

Elle jeta un regard indifférent aux lettres non ouvertes qui s'entassaient sur la table. Pourquoi Dieu leur avait-Il refusé le bonheur d'avoir des enfants ? Les enfants, au moins, vous donnent une raison de vous battre. Et c'est ce qui manquait à Izzie : une raison de continuer.

94

Ce petit fumier n'est pas venu lundi, et c'est aussi bien comme ça ! songea Linus en se rasant. L'état de santé de son stagiaire ne le préoccupait guère. Ce qui l'intéressait, c'était la possibilité de tenir un sujet sensationnel.

Il avait demandé que l'on envoie une caméra à l'hôpital de Newport, et chargé Lauren Adams de préparer une séquence en direct sur l'affaire Sam Watkins. La mission de Lauren consistait à établir un lien entre les ennuis de Sam et la disparition de Charlotte et Maud Sloane. Linus pensait pouvoir faire ainsi d'une pierre deux coups. Et même plusieurs coups. Dont l'un, et non des moindres, consisterait à flatter l'ego de Lauren. Elle le tannait depuis le début de la semaine pour obtenir un passage à l'antenne.

Il sortit de la salle de bains et baissa les yeux vers le lit vide aux draps défaits. Lauren avait dormi là cette nuit. S'il voulait continuer à prendre du bon temps avec elle, il devait s'arranger pour qu'elle y trouve son compte elle aussi. Une séquence en direct devrait lui faire plaisir. Elle était programmée en très bonne place dans l'émission. Et Linus veillerait à lui assurer les services de B.J. d'Elia, qui était un excellent producteur.

Linus acheva de s'habiller. Il quitta l'hôtel et monta dans sa voiture. Voyant que le chauffeur ne tournait pas à droite dans Church Street, il s'exclama :

— Qu'est-ce que vous faites ? Emmenez-moi directement sur les quais !

— La rue est bloquée, monsieur. Un accident.

95

— Voulez-vous aller vous renseigner auprès des infirmières sur l'état de Sam ? lança Lauren à l'adresse de Grace.

C'était un ordre plus qu'une demande.

— Tout de suite, répondit Grace.

Elle avait déjà posé la question un quart d'heure auparavant, et la réponse avait toutes les chances d'être la même. Grace était gênée de devoir harceler des infirmières surchargées de travail et déjà exaspérées par ses demandes à répétition.

Laissant Lauren et B.J. discuter près du camion satellite, Grace traversa le parking et franchit le seuil de l'hôpital au moment où une ambulance gagnait à vive allure l'entrée des urgences.

— Un décès à l'arrivée, dit un urgentiste en ouvrant la double porte arrière du véhicule. Morte pendant le voyage.

Grace les regarda sortir le brancard du camion. On avait déjà recouvert le visage de la défunte. Une main dépassait sous la couverture. Une main à la peau noire, aux longs doigts effilés. Une main de jeune femme.

— Identifiée ? demanda l'infirmière sortie pour accueillir l'ambulance.

— Ouais, répondit le médecin assistant. Il y avait un portefeuille avec une carte à son nom. Zoé Quigley.

96

Le professeur Cox boitait sur les pavés, anxieux d'être en retard. En tout cas selon les critères de ce négrier de Linus Nazareth. Linus exigeait que l'historien soit sur le plateau une heure avant le début de l'émission, sous prétexte que les journalistes responsables du sujet pouvaient avoir des questions de dernière minute à lui poser.

Aux yeux du professeur, venir d'aussi bonne heure, c'était du temps perdu. Mais il était bien payé. La télé, en une semaine, lui rapporterait assez pour payer ses vacances de Noël. Et Linus avait évoqué la possibilité de faire de nouveau appel à ses services quand la chaîne se déplacerait à Williamsburg. Cox n'avait pas envie de laisser passer cette occasion d'être engagé à nouveau comme consultant.

Il jura en trébuchant dans les câbles répandus partout sur le quai Bowen. Il cherchait à repérer Linus parmi les personnes qui s'affairaient autour du plateau. On aurait dit un équipage à l'œuvre sur le pont d'un navire. Du reste, c'était bien un voyage en mer qui attendait aujourd'hui les participants à l'émission. Et Gordon n'était pas pressé d'embarquer. Dans sa hâte, il avait oublié de prendre ses lunettes noires. Sur l'eau, le soleil serait aveuglant, même à cette heure matinale.

*

Un vendeur ambulant s'était déplacé pour proposer au staff du café et des douceurs. Gordon s'approcha de lui. Il n'avait pas le temps d'avaler un petit-déjeuner, mais un café serait vraiment le bienvenu.

Il avait été précédé par Beth Terry qui dépliait l'emballage d'un muffin aux pépites de chocolat.

— Bonjour, professeur.

— Bonjour.

— Je suppose que vous êtes au courant pour notre stagiaire.

— Quoi donc ?

— Ils ont retrouvé Sam dans le tunnel des Breakers. Vivant, grâce à Dieu. Mais dans un sale état. Il est toujours à l'hôpital. Il n'a pas repris connaissance.

Gordon cligna des yeux et approcha le gobelet de ses lèvres. Ce gosse ne lui inspirait aucune sympathie. S'il ne s'était pas vanté d'avoir assisté au meurtre, personne ne l'aurait obligé, lui, Cox, à venir commenter la mort de Maud en direct devant des millions de téléspectateurs.

*

C'est Dominick O'Donnell qui reçut l'appel de B.J. depuis l'hôpital. L'instant d'après, la nouvelle se répandait dans tout le staff.

— Zoé Quigley est morte.

Linus interrogea son collaborateur du regard.

— Zoé, répéta Dominick. Zoé Quigley. La stagiaire anglaise.

Linus évoluait dans un univers où seul comptait son propre intérêt, et où il ne semblait pas nécessaire de retenir le nom des subalternes.

— La petite Black ?

Dominick approuva, non sans tressaillir intérieurement.

— Qu'est-ce qui lui est arrivé ?

— Accident de la circulation, semble-t-il. Ce matin. Alors qu'elle était en route pour rejoindre le plateau.

— Merde, grogna Linus. J'espère que ça ne va pas nous attirer des poursuites.

Alors qu'il s'éloignait, une idée lui frappa l'esprit. Ce décès pouvait augmenter la tension dramatique de l'émission. Après tout, même le nuage le plus sombre pouvait receler quelque bienfait.

97

Sur le parking de l'hôpital, Grace se surprit à trembler en écoutant l'intervention de Lauren.

— Bonjour, Constance, bonjour, Harry. Oui, l'atmosphère est triste et tendue ici puisque nous déplorons le décès d'une de nos stagiaires, au moment même où le jeune Sam Watkins lutte contre la mort dans ce même hôpital de Newport que vous apercevez, derrière moi. Zoé Quigley avait vingt ans. Elle était originaire de Richmond, en Grande-Bretagne. Elle est morte tout à l'heure dans l'ambulance, victime d'un chauffard qui l'a renversée avant de prendre la fuite. Nous avons peu de détails sur les circonstances de l'accident. Il semble que Zoé se dirigeait à pied vers les quais, avant le lever du jour, pour rejoindre le plateau de l'émission. Un véhicule l'a heurtée à deux rues de l'hôtel où réside le staff durant cette semaine...

Grace, soudainement, se tourmentait pour sa petite fille. *Pourvu que Lucy dorme encore. Bien en sécurité dans sa chambre. Loin de ces drames...*

Lauren continuait :

— Pendant ce temps, comme je vous le disais, Constance et Harry, un autre stagiaire de Key News, le jeune Sam Watkins, se trouve toujours en réanimation. Ainsi que vous le savez, on était sans nouvelle de lui depuis dimanche soir. La police l'a retrouvé hier soir dans une galerie, sous cette propriété des Vanderbilt appelée les Breakers. Il est dans le coma, victime d'un traumatisme crânien...

Lauren choisissait ses mots avec une infinie prudence. Quelques minutes avant le début de l'émission, Linus lui avait très fermement fait savoir qu'il ne voulait entendre aucune allusion au fait que Sam aurait dû être interviewé en tant que témoin oculaire de la mort de Maud Sloane.

— Ce grave incident, Constance et Harry, succède à d'autres faits tragiques et traumatisants venus émailler la vie de cette paisible ville côtière. En effet, le week-end dernier, ont été retrouvés dans un autre tunnel, sur une autre propriété, les restes d'une personne qui avait disparu depuis quatorze ans, Charlotte Wagstaff Sloane. Cette découverte a permis d'établir que Charlotte Sloane est morte assassinée. À la fin de ce même week-end, c'est sa propre fille, Maud Sloane, qui faisait une chute mortelle près de l'océan, au lieu-dit les Quarante Marches. On attend aujourd'hui en fin de matinée les conclusions du médecin légiste, mais la police travaille déjà d'arrache-pied à tenter d'établir le lien entre ces deux événements. À vous, Constance et Harry. Je vous rends l'antenne.

Lauren déclipa son micro et se rua sur B.J. pour savoir comment il l'avait trouvée. *Comme si c'était le plus important*, soupira Grace intérieurement. Maud était morte. Sam était dans le coma. Zoé ne retournerait jamais plus dans sa famille en Angleterre. Et Lauren ne voulait savoir qu'une chose : l'effet qu'elle avait produit ! Rien que d'y penser, Grace en avait des frissons.

Elle se rappelait encore les quelques mots échangés la veille avec Zoé dans les toilettes du restaurant. Zoé avait vu une voiture démarrer en trombe près des Breakers, le soir de la disparition de Sam. Le chauffeur de ce véhicule était-il venu ce matin achever un travail commencé avec l'agression de Sam ? Zoé avait-elle été renversée intentionnellement ?

98

La Mercedes verte se gara dans Thames Street, à l'entrée du quai Bowen.

— Je n'ai pas de badge et je m'en fous ! hurla M. Vickers à l'adresse de sa femme. Je vais chercher Joss. Et tout de suite. Tu crois que j'ai l'intention de laisser ma fille mêlée à ça ?

— À *ça* ? Que veux-tu dire, exactement, Howard ?

Il la dévisagea, stupéfait de constater qu'elle ne comprenait pas.

— Je veux dire qu'elle est en danger, Vanessa. Qu'est-ce qui te prend ? Tu ne te rends pas compte de ce qui se passe ?

— Un affreux accident s'est produit, voilà tout. Une jeune femme s'est fait renverser par une voiture. Ce sont des choses qui arrivent, Howard. C'est fort triste, mais ça peut arriver...

— Et l'autre stagiaire ? Ce gosse retrouvé dans le tunnel aux Breakers ! Ça peut arriver aussi ?

— Je n'en sais rien pour le moment, Howard. Nous verrons bien ce qu'en dira la police. Ou ce que ce jeune homme dira lui-même quand il se réveillera.

— S'il se réveille jamais ! Comment peux-tu être à ce point naïve ? Trois personnes ayant participé à notre *clambake* de samedi ont été agressées. L'une est dans le coma, les deux autres sont mortes. Parmi elles, deux stagiaires de Key News. Joss ne restera pas une minute de plus en compagnie de ces fous. Sa place est chez nous. À la maison.

Il claqua la portière de la Mercedes et se dirigea à grandes enjambées vers le quai Bowen.

99

L'émission touchait à sa fin. Le navire accostait au quai après ses circonvolutions dans la baie. Constance, Harry et le professeur Cox allaient pouvoir redescendre à terre. C'est Harry, aujourd'hui, qui se chargea de conclure, et de donner rendez-vous aux téléspectateurs pour le lendemain matin.

— Ce soir, dit-il, aura lieu une soirée exceptionnelle, le Bal bleu. La réception se tiendra au domaine des Ormes. Il s'agit d'une soirée de bienfaisance destinée à rassembler des fonds pour la protection des oiseaux menacés dans l'État de Rhode Island. Votre émission, « Key to America », sera présente à cette fête prestigieuse dont nous vous parlerons demain. Un reportage vous permettra également de découvrir ce qu'était la vie quotidienne des domestiques dans les manoirs de l'Âge d'or. Et bien d'autres choses encore. Alors à demain dans « Key to America » !

100

Elsa tourna le dos à la télévision, gagna le jardin, alla s'asseoir dans une chaise longue du patio, et tendit l'oreille au vigoureux tapage des oiseaux. Les petites créatures avaient toujours fort à faire aux heures matinales.

Ainsi les autorités allaient publier tout à l'heure les résultats de l'autopsie. Elsa tenait à être auprès d'Oliver quand la nouvelle lui parviendrait. Il aurait besoin d'elle à ce moment-là. Car ce serait pour lui un moment difficile. Si Elsa le secondait dans les heures les plus douloureuses, le lien entre eux se renforcerait jusqu'à devenir si profond que rien ne pourrait plus le défaire. C'était juste une question de patience.

En pensée, Elsa était déjà la nouvelle Mme Oliver Sloane. Dans quelque temps, Oliver l'épouserait pour de bon. Il ne le savait pas encore, voilà tout.

101

Rusty prenait sa douche. Ses yeux le brûlaient. Il n'avait pas dormi de la nuit. Il comptait sur l'eau chaude pour le délivrer des tensions qui lui bloquaient la nuque. Il resta immobile sous le jet brûlant.

Mais les tensions subsistaient.

Joss. Cette gosse de riche. Cette nana dont les parents avaient organisé le *clambake*. Elle avait reconnu le dessin qu'il avait réalisé à partir de la boucle d'oreille ! Il en était presque sûr. Autrement, elle n'aurait pas posé la question. Il lui avait fait une réponse vaseuse. Et elle ne l'avait pas cru.

Imbécile. Ce dessin ne devrait pas se trouver dans le classeur que tu montres à tout le monde ! Qu'est-ce qui t'a pris ?

Joss et les deux personnes qui l'accompagnaient travaillaient à la télé. Ils étaient partis en courant dès qu'ils avaient appris que le gosse avait été retrouvé dans le tunnel. Mais Joss repenserait bientôt au dessin, et elle ne manquerait pas d'en parler aux autres. Alors ils reviendraient. Ou ils préviendraient la police.

Rusty réfléchit rapidement. D'abord, il devait se débarrasser de la boucle d'oreille. Un dessin sur une feuille de papier, c'était une chose ; autre chose était de se trouver en possession de l'objet lui-même, du modèle de la boucle d'oreille que portait Charlotte Sloane le soir de sa disparition. Il pouvait tomber à cause de ça.

Il aurait dû s'en débarrasser plus tôt, il le savait. Mais il n'avait jamais pu s'y résoudre. Le bijou était trop beau. La boucle d'oreille de Charlotte Sloane était d'un goût exquis. Comme Charlotte elle-même était exquise lors de cette chaude soirée d'été. La pauvre jeune femme désespérée. Tellement pressée de fuir le Country Club, tellement bouleversée. Une femme pleine de classe, vraiment. Rusty s'était offert de la raccompagner en voiture. Et elle avait accepté.

Elle ignorait que ce serait son dernier voyage.

102

Avant toute chose, Grace voulait téléphoner à Lucy. Elle avait besoin d'entendre la voix de sa fille. B.J. lui tendit son portable. Elle s'éloigna du camion satellite. Mais elle tomba sur la messagerie de son propre téléphone, qu'elle avait prêté à Lucy. Elle décida d'appeler directement la chambre.

C'est Frank qui décrocha à la troisième sonnerie.

— Salut, c'est moi, Grace.

— Salut.

— Je peux avoir Lucy ?

— Elle n'est pas là. Elle est descendue avec Jeanne prendre le petit-déjeuner.

Grace eut l'impression que son cœur allait s'effondrer.

— Tout va bien ? dit-elle.

— Tu penses à toutes ces folies que diffusent les infos ? La réponse est oui.

— J'aurais préféré que tu ne la laisses pas regarder ça.

— C'est impossible, Grace. Elle tient dur comme fer à regarder « Key to America » tous les matins. Parce que sa mère travaille pour l'émission. Alors non, je ne l'ai pas empêchée de regarder. Franchement, je ne vois pas pourquoi j'aurais dû le faire. Lucy est assez grande pour voir dans quelle atmosphère sa mère a choisi de travailler...

Grace l'interrompit en s'efforçant de ne pas élever la voix, de crainte que B.J. n'entende sa conversation.

— Qu'est-ce que tu veux dire, Frank ?

— Je ne sais pas, Grace. C'est à toi de répondre. J'ai l'impression que tes copains stagiaires sont en train de tomber comme des mouches, non ?

Et tu aimerais bien que je tombe à mon tour, pas vrai ? Grace avait maintenant envie de hurler mais elle parvint à se contenir.

— Préviens Lucy que j'ai appelé, s'il te plaît. Dis-lui que tout va bien. Que je l'aime. Et que je la verrai plus tard. Dis-lui qu'elle n'a aucune raison de s'inquiéter.

103

Aux Ormes, quand on grimpait sur le toit de la maison, on découvrait l'océan. Mickey, du balcon du troisième étage, observait la vaste tente bleu clair dressée sur la pelouse impeccable. Ce soir, des centaines d'invités danseraient sous ce chapiteau. On leur servirait les meilleures boissons et des mets excellents. Et tous deviendraient des clients potentiels.

Bien qu'exténué, il était résolu à rassembler son énergie pour faire en sorte que le Bal bleu soit un succès retentissant. Il avait veillé à chaque détail. Les serviettes à motif d'œufs d'oiseaux colorés. Les bouquets de fleurs disposés sur les tables – anémones, lupins bleus, myosotis. Le menu qui s'ouvrait sur des huîtres de Blue Point et s'achevait par un dessert aux myrtilles. Il avait même prévu de disposer dans la fontaine de bronze une flotte de petits cygnes bleus en bois, détail qui ne pouvait manquer de produire son effet sur les convives.

Dieu soit loué ! La journée s'annonce magnifique. Mickey levait les yeux vers le ciel de cristal. Oui, une belle journée. Suivie d'une soirée mémorable. Après laquelle Seasons Catering serait définitivement le traiteur incontournable de la ville.

Quel chemin parcouru, depuis l'époque où il était serveur ! Mais il avait toujours su qu'il avait rendez-vous avec le succès. Seule Charlotte Sloane avait voulu lui barrer la route quand elle s'était aperçue qu'il détournait de l'argent. Elle avait été furieuse de découvrir qu'il grugeait Oliver. Elle l'avait placé devant ses responsabilités. Elle acceptait de fermer les yeux à condition qu'il restitue l'argent volé, et qu'il rende son tablier.

Un marché inacceptable...

104

L'émission terminée, Grace alla prendre une fois encore des nouvelles de Sam. L'état du patient était stationnaire. Elle rentra à l'hôtel avec B.J. qui se montra peu bavard durant le voyage. Mais tous deux étaient fatigués, choqués par les événements. Au Viking, Grace descendit la première pour gagner directement la salle de rédaction, pendant que B.J. attendait le voiturier. La salle était inhabituellement paisible. Un journaliste lança :

— Salut, Grace. Ton père a téléphoné. Il attend que tu le rappelles. Grace alla décrocher un appareil.

— Papa.

— Grace.

Il semblait soulagé.

— Tu vas bien, chérie ?

— Je ne saurais le dire. L'atmosphère est très triste. J'imagine que tu as regardé l'émission.

— Oui. Tu ne crois pas que tu ferais mieux de tout lâcher et de rentrer à la maison ?

— C'est ce que tu ferais, papa ?

Un long silence s'installa sur la ligne. Puis Grace entendit son père reprendre :

— Je ne sais pas. Je n'ai pas tous les éléments. Je ne sais pas ce que je ferais à ta place.

— Je me sentirais mal de déserter, papa. Et il ne reste que quelques jours.

— Très bien. Mais par pitié, sois prudente. Fais bien attention. Un tas de choses peuvent arriver en quelques jours.

Et même en quelques secondes, songea Grace dont l'esprit fut brusquement traversé par des visions de Maud, de Sam et de Zoé.

105

Toutes les télévisions locales avaient envoyé une équipe à la conférence de presse. Chacun avait hâte d'enregistrer des images et de les expédier à sa chaîne pour les émissions de l'après-midi. L'assistant du médecin légiste s'assit à une table hérissée de micros. Il était en mesure de rendre publics les résultats de l'autopsie, au terme de recherches effectuées rapidement, compte tenu de la notoriété des personnes concernées.

— Maud Sloane est morte d'une fracture de la nuque. Son taux d'alcoolémie étant particulièrement élevé, et son corps ne présentant aucune trace de lutte, nous avons conclu pour le moment à un décès accidentel.

106

Après cette conversation avec son père, Grace se rappela qu'elle avait eu l'intention de parler à Oliver Sloane, tout comme elle était allée présenter ses condoléances à la tante de Maud.

Mais avant de lui rendre visite, elle devait s'entretenir avec l'inspecteur Manzorella. Il fallait qu'il sache, pour cette voiture que Zoé avait vue démarrer du côté des Breakers le soir de l'agression contre Sam. Ce véhicule dont elle avait entraperçu la plaque minéralogique gravée des lettres S. E. A.

Grace décida de monter passer ce coup de fil depuis sa chambre.

*

— L'inspecteur Manzorella est absent. Voulez-vous laisser un message ?

— Dites-lui de me rappeler, s'il vous plaît. Je n'ai pas de portable. Mais on peut me biper.

Elle fouillait son sac à la recherche du biper. Elle n'en connaissait pas le numéro par cœur. Elle le trouva, et le communiqua à la standardiste.

107

Dans sa chambre du Viking, Joss pliait bagage en regardant les infos sur la chaîne locale WPRI. Les conclusions du légiste la laissaient perplexe. Difficile de croire que la mort de Maud Sloane fût accidentelle. Maud avait fait une chute aux Quarante Marches. Ensuite Sam avait été victime d'une agression – alors qu'il prétendait avoir assisté au meurtre. Et maintenant, Zoé. Est-ce que cela ne faisait pas beaucoup de coïncidences ?

Ses parents, pour une fois, avaient raison. Il ne servait à rien de risquer sa vie pour un poste à Key News.

Rien ne l'empêcherait de faire carrière dans le journalisme ailleurs. D'accord, son nom n'apparaîtrait pas au générique de l'émission, mais quelle importance ? On ne tarderait pas à le voir apparaître sur une autre chaîne.

Elle considéra un instant les photocopies du journal de Charlotte Sloane, puis les jeta dans la corbeille à papier. Terminé. Adieu cette enquête.

108

La demeure d'Oliver Sloane était impressionnante, même si elle n'atteignait pas la taille et la splendeur des manoirs de l'Âge d'or. Grace remontait l'allée de gravier. La maison, éloignée de la route, était bâtie dans le style colonial : bardage blanc et volets vert sombre. Grace monta les marches conduisant à l'entrée et considéra un instant la plaque de cuivre gravée d'un simple mot : « Seaview ».

Elle pressa le bouton de la sonnette.

C'est Oliver Sloane en personne qui vint ouvrir. Il semblait épuisé, tendu.

— Que puis-je pour vous ?

— Je m'appelle Grace Callahan, monsieur Sloane. Je tenais à venir vous voir, et à vous parler de Maud.

Il eut un léger mouvement de recul.

— Je suis désolée, monsieur. Je ne viens pas dans l'idée d'ajouter à votre chagrin. Mais j'étais avec votre fille le soir de sa mort. Nous avons parlé assez longtemps, toutes les deux. Je pensais que cela pourrait vous réconforter de savoir ce qu'elle m'a dit.

Oliver observait Grace, tout en essayant de se composer une expression calme. Il finit par ouvrir sa porte en grand.

— Vous ne voulez pas entrer ? J'étais en train de prendre un thé glacé avec une amie.

Grace ne s'était pas préparée à avoir cette conversation devant une tierce personne. Pourtant, elle suivit Oliver. Il était trop tard pour reculer, de toute façon.

Oliver la précéda dans son bureau, une pièce charmante et confortable, habillée d'étagères en acajou supportant des volumes reliés de cuir. Devant les livres s'alignaient des objets en ivoire. Une collection de grande valeur, pensa Grace qui connaissait maintenant le prix de ces sculptures.

Une femme d'âge mûr était présente, assise dans un fauteuil près de la cheminée. Elle s'essuyait les yeux avec un mouchoir. Grace avait le sentiment de la connaître, mais sans parvenir à mettre un nom sur son visage.

— Elsa Gravell, dit Oliver. Voici Grace Callahan.

Elsa préféra rester assise et attendre que Grace vienne à elle. Grace s'approcha et lui tendit la main. Elsa la serra mollement.

— Oui... Grace. Nous nous sommes déjà rencontrées. Au *clambake*. Maud nous a présentées.

La mémoire revint à Grace.

— Bien sûr, dit-elle. Vous êtes la marraine de Maud.

— C'est exact, dit Elsa avec une expression triste.

Grace eut nettement l'impression d'avoir interrompu quelque chose. Elsa, c'était évident, aurait préféré rester seule avec Oliver. Et Grace le comprenait parfaitement.

— Vous ne voulez pas vous asseoir ? offrit Oliver Sloane en indiquant l'autre fauteuil en face d'Elsa.

Lui-même alla chercher la chaise derrière son bureau.

— Je ne reste que quelques minutes, dit Grace. Je ne veux pas vous déranger. Je voulais juste vous dire, monsieur Sloane, que Maud a tenu à votre endroit des propos très affectueux.

— Vraiment ? Qu'a-t-elle dit ?

Il la regardait, plein d'espoir.

— Elle a dit que vous aviez fait tout votre possible dans des circonstances particulièrement éprouvantes. Vous l'avez élevée avec amour, avec tendresse. Maud m'a dit qu'elle vous aimait beaucoup. Compte tenu surtout de ce que vous aviez enduré.

Oliver paraissait suspendu à chacune de ses paroles.

— C'est Maud qui était la plus à plaindre, j'en ai peur, murmura-t-il. Perdre sa mère quand on est petite fille. Grandir avec un père mis au ban de la société. Les gens étaient persuadés que j'avais tué sa mère...

Sa voix se brisa. Son regard se détourna, et s'arrêta sur le presse-papier en ivoire posé sur le bureau.

— Maud était persuadée que vous n'y étiez pour rien, reprit Grace.

Il releva les yeux.

— Elle vous l'a dit ?

— Oui. Elle m'a parlé aussi d'un rêve qu'elle faisait à propos du soir où sa mère a disparu. Elle pensait être sur le point de se rappeler un détail important... Un détail susceptible de conduire à l'assassin de votre femme.

878

— Alors nous ne saurons jamais, soupira Oliver. Puisque Maud n'est plus là.

— Je suis navrée monsieur Sloane. Vraiment.

Elle se leva.

— Je dois vous laisser, maintenant. Je ne veux pas vous prendre plus de temps.

Oliver se leva à son tour, manifestement ému.

— Je ne saurais dire combien j'ai apprécié votre visite, dit-il. Vous avez pris la peine de venir. Personne ne m'a présenté de condoléances. Rien. À part Elsa, bien entendu...

Il s'approcha du bureau et saisit le presse-papier en ivoire.

— Tenez, dit-il en le tendant à Grace. Prenez-le.

Grace secouait la tête.

— Oh ! non, monsieur Sloane... C'est impossible...

— Je vous en prie, insista Oliver. En souvenir de Maud. Et pour vous témoigner ma reconnaissance de vous être montrée si gentille. Acceptez, Grace. Ça me fera du bien.

109

Une chambre de plus à faire, non prévue dans son emploi du temps.

— J'en ai marre, soupira Izzie.

Elle avait pris l'habitude d'économiser ses forces pour arriver au bout de sa besogne, chambre après chambre. Voilà qu'on lui en collait une de plus – c'était désespérant.

Elle ouvrit la porte 226. Elle entra dans la pièce. Quelle souillon avait dormi là ? Le sol était jonché de reliefs de fast-food et de sucreries. Les draps étaient tachés de rouge à lèvres et de mascara. Dans la salle de bains, toutes les serviettes traînaient par terre, et le lavabo se constellait de traces de dentifrice. La baignoire était sale, pleine de flacons de shampooing, bouchée par des paquets de cheveux noirs.

Izzie prit une grande inspiration. *Une chose après l'autre. Allons-y méthodiquement.* Elle arracha les draps du lit. Elle fit une boule des serviettes. Elle se baissa pour nettoyer la moquette. Quand elle se releva, la tête lui tourna. Elle avait un étourdissement. Elle alla s'asseoir en titubant sur la chaise, près du secrétaire. *Attendre que ça passe...*

Quand elle rouvrit les yeux, elle remarqua les feuilles dans la corbeille à papier. Bizarre, qu'une femme aussi malpropre se soit donné la peine de jeter quelque chose dans la corbeille. Izzie se pencha de nouveau. Ses yeux tombèrent sur une mention : « Original retourné à Agatha Wagstaff, sœur de la disparue ».

Izzie prit les documents, les plia, et les fourra dans la poche de sa blouse.

110

Elle se sentait coupable. Aller faire les boutiques alors que tant de peine et de chagrin se répandaient autour d'elle ! Mais B.J. souhaitait qu'elle l'accompagne à la soirée de bienfaisance des Ormes, où il devait tourner des images pour l'émission, et Grace n'avait rien à se mettre. Rien de ce qu'elle avait apporté ne convenait. Elle fit une halte chez Talbots dont la vitrine proposait des soldes. Une demi-heure après, elle en ressortait avec une robe fourreau bleu marine à prix cassé. Elle avait pris aussi un sac à main noir, des escarpins à hauts talons en cuir noir. Ainsi qu'un pantalon qu'elle avait de toute façon prévu de s'acheter.

Au Viking, elle évita de passer par la salle de rédaction avec ses paquets. Elle monta directement dans sa chambre. Elle déposa le presse-papier en ivoire sur la table de nuit, près du téléphone. Elle accrochait sa nouvelle robe dans la penderie quand son biper sonna. L'écran affichait un numéro. Elle le composa sur le téléphone.

— L'inspecteur Manzorella, je vous prie.

Elle attendit, assise au bord du lit. Dans la folle succession des événements, elle n'avait pas repensé à l'étrange coïncidence dont elle avait été témoin, la veille, chez le tatoueur de Broadway. Ce dessin, dans le classeur de Rusty, était une reproduction du cadran solaire caché dans le jardin de Shepherd's Point. À la question de Joss, l'artiste avait répondu que l'idée de ce motif lui était « sûrement venue comme ça ». C'était peu probable. Mais d'autre part, comment Rusty aurait-il pu connaître l'existence du cadran solaire ?

Elle réfléchissait tout en étudiant le tatouage au henné réalisé sur son propre pied. Et quelque chose lui revint en mémoire. Agatha lui avait dit que, le soir de sa disparition, Charlotte portait des boucles d'oreilles reproduisant le même cadran solaire. Rusty avait peut-être vu ce bijou. Sauf que c'était là aussi un scénario peu probable. Le tatoueur n'était manifestement pas le genre d'individu que l'on rencontrait à Shepherd's Point en compagnie d'une Charlotte Sloane.

— Bonjour, mademoiselle Callahan. Al Manzorella à l'appareil.

La voix de l'inspecteur arracha Grace à ses pensées.

— Ah, oui, inspecteur... Je reviens à vous avec un détail que vous devriez connaître, selon moi. Il s'agit de quelque chose dont Zoé Quigley m'a parlé hier soir.

— De quoi s'agit-il ?

— Elle m'a dit qu'elle était allée courir du côté des Breakers, dimanche soir. Elle avait vu une voiture démarrer en trombe, au point qu'elle avait failli la renverser.

— Quel type de voiture ?

— Elle n'en savait rien. Zoé était anglaise, n'est-ce pas ? Elle n'était pas au fait des modèles américains. Cependant elle a pu lire une partie de la plaque d'immatriculation. Elle a vu trois lettres : S. E. A.

— Une plaque personnalisée ?

— Je ne sais pas.

— Très bien, mademoiselle Callahan. Je vous remercie.

Mais Grace n'avait pas envie de raccrocher aussi vite.

— Vous croyez que ça pourra vous aider à faire la lumière sur ce qui est arrivé à Zoé ? Voire à Sam Watkins ? C'est peut-être la même personne qui a agressé Sam...

— Nous allons vérifier tout cela, mademoiselle Callahan, je vous le garantis. Et surtout, n'en parlez à personne, d'accord ? Il peut s'agir d'une piste sérieuse. Il ne faut en aucun cas que le suspect se doute de quoi que ce soit...

Grace se hâta d'enchaîner :

— Moi, je pense que les événements sont liés ! C'est comme les dominos. L'un fait tomber l'autre. L'accident de Zoé n'est peut-être pas un accident. On l'a peut-être renversée parce qu'elle avait vu cette voiture aux Breakers. Sam a été agressé parce qu'il avait vu quelqu'un pousser Maud Sloane des Quarante Marches. Et Maud parce qu'elle était sur le point de mettre un visage sur l'assassin de sa mère...

— Ça fait beaucoup de « peut-être », mademoiselle Callahan. Mais ne vous en faites pas. Nous étudions toutes les hypothèses. Merci pour votre appel, mais laissez-nous faire notre boulot !

L'inspecteur avait raccroché. Grace en éprouva une frustration, puis se dit qu'il avait sans doute bien fait de ne pas la laisser continuer plus avant. Mettre Rusty en cause sur la base d'un simple dessin dans un classeur n'aurait probablement pas été juste. Grace avait besoin d'en savoir un peu plus avant d'en parler à la police.

111

Grace jeta un coup d'œil dans la salle de rédaction. Ni Joss ni B.J. n'étaient là. Beth Terry, derrière son bureau, semblait absorbée dans ses pensées. Grace se dirigea vers elle.

— Il y a quelque chose que je peux faire pour vous aider, Beth ?

— Non. Sauf si tu veux t'occuper de rapatrier un corps vers l'Angleterre.

— Mon Dieu ! Qui a prévenu ses parents ?

— Moi, évidemment.

Beth prit une expression solennelle.

— Je n'avais jamais eu de ma vie à annoncer une nouvelle de la sorte. J'espère que ça ne se reproduira plus.

— Je suis navrée, Beth. Voulez-vous un café ? Quelque chose à manger ?

— Non, merci, répondit Beth, maussade. Pour une fois que je n'ai pas faim...

— Des nouvelles de Sam ?

— Toujours pareil.

Grace était prête à faire demi-tour.

— Grace. Attends une minute.

— Oui ? Fais attention, d'accord ?

Grace la dévisagea, intriguée.

— Je ne sais pas, reprit Beth, je dis ça comme ça. Mais fais attention à toi. Je ne suis pas superstitieuse. Seulement, tu es la dernière stagiaire encore dans la course.

— Qu'est-ce que tu veux dire ?

— Tu n'as pas entendu ?

Grace sentit s'accélérer les battements de son cœur.

— Il est arrivé quelque chose à Joss ?

— Elle a démissionné. Tu es la seule stagiaire encore en lice.

*

Elle avait deux heures devant elle avant de rejoindre B.J. aux Ormes. Elle monta dans sa chambre téléphoner à Lucy. Pas de réponse. Grace, en un sens, préférait que sa fille soit sortie avec Frank et Jeanne. Autant qu'elle s'amuse.

Grace n'avait aucune envie d'attendre les bras croisés. Elle était ébranlée par la démission de Joss, même si ce n'était pas le grand amour entre elles. L'espace d'un instant, elle songea à téléphoner chez les Vickers, puis elle y renonça. Qu'avaient-elles à se dire, en définitive ?

Apparemment, Grace allait gagner par élimination. Le poste d'assistant à la production serait pour elle, au terme d'une victoire peu glorieuse. Grace n'avait pas le sentiment d'avoir beaucoup œuvré pour se distinguer des autres stagiaires.

D'un autre côté, la récompense se révélerait parfaitement méritée si elle parvenait à découvrir le lien entre la mort de Charlotte, celles de Maud et Zoé, et l'agression dont Sam avait été victime. Plus important encore, elle tenait à ajouter sa pierre à l'effort commun pour mettre un terme à ces violences insensées. Pour atténuer le chagrin des personnes frappées par ces malheurs. Le meurtrier devait être arrêté.

Certes, Grace ne pouvait se montrer imprudente. Elle devait penser à sa fille. Beth, de ce point de vue, n'avait pas tort. Grace n'avait rien à gagner à prendre des risques inutiles.

Mais était-ce prendre un risque que d'aller en plein jour rendre visite à Rusty dans sa boutique de Broadway ?

*

Le premier domino s'appelait Charlotte Sloane.

De cette mort découlaient les autres. Telle était la théorie de Grace.

Arrêtée devant Broadway Tattoos, elle apercevait un peu plus loin le poste de police. En cas de problème, elle pourrait facilement remonter la rue en courant. Elle poussa la porte de la boutique.

Elle trouva Rusty en conversation avec un ado. Il lui donnait des conseils sur la façon de prendre soin de son récent tatouage. Grace se tint quelques minutes à l'écart près de l'entrée. Le jeune client paya, puis s'en alla. Rusty s'approcha de Grace. Elle remarqua qu'un mince filet de sang rayait le T-shirt du tatoueur.

— Ne vous en faites pas pour ça, dit-il. Des fois, le sang éclabousse un peu. Rien de méchant. Alors, vous êtes décidée ?

— Non. J'ai encore besoin de réfléchir.

— Ah, lâcha Rusty sans cacher sa déception. Dans ce cas, que puis-je faire pour vous ?

— Je voulais vous parler du dessin que nous avons vu hier soir dans votre classeur.

— C'est bien ce que je craignais, soupira Rusty. J'ai vu tout de suite que votre amie l'avait reconnu.

Grace repensait à leur visite de la veille. C'était vrai : Joss avait interrogé le tatoueur à propos du dessin. Voilà un aspect des choses qui n'avait pas intrigué Grace. Pour elle, le dessin s'inspirait du cadran solaire visible dans le jardin de Shepherd's Point. Mais pour Joss ? Qu'est-ce qui avait éveillé la curiosité de Joss pour ce motif ?

— En fait, reprit Grace, le dessin n'est pas né de votre imagination.

— Je savais que vous aviez compris cela. Écoutez, je ne veux pas d'ennuis. Vous ne préférez pas laisser tomber ?

Rusty prit une expression de chien battu, ce qui rassura Grace en un sens ; ce n'était pas sans anxiété qu'elle avait franchi le seuil de sa boutique. Elle insista :

— Vous ne voulez pas me dire ? Vous préférez que je prévienne la police ? Qu'ils viennent vous interroger eux-mêmes ?

Elle recula vers l'entrée.

— J'ai une explication, reprit-il. Mais il faut me promettre de ne pas en parler à la police.

— Ça dépend.

Rusty était dans une mauvaise posture, et il le savait. Il avait choisi l'option de fournir à cette femme une explication susceptible de la satisfaire ; c'était toujours mieux que la perspective de voir débarquer les flics. Les policiers refuseraient de le croire ; cette femme, c'était différent.

Il revint donc sur son expérience comme chauffeur de l'amiral.

— J'étais dehors, ce soir-là. J'attendais mon supérieur qui faisait la fête avec les autres huiles du Country Club. J'étais là à fumer des cigarettes dans la bagnole. Je me disais que ça devait être génial, de pouvoir faire des dons destinés à aider les oiseaux. Donner du fric pour qu'ils puissent continuer à voler. Moi, avec ma solde minable, je n'arrivais pas à mettre un sou de côté.

Grace compatissait.

— Bref, poursuivit Rusty, Charlotte Sloane est sortie, l'air bouleversé. Elle me voit. Elle me demande si je peux la conduire quelque part. Je n'étais pas supposé m'éloigner, mais je n'ai pas pu lui refuser ça. Elle était trop belle, trop lumineuse dans sa petite robe en fil d'or. Une vraie Cendrillon.

Rusty se tut un instant, puis continua :

— Elle avait une photo à la main. C'est cette photo qui l'avait mise dans tous ses états. Je l'observais dans le rétroviseur. Elle avait allumé le plafonnier. Elle regardait sa photo en bredouillant des trucs à propos de quelqu'un qui l'avait trompée, qui mentait, tout ça. Je lui ai demandé ce qui n'allait pas. Elle n'a rien voulu me dire. Elle m'a juste répondu qu'elle devait aller à Shepherd's

Point. Je l'ai laissée à l'entrée. Et je suis retourné dare-dare au Country Club. L'amiral n'a jamais su que je m'étais absenté.

— Mais le dessin, Rusty ?

— Le lendemain matin, je nettoie la voiture, et je trouve une boucle d'oreille sur le plancher. J'étais prêt à la rendre à sa propriétaire – j'étais un gars honnête. C'est alors que j'apprends que Charlotte Sloane a disparu. Impossible de rendre le bijou. On aurait pensé que j'avais quelque chose à voir là-dedans.

— C'est pour ça que vous n'êtes jamais allé vous confier à la police...

— Regardez-moi, dit Rusty, ouvrant les mains d'un air implorant. Je suis exactement le genre de type auquel les flics adorent faire porter le chapeau. Une cible tellement facile ! Souvent je me suis dit que j'allais aller les voir et tout leur raconter. Mais j'avais peur. Ils risquaient de me transformer en coupable. Puisque j'étais la dernière personne à avoir vu Charlotte vivante...

— Vous n'étiez pas la dernière personne, Rusty. La dernière personne à avoir vu Charlotte vivante, c'est son assassin.

112

Il importait maintenant de savoir pourquoi le dessin avait éveillé la curiosité de Joss. Grace quitta Broadway Tattoos hantée par cette question. Des yeux, elle chercha un taxi. Qu'avait appris Joss ? Grace était maintenant résolue à le savoir. Un taxi s'arrêta.

Grace demanda au chauffeur de la conduire chez les Vickers.

*

C'est Joss elle-même qui vint ouvrir, vêtue d'un bikini. Elle fut surprise de la visite.

— Grace ! Qu'est-ce que tu fais là ?

— Je suis venue te parler.

Joss ricana :

— Ne me dis pas que tu viens faire des gorges chaudes. J'éviterais, si j'étais toi. J'ai quitté le stage, Grace. On ne peut pas dire que tu aies gagné avec les honneurs. C'est une victoire faute d'adversaire. Une victoire facile. Pas de quoi se vanter.

Grace avait fortement envie de tourner les talons, mais elle se maîtrisa. *Laisse-la vider son sac de bile. Essaie plutôt de trouver ce que tu es venue chercher.*

— L'important, dit-elle, ce n'est pas de savoir qui a gagné. Il se passe des choses terribles. Maud, Sam. Zoé, maintenant. Il est de notre devoir de contribuer à l'établissement de la vérité, Joss.

Joss la dévisageait d'un air de profond scepticisme.

— Ouais, dit-elle. Pour que tu ramasses la mise. Une bonne affaire pour Key News, c'est ça ?

— Non, ce n'est pas ça. Ce serait surtout une bonne affaire pour les citoyens honnêtes de cette ville.

Joss baissa les yeux vers ses pieds nus et ses orteils aux ongles peints. Elle finit par inviter son ex-rivale à entrer.

*

Grace alla s'asseoir sur le sofa à la même place que lors de sa conversation avec Maud le soir du *clambake*. Mais Joss ne vint pas s'installer à côté d'elle. Elle préféra prendre un fauteuil en face.

— Très bien, dit-elle. De quoi voulais-tu me parler ?

— Je sors de Broadway Tattoos.

— Et alors ?

— Alors Rusty m'a expliqué où il avait pris son modèle. Tu sais, ce dessin qui t'a intriguée toi aussi.

— Qu'est-ce qu'il t'a dit ? demanda Joss nerveusement.

Grace jugea qu'elle devait lui donner quelque chose si elle ne voulait pas repartir les mains vides.

— Il dit qu'il a copié un motif de boucle d'oreille. Une boucle d'oreille que Charlotte Sloane aurait perdue dans sa voiture la nuit de sa disparition.

— Merde, soupira Joss.

Elle décroisa ses jambes nues et se pencha en avant.

— Alors c'est peut-être lui.

— Ne tirons pas de conclusions trop hâtives, Joss. Ce dessin a éveillé ta curiosité, quand tu feuilletais le classeur de Rusty. Et je me demande pourquoi.

Elle pouvait presque voir tourner la machinerie sous le crâne de son interlocutrice.

— Oh ! après tout, soupira Joss, qu'est-ce que ça peut faire ? Attends une minute.

Elle quitta son fauteuil et sortit de la pièce. Elle revint avec un petit sac à main dont elle tira une feuille de papier pliée en quatre. Elle tendit le papier à Grace.

C'était le même dessin ; un croquis du cadran solaire.

— Rusty a peut-être une des deux boucles d'oreilles, Grace. Mais l'autre, c'est la police qui l'a. Elle a été retrouvée dans la poche de Charlotte. Les flics n'en ont pas parlé.

— Alors comment le sais-tu ?

— J'ai mes sources.

Le ton employé signifiait clairement qu'elle n'en dirait pas plus sur ce point,

— Mais tu peux me croire, reprit-elle. La boucle d'oreille, je l'ai vue de mes yeux,

Grace approuvait le principe consistant à ne pas révéler ses sources. C'est pourquoi elle choisit de ne pas insister. Mais il y avait un autre dessin en bas de la feuille, et cela l'intriguait.

— Qu'est-ce que ça représente ? demanda-t-elle.

— C'est l'autre indice retrouvé dans la robe de Charlotte. Un mouchoir de soie jaune.

*

Joss regardait Grace redescendre l'allée. Le journal intime de Charlotte lui revint en mémoire. Elle fut sur le point de rappeler Grace, puis se ravisa. Elle n'en avait déjà que trop dit.

113

Formidable.

Les résultats de l'autopsie avaient penché en faveur de la thèse de l'accident.

Cependant le terrain n'était pas entièrement dégagé. Sam Watkins pouvait encore s'en sortir. Le tout était de garder espoir. Et de s'armer de patience.

Dieu soit loué, Zoé Quigley, elle, ne parlerait plus.

Il restait cette Grace Callahan. Mieux valait qu'elle ne s'approche pas trop près.

114

Grace se doucha, se fit un shampooing, puis sécha longuement ses mèches et ses boucles couleur de miel. Elle se maquilla avec un soin tout particulier. Elle souligna ses yeux d'un trait gris-bleu. Elle se passait du mascara sur les cils quand elle s'aperçut que ses ongles étaient abîmés. Elle n'avait plus le temps d'aller voir la manucure. Elle fouilla dans sa trousse de maquillage, et y trouva une lime en carton.

Elle enfila son peignoir. Elle regagna la chambre où elle s'assit au bord du lit pour se limer les ongles. Au bout de quelques minutes, elle avait les mains présentables.

Il lui restait un quart d'heure avant le départ pour les Ormes et le Bal bleu. Elle avait décidé de mettre sa robe à la dernière seconde : le lin se froisse si facilement ! Elle profita de ce répit pour s'allonger sur le lit, les pieds surélevés. Un bref repos : voilà ce dont elle avait besoin.

Mais elle ne put se détendre. Elle ne cessait de ruminer l'histoire de Rusty et l'information que Joss lui avait communiquée.

Anxieuse, elle se dressa sur le lit. Elle avait besoin de rappeler Lucy. Elle tendait la main vers le téléphone quand son regard tomba sur le presse-papier en ivoire. Le cadeau d'Oliver qu'elle avait posé sur la table de nuit. Elle le prit. Elle en caressa la surface tendre et froide.

Elle avait une lime à ongles à portée de la main. Pourquoi ne pas essayer le test de Kyle Seaton ? Simple affaire de curiosité. Elle plaça l'objet sur une feuille de papier et commença à limer doucement l'ivoire en attendant qu'une odeur d'os brûlé remonte à ses narines.

Mais c'est une odeur de plastique qui émanait de la poudre produite par la lime.

Le presse-papier d'Oliver était un faux.

*

On frappait à sa porte.

— Qui est là ? dit Grace.

— C'est moi, B.J.

— Un instant. J'arrive.

Le rendez-vous n'était pas fixé à la réception ?

Grace se hâta de faire glisser la fermeture Éclair de sa robe. Pieds nus, elle alla ouvrir.

B.J, apparut, tout bronzé dans son blazer marine. Il portait une chemise blanche amidonnée, une cravate bleu pâle, un pantalon beige bien repassé et des chaussures éclatantes. Il présenta à Grace une petite boîte carrée.

— C'est pour moi ? Tu m'as acheté des fleurs ?

Ravie, elle jugea l'attention exquise. Depuis combien de temps un homme qui lui plaisait ne lui avait-il pas offert de fleurs ?

B.J. affichait un large sourire, heureux de cette réaction.

— J'ai pensé que tu aimerais, dit-il.

— J'adore !

Des œillets.

— Ils sont exquis, B.J. Merci.

Elle retira avec précaution le petit bouquet de sa boîte.

— Tu crois que je devrais en porter un ? Où, à ton avis ? Sur ma robe, à mon poignet ?

B.J. tendit la main vers le visage de Grace, et en écarta une mèche blonde.

— Pourquoi pas dans tes cheveux ?

— D'accord. Assieds-toi une minute. J'arrive.

Elle retourna dans la salle de bains. Devant la glace, elle ramassa ses cheveux, les ramena tous d'un seul côté et y attacha l'œillet avec une barrette.

— Joli presse-papier, lança B.J. depuis la chambre.

Il soupesait l'objet.

— C'est un faux ! répondit Grace. J'ai fait le test.

— Le résultat n'a pas vraiment dû te surprendre...

— En fait, si. Vu d'où il vient. C'est Oliver Sloane qui me l'a donné. Aujourd'hui même.

— Tu plaisantes ?

— J'ai tenu à lui présenter mes condoléances. Ça l'a touché. Il a insisté pour que j'accepte le presse-papier, en souvenir de Maud.

— À ton avis, il savait que c'était un faux ?

Grace attachait la dernière barrette dans ses cheveux. Elle recula d'un pas pour mieux voir dans la glace l'effet produit par le bouquet.

— Ça m'étonnerait, dit-elle. Oliver Sloane m'a l'air du genre à toujours vouloir ce qu'il y a de mieux.

— Tu vas le lui dire ?

— Peut-être. Je ne sais pas encore. Tu sais, il y a de fortes chances pour que ce soit Kyle Seaton qui le lui ait vendu.

Elle arrangea une dernière fois ses cheveux.

— À quoi je ressemble ? dit-elle en revenant dans la chambre.

B.J. l'enveloppa d'un regard qui en disait long.

— Génial, dit-il. De la dynamite.

Dommage que Lauren Adams fasse la route en voiture avec eux.

Grace savait qu'ils ne partaient pas pour s'amuser mais pour travailler, cependant tout se passait comme si Grace et B.J. se préparaient à sortir ensemble. Grace enfila ses escarpins et prit son sac.

— On y va ?

Le faux ivoire et les boucles d'oreilles en forme de cadran solaire venaient provisoirement de passer au second plan.

115

Izzie avait allumé une bougie près de la petite sculpture sainte dressée au bord de la baignoire. Elle se laissa glisser dans l'eau chaude, et poussa un gémissement de satisfaction.

— Ah.

Elle avait décidé de rendre son tablier au Viking. Elle ferait son week-end, et puis terminé.

Elle regarda fixement la statue. Une jeune femme en rose et bleu. Dotée d'une expression de grande sérénité. Pourtant, quel enfer elle avait enduré ! Jeune, belle, riche, elle avait vécu une vie tout entière consacrée à Dieu.

On l'avait battue, jetée en prison, torturée. On lui avait broyé les seins, avant de les lui trancher ; finalement, ils l'avaient poussée sur le lit de charbons ardents où elle devait trouver la mort.

— Sainte Agathe, pria Izzie dans un murmure, s'il te plaît, viens à mon aide.

Agathe, la sainte invoquée par les femmes frappées d'un cancer du sein, regardait l'employée de l'hôtel Viking. La foi chrétienne veut que les douleurs et les chagrins de ce monde soient transcendés par la promesse d'une éternelle félicité. Izzie comptait sur ce bonheur dans l'au-delà. Elle était impatiente de retrouver son Paddy. *Nous n'aurons plus longtemps à attendre, mon amour.*

Elle plongea dans l'eau un gant de toilette. Doucement, elle frotta la cicatrice sur son buste blessé. Elle ne quittait pas des yeux la statuette. Comme c'était étrange... Son existence adulte avait commencé avec une Agathe, et elle s'achèverait avec une autre. C'est chez miss Agatha, à Shepherd's Point, qu'elle avait appris à faire les lits et à récurer les baignoires de porcelaine. Elle avait travaillé sous la férule sévère de Finola. Et elle serait toujours à Shepherd's Point, si elle et Paddy ne s'étaient pas trouvés dans la cabane de jeu le soir du terrible drame. Izzie se revoyait accroupie dans le souterrain, près du corps sans vie de Charlotte. Plus tard, une lettre de menace lui était parvenue ; c'est alors qu'elle avait préféré fuir Shepherd's Point et les affreux souvenirs qui la hantaient là-bas.

Izzie dut fournir un effort pour se relever. Elle s'essuya. Elle donna des tapes légères sur la cicatrice en forme de V dessinée sur sa poitrine. Elle décrocha le peignoir suspendu à la porte de la salle de bains.

Elle trottina jusqu'à la cuisine. Elle mit de l'eau à bouillir. Elle se prépara à ouvrir le courrier qui s'accumulait sur la table depuis le début de la semaine.

Des factures. Toujours des factures. Des factures et des courriers indésirables... Izzie prit une profonde inspiration. Il y avait une lettre dont elle connaissait l'écriture – cette grande écriture prétentieuse sur laquelle elle s'était penchée des centaines de fois. Encore une lettre de cette même personne qui avait menacé Paddy jadis, l'accusant d'avoir été présent sur la scène de crime. Mais c'est à elle, Izzie, que la lettre s'adressait aujourd'hui...

Elle sursauta. La bouilloire sifflait. Izzie alla fermer le gaz. Mais elle ne se donna pas la peine de verser l'eau sur le sachet de thé. Elle revint à la table. Ses mains tremblaient quand elle décacheta la lettre.

« *J'ai averti votre mari voilà quatorze ans. Maintenant, c'est vous. Les os ont été retrouvés dans le tunnel. N'allez surtout pas en profiter pour dire ce que vous savez. Ou ce que vous pensez savoir.*

J'ai toujours le portefeuille en ma possession. Ce portefeuille que vous avez oublié dans la cabane le soir où Charlotte Sloane est morte. Si vous vous avisez de montrer la photo à la police, je sors le portefeuille. Qui la police croira-t-elle, à votre avis ? Vous ou moi ? »

Izzie lut la lettre plusieurs fois, et sa peur se mua en colère. Avait-elle jamais rien fait de mal ? Elle avait aimé son Paddy au mauvais moment et au mauvais endroit, c'est tout ! Après, ils avaient vécu des années durant dans la terreur d'être accusés. À cause du portefeuille de Paddy. Combien de fois Izzie avait-elle pleuré toutes les larmes de son corps, disant qu'elle voulait se conduire honnêtement, aller se confier à la police, raconter aux inspecteurs ce qui s'était passé ? Mais ils n'avaient cessé d'étudier aussi cette photo tombée de la cabane de jeu, et qui avait atterri sur le corps de Charlotte. Chaque fois, ils étaient parvenus à la même conclusion : le cliché ne parlait pas, il n'aurait permis d'incriminer personne. Izzie et Paddy ne comprenaient pas pourquoi le meurtrier se tourmentait tellement pour la photo, mais une chose était sûre : sil venait à produire le portefeuille, alors Paddy fournirait à la police un excellent coupable.

Izzie se leva. Elle ouvrit le buffet. Elle prit une boîte de gâteaux. Elle en souleva le couvercle. Ses mains tremblaient de rage quand elle toucha l'enveloppe en cellophane. Elle l'ouvrit. Trop, c'était trop.

Il lui restait peu de temps à vivre sur cette terre. Du moins s'en irait-elle dans l'autre monde la conscience tranquille. Elle avait la vieille photo. Elle avait les photocopies du journal intime de Charlotte – ces feuilles trouvées le jour même dans la corbeille à papier de l'hôtel. Elle allait remettre le tout à cette jeune journaliste, Grace Callahan. Grace était bonne. Peut-être ces indices lui seraient-ils de quelque utilité pour bien débuter dans sa carrière.

116

Le taxi attendit dans l'allée le temps qu'Oliver aille frapper à la porte d'Elsa. Oliver était en smoking. Son bouton de manchette en or brilla sur son poignet de chemise immaculé quand il leva une main impatiente vers le heurtoir en forme de mouette. La dernière fois qu'il les avait mis, ces boutons de manchette, c'était le soir où Charlotte avait disparu. Après, il n'avait pu les porter. C'était le dernier cadeau d'anniversaire de sa femme. Mais il savait désormais que Charlotte ne reviendrait plus. Elle était morte. Les boutons de manchette pouvaient être portés en sa mémoire.

Elsa ouvrit la porte, radieuse dans une robe de soirée moulante couleur d'azur, où s'accrochait une broche en diamant figurant un oiseau de mer. Sa chevelure était crêpée : c'est ainsi qu'elle et Charlotte étaient coiffées jadis pour leur première soirée de bienfaisance. Certes, elle ne serait jamais belle, songea Oliver, mais elle s'en sortait étonnamment bien. Elle était toujours plus ou moins la même, à cinquante ans comme à trente.

— Tu es magnifique, dit-il.

— Merci, Oliver. Oliver chéri. Entre boire quelque chose.

Il resta sur le seuil.

— Je pense qu'il vaut mieux pas. J'ai déjà bu un cocktail. Et la dernière chose dont j'ai envie, c'est d'avoir l'air ivre ce soir. Les gens ne vont pas me lâcher des yeux. Je serai encore plus surveillé que d'habitude.

— Comme tu voudras.

Elsa ne voulait le contrarier en aucune manière.

— Je vais chercher mon sac, dit-elle.

117

Chaque couple, à son arrivée, s'arrêtait pour la photo ; et l'assistant du photographe exposait déjà les premiers clichés sur un grand chevalet. Les participants ne se contentaient pas de débourser une coquette somme pour participer au Bal bleu, songea Grace qui observait la scène, ils devaient aussi mettre la main au porte-monnaie s'ils voulaient repartir avec un souvenir de la fête.

Les invités conversaient aimablement. Tout le monde se connaissait, bien sûr.

Les discussions retombèrent quand un nouveau couple se présenta à l'entrée : Elsa Gravell et Oliver qui la tenait par la taille. Grace vit les boutons de manchette en or scintiller sous le flash du photographe, et nota que c'était encore une fois le même motif : le cadran solaire, les boucles d'oreilles de Charlotte.

118

On va avoir Key News dans les pattes, se dit Mickey. Le camion satellite était garé près du dais en feuillage dressé à l'entrée de service ; voilà qui ne faciliterait pas le travail des serveurs quand ils voudraient passer avec leurs plateaux d'argent... D'ailleurs, voilà ! Deux serveurs en uniforme venaient de se rentrer dedans !

Mickey jura.

— C'était couru d'avance, grommela-t-il. Il faut qu'ils me déplacent ce sacré camion.

Il alla frapper avec insistance à la portière. Mais il eut quelque peine à éveiller l'attention du chauffeur qui dormait.

— Vous allez déplacer ce véhicule !

Scott Huffman ouvrit les paupières, jeta au restaurateur un regard indifférent, et lâcha :

— Je ne déplace rien du tout, mon pote. Sauf si c'est mon boss qui me le demande.

*

Mickey parcourut des yeux la pelouse magnifique semée d'érables, de tilleuls et d'arbres exotiques. Entre un massif de rhododendrons et un saule pleureur, il repéra un cameraman. Il marcha droit sur lui et attaqua sans cérémonie :

— Vos gars doivent dégager l'entrée de service. Le camion empêche mes serveurs de passer.

B.J. regarda dans la direction indiquée par Mickey.

— Pas de problème, vieux. On se calme. Je vais voir ce que je peux faire.

119

B.J. partit régler cette histoire de camion, et Grace se retrouva abandonnée à elle-même. Ses talons s'enfonçaient dans la terre, et les moustiques n'allaient pas tarder à passer à l'attaque. Jusqu'ici, la soirée ne ressemblait pas à l'interlude romantique dont elle avait rêvé. Quant à l'aspect professionnel des choses, il n'était guère plus brillant. Lauren avait plus envie de séduire et de nouer des relations avec les huiles de Newport que de réaliser des interviews pour alimenter l'émission du lendemain.

Grace décida de faire le tour de la propriété. Marchant sur la pointe des pieds pour ne pas salir davantage ses escarpins vernis, elle se dirigea vers une gloriette qui marquait l'entrée d'un escalier donnant sur un jardin en terrasse planté de bégonias roses et blancs. Grace se retourna vers la maison. D'ici, elle découvrait l'ensemble de la fête...

On pouffa de rire derrière elle.

Il y avait quelqu'un près de la gloriette.

Invisible du reste de la réception, son ex-mari était occupé à embrasser une femme aux cheveux noirs. D'habitude, c'était après les blondes qu'il courait. Quoi qu'il en soit, cette femme-là n'était pas Jeanne.

*

Grace hésitait sur la façon de procéder. Elle finit par s'éclaircir la gorge, assez fort pour attirer l'attention de ce couple aux lèvres unies. Grace aurait voulu pouvoir filmer la scène. Et l'expression qui se peignit sur la figure de Frank.

— Mon Dieu... Grace ?

Grace ne put réprimer un petit sourire suffisant.

— Charmante soirée, non ? dit-elle.

Il se tourna vers sa compagne.

— Tu veux bien m'excuser une minute ? Je te rejoins tout à l'heure.

La brune se détacha de Frank et prit la direction de la tente bleue. Elle ne semblait pas contrariée outre mesure. *Elle est sûrement mariée elle aussi*, songea Grace.

Grace regardait son ex-mari en secouant la tête.

— Je croyais que c'était le grand amour, avec Jeanne, dit-elle.

— Laisse tomber, Grace. Ce ne sont pas tes affaires.

— Ah bon ? Tu veux que notre fille vienne vivre avec vous, dans votre maison parfaite, et ce ne seraient pas mes affaires ? Voyons un peu...

Elle croisa les bras et posa un doigt sur son menton.

— Je me demande ce que le juge pensera à l'idée de placer un enfant chez un coureur de jupons... Pour tout dire, je me demande aussi ce que Jeanne penserait de tout ça. Je vais peut-être aller lui parler tout de suite, tiens. Quand elle saura ce qui se passe, tu n'auras plus de maison du tout.

Frank s'essuya le coin de la bouche, et considéra les traces de rouge à lèvres imprimées sur le mouchoir. Il était pris au piège.

— Très bien, Grace. Tu as gagné.

— Tu laisses tomber pour la garde de Lucy ?

— À condition que tu ne dises rien à Jeanne.

— Je veux que tu règles ta pension alimentaire en retard. Et que tu t'engages à payer régulièrement désormais.

Il lui jeta un regard méprisant.

— Je n'ai pas le choix, dit-il.

— En effet. À part ça, qu'est-ce que tu fais ici ?

— Jeanne tenait absolument à assister à une mondanité à Newport. Elle en a fait tout un plat...

— Où est-elle ? dit Grace en se tournant vers les invités. Je ne l'ai pas vue.

— Je ne sais pas. Quand je l'ai laissée, elle bavardait avec des bonnes femmes de la haute société.

— Et Lucy ?

— Restée à l'hôtel.

— Toute seule ?

La fureur la gagnait, maintenant.

— Elle est assez grande pour passer une soirée toute seule, Grace. On l'a bien laissée prendre le train sans nous !

— Ce n'est pas la même chose. Une heure de train dans la journée, ce n'est pas comme une soirée entière dans une chambre d'hôtel.

120

Grace tourna le dos à Frank et s'éloigna de la gloriette. Elle en avait l'estomac noué. Lucy, seule dans une chambre d'hôtel... Était-elle assez grande, on pouvait toujours en discuter... Mais compte tenu des circonstances, c'était impensable. Si jamais il lui arrivait quelque chose, elle n'aurait pas assez de toute une vie pour se le pardonner !

Elle aperçut près de la tente immense l'inspecteur Manzorella, en costume sombre et cravate rayée, avec pochette assortie. Il scrutait la foule des invités de ses yeux noirs, les traits empreints d'une expression solennelle. Grace ne se dirigea pas vers lui. Elle avait autre chose à faire. Et elle était pressée.

Elle trouva B.J. près de l'allée ; le camion avait été déplacé.

— B.J., dit-elle, je suis navrée, mais je dois absolument faire un saut à l'hôtel...

Il la regarda d'un air d'incompréhension.

— Qu'est-ce qui ne va pas ? Tu es malade ?

— C'est Lucy. Mon mari... Mon ex-mari, je veux dire, l'a laissée toute seule. Et ça ne me plaît pas du tout...

Elle s'excusa :

— Il faut que j'aille voir si tout va bien, B.J.

— Bien sûr. Je comprends.

Il ne cachait pas sa déception. Il tira des clés de sa poche.

— Prends la voiture. Lauren et moi, on se débrouillera pour rentrer. Ne t'en fais pas. Tout ira bien ici.

— Je sais que tout ira bien.

Il était évident que B.J. et Lauren n'avaient pas besoin d'elle pour faire ce qu'ils avaient à faire. Grace n'avait plus qu'à faire une croix sur sa soirée avec B.J., et sur la chance qui lui était offerte de couvrir un événement mondain.

Peut-être y avait-il là une leçon à tirer. Elle continuait à vouloir placer l'intérêt de sa fille avant la réussite de sa carrière. Cependant elle n'aurait pas hésité à la laisser seule pour aller travailler, à condition d'être certaine que Lucy était en sécurité. Or les circonstances étaient exceptionnelles. Précisément Lucy était-elle en sécurité ? Grace n'en était pas certaine.

Elle savait donc ce qui lui restait à faire.

*

— Lucy, c'est moi. Ouvre.

Grace frappait à la porte. Elle entendait à l'intérieur le son de la télévision, et l'émission préférée de sa fille : « Law & Order ».

Elle frappa plus fort.

— C'est maman, Lucy. Ouvre, chérie.

Où était-elle passée ? Grace sentait s'accélérer les battements de son cœur. *Ne panique pas...* Lucy s'était peut-être endormie. Ou bien elle était dans la salle de bains.

Grace gagna les ascenseurs et décrocha le téléphone mural en écrasant le combiné entre ses doigts. Douze sonneries plus tard, Lucy n'avait toujours pas répondu. Des scénarios de terreur traversaient les pensées de Grace. Lucy : il l'avait laissée toute seule ! Elle eut envie de tuer Frank. De lui briser le cou de ses mains !

Elle avait raccroché. Elle réfléchissait à ce qu'elle devait faire quand la porte de l'ascenseur s'ouvrit. Lucy apparut avec un grand sourire.

— Salut, maman. Qu'est-ce que tu fais là ?

— Mon Dieu, Lucy...

Elle étreignit sa fille.

— J'étais si inquiète...

Lucy l'observait, intriguée.

— Je suis juste descendue acheter des barres chocolatées. Ce n'est pas une bien grosse bêtise, si ?

— Non, ma chérie.

Grace n'avait aucune envie de faire de Lucy une adulte peureuse et angoissée. Et Lucy n'avait rien fait de mal.

— Qu'est-ce que tu fais là ? répéta l'enfant.

Grace ne voulait pas non plus lui mentir.

— Il se passe des choses inquiétantes, ici. Et je ne suis pas d'accord pour que tu restes toute seule.

— Papa a dit qu'il n'y avait pas de problème.

Elle essayait d'ouvrir avec ses dents l'emballage d'une de ses friandises.

— Eh bien, reprit Grace fermement, ce n'est pas mon avis. Allons, viens dans ma chambre. Je voudrais pouvoir ôter cinq minutes ces chaussures neuves qui me font mal.

— Tu es géniale, maman, habillée comme ça.

Elles attendaient que la porte de l'ascenseur s'ouvre à nouveau.

— Merci, chérie.

— Comment tu as su que j'étais restée toute seule ?

— Papa me l'a dit.

— Ah ! Tu l'as vu à cette soirée où ils allaient avec Jeanne ?

— Oui. C'est là-bas que je l'ai vu.

Et comment, je l'ai vu ! Grace ne put s'empêcher de sourire au souvenir de cette rencontre ; et à l'idée d'avoir sa fille avec elle pour toujours...

121

L'inspecteur Manzorella continuait à s'intéresser à la physionomie des invités et aux bribes de conversation qu'il arrivait à surprendre. Mais l'appel qu'il reçut sur son portable l'excita beaucoup plus que le Bal bleu.

Sam Watkins avait repris conscience.

Manzorella se rua vers sa voiture et démarra en trombe. Direction : l'hôpital.

122

L'équipe de jour avait fini depuis longtemps, et toutes les femmes de chambre étaient parties. Izzie arriva par l'entrée du personnel avec l'espoir de ne rencontrer aucune de ses collègues de l'équipe de nuit. Elle n'avait pas envie de faire la causette à qui que ce soit.

Elle avait fourré l'enveloppe dans son sac.

Elle gagna le deuxième étage par l'ascenseur, remonta le couloir et frappa à la chambre de Grace Callahan. S'il n'y avait personne, elle glisserait l'enveloppe sous la porte. Elle laisserait aussi son numéro, afin que Grace puisse la rappeler.

Mais Grace était dans sa chambre.

— Oui ?

Elle ne reconnut pas tout de suite Izzie qui n'avait pas revêtu sa blouse de l'hôtel, mais portait un pantalon de toile et une chemise à carreaux. Cependant la mémoire lui revint grâce aux cheveux ras.

— Bonjour. Je suis Izzie O'Malley.

La voix s'éleva vers les aigus à la fin de sa phrase : on aurait presque pu croire à une question.

— Bien sûr, Izzie... Comment vous sentez-vous ?

— Mieux, mentit la femme de chambre.

— Voilà qui me fait plaisir, reprit Grace.

Elle la regarda, l'air d'attendre la suite.

— En quoi puis-je vous aider ?

— Eh bien... Je me suis dit que nous pourrions en fait nous aider mutuellement.

Enfouie dans un fauteuil, Lucy grignotait ses barres chocolatées tout en suivant distraitement ce qui se passait à la télévision. Izzie s'assit pour étaler sur le secrétaire le contenu de son sac à main – des photocopies et une enveloppe.

— Je me trouvais à Shepherd's Point le soir où Charlotte a été assassinée, dit-elle à voix basse.

Grace était stupéfaite. La femme de chambre poursuivit sa confession :

— Paddy... C'était mon petit ami, mon futur mari. On était tous les deux dans la cabane de jeu, en train de faire quelque chose que nous n'aurions pas dû... On a entendu Mlle Charlotte venir... On connaissait le tunnel. Alors, on s'est sauvés par là.

Grace retint sa respiration, puis demanda :

— Qui était avec Charlotte ?

— Je ne sais pas. Mais ce que je sais, c'est qu'il n'aimerait pas voir ceci sortir au grand jour...

Elle ouvrit l'enveloppe.

— Voilà quatorze ans que j'observe cette photo. En vain. Regardez. Voyez si elle vous dit quelque chose. Paddy et moi, on n'a jamais pu la faire parler. Attention de ne pas la toucher, surtout. C'est une pièce à conviction. La dernière personne à l'avoir eue entre les mains, à part Paddy et moi, c'est le meurtrier de Charlotte Sloane.

Grace prit le cliché en le tenant par les bords, et le présenta à la lumière de la lampe. C'était le même format que les photos exposées tout à l'heure sur le grand chevalet à l'entrée de la réception. Celle-ci, prise du fond d'une salle, montrait une assistance en habit, et une femme qui s'exprimait à la tribune. On ne voyait pas les visages des gens qui écoutaient le discours, mais en observant l'image de près, on devinait que la personne à la tribune n'était autre que Charlotte Sloane.

— Je ne vois pas quel danger peut représenter cette photo pour le meurtrier, dit Grace.

— Moi non plus, admit Izzie. Mais le fait est qu'il s'en sert depuis quatorze ans pour nous réduire au silence, Paddy et moi. Parce que, voyez-vous, dans notre hâte à nous enfuir, nous avons perdu quelque chose. Enfin, Paddy a perdu quelque chose : son portefeuille. Le meurtrier nous a écrit pour nous menacer de remettre le portefeuille à la police si nous parlions de la photo à qui que ce soit. Selon lui, le portefeuille nous aurait aussi sec transformés en coupables. Pas plus tard qu'aujourd'hui, j'ai encore reçu une lettre...

Izzie présentait deux lettres à Grace : une récente, et une autre jaunie.

— J'ai aussi quelque chose pour vous. Je pense qu'il s'agit du journal intime de Charlotte.

Grace considérait cet amas de pièces à conviction, et en particulier les feuillets du journal.

« *Quelle idiote. Pourquoi faut-il que je sois si naïve ? Les gens mentent et trichent tout le temps. La déception de ce soir au Country Club, c'était trop.* »

— Pourquoi me donnez-vous tout ça à moi, Izzie ?

— L'heure est venue de laisser agir le destin. J'ai vécu trop longtemps avec ce secret. Et comme vous avez pu vous en rendre compte, je ne vais pas bien. Même si la police venait à m'accuser, je ne pourrirais pas longtemps en prison. Il ne me reste guère de temps à vivre. Quand je serai devant le Créateur, je n'ai pas envie de L'entendre me demander pourquoi je n'ai pas dit ce que je savais.

— Vous pourriez aller le dire à la police.

Grace regardait toujours les documents étalés sur la table.

— J'ai pensé que je pouvais faire d'une pierre deux coups. Dire ce que je sais pourrait être une façon de vous aider. Vous avez là de quoi impressionner vos patrons. Vous avez été bonne avec moi. Disons que je vous renvoie l'ascenseur.

— Honnêtement, Izzie, c'est à la police qu'il faut remettre ces pièces à conviction.

Grace s'exprimait d'un ton inflexible. Elle ne se sentait pas préparée à conserver des documents de cette importance alors que le meurtrier courait toujours.

— C'est à vous de voir, ma chère, reprit la femme de chambre. Faites comme vous voudrez. Moi, je suis trop fatiguée pour m'en occuper.

Grace jeta un coup d'œil à la pendule. Il n'était que 21 heures. L'inspecteur Manzorella devait encore être aux Ormes. Le mieux était de lui apporter sur-le-champ la photo et les copies du journal ; de lui raconter aussi l'histoire d'Izzie.

« *La déception de ce soir au Country Club, c'était trop...* » Grace relisait le journal de Charlotte. Que s'était-il passé à cette soirée de bienfaisance ? Qu'était-il arrivé avant que Charlotte ne disparaisse ? D'après Rusty, elle regardait une photo qui la bouleversait. La réponse, à n'en point douter, figurait sur le cliché d'Izzie.

— Je vais aller tout de suite remettre ces éléments à la police, dit-elle. Je pense qu'il n'y a pas de temps à perdre.

— Je sais que vous ferez pour le mieux.

Grace se tourna vers Lucy toujours enfouie dans son fauteuil. Pouvait-elle emmener sa fille avec elle ? Comme lisant dans ses pensées, Izzie reprit :

— Je peux rester avec la petite, si vous voulez. Moi, ça ne me dérange pas.

Mais Lucy, qui avait écouté toute la conversation, était tout excitée à l'idée d'un suspense surgissant dans la vraie vie.

— Pas question de rester ici, maman, je viens avec toi.

*

Grace et Lucy se mirent en route pour les Ormes, mais avant de quitter l'hôtel, elles passèrent par la salle de rédaction. Grace alla tout droit à l'étagère des vidéos. Elle y trouva le reportage tourné par la chaîne locale lors de la première soirée donnée par l'Association pour la sauvegarde des oiseaux en danger. Grace demanda à un technicien de la mettre dans le lecteur.

C'étaient bien les images qu'elle avait visionnées avec B.J. quelques jours plus tôt, mais elles prenaient une tout autre signification à présent. Certains visages – alors plus jeunes – lui étaient désormais connus. Le professeur Cox avait les cheveux noirs. Kyle Seaton, lui, avait encore des cheveux. Tous deux étaient en smoking. Et ce serveur, n'était-ce pas Mickey ?

Grace cligna des yeux, puis sourit. Même l'inspecteur Manzorella était là, vêtu d'un blazer bleu. Il se servait d'un talkie-walkie. Sans doute s'occupait-il de la sécurité...

— Tu viens, maman ? Je m'ennuie.

— J'en ai encore pour une minute, chérie. C'est important.

Les invités dansaient. On reconnaissait Charlotte, Oliver, Elsa Gravell. La vidéo était finie. Grace se tourna vers le technicien :

— Vous n'auriez pas une loupe, par hasard ?

— Non. Mais mes lunettes ont des verres sacrément forts. Alors, si vous voulez essayer...

Il lui tendait ses lunettes.

Grace promena les verres grossissants sur le cliché d'Izzie. À présent qu'elle avait visionné ce reportage, deux détails lui parurent importants.

912

123

En route pour les Ormes, Grace s'efforça de contenir l'enthousiasme de sa fille.

— Ce n'est pas un jeu, chérie. On n'est pas en train de jouer aux gendarmes et aux voleurs. Il y a des gens qui sont morts pour de bon.

— Je sais, maman. Mais c'est trop géant d'être dans une histoire comme à la télé.

— Ce n'est pas géant, Lucy. C'est dangereux.

Le ton employé par Grace était des plus fermes.

— Quand on sera arrivées, il faudra que tu restes où je te dirai, et que tu n'en bouges plus. Pas question d'aller te promener. Les risques sont trop grands. Je ne veux pas que tu sois mêlée à tout ça.

— Je pourrai au moins aller voir le tunnel ? C'est bien la maison avec le tunnel, non ?

Lucy était résolue à tirer le meilleur parti de cette aventure inattendue.

— On verra, chérie. Si on a le temps. Mais n'y compte pas trop ce soir.

*

Où caser Lucy ? Grace cherchait un endroit où l'enfant serait en sécurité, où personne ne risquait de venir l'importuner. Elle ne pouvait tout de même pas la laisser vagabonder à son gré clans la fête ! Il ne serait pas convenable non plus de l'avoir auprès d'elle pendant son entretien avec l'inspecteur. Il y avait bien le camion satellite, mais Grace pouvait-elle décemment demander à

Scott Huffman de jouer les baby-sitters ? Cette option fut promptement écartée.

— Pourquoi je n'irais pas avec papa et Jeanne ? suggéra Lucy.

Grace n'en avait guère envie, mais elle y consentit car, après réflexion, c'était la meilleure des solutions. Frank, après tout, était son père.

— D'accord, dit Grace. Je les vois. Ils sont là-bas...

Elle pointait le doigt vers l'extrémité de la pelouse, un peu plus bas.

— Vas-y, Lucy. Je ne te quitte pas des yeux jusqu'à ce que tu sois avec eux.

124

Grace prit le chemin de la tente, essayant de repérer parmi tous ces visages celui qu'elle cherchait. Les gens s'amusaient et dansaient sous des nuées d'oiseaux blancs projetés sur le plafond. Pas de signe de l'inspecteur Manzorella. Ni sous la tente ni ailleurs.

Sans doute était-il déjà parti. Grace décida de l'appeler. Elle sortait de la tente avec l'intention d'aller emprunter son téléphone à B.J. quand elle aperçut Kyle Seaton. Rien d'étonnant, songea-t-elle. Nombre de ses bons clients devaient se trouver ici, au sein de la bonne société. Cela dit, il était seul. Elle s'approcha de lui et attaqua la conversation par ces mots :

— J'ai essayé votre test. Aujourd'hui-même.

— Je vous demande pardon ?

— Le test avec la lime en carton, vous savez.

— Ah ! bien sûr, dit-il avec répugnance. Et pourquoi donc avez-vous fait cela ? Pour tester une de ces cochonneries vendues dans les boutiques de souvenirs ?

— Non. J'ai essayé sur une belle pièce. Un presse-papier. Un objet que m'a donné Oliver Sloane, et qui venait de sa propre collection.

Grace avait lâché sa petite bombe en étudiant la réaction du spécialiste. Elle ajouta :

— C'est drôle, ça ne sentait pas du tout l'os brûlé. Ça sentait le plastique.

Kyle se tut.

Grace s'excusa, et poursuivit son chemin.

125

Le professeur Cox dansait avec une de ses jeunes collègues, mais son esprit était occupé par des méditations anthropologiques. Dans l'espèce humaine, songeait-il, les femelles ne semblaient pas se soucier de l'âge de leur partenaire. Et même, dans bien des cas, elles allaient jusqu'à rechercher des partenaires plus âgés. Chez les mâles, c'était exactement l'inverse. Gordon, pour sa part, ne trouvait rien à redire à cette réalité. Son problème, c'était sa douleur au genou. Il s'efforçait de l'oublier grâce à sa compagne de ce soir, une assistante de la fac du nom de Susie Gonzalez.

Gordon était également déçu par son expérience avec Key News. Il attendait maintenant d'encaisser son gros chèque et de dire adieu à ces gens. Si la chaîne faisait de nouveau appel à lui cet automne, comme il en avait été question, il n'était pas sûr de répondre oui. Certes, l'argent était une chose importante, mais son rêve aussi.

Gordon avait consacré des années de son existence à obtenir l'ouverture du tunnel aux esclaves. C'était sa quête. Un but auquel il ne renoncerait jamais.

126

B.J. vit Grace et, aussitôt, son visage s'éclaira de joie.

— Tu es revenue ?

— Obligée, répondit-elle.

Elle tira les documents de son sac.

— Cherchons un endroit mieux éclairé, dit-elle. Je voudrais te montrer quelque chose.

Ils pénétrèrent dans la maison par l'entrée de service. Un couloir les mena à une salle où l'Association mettait en vente des objets au bénéfice des espèces en danger. La pièce était envahie par tout un bric-à-brac, mais Grace repéra au fond une table libre. Elle y étala les lettres, les photocopies du journal intime et la photo. Et elle fit à B.J. le récit de sa conversation avec Izzie.

— Il n'y a pas grand-chose à voir sur cette photo, dit B.J.

— Regarde mieux.

Elle ajouta :

— La main de cet homme, là, en train de caresser le dos de la femme...

— Mm...

— Si tu avais une loupe, tu distinguerais les boutons de manchette. Des boutons en forme de cadran solaire. Le même cadran solaire que dans le jardin de Shepherd's Point. Le même motif que les boucles d'oreilles de Charlotte Sloane...

Grace se tut quelques secondes, puis conclut :

— Oliver Sloane porte ce soir des boutons de manchette identiques.

— Comment as-tu appris tout ça ?

— C'est une longue histoire, B.J., se hâta de répondre Grace. Si tu ne me crois pas, tu sors, tu vas voir Oliver Sloane et tu vérifies toi-même.

— Je te crois. Bien sûr, que je te crois.

Il examinait de nouveau le cliché.

— D'accord, dit-il. Ce bouton de manchette appartient à Oliver Sloane. Ça ne veut pas dire qu'il a tué sa femme.

— C'est vrai, admit Grace. Mais c'est son épouse qui est à la tribune. Par conséquent, c'est le dos d'une autre femme qu'il est en train de caresser.

B.J. sourit.

— Bon, Oliver a déconné. Ça non plus ça ne fait pas de lui un assassin. On peut divorcer facilement. Il n'avait pas besoin de tuer Charlotte...

— Je sais qui est l'autre femme.

B.J. attendait la suite.

— Maintenant, reprit-elle, regarde le bas de cette robe, là...

— Oui...

— J'ai visionné la vidéo qui a été tournée à la soirée de bienfaisance il y a quatorze ans. La femme qui porte cette robe s'appelle Elsa Gravell.

— La même Elsa Gravell qui préside la soirée aujourd'hui ? Exactement. C'était la meilleure amie de Charlotte.

B.J. haussa les épaules.

— Admettons qu'Elsa et Oliver soient des traîtres, dit-il. Ça ne prouve toujours rien. En plus, il est difficile d'imaginer qu'Oliver soit allé jusqu'à éliminer sa propre fille. Si tant est que la mort de Maud soit un meurtre.

— Je continue de penser que je devrais aller parler de tout ça avec la police. Je peux emprunter ton téléphone, s'il te plaît ?

Mais ils étaient dans une maison dont les murs épais empêchaient les communications de passer. Grace dut sortir pour téléphoner.

*

Elle alla sous le dais de feuillage composer le numéro de la police.

— L'inspecteur Manzorella est à l'extérieur.

— Ce que j'ai à lui dire est très important.

— Je peux prendre un message.

Grace hésita. Mais elle avait besoin de se libérer de ces informations.

— D'accord, dit-elle. Dites-lui que Grace Callahan a appelé. Je suis en possession d'une photo ancienne qui pourrait l'aider à identifier l'assassin de Charlotte Sloane. Je vais vous donner le numéro de mon biper.

127

À l'hôpital, l'inspecteur Manzorella fut prévenu par l'infirmière :

— Il n'a pas les idées complètement nettes. Il ne se souvient plus de grand-chose. Juste qu'il est allé aux Breakers. Après, il ne sait plus... Il ne se souvient pas d'avoir été frappé à la tête. Encore moins de la personne qui l'aurait attaqué.

— Vous croyez que ça va lui revenir ? demanda l'inspecteur sans cacher son impatience.

— Difficile à dire. Il y a un blocage. Le patient se protège.

Voilà qui est peu concluant, songea Al Manzorella. Et guère satisfaisant.

— Je veux le voir, dit-il.

128

Lauren Adams s'était enfin décidée à interrompre ses mondanités pour réaliser quelques interviews. Elsa Gravell avait dit devant la caméra de B.J. combien il importait de sauver les oiseaux menacés dans l'État de Rhode Island. B.J. avait tourné également des images des serveurs présentant aux invités les plats somptueux de la maison Seasons Catering. Mickey Hager, le restaurateur, apparaissait lui-même dans le reportage, fier de sa prestation.

Pourtant, B.J. estima qu'il valait la peine de faire deux ou trois interviews supplémentaires avant de rentrer au

Viking monter les vidéos. Le hasard voulut qu'il tombe sur Frank Callahan et Jeanne. Il leur demanda s'ils voulaient bien répondre à quelques questions de Lauren Adams. Leur réponse fut un oui enthousiaste.

— C'est pour l'émission de demain ? voulut savoir Jeanne.

— Oui, confirma B.J. Mais je ne peux pas vous garantir que votre séquence sera prise.

— Pourvu qu'ils la prennent ! dit Jeanne en faisant la moue.

Frank s'empressa d'intervenir :

— Vous savez, mon ex-femme travaille dans votre émission. Grace Callahan. Elle a de l'influence ?

B.J. accepta aussitôt d'accorder plus d'attention au sujet. Il considéra brièvement la musculature de son interlocuteur. Ainsi, c'était l'homme que Grace avait choisi pour partager sa vie et avoir un enfant. Physiquement parlant, il produisait un certain effet. Mais cela ne le rendait pas aimable pour autant, estima B.J. Il reconnut la fillette qui était avec eux : c'était la fille de Grace, il l'avait vue l'autre jour dans la salle de rédaction. Elle ressemblait beaucoup à sa maman, même si les gènes du père n'étaient pas absents...

— Elle a beaucoup plus d'influence que vous ne l'imaginez, répondit B.J.

*

Quand le journaliste pria Frank et Jeanne de lui préciser l'orthographe de leurs noms, au cas où la séquence serait retenue, Lucy commença à s'ennuyer ferme ; et lorsque les adultes s'absorbent dans leurs affaires, les enfants n'ont aucun mal à leur fausser compagnie.

129

— On ne pourrait pas rentrer, Elsa ? J'en ai assez.

— Mais je préside la soirée, Oliver ! Je suis obligée de rester jusqu'à la fin.

— Dans ce cas, reprit-il fermement, je m'en vais. Je te renverrai la voiture.

Elsa fixait des yeux le visage tendu de l'homme qu'elle aimait. Il s'était montré courageux en acceptant de venir. Elle ne pouvait pas le laisser tomber.

— Non, chéri, dit-elle. Ne fais pas cela. Je vais partir avec toi. Donne-moi quelques minutes. Va m'attendre à la voiture. Je dis au revoir et j'arrive.

130

L'inspecteur Manzorella engueula la standardiste pour ne pas lui avoir communiqué plus tôt le message de Grace Callahan. En route pour regagner les Ormes, il composa le numéro du biper. Si cette femme était réellement en possession d'un indice, il n'était pas question d'attendre le lendemain pour lui parler.

131

La soirée touchait à sa fin. Grace regardait les groupes d'invités descendre vers la maison, puis regagner les voitures. B.J. réglait quelques ultimes détails avec les techniciens du camion satellite. Lauren était plongée dans une conversation avec un séduisant convive appartenant à l'espèce masculine.

Grace faisait demi-tour pour se mettre en quête de sa fille quand son biper sonna. Elle prit l'appareil. L'écran afficha un numéro. Comme elle avait gardé le téléphone de B.J., elle l'ouvrit et composa le numéro en question.

— Manzorella, dit une voix grave.

— Ah, c'est vous, inspecteur. Formidable.

— Qu'est-ce qui se passe ? La standardiste m'a transmis votre message. Une photo ancienne, c'est ça ?

— Prise au Country Club le soir où Charlotte Sloane a disparu. Je l'ai comparée avec une vidéo tournée à la soirée de bienfaisance. Je pense qu'en jouant sur les deux éléments on devrait parvenir à identifier le meurtrier de Charlotte.

— Où êtes-vous ? reprit-il d'un ton pressé.

— Toujours aux Ormes. En haut. Près de l'entrée de service.

— Je serai là dans quelques minutes, Grace. Ne bougez pas.

132

Incroyable, la désinvolture avec laquelle les gens se servaient de leur téléphone portable ! Ils n'hésitaient pas à avoir des conversations privées dans des lieux publics où l'on pouvait tout entendre. Sans en perdre une miette !

Mickey se trouvait près du dais couvert de branchages sous lequel on passait pour gagner l'entrée de service. Ce soir, il avait triomphé. Le Bal bleu resterait dans les mémoires comme un succès. Plusieurs invités lui avaient demandé sa carte. On lui avait présenté des compliments. On l'avait interrogé sur ses disponibilités dans les semaines à venir. Elsa Gravell était si contente qu'elle le retenait déjà pour l'année prochaine.

Bref, il aurait dû se sentir sur un nuage. Or ce n'était pas le cas. Il était déprimé. Son histoire avec Charlotte Sloane le tourmentait toujours. Il n'arrivait pas à ne plus y penser.

Le grand succès de la soirée avait pour lui un goût amer.

133

Quelque chose ne tournait pas rond.

Alors qu'elle attendait l'inspecteur Manzorella, Grace avait aperçu Frank et Jeanne. Ils traversaient la pelouse. Et Lucy n'était pas avec eux.

Elle les rattrapa.

— Frank ! Où est Lucy ?

Son ex-mari était embarrassé.

— Elle n'est pas avec toi ? Je croyais qu'elle était allée te retrouver...

— Mais non ! Bon Dieu, Frank... Tu devais la surveiller !

Elle l'aurait giflé !

*

— Un problème ?

C'était l'inspecteur, essoufflé et faisant l'effort de n'en rien laisser paraître. Il avait dû courir depuis le parking. Grace fut soulagée de le voir.

— Ma fille a disparu.

— *Notre* fille, rectifia Frank.

Et, s'adressant à son ex-épouse :

— Arrête donc de dramatiser. Lucy n'a pas disparu. Elle est là, quelque part, sûrement en train d'explorer les lieux.

— Je l'espère pour toi, Frank, répliqua Grace en maîtrisant comme elle pouvait un accès de rage intérieure. Si jamais...

Sa voix dérapa. Grace ne put formuler le genre de malheur auquel elle pensait.

Inutile de perdre du temps à se chamailler.

Il fallait retrouver Lucy.

*

Ayant enrôlé B.J., et même Lauren, ils se déployèrent pour fouiller la propriété. Grace écoutait son instinct, et son instinct lui disait qu'il fallait chercher du côté de la maison. Lucy était forcément curieuse de visiter une demeure de ce genre. Le tunnel aussi l'attirait. En même temps, le domaine était vaste, semé de plantations généreuses et d'endroits où se cacher. Dans le pire des scénarios, il offrait à un assassin mille recoins où dissimuler le corps d'une enfant.

Autrement dit, il fallait passer la propriété au peigne fin. Ce qui exigeait des renforts.

L'inspecteur Manzorella semblait avoir deviné les pensées de Grace. Elle fut rassurée de voir qu'il prenait la situation en main et distribuait les tâches avec efficacité, en expliquant à chacun où porter son attention.

— Je vais demander qu'on nous envoie du monde, dit-il. Ne vous en faites pas. Nous allons retrouver votre fille.

*

Elle les entendait crier son prénom.

D'un coup d'œil jeté par-dessus le balcon du troisième étage, elle les vit qui se répandaient aux quatre coins du domaine, et fouillaient activement les buissons qui bordaient la pelouse.

— Lucy ! Lucy !

C'était la voix de son père.

Bon sang. Elle s'était fourrée dans un sacré pétrin. Tout ça parce qu'elle avait eu envie de voir à quoi ressemblait la maison ! Ensuite, elle s'était amusée comme une folle à grimper dans les étages et à glisser son nez dans toutes les chambres en faisant comme si elle était chez elle, comme si elle était la fille de parents richissimes, comme si elle avait plein de domestiques à son service pour lui faire son lit et tout ce qu'elle voulait.

Jamais elle n'aurait imaginé que l'affaire prendrait cette tournure.

Maman va être dans tous ses états.

On lui avait demandé de rester avec son père, et elle avait désobéi. Maintenant, le mieux était sans doute de rester cachée : ainsi, quand on la retrouverait, le soulagement l'emporterait sur la colère.

Lucy s'accroupit derrière la barrière et décida d'attendre.

134

Quelqu'un pénétra dans la maison après Grace, en prenant soin de garder avec elle une distance de sécurité. Dans la cuisine, les couteaux du restaurateur reposaient sur une table, prêts à l'usage.

*

Grace s'avança dans la vaste buanderie. Ses talons claquaient sur le carrelage. Elle serrait son sac entre ses mains, dans l'espoir d'entendre résonner son biper, et d'apprendre que l'on avait retrouvé Lucy. Au fond de la salle, elle découvrit un escalier qui descendait vers la chaudière. Elle s'arrêta. Elle avait senti un mouvement dans son dos. Elle jeta un coup d'œil par-dessus son épaule. Personne.

Ses chaussures neuves la torturaient. Elle commençait à avoir des ampoules. Elle décida de les enlever. Elle descendit les marches pieds nus, et gagna directement l'entrée du tunnel. Le wagonnet qui servait jadis à transporter le charbon était toujours là, et le souterrain était toujours éclairé par d'avares ampoules suspendues aux murs de brique.

— Lucy ! Lucy !

Pas de réponse. Grace sentit son cœur s'effondrer. Elle avait caressé l'espoir que sa fille serait ici.

Mon Dieu, faites qu'il ne lui soit rien arrivé.

Accablée, elle fit demi-tour. Elle remonta l'escalier.

Mais en haut des marches, une silhouette menaçante lui bloquait le passage.

*

Frank était maintenant gagné par l'inquiétude. Il n'osait penser à ce qu'il adviendrait s'il était arrivé un malheur à sa fille.

Mais Lucy n'était-elle pas tout simplement allée dormir dans la voiture sur le parking ? Il jugea que cela valait la peine de s'en assurer,

Il descendit en courant l'allée de gravier. Au passage, il remarqua la présence d'une voiture sombre équipée d'une plaque personnalisée, mais n'y prêta pas attention. SEANNA.

*

— Mon Dieu, inspecteur... Vous m'avez fait peur.

Grace avait encore la main sur son cœur battant.

— Vous avez trouvé quelque chose ?

Il commença à descendre les marches sans lâcher la balustrade.

— Non, répondit Grace. Elle n'est pas là.

Pourquoi continuait-il à descendre ? Pourquoi ne faisait-il pas demi-tour ? Il fallait continuer les recherches. Retrouver Lucy...

— J'ai vraiment besoin de cette photo, Grace.

— Bien sûr. Je vais vous la donner. Sans problème. Mais on ne va pas interrompre les recherches pour ça. Retrouvons d'abord Lucy. Après, je vous ferai part de mes conclusions...

Il ne voyait donc pas où était la priorité ? Il ne comprenait pas qu'elle ne pourrait se concentrer sur rien d'autre tant que sa fille n'aurait pas été retrouvée ?

— Donnez-la-moi, Grace. Donnez-la-moi tout de suite.

Un tel éclat de rage furieuse brillait dans le regard de l'inspecteur que Grace en fut pétrifiée.

*

Tôt ou tard, il faudrait bien se montrer !

Lucy quitta sa cachette. Elle retourna dans la maison. Elle dégringola les volées de marches. Elle traversa la cuisine et sortit par l'entrée de service. Elle prit une grande inspiration.

*

— Vous n'avez pas demandé de renforts, n'est-ce pas ? murmura Grace.

Manzorella venait de faire passer son couteau de la main gauche à la main droite.

Il avança d'un pas. Grace s'adossa au wagonnet et essaya de crier. Mais l'inspecteur lui couvrit la bouche, et approcha la lame de son cou.

— Vous n'auriez pas dû vous mêler de ça, Grace.

Il la bâillonnait avec sa paume. Il tenait absolument à découvrir ce qu'elle avait appris ; il fallait qu'il sache s'il courait le moindre risque d'être percé à jour une fois qu'il aurait éliminé cette femme.

— Je vais retirer ma main, dit-il. Mais essayez de crier, et je vous tranche la gorge.

Grace approuva d'un signe, en roulant des yeux exorbités.

— Maintenant, dites-moi ce que vous savez.

Si je lui dis tout, il me tuera. Si je refuse de parler, il me tuera aussi. Seule solution : gagner du temps.

— Je sais pour les boucles d'oreilles en forme de cadran solaire, dit-elle. Je sais que la police en a trouvé une dans la robe de Charlotte.

Elle s'abstint de lui dire que l'autre était en possession de Rusty ; inutile d'attirer des ennuis au tatoueur.

— Bien, grommela Manzorella. Ce n'est pas méchant. Quoi d'autre ?

— J'ai aussi lu ce que Charlotte avait écrit avant de mourir dans son journal intime....

Là, Manzorella fut impressionné.

— Où avez-vous trouvé ce journal ?

— Quelqu'un me l'a donné.

— Qui ?

— La même personne qui m'a donné la photo. Vous voyez, inspecteur, je ne suis pas la seule à pouvoir reconstituer le puzzle. Vous feriez mieux de me laisser tranquille...

— Vous me faites rire, Grace. Alors comme ça Izzie O'Malley a fini par la sortir, sa sacrée photo. Elle et son mari l'ont cachée pendant des années. Ils craignaient que le portefeuille ne refasse surface. Ce portefeuille qui les aurait désignés comme coupables. Mais ce n'est pas un problème. Je m'occuperai d'Izzie. Quant au journal, ce n'est pas bien grave non plus. Je l'ai lu et relu. Charlotte en a écrit les dernières lignes avant que j'aille la rejoindre à Shepherd's Point. Rien qui me désigne comme étant l'assassin...

— Pourquoi l'avez-vous tuée ?

Il pouvait lui répondre, puisqu'elle ne parlerait plus.

— Je n'avais pas l'intention de la tuer. Je l'aimais. Et je savais que nous aurions pu vivre heureux ensemble dans un monde régi par autre chose que le rang social et la fortune.

— C'est notre monde, inspecteur.

— Charlotte pensait comme vous. Et c'est là qu'était le problème. Elle ne voulait même pas envisager de quitter son mari. Cet homme qui la trompait. Dont elle ne pouvait douter de l'infidélité puisqu'elle en avait la preuve ! J'avais vu ce qui se passait au Country Club. Oliver en train de caresser Elsa Gravell, à l'insu de Charlotte, croyaient-ils tous les deux. J'ai pensé que je tenais ma chance. J'ai téléphoné à Seaview : personne ne décrochait. Alors j'ai appelé Shepherd's Point. Et j'y suis allé après mon service. Il fallait que je dise à Charlotte que je l'aimais, que je l'aimerais toujours. Je l'ai implorée de quitter Oliver pour moi. Elle m'a repoussé avec mépris. Alors je l'ai frappée. C'est aussi simple que ça.

L'inspecteur releva les yeux.

Grace sentit le froid de la lame sur son cou, et pria pour qu'il ne frappe pas une nouvelle fois.

— Mais Maud... Pourquoi ?

— J'ai surpris votre conversation chez les Vickers. Maud s'approchait un peu trop de la vérité. Elle allait finir par se rappeler qu'elle m'avait vu au portail de Shepherd's Point. Je ne voulais pas courir ce risque...

— Après, vous avez appris que Sam allait dire ce qu'il avait vu. Et vous avez essayé de vous débarrasser de lui aussi.

— Exact. C'est alors que cette idiote de Zoé Quigley a mis les pieds dans le plat. Elle devait disparaître également. Les dominos, Grace. Les dominos : votre propre expression.

— Et la plaque de votre voiture ?

— Zoé était la seule à savoir. À part vous et moi.

Grace savait où conduisait tout cela. Manzorella était en train de s'assurer qu'elle ne partirait pas en laissant traîner derrière elle des indices susceptibles de le compromettre. Quand il aurait fini de la cuisiner, il la tuerait.

*

Autour de Lucy, c'était le soulagement. On écoutait la fillette donner son explication de ce qui était arrivé. Elle avait eu peur de se faire gronder ; et personne ne songeait à le faire.

— Où est ma maman ? demanda-t-elle.

Elle savait qu'il ne lui restait plus qu'à affronter le verdict de Grace.

— Bonne question, répondit B.J. Elle est sûrement à l'intérieur. Elle te cherche. On va l'appeler sur son biper.

B.J. composa le message suivant : « Lucy retrouvée. Tout va bien. Entrée de service. »

*

Le biper sonnait au fond de son sac.

— Encore une chose, dit-elle en se cramponnant au fol espoir de s'en sortir, le mouchoir de soie jaune... Je sais qu'on l'a retrouvé aussi dans la robe de Charlotte...

— Ah, oui... Ça, c'est un problème.

Manzorella hochait la tête.

— Je n'ai pas pu le faire disparaître. Il avait déjà été enregistré. Si je l'avais subtilisé, j'aurais risqué d'attirer l'attention sur moi.

— Il y a votre ADN dessus.

— Exact. Mais qui songerait à me soupçonner, à me faire un prélèvement ?

Grace essayait désespérément de trouver autre chose – un détail susceptible d'introduire un doute dans l'esprit de l'inspecteur.

— On vous voit porter ce mouchoir sur la vidéo, dit-elle.

Elle mentait en essayant de n'en rien laisser paraître. Manzorella eut un petit rire.

— La pochette ? On ne la voit pas sur la vidéo, si ?

Il s'empressa d'ajouter :

— Peu importe, de toute façon. Même si c'est le cas, il est hautement improbable que ça intéresse quelqu'un... Non, le seul danger, c'est la photo. Il fallait que je sois

932

devenu fou, ce soir-là, pour la laisser tomber sur le corps de Charlotte. J'aurais dû la détruire. Il y a mes empreintes dessus. Et les empreintes, Grace, ça tient des années sur ce genre de support...

Il plissait les yeux avec une expression menaçante.

— Alors donnez-la-moi. Soyez gentille. Lâchez ce sac.

*

Où Grace était-elle passée ?

Il lui avait laissé un message ; elle aurait dû accourir tout de suite.

Il devait y avoir un problème. Et il fallait que ce soit un gros problème pour que Grace ne se précipite pas auprès de sa fille retrouvée.

B.J. pénétra dans la maison en toute hâte. Il avait toujours sa caméra à l'épaule. Il cria :

— Grace !

Frank lui emboîta le pas avec mauvaise humeur.

*

Grace, d'un seul mouvement, se détacha de l'inspecteur, lui jeta son sac à la figure et se réfugia derrière le wagonnet. Elle songea brièvement à s'enfoncer dans le tunnel pour rejoindre à l'autre extrémité la trappe donnant sur la rue. Mais elle se rappelait ce qu'avait dit le professeur Cox : l'entrée extérieure du tunnel était verrouillée. Impossible de fuir par là.

Mais peut-être arriverait-elle à déclencher l'alarme...

Grace s'enfonça dans le souterrain dont le sol était froid sous ses pieds nus. Elle entendit Manzorella se lancer à ses trousses.

Ayant atteint le bout de la galerie, elle leva les yeux vers la trappe. Elle ne pourrait l'atteindre. Elle jeta autour d'elle des regards désespérés, en quête d'un objet qui puisse lui servir. Le manche d'une pelle dépassait d'un tas de charbon – mise en scène pour l'agrément des touristes qui visitaient le tunnel. Grace s'empara de la pelle, la souleva au-dessus de sa tête et commença à frapper la trappe de fer à double battant.

*

B.J. et Frank pénétraient dans la salle de réception quand l'alarme retentit.

— Ça vient d'en bas ! cria B.J.

Il se remit à courir.

*

Grace sentit la lame s'enfoncer dans son dos. Elle mobilisa toute son énergie pour pivoter sur elle-même. De nouveau elle faisait face à son agresseur. Elle fit tournoyer sa pelle qui heurta Manzorella à la tête. Tous deux s'écroulèrent sur le sol. L'inspecteur avait perdu connaissance.

Grace, qui saignait, surveilla le corps inerte de Manzorella pendant un temps qui lui parut une éternité. Puis elle entendit des voix venues du tunnel. On l'appelait.

Elle accepta de perdre connaissance à son tour.

Épilogue

Elle sentit le contact des lèvres sur son front. Elle souleva doucement les paupières. Des yeux bruns l'observaient avec intensité. Le regard de B.J.

— Quelle heure est-il ? murmura-t-elle, encore étourdie. Ils avaient dû lui administrer des calmants.

— Bientôt 7 heures, répondit B.J. en lui prenant la main.

— Du soir ?

— Du matin.

Elle occupait un lit d'hôpital. En essayant de s'asseoir, elle réveilla brutalement la douleur dans son dos, et les souvenirs qui s'y attachaient. L'inspecteur Manzorella. Le couteau. C'est par erreur qu'elle avait concentré toute son attention sur Oliver et Elsa.

— Doucement, reprit B.J. en l'aidant à se dresser dans le lit. Tu vas bientôt aller mieux, mais fais doucement. Tu as eu de la chance, Grace. Aucun organe vital n'a été touché. Ils disent que tu devrais sortir ce soir. Demain au plus tard.

Grace baissa les yeux vers la chemise froissée de B.J. - celle qu'il portait à la soirée du Bal bleu.

— Où as-tu passé la nuit ? dit-elle.

— Ma foi... Crois-moi si tu veux, mais Linus a confié à quelqu'un d'autre le soin de finir l'enregistrement de Lauren pour la séquence sur le Bal bleu. Il voulait que je reste auprès de toi.

— C'était gentil de sa part.

Elle ajouta :

— Peut-être qu'il a un cœur, en définitive.

— Peut-être. Ou alors il redoute un procès.

Il lui souriait tendrement.

— Je suis heureux que tu ailles bien, Grace. J'ai déjà perdu quelqu'un que j'adorais, et je ne sais pas si je supporterais de revivre l'expérience.

Grace l'interrogea du regard. Il reprit :

— C'est une longue histoire, chérie. Je te raconterai. Nous aurons bientôt du temps devant nous. Assez de temps pour parler de mon passé, et de tout ce que tu voudras.

Il se pencha et lui embrassa les lèvres.

Grace ferma les yeux. Elle l'embrassa à son tour.

Et cette fois, elle ne songea pas à sa blessure.

*

— Lucy... Il faut que j'appelle Lucy.

Elle essayait d'atteindre le téléphone à côté du lit. Soudain la panique s'était emparée d'elle. Quelle affreuse mère elle faisait ! Elle pensait à son nouvel amour avant même de se soucier de sa fille !

— Lucy va bien, Grace. Elle est avec Frank. Ils vont venir tout à l'heure.

De nouveau elle parut interloquée.

— Tu connais Frank ? Je ne t'ai jamais parlé de lui.

— J'ai mes sources, dit-il avec un large sourire.

Il consulta sa montre.

— Tu veux regarder l'émission ?

— Oui.

Avec précaution, elle se cala contre l'oreiller.

*

Constance et Harry ouvrirent l'émission du vendredi en direct des Ormes - non de la pelouse, comme prévu, mais de l'intérieur du tunnel.

— Il semble qu'après quatorze ans de mystère, un crime vienne d'être élucidé ici même, annonça Constance. L'affaire, commencée dans un tunnel, s'achève aussi dans un tunnel, ce souterrain dans lequel nous nous trouvons, sous le domaine des Ormes, une des demeures les plus renommées de Newport.

Tout en écoutant Constance relater les événements, Grace s'émerveilla de l'étonnante vidéo qui passait à l'écran. L'image était sombre, tremblante : le cameraman avait filmé en courant dans la galerie.

— Une exclusivité Key News, poursuivait Constance.

Il y eut un zoom sur le bout du tunnel. Deux silhouettes gisaient à même le sol. Grace frissonna quand elle se reconnut, allongée auprès de l'assassin.

— L'inspecteur Albert Manzorella, quarante-deux ans, a été transporté à l'hôpital après avoir été blessé au cours d'une lutte avec notre collègue Grace Callahan. Tôt ce matin, Manzorella a avoué les meurtres de Charlotte Wagstaff Sloane, de sa fille Maud et de Zoé Quigley, une jeune stagiaire de Key News. Il a également reconnu être l'auteur de l'agression commise à l'encontre de Sam

Watkins, qui se remet actuellement de ses blessures à l'hôpital de Newport...

— Dieu soit loué, murmura Grace.

Mais elle ressentit un malaise à l'idée que le criminel se trouvait dans une chambre voisine.

B.J. se détourna de l'écran et reprit :

— Tu as entendu ? Constance a dit « notre collègue »... Tu as décroché le poste, ma chérie !

*

Le téléphone sonna presque tout de suite après les infos. C'était son père, au bord de la panique.

— Je vais bien, papa. Tu n'as aucun souci à te faire.

— Je saute dans ma voiture et j'arrive...

— Mais il n'y a pas de raison !

— Je serai à Newport pour l'heure du déjeuner.

Grace raccrocha le combiné. Elle avait eu beau protester, elle n'était pas fâchée d'avoir tout à l'heure son père auprès d'elle. Et maintenant qu'elle disposait d'un moyen de pression sur Frank, elle arriverait peut-être à récupérer sa fille plus tôt que prévu. Alors ils rentreraient tous ensemble dans le New Jersey – avec B.J. s'il voulait bien.

*

Pendant que B.J. descendait à la cafétéria leur chercher quelque chose de bon à manger, une interne vint examiner la patiente. C'était confirmé : Grace sortirait le jour même, et n'aurait plus qu'à se faire suivre par son propre médecin.

938

Une infirmière entra à son tour. Elle apportait un peigne, des serviettes de toilette, une brosse à dents. Grace, d'un pas mal assuré, prit la direction de la petite salle de bains. Quand elle en ressortit, elle trouva Oliver Sloane dans la chambre, assis dans un fauteuil, un bouquet de roses jaunes sur les genoux. Il se leva aussitôt.

— Oh, Grace... Dieu soit loué, vous allez bien.

Grace répondit d'un sourire. Cet homme venu lui rendre visite avait traversé tant d'épreuves, et tant perdu tout au long de sa vie !

— Oui, je vais bien, monsieur Sloane. Les médecins ne sont pas inquiets.

— Je tenais à vous remercier, Grace. Pour tout ce que vous avez fait. Sans vous, Manzorella s'en serait tiré.

— Je ne sais pas, dit-elle. La police aurait peut-être fini par découvrir la vérité, tôt ou tard.

Oliver fit la grimace.

— Peut-être, ou peut-être pas. Ils n'ont pas réussi à découvrir grand-chose en quatorze ans. Pourquoi auraient-ils fait mieux désormais ?

Il ne cherchait pas à dissimuler son amertume.

Grace avait pitié de lui. Il avait perdu son épouse et sa fille. L'assassin était un rival qui avait essayé de lui prendre sa femme. À lui qui était infidèle. Tandis que Charlotte faisait tout ce qu'elle pouvait pour sauver leur mariage... Oliver allait devoir vivre maintenant avec sur le cœur le poids de la culpabilité.

Il lui tendit les fleurs. Elle le remercia. Il s'apprêtait à sortir quand elle le retint :

— Il y a quelque chose que j'hésitais à vous dire... Mais je crois qu'il faut que vous le sachiez. Le presse-papier en ivoire...

— Oui ?

— C'est un faux, monsieur Sloane.

— Je ne comprends pas.

— Je l'ai soumis à un test. C'est du plastique.

— Comment est-ce possible ? Je l'ai acheté chez Kyle Seaton... Kyle a une excellente réputation.

— Je ne sais pas, monsieur Sloane. Mais à votre place, je ferais tester toute votre collection.

*

Le personnel de l'hôpital autorisa la petite Lucy à venir voir sa mère. Au début, la fillette adopta une attitude solennelle et craintive. Mais elle ne tarda pas à se détendre : sa maman allait bien, et c'était rassurant. Elle était dans la chambre depuis moins d'un quart d'heure qu'elle s'emparait déjà de la télécommande pour zapper sur les chaînes, en quête de sa série préférée.

— Tu aimes « Law & Order ? voulut savoir B.J.

— J'adore « Law & Order ».

— Moi aussi.

Lucy posa sur lui un regard chargé d'intérêt, l'air de songer qu'il gagnait peut-être à être connu, finalement. Elle allait y réfléchir. En tout cas, ce dont elle était sûre, c'est que sa mère n'avait pas du tout l'air d'une malade, bien qu'elle fût dans un lit d'hôpital.

En fait, elle avait l'air heureuse, sa maman. Parfaitement heureuse.

Composition et mise en pages réalisées
par IND - 39100 Brevans

Achevé d'imprimer par N.I.I.A.G.
en septembre 2011
pour le compte de France Loisirs, Paris

N° d'éditeur : 65570
Dépôt légal : juin 2011
Imprimé en Italie